I libri di Bruno Vespa

Bruno Vespa

SOLI AL COMANDO

*Da Stalin a Renzi, da Mussolini a Berlusconi,
da Hitler a Grillo. Storia, amori, errori*

MONDADORI

⛰ librimondadori.it
anobii.com

Soli al comando
di Bruno Vespa
Collezione I libri di Bruno Vespa

ISBN 978-88-04-68178-6

© 2017 RAI, Radiotelevisione italiana, Roma
Mondadori Libri S.p.A., Milano
I edizione ottobre 2017

Indice

Soli al comando

*Ai miei figli, perché sappiano sempre riconoscere
i propri limiti*

Non son più re, son Dio!
Nabucco, atto II
(musica di Giuseppe Verdi,
libretto di Temistocle Solera)

Gli uomini investiti di grande responsabilità sono
quasi estranei a loro stessi. Sono gli ultimi a capire
i propri torti.
FRANCESCO BACONE

Questo libro

I leader politici hanno quasi sempre l'occhio più lungo dei cittadini comuni. Ma, a un certo punto della loro vita, spesso il potere li rende miopi, se non addirittura ciechi. E compiono errori che nessun cittadino comune farebbe.

Come poteva immaginare Hitler di vincere contemporaneamente contro inglesi e americani a Ovest e contro i russi a Est? E Mussolini? Se avesse visto l'elenco telefonico di New York, disse Leo Longanesi, non sarebbe entrato in guerra. E come gli saltò in mente di andare in Russia con scarpe che si bagnavano come sandali da spiaggia? Roosevelt aveva capito poco Stalin e con lui scambiava battutacce alle spalle di Churchill che, invece, gli tirava la giacca. Anche Churchill, genio assoluto, abilissimo come voltagabbana, commise nella prima guerra mondiale errori formidabili. Stalin diceva che un morto è un morto e un milione di morti è una statistica. Ebbene, oltre ai 20 milioni di contadini che si porta sulla coscienza, ha mandato a morire centinaia di migliaia di uomini per la sua riconosciuta incompetenza militare.

Se non fosse stato ucciso a Dallas, John F. Kennedy avrebbe dovuto lottare per ottenere il secondo mandato: la complicità della stampa sulla sua incredibile bulimia sessuale non sarebbe durata a lungo sotto il tiro degli avversari. Fidel Castro ha mantenuto dritta la barra della rivoluzione, ma ha condannato il suo popolo al sottosviluppo. Reagan sbagliò la politica economica del primo mandato. La Thatcher – che rivoluzionò l'Inghilterra, anche a beneficio dei posteri – fu messa alla porta dai suoi per un incontenibile delirio di onnipotenza.

«Ce la faremo» disse nel 2015 Angela Merkel, padrona di Germania e d'Europa, accogliendo un milione di profughi. È stata rieletta per la quarta volta, ma la politica sull'immigrazione l'ha molto indebolita. Putin finora non ha sbagliato un colpo. È un tiratore scelto: continuerà così? Xi Jinping è ormai seduto accanto a Mao nel pantheon cinese. Se non commette errori, sarà presto l'uomo più potente del mondo.

Trump guida un aereo in turbolenza perpetua: saprà mantenere la rotta? E il suo arrogante competitore nordcoreano Kim Jong-un riuscirà a tenere lontana la mano dal codice dell'esplosione nucleare definitiva?

In Italia, Fanfani è caduto sempre per eccesso di potere, Andreotti per aver sottovalutato il peso delle amicizie siciliane. Moro e Berlinguer, se non fossero morti in circostanze tragica il primo e drammatica il secondo, avrebbero conosciuto una forte decadenza politica: Moro voleva consegnarsi ai comunisti, Berlinguer (vedi il sostegno all'occupazione della Fiat) non aveva capito che anche il suo partito avrebbe dovuto confrontarsi con un mondo diverso.

Craxi cadde per non aver compreso che la corruzione politica aveva raggiunto livelli intollerabili. Berlusconi per non aver capito che la vita privata di un presidente del Consiglio non può eccedere certi limiti. Renzi ha voluto troppo e subito. Grillo spera che il paese, in odio agli altri partiti, si fidi ancora di un'associazione dominata da un vertice privato.

Soli al comando racconta 28 personaggi, 16 stranieri e 12 italiani. E, attraverso di essi, un secolo di storia mondiale. Li racconta come leader e anche come uomini: i pregi, i tratti di genio, la miopia, le debolezze, gli errori, i sogni, gli amori.

Se il lettore che ci segue da anni avrà la consueta pazienza, forse dopo riguarderà alla storia con occhi diversi.

B.V.

Roma, 30 ottobre 2017

I GRANDI DITTATORI

La resistibile ascesa di Adolf Hitler

«Ricorda quel che serve, dimentica il resto»

«Mi si offriva per la prima volta l'opportunità di parlare davanti a grandi assemblee e verificai così ciò che avevo sempre presentito nel mio cuore senza saperlo chiaramente: sapevo parlare.» Così Adolf Hitler ricorda in *Mein Leben* il suo debutto come oratore politico. Era l'agosto 1919, aveva 30 anni e da sette si era trasferito da Vienna a Monaco. Militava nella formazione che nella guerra civile tedesca successiva al primo conflitto mondiale aveva unito l'esercito regolare bavarese e le milizie controrivoluzionarie per annientare l'Armata rossa di Eugen Levine. Finita la Grande Guerra e il regno di Baviera, i comunisti tedeschi avevano creato una repubblica sovietica bavarese sulla falsariga di quella russa. Durò pochi mesi. In attesa del ritorno del governo legittimo, Monaco ebbe per qualche tempo un regime militare. Furono istituiti corsi di anticomunismo, e Hitler rivelò subito sorprendenti doti carismatiche.

La Germania era in ginocchio. Hitler si improvvisò portavoce – il più credibile, il più brillante – di milioni di tedeschi convinti che la sconfitta non fosse militare ma politica. La «pugnalata alla schiena» era opera di «traditori interni, criminali e giudei» che avevano venduto il paese a inglesi e francesi. Ne sarebbe stato la prova il pesantissimo trattato di Versailles, con danni di guerra che la Germania non avrebbe mai potuto ripagare. Cominciò così la sua tragica carriera, che nel 1933 lo avrebbe portato a conquistare il potere assoluto: sarebbero seguiti dodici anni di delirio e la distruzione dell'Europa, con 71 milioni di morti di cui almeno 6 milioni ebrei. Ma Hitler, come vedremo, fu sostenuto da un consenso enorme, non agì da solo e, soprattutto, non era pazzo.

Niente nella giovinezza di Hitler ne avrebbe fatto immaginare il futuro. Non si seppe mai chi fosse il padre di suo padre Alois, nato da una domestica nubile di 42 anni, Maria Schicklgruber, che aveva avuto tante relazioni da confondere irreparabilmente i ricercatori. Quanto ad Alois, era uno sciupafemmine: sposò in terze nozze la bella domestica e amante Klara, madre del dittatore. Ispettore delle dogane, attraversava ogni giorno nei due sensi il fiume Inn che divide l'Austria dalla Germania, i due paesi decisivi per la carriera politica del figlio, che li avrebbe unificati con la forza nel 1938 per formare la Grande Germania. Il bimbo nacque quando il padre aveva 52 anni, e questi sognò subito per lui un impiego statale. Ma Adolf non voleva: «Mai e poi mai. Né persuasioni, né minacce intaccarono la mia resistenza». Sognava di fare l'artista, il pittore. Ma nemmeno il padre cedeva: «Pittore mai, finché io viva. Mai!» (*Mein Kampf*). Bravo alle elementari, il ragazzo fu un disastro alle medie e non prese mai la licenza.

Il padre morì quando Adolf aveva 13 anni, la madre lo lasciò a 19. Nel frattempo i suoi disegni scadentissimi erano stati respinti dall'Accademia di belle arti di Vienna, così si ritrovò solo e senza soldi in una capitale bella, colta, gioiosa, piena di stimoli e di tentazioni. Nella sua *Storia del Terzo Reich* William Shirer dà credito alla testimonianza autobiografica secondo cui si sarebbe mantenuto vendendo acquerelli di genere e non, come hanno sostenuto alcuni suoi avversari, facendo l'imbianchino.

La vita tra i poveri e una quantità mostruosa di letture selezionate («Ricorda quel che serve, dimentica il resto») ebbero un peso determinante nella sua formazione ideologica. Secondo Shirer, «fu allora che incominciò a formarsi nella mente di questo rozzo frequentatore di mense pubbliche l'acume politico che gli consentì di vedere con sorprendente lucidità le cause della forza e della debolezza dei movimenti politici contemporanei, e che coll'andare del tempo avrebbe fatto di lui il magistrale dominatore della politica germanica». Hitler sognava un impero pangermanico non più dominato dalla minoranza austriaca e costruì con metodo quasi scientifico, punto su punto, il suo odio per i social-democratici e soprattutto per gli ebrei. Decisivo fu l'incontro a Vienna con «una figura avvolta in un caffettano nero e con riccioli neri ai lati della testa»: «Osservai l'uomo furtivamente e meticolosamente, e quanto più guardavo quella faccia straniera, esaminandone i tratti a uno a uno, tanto più ... mi chiesi: costui è un tedesco?» (Konrad Heiden, *Der Führer*). Da quel momento cominciò il delirio: si convinse che gli ebrei erano in gran parte responsabili della prostituzione e della tratta delle bianche.

Rudolf Olden, nel suo coraggioso *Hitler the Pawn* – a causa del quale dovette fuggire in Gran Bretagna –, sostiene che una delle radici dell'antisemitismo di Hitler potrebbe essere stata la sua «tormentosa invidia sessuale» per gli ebrei. Nonostante avesse superato i vent'anni, si ritiene che nell'intero soggiorno viennese non abbia mai avuto rapporti sessuali. Seppure in misura più prudente e meno morbosa, però, l'antisemitismo era comunque diffuso in Europa.

Nel febbraio 1920 nacque il Partito nazionalsocialista dei lavoratori tedeschi. Il 1° aprile Hitler lasciò il suo incarico di confidente dell'esercito per dedicarsi completamente all'attività politica. La sconfitta tedesca nella Grande Guerra era sfociata in una rivoluzione di ispirazione bolscevica. Gli «spartachisti» erano guidati da Rosa Luxemburg e Karl Liebknecht, che nel 1919 vennero uccisi nel corso degli scontri armati tra l'estrema sinistra e l'estrema destra.

La maggioranza legalitaria della Germania fece nascere una repubblica liberale e parlamentare a Weimar, una piccola, colta città della Turingia, che ebbe una vita breve e tormentatissima, e morì nel 1933 con l'ascesa al potere di Hitler. Le frustrazioni postbelliche si reggevano su due piedistalli: la spoliazione territoriale in favore della Francia e della Polonia e l'astronomico risarcimento richiesto dai vincitori: 132 miliardi di marchi oro, pari a 33 miliardi di dollari. Tra il 1921 e il 1922 il valore del cambio precipitò da 75 a 400 marchi per dollaro. Alla fine del 1923, per acquistare un dollaro occorrevano 4200 miliardi di marchi, mentre il prezzo di un chilo di burro era di 168 milioni. I risparmi si prosciugarono e la Germania fu paralizzata dagli scioperi promossi dai comunisti, che puntavano di nuovo su una svolta rivoluzionaria. Per rincorrere l'inflazione, il governo di Weimar continuava a stampare moneta, sempre più deprezzata. Come sempre accade, i profittatori si arricchirono e la gente comune si rinchiuse nella miseria, nella frustrazione, nella rabbia.

Hitler aveva tutti gli elementi per infiammare gli animi. Gli argomenti forti dei suoi frequentissimi comizi – due ore e mezzo di durata media – erano l'umiliazione della Germania venduta da traditori ed ebrei a inglesi e francesi, pronti a spogliare e a soggiogare il paese. La folla andava in delirio. Quando nel 1921 diventò leader del Partito nazista, i comandanti della sua milizia, le SA (squadre d'assalto), gli dissero che, se non avesse agito, i soldati lo avrebbero abbandonato. E nel 1923 arrivò l'occasione propizia. Con l'aiuto di Erich Ludendorff, eroe della Grande Guerra, allestì un autentico, sia pur piccolo, esercito. La sera dell'8 novembre Hitler entrò sparando in aria in una grande birreria di Monaco affollata da tremila persone che ascoltavano i discorsi delle tre più importanti autorità bavaresi. Annunciò ai presenti che il locale era circondato e gridò: «La rivoluzione è scoppiata! Il governo della Baviera e il governo del Reich sono decaduti. Si sta costituendo un governo provvisorio del Reich».

La programmata marcia su Berlino dei congiurati fallì prima di cominciare. L'indomani i tremila armati agli ordini di Hitler e di Ludendorff ingaggiarono uno scontro a fuoco con la polizia che durò un solo minuto, sufficiente per far contare tra i morti 12 nazisti e 3 poliziotti. Hitler se la svignò subito e fu accompagnato in un'ospitale casa di campagna. Due giorni dopo fu arrestato e processato per alto tradimento, ma con spiccato senso drammatico e teatrale trasformò le udienze in tribunale in una passerella trionfale. La condanna fu minima: cinque anni di fortezza e la libertà provvisoria dopo nove mesi. Con dieci anni d'anticipo, la Germania era già pronta a consegnarsi a lui.

Hitler uscì più maturo dal breve soggiorno carcerario. Joachim Fest racconta di come rivelasse maggior rigore, maggiore equilibrio, «atteggiamenti che conferivano finalmente una impronta di individualità alla sua inespressiva fissità fisiognomica da psicopatico». Provvide a una decisiva riorganizzazione della struttura militare del partito, liquidando Ernst Röhm, il formidabile «re delle mitragliatrici» della Grande Guerra che gli aveva dato manforte nella costituzione delle SA. Poi nominò *Gauleiter* (capo del partito) di Berlino Joseph Paul Goebbels, 28 anni, rampollo di un'importante famiglia cattolica, formato da professori ebraici, con l'incarico di fronteggiare i comunisti che spadroneggiavano nella città. Fin dall'inizio, Goebbels dimostrò capacità straordinarie nella strategia propagandistica, che avrebbe sviluppato in modo magistrale dopo la presa del potere.

Alle elezioni nazionali per il Reichstag del 1928 Hitler non poté presentarsi in quanto apolide. Il Partito nazista ottenne il 2,6 per cento dei voti: pochi, ma riuscì a far eleggere deputati Goebbels e Hermann Göring, 35 anni, asso dell'aviazione tedesca. Hitler, ovviamente, puntava molto più in alto. Si fece finanziare cospicuamente da un colosso del mondo editoriale e dominò il paese con la propaganda. Conquistò i partner finanziari dando «l'impressione di onestà, ambizione ed energia» ed ebbe finalmente i mezzi per arrivare al potere. La sua potenza mediatica e militare si mostrò al IV congresso nazionale del partito, nell'agosto 1929 a Norimberga. Quarantamila hitleriani invasero l'antica città. Venticinquemila miliziani delle SA, tutti con la divisa bruna, sfilarono per tre ore e mezza davanti a lui. Una potente organizzazione femminile inquadrò migliaia di donne fanatiche del piccolo austriaco.

Uomo fortunato, Hitler seppe cavalcare con magnifico cinismo la tremenda crisi economica e finanziaria che dalla fine del 1929 si abbatté sulla Germania, in seguito al crollo di Wall Street del 24 ottobre. Le azioni di borsa divennero carta straccia, le industrie fallirono, i negozi chiusero. Dilagarono i suicidi di imprenditori grandi e piccoli, intere famiglie si diedero la morte, e da 15 a 20 milioni di tedeschi dovettero ricorrere alla carità pubblica. Intanto il governo di Weimar diventava sempre più debole, nelle vie di Berlino nazisti e comunisti si sparavano addosso, il paese si svegliava ogni giorno più povero e umiliato, i disoccupati raggiunsero i 6 milioni. I partiti tradizionali avevano perso ogni credibilità, i borghesi declassati e sbandati e i giovani senza lavoro erano affascinati dall'energia degli uomini nuovi di Hitler e, soprattutto, dei giovanissimi Goebbels e Heinrich Himmler, figlio di una facoltosa famiglia cattolica di Monaco, che a 28 anni fu nominato capo delle Schutzstaffel (SS), una «milizia di sicurezza» molto selezionata che da poche centinaia di elementi sarebbe arrivata, nel 1933, a contare 50.000 unità. Nelle SA era importante il numero, nelle SS le qualità personali e militari, e la fedeltà assoluta a Hitler, al quale si prestava giuramento come una vera guardia pretoriana.

Hitler si elevava su questo universo disperato come l'uomo in grado di condividerne lo stato d'animo, invitandolo alla protesta più dura: contro il trattato di Versailles, l'inefficienza parlamentare, il capitalismo, il marxismo e, soprattutto, «la congiura giudaica mondiale». I semi diedero frutti succosi alle elezioni generali del 1930. I suoi discorsi erano travolgenti, come al solito. Hitler aveva per la «massa» una passione quasi sessuale. La chiamava «femmina», «la mia unica sposa».

Il Partito nazista prese il 18 per cento dei voti, affermandosi come il secondo partito dopo quello socialdemocratico. I 12 seggi diventarono 107 (Hitler se ne aspettava la metà). L'apertura del Parlamento avvenne nel caos. Goebbels ordinò il primo attacco contro negozi e cittadini ebrei. Cadde la Grande Coalizione guidata dal socialdemocratico Hermann Müller, fallì il tentativo di risanamento economico del moderato Heinrich Brüning. Fu questo, secondo Ian Kershaw, uno dei biografi più autorevoli di Hitler, «il primo passo gratuito sulla strada suicida imboccata dalla Repubblica di Weimar».

Un pervertito sessuale?

Dal 1929 il Führer aveva cambiato casa e abitudini. Dalla stamberga in cui aveva abitato fin dal suo trasferimento a Monaco passò a una lussuosa residenza di nove stanze, la «Casa Bruna». Nel suo studio c'erano un enorme ritratto di Federico il Grande e un imponente busto di Mussolini, il suo idolo del momento. Ma stava poco in casa. Riceveva dalle 4 del pomeriggio al Caffè Heck, sommergendo collaboratori e ospiti con interminabili monologhi. Molti si chiedevano che tipo di uomo fosse questo che non beveva, non fumava e apparentemente non toccava una donna, chiudendosi in un ascetismo isterico. Per due anni la sua esistenza sembrò cambiare grazie a Geli, la nipote amante. La cui morte violenta lo sconvolse e lo precipitò per qualche tempo in una profonda depressione.

La vita sentimentale e sessuale di Hitler è un mistero tuttora irrisolto. Geli Raubal, una ragazza bella e intraprendente, si trasferì nell'appartamento dello zio nel 1929, a 21 anni, e vi rimase fino al suicidio, nel 1931. Per due anni fu l'accompagnatrice fissa di Hitler: shopping, cinema, teatro. C'è chi sostiene che lui avrebbe voluto sposarla, chi gli attribuisce la volontà di restare celibe. La ragazza soffrì progressivamente il rapporto che, secondo alcuni, sarebbe stato caratterizzato da perversioni sessuali. «Mio zio è un mostro. Non si può immaginare che cosa pretende da me» avrebbe detto. La testimonianza è di Konrad Heiden e di un fondatore del Partito nazista, Otto Strasser, che ruppero con Hitler e dovettero scappare. Ma Kershaw afferma che non ci sono prove e attribuisce le affermazioni all'antihitlerismo degli autori. Alla stessa conclusione arrivò un'inchiesta del «New York Times», contestando la versione dei servizi segreti americani che, come comprensibile, cavalcavano la tesi del mostro pervertito. È un fatto che Geli fosse fisicamente e psicologicamente prigioniera delle morbose attenzioni dello zio. E che lui fosse a sua volta dominato dalla bellezza di lei, come mai più gli sarebbe capitato nella vita. Geli non aveva libertà di movimento, e quando Hitler scoprì una simpatia della ragazza per il proprio autista, che la chiese in moglie, poco mancò che non lo ammazzasse. In seguito le impedì anche di fidanzarsi con un violinista austriaco. Nel 1931 Geli si suicidò sparandosi con la pistola dello zio. Questa è la versione ufficiale e nessuna tesi diversa è stata provata, come quella che la vuole incinta per opera di un giovane ebreo e uccisa da uomini di Hitler. Alla sua morte il futuro Führer rientrò immediatamente da Amburgo e da allora il suo carattere si inasprì ulteriormente.

Hitler ebbe sempre un debole per le minorenni e, finché non raggiunse il potere assoluto, temette spesso di poter essere ricattato. La prima ragazzina che gli capitò sotto mano e di cui si ha notizia è Maria Reiter, che nel 1926, quando lo conobbe, aveva 16 anni (lui 37). Adolf, già famoso, le fece perdere la testa vezzeggiandola. Non sappiamo quale tipo di rapporti intimi ebbero. Lei voleva sposarsi, lui non ci pensò mai e la mollò presto. Maria tentò d'impiccarsi, ma fu salvata in tempo.

Anche Eva Braun aveva 17 anni quando la incontrò. La prima cosa di lei che lo colpì furono le bellissime gambe: la vide arrampicata su una scala in un laboratorio fotografico. Hitler amava le donne formose, ma su questo punto Eva non gliela diede mai vinta: voleva essere sempre in perfetta forma e i filmati che ci sono pervenuti la mostrano mentre scia sulle nevi o sull'acqua, fa ginnastica o pattina. Appassionata di moda, pare si cambiasse fino a sette volte al giorno. Le regalarono una cinepresa con cui riprendeva tutto e tutti. Ed è straordinario come nel momento più drammatico e finale della propria vita si sia preoccupata di mettere al sicuro foto e filmini: il mondo – diceva – deve sapere che sono esistita.

Hitler sosteneva che gli uomini d'intelligenza superiore dovevano prendersi donne semplici e perfino stupide, e in ogni caso che non dovessero occuparsi di politica. Eva non si offendeva per questo ed era totalmente disinteressata alle attività del suo uomo.

Gentile, allegra, ospitale, portava sempre una ventata di allegria nella tetra atmosfera del Berghof, nell'Obersalzberg, la residenza di montagna del Führer sulle Alpi salisburghesi frequentata prevalentemente da militari. Nel 1932, tre anni dopo il loro primo incontro, un giorno reagì con una protesta estrema all'indifferenza manifestatagli da Hitler. Si sparò un colpo di rivoltella alla gola e, tre anni dopo – quando il Führer era ormai diventato il padrone del paese –, ingerì ventiquattro pasticche di sonnifero. Lui rimase profondamente turbato, le regalò una grande casa alla periferia di Monaco dotata di un bunker sotterraneo e di una linea telefonica diretta, e più tardi predispose un testamento in cui Eva risultava beneficiaria di una rendita di 1000 marchi al mese.

«Sembra che io porti sfortuna alle donne»

Ma chi era davvero per Hitler questa donna che gli visse accanto per sedici anni e decise di morire con lui a 33? Albert Speer, il grande architetto del regime che restò fedele al Führer fino all'ultimo, ha raccontato che lui ed Eva «evitano qualunque atteggiamento che possa far pensare a una relazione intima, a parte quando la sera tardi si avviano verso le loro camere». Eppure si sa che Eva assumeva pillole anticoncezionali e raccontò a un amico che il luogo delle loro intimità era un grande divano rosso del salotto, lo stesso su cui Hitler, nel 1938, fece accomodare Mussolini, Chamberlain e Daladier durante la sfortunata Conferenza di Monaco. «Se solo avessero saputo di che cosa era stato testimone quel divano...» Un normale rapporto sessuale? Una delle abiette perversioni che avrebbero fatto disperare Geli e le altre donne? Perché allora Eva – nel decennio successivo al secondo tentativo di suicidio – era sempre allegra e sorridente? È certo che – a parte la nipote dalla quale fu sentimentalmente dominato e di cui era al tempo stesso dominatore – Hitler non provò sentimenti profondi per nessuna delle donne che lo avvicinarono, compresa Eva Braun, che considerava «un grazioso gingillo».

In pubblico era signorile e galante con tutte. Si prodigava in baciamano e lusingava le sue interlocutrici (quasi sempre adoranti) chiamandole con titoli nobiliari inventati. Eppure, su nove donne che lo frequentarono assiduamente, cinque si sono suicidate e due hanno tentato di farlo. («Sembra che io porti sfortuna alle donne» disse.)

Una sorte tragica toccò a Unity, figlia di lord Mitford, un'inglese molto prosperosa che s'invaghì di lui e frequentò a lungo il Bavaria, la birreria dove Hitler andava spesso. Quando l'Inghilterra dichiarò guerra alla Germania, la «Valchiria» si sparò un colpo di pistola.

Un ruolo importante nella vita di Hitler lo ebbe Leni Riefenstahl. Donna splendida e colta, un passato di grande danzatrice classica, poi attrice di successo, lo conquistò con film ambientati in alta montagna, tra scalate, crepacci e miti nordici. Si incontrarono nel 1932 e a lei sembrò «il più grande attore della Germania». Definizione assolutamente meritata. Entrò nella vita intima del Führer, anche se ai giornalisti americani negò di essere la sua amante. Eppure, nel maggio 1933, quando partì con Hitler e i coniugi Goebbels per un weekend sul Baltico, il gerarca annotò nel suo diario: «Viaggio piacevole, mare fantastico. Con noi il capo e anche Leni Riefenstahl, ancora dal capo durante la notte». Grande documentarista, Leni realizzò il film di propaganda più celebre del regime, *Trionfo della volontà*, e il primo grande reportage di cinematografia sportiva sulle Olimpiadi di Berlino del 1936. Arrestata nel 1945 come fiancheggiatrice e prosciolta nel 1949, diventò documentarista subacquea. È morta nel 2003, nella sua villa vicino a Monaco, all'età di 101 anni.

Un'altra bellissima donna con cui Hitler ebbe una relazione fu Renate Müller, attrice e cantante di grande successo, ma che si rifiutò di partecipare a film dichiaratamente nazisti, e anzi raggiungeva spesso un attore ebreo a Londra. Del Führer raccontò che si eccitava facendosi prendere a calci mentre giaceva nudo sul pavimento. Fu trovata morta nel 1937 e non si capì mai se si fosse suicidata o fosse stata uccisa dalla Gestapo per ordine di Goebbels.

Morì suicida anche Suzi Liptauer, una donna sposata, vittima dell'attrazione fatale per il Führer. Condivise lo stesso amore e lo stesso tragico destino Inga Ley, la bella moglie di Robert, uno dei più alti gerarchi nazisti, che si tolse la vita nel 1943.

Una lunga, solida amicizia legò Hitler a Winifred Wagner, vedova del musicista Siegfried, il figlio del grande Richard, cui spettò il compito di introdurre l'oscuro politico austriaco nei salotti che contano.

La vittoria senza combattere e la nascita del Terzo Reich

Dal 1925 il Reich era presieduto da un vecchio generale, Paul von Hindenburg, eroe della Grande Guerra, che aveva un certo carisma ma era scettico sulla sopravvivenza della democrazia. Nel 1931 Hindenburg convocò Hitler e gli chiese di sostenere il governo nell'interesse generale, ricevendone un netto rifiuto. L'anziano soldato lo punì alle elezioni presidenziali del 1932 con una vittoria schiacciante al secondo turno (53 per cento contro 36). Hitler la prese male, ma era convinto che il frutto maturo del potere gli sarebbe caduto presto fra le mani. E ad aiutarlo fu la forte crescita del movimento comunista. Lo slogan delle «camicie brune» era: «Se il Partito nazista crolla, vi troverete altri dieci milioni di comunisti». Gli industriali si spaventarono e cominciarono a sostenere i nazisti senza riserve. L'impossibilità di costituire un governo stabile, il continuo cambio di cancelliere, l'incertezza sul ruolo delle forze paramilitari (fu emesso e poi ritirato l'ordine di sciogliere SS e SA), il moltiplicarsi degli scontri sanguinosi tra nazisti e comunisti con decine di morti portarono il partito di Hitler a essere la prima forza politica tedesca alle elezioni del luglio 1932: 230 seggi con il 37,8 per cento dei voti. Due terzi degli elettori avevano votato contro di lui, ma erano troppo deboli e divisi per arginarne l'ascesa. Nessuna maggioranza fu possibile, e quindi a novembre vennero indette nuove elezioni generali: Hitler scese al 33 per cento, ma il 30 gennaio 1933 Hindenburg dovette nominarlo cancelliere del Reich in un governo di coalizione con i conservatori. Non lo stimava, anzi lo conside-

rava molto pericoloso. Eppure cedette, nella folle illusione
che il nazismo fosse controllabile dalle forze democratiche.
Nel nuovo governo i conservatori avevano otto ministri,
Hitler tre. Ma aveva il consenso delle masse, ed era perciò
di gran lunga il più potente.

Meno di un mese dopo, il 27 febbraio, andò in fiamme il
Reichstag di cui Göring era presidente. C'è la certezza quasi assoluta che l'incendio sia stato opera dei nazisti, che ne
attribuirono peraltro la paternità a un comunista olandese
piromane con un forte deficit intellettuale. Göring e i suoi
gridarono subito al complotto e i comunisti furono espulsi dal Parlamento.

La settimana successiva, alle ennesime (e ultime) elezioni
generali, il Partito nazista ottenne il 44 per cento. Con l'appoggio – non del tutto spontaneo – di popolari e centristi,
il 23 marzo venne votata la legge che dava a Hitler pieni
poteri e la possibilità di esercitarli per decreto. I comunisti
furono messi al bando, i socialdemocratici si arresero senza
combattere, dopo che la sede del loro partito era stata con-
fiscata dalla polizia e i loro giornali sequestrati. I sindacati
cessarono di esistere. I popolari e i centristi si diedero una
«dolce morte», sciogliendosi spontaneamente prima che lo
facesse il cancelliere. Gli alti ufficiali dell'esercito passarono senza battere ciglio agli ordini dei nazisti dopo essere
stati rassicurati che non ci sarebbe stata una guerra civile.
Alla morte di Hindenburg, il 2 agosto 1934, Hitler sommò
le cariche di capo dello Stato e di cancelliere, e diventò per
tutti i tedeschi il Führer.

La sera del 10 maggio 1933, verso mezzanotte, migliaia
di studenti raggiunsero il cuore di Berlino e appiccarono
il fuoco a enormi pile di libri: ne vennero ridotti in cenere
venticinquemila, fra cui le opere di Thomas Mann e Stefan
Zweig, Einstein e Freud, Gide, Zola e Proust. Seimilacinque-
cento dipinti dei grandi maestri dell'impressionismo e della
pittura moderna – da Van Gogh a Picasso – furono rimossi
dai musei: l'«artista» Hitler li considerava decadenti. Andò
meglio alla musica. Richard Wagner, il compositore preferito da Hitler, era risolutamente antisemita, ma furono esegui-

te senza problemi anche le opere di tutti gli altri geni della musica tedesca, tranne quelle dell'ebreo Felix Mendelssohn. Come prevedibile, gli ebrei furono allontanati dalle grandi orchestre sinfoniche e dai teatri d'opera, e la censura sulla stampa fu totale e assoluta. Mille quotidiani su quattromila furono soppressi, gli altri si adeguarono. I libri di testo furono rapidamente nazificati e *Mein Kampf* diventò la stella polare di ciascun educatore. Ogni insegnante dovette iscriversi al Partito nazista. I professori universitari, che durante la Repubblica di Weimar avevano goduto della libertà più completa, si uniformarono totalmente alle direttive del regime. Pochissimi persero il posto. La giustizia fu militarizzata. «Hitler è la legge» affermavano illustri giuristi germanici. E Göring, a scanso di equivoci, spiegava: «La legge e la volontà del Führer sono una cosa sola».

La «notte dei lunghi coltelli»

Già prima della morte di Hindenburg, Hitler regolò i conti in casa propria. Le SA erano state le teste d'ariete della rivoluzione nazista nei primi mesi del 1933. Nel giro di poco tempo, 100.000 persone erano state arrestate e torturate, gli ebrei perseguitati senza remissione, almeno 500 persone assassinate. Il comando dell'esercito regolare fremeva d'impazienza. Gli industriali e la borghesia conservatrice, che pure la sostenevano, erano molto turbati dal dilagare della violenza, spesso gratuita.

Hitler aveva riabilitato ormai da anni Ernst Röhm, al quale aveva riaffidato il comando delle SA, che nel frattempo erano diventate il braccio armato personale del Führer. Come accade a quasi tutti i leader sulla cresta dell'onda, anche Röhm fu rovinato dal delirio di onnipotenza. Dopo aver colpito ebrei e comunisti, cominciò a prendersela anche con alcune frange del Partito nazista. E Hitler temette, con qualche ragione, che il suo vecchio compagno d'armi, al comando di un esercito formidabile, stesse progettando un colpo di Stato. Un suo ultimo, pressante invito alla moderazione non ebbe esito, allora la polizia segreta (Gestapo) di Göring e le SS di Himmler, benché ormai inquadrate nelle SA, cominciarono a organizzarsi in proprio in attesa del momento fatale, che venne il 30 giugno 1934.

Quella che sarebbe passata alla storia come la «notte dei lunghi coltelli» vide Hitler in persona al comando delle operazioni. All'alba arrivò a Monaco e ordinò l'arresto dei comandanti delle SA della zona, mentre a Berlino le SS eliminavano tutti i personaggi scomodi che avrebbero potuto fare ombra al Führer. Almeno un centinaio di SA furono assassinate. Hitler svegliò di persona Röhm in una stanza d'albergo della località termale bavarese di Bad Wiessee e lo fece imprigionare a Monaco, ordinando che gli fosse data una pistola per suicidarsi. Lui si rifiutò e fu abbattuto da due ufficiali delle SS. Grazie alla fedeltà dell'esercito, ora anche il potere militare di Hitler era assoluto.

La comunità internazionale isolò la Germania e il Parlamento – pure dominato dai nazisti – esigeva un chiarimento: tredici deputati erano stati uccisi e molti altri erano legatissimi alle SA. Come aveva fatto Mussolini per il delitto Matteotti, il Führer si assunse ogni responsabilità: «Ho dato ordine di uccidere coloro che più si erano macchiati di questo tradimento e ho ordinato di cauterizzare fino alla carne nuda le piaghe del nostro avvelenamento interno». L'aula applaudì, l'opinione pubblica sposò in pieno la teoria del tentato colpo di Stato e lo acclamò unanimemente.

Quanto alle chiese cattolica e protestante, entrambe tacquero dinanzi all'assassinio del presidente dell'Azione cattolica tedesca, così come non mossero un dito di fronte all'arresto di molti pastori protestanti e preti cattolici e alla loro successiva reclusione in campi di concentramento.

Hitler e Mussolini, attrazione fatale

L'«ordine» imposto da Hitler alla Germania produsse rapidamente un «miracolo economico». I 6 milioni di disoccupati del 1932 si ridussero a meno di 1 milione nel 1936. Nel giro di cinque anni produzione e reddito nazionali raddoppiarono. Lo Stato favorì la ricapitalizzazione delle imprese e incentivò fiscalmente le assunzioni. I capitalisti ebbero enormi vantaggi; commercianti, salariati e contadini assai meno. Ma gli investimenti maggiori avvennero nel settore militare. Ben presto l'armamento tedesco violò i limiti del trattato di Versailles, ma Hitler convinse gli inglesi ad accettare il potenziamento navale della Germania senza che Francia e Italia ne fossero avvertite. Eppure le maggiori potenze occidentali erano sicure che il Führer non si stava preparando alla guerra.

Quando seppe della «notte dei lunghi coltelli», Mussolini s'indignò: «Come ha potuto ammazzare chi lo ha tanto aiutato? Sarebbe come se io facessi la stessa cosa con Balbo, Grandi, Bottai…». Hitler era un fervido ammiratore del Duce. Pare che fin dal 1925 abbia tentato invano d'incontrarlo. E che anche una sua richiesta di foto con dedica sia rimasta senza risposta. Solo quando nel 1930 il Partito nazista diventò la seconda forza politica tedesca, Mussolini cominciò a prestargli attenzione. Ma era un'attenzione preoccupata. Considerava Hitler un uomo «spiritato e feroce» e manovrò prudentemente per sostenere le forze di destra più moderate, ma invano. Né il suo giudizio migliorò dopo il loro primo incontro, il 14 giugno 1934 alla Villa Reale di Stra (Venezia): «Questo Hitler, che pulcinella! È matto, è matto…». Quaranta giorni dopo, il 25 luglio, il cancelliere austriaco Engelbert Dollfuss fu ucciso nel proprio ufficio di Vienna da un commando di nazisti austriaci. Dollfuss era un protetto di Mussolini, che in quei giorni ne ospitava a Riccione la moglie e i figli, ai quali dovette comunicare la tremenda notizia. Il Duce considerò il delitto un affronto personale e mobilitò alcune divisioni al Brennero. Ma Hitler considerava l'Austria una regione tedesca e fin dai tempi del *Mein Kampf* ne aveva progettato l'annessione. In ogni caso, gli storici sono divisi sulle responsabilità dirette di Hitler nell'assassinio di Dollfuss.

La guerra di Spagna e l'avventura etiopica portarono bruscamente il Duce a cambiare atteggiamento nei confronti del nazismo e a creare nel 1936 l'asse Roma-Berlino. «Mussolini è il primo uomo politico del mondo» disse Hitler al ministro degli Esteri italiano Galeazzo Ciano. Nello stesso colloquio gli confidò che il riarmo tedesco e italiano stava procedendo molto più rapidamente di quello inglese: «In tre anni saremo pronti». Tre anni dopo sarebbe stato il 1939.

Il Duce fu conquistato definitivamente da Hitler il 28 settembre 1937, durante la visita a Berlino. Al Campo di Maggio fu radunato un milione di persone. Mussolini pronunciò il discorso in tedesco e fu acclamato da una folla in delirio. Il Führer lo presentò come «una di quelle figure che non sono prodotti della storia, ma sono essi stessi artefici della storia». Nell'autunno, l'Italia diede il tacito consenso all'annessione dell'Austria alla Germania. Il 12 marzo 1938 le truppe tedesche invasero il paese e l'esercito austriaco non reagì per ordine di un cancelliere fantoccio (Seyss-Inquart), imposto da Hitler nei giorni precedenti. L'annessione fu ratificata in aprile dagli elettorati austriaco e tedesco con un plebiscito: il Sì ebbe oltre il 99 per cento dei voti, con una massa di votanti pari anch'essa al 99 per cento del corpo elettorale.

Il nazismo e la persecuzione degli ebrei

Il 7 novembre 1938 Herschel Grynszpan, un ebreo polacco di 17 anni, entrò nell'ambasciata tedesca di Parigi per protestare contro il trasferimento coatto della sua famiglia in Polonia, insieme ad altri 15.000 ebrei polacchi. Il suo proposito era di uccidere l'ambasciatore, ma quando si trovò dinanzi a un giovane segretario di legazione, Ernst Eduard vom Rath, gli sparò ferendolo mortalmente. Goebbels, maestro di propaganda, ne approfittò per scatenare il più spaventoso dei pogrom contro gli ebrei. Nella notte fra il 9 e il 10 novembre, centinaia di sinagoghe furono distrutte e altre centinaia incendiate, e 7500 negozi ebraici ebbero le vetrine infrante e furono saccheggiati, come moltissime abitazioni. Per questo si parlò di «notte dei cristalli».

Kershaw calcola in un centinaio gli ebrei assassinati, mentre altri furono uccisi nei campi di concentramento di Dachau, Buchenwald e Sachsenhausen, dove erano stati reclusi 30.000 ebrei maschi per forzarli a emigrare con le loro famiglie. E in effetti, tra la fine del 1938 e l'inizio della guerra l'anno successivo, 80.000 ebrei fuggirono salvandosi dallo sterminio. L'ordine del pogrom forse non venne direttamente dal Führer, che anzi dovette fronteggiare le proteste di alcuni dei suoi che lo invitarono a riflettere sull'enorme impatto internazionale negativo che ebbe la vicenda. D'altra parte, se Goebbels forzò la mano, lo fece a ragion veduta. Già nell'ultimo capitolo del *Mein Kampf*, pubblicato nel 1925, parlando delle presunte responsabilità ebraiche nella sconfitta tedesca nella prima guerra mondiale Hitler aveva osservato che «il sacrificio di milioni di uomini al fronte non sarebbe stato necessario se solo 12-15.000 di questi giudei corruttori del popolo fossero stati gassati».

La persecuzione ebraica era di fatto cominciata nel 1933. Delle 50.000 aziende ebraiche presenti all'inizio di quell'anno in Germania, nel luglio 1938 – prima della «notte dei cristalli» – ne erano rimaste 9000. Nel 1933 gli ebrei avevano reagito sconvolti alle prime persecuzioni di massa: alcuni dei centomila veterani della Grande Guerra (12.000 erano caduti al fronte) indossarono divise e decorazioni per protestare. Invano. Nel solo 1933, duecento degli ottocento accademici ebrei, tra cui venti premi Nobel (compreso Albert Einstein) o futuri premi Nobel, lasciarono la Germania insieme ad altre 40.000 persone. Nel 1935 si videro ovunque i cartelli sulle porte dei locali in cui gli ebrei non erano graditi. E la burocrazia nazista si incaricò di contare quanti nonni ebrei fossero necessari per infettare i nipoti. Gli ebrei persero la cittadinanza tedesca e scattò il divieto di rapporti sessuali tra ebrei e ariani.

Il 27 ottobre 1938, due settimane prima del pogrom, il giornale «Das Schwarze Korps», sotto il titolo *Occhio per occhio, dente per dente*, annotava che «gli ebrei di Italia e Germania sono gli ostaggi consegnatici dal destino quale nostra efficace difesa contro gli attacchi del giudaismo mondiale». L'«efficace difesa» avrebbe procurato nel giro di sei anni altrettanti milioni di morti.

Il trattato di Versailles aveva assegnato alla Cecoslovacchia alcuni territori della Germania, tra cui la Boemia tedesca e i Sudeti in Moravia, abitati da 3 milioni di tedeschi. Ora Hitler voleva che gli fossero restituiti i Sudeti, ma il governo ceco resisteva e nel settembre 1938 mobilitò l'esercito per rispondere alla minaccia tedesca. La guerra tra la Germania e la Cecoslovacchia (decisa da tempo da Hitler) era a un passo quando, dopo il fallimento della mediazione britannica, la mattina del 28 settembre i governi francese e inglese chiesero a Mussolini di fare un estremo tentativo. Il Duce convinse il Führer che avrebbe potuto ottenere i Sudeti senza combattere. Nacque così la Conferenza di Monaco (29-30 settembre), che fu l'ultimo incontro collegiale tra i leader delle quattro potenze prima del conflitto. Hitler la ebbe vinta, ma – racconta Shirer, che fu testimone diretto di quegli anni come corrispondente dalla Germania della radio americana Cbs – «nonostante l'umiliazione da lui inflitta non solo alla Cecoslovacchia, ma anche alle democrazie occidentali, non era soddisfatto».

Se è vero che la guerra rappresenta sempre la peggiore delle soluzioni, è vero anche che l'accordo di Monaco si rivelò un colossale imbroglio ai danni delle democrazie occidentali. Chi capì come sarebbe andata a finire fu Winston Churchill, che intervenendo in Parlamento contro Neville Chamberlain disse: «Potevate scegliere tra la guerra e il disonore. Avete scelto il disonore e avrete la guerra». Stalin, da parte sua, decise di vendicarsi contro le potenze occidentali che avevano tradito, senza informarlo, un debole alleato come la Cecoslovacchia. E si preparò alla scelta – l'alleanza con Hitler – che sarebbe stata decisiva per l'esito della seconda guerra mondiale.

Sei mesi dopo Monaco, il 15 marzo 1939, le truppe tedesche occuparono la Boemia e la Moravia, e garantirono l'«indipendenza della Slovacchia». Se la Cecoslovacchia era mutilata, la Polonia era ormai circondata. Stalin impegnò Hitler in una perversa partita a scacchi. Il Führer vo-

leva stracciare il trattato di Versailles e riprendersi quel
che i vincitori della prima guerra mondiale avevano tolto alla Germania. Ma il suo vero sogno era la distruzione dell'Inghilterra. Stalin voleva allargare i confini della
Russia a quelli dell'ex impero zarista, ma sapendo che le
mire del Führer si sarebbero estese all'Europa occidentale, lo invitò a un patto che prevedeva per sé tre benefici:
annettere la parte orientale della Polonia, occupare i paesi baltici, bloccare i tedeschi a est e spingerli verso ovest,
prendendosi tutto il tempo per rafforzarsi in vista di una
possibile guerra futura.

Fu così che il 23 agosto i due ministri degli Esteri Molotov
e Ribbentrop firmarono a Mosca un patto spregiudicato
quanto strategicamente geniale (per i russi, soprattutto).
Mussolini fu informato l'indomani a cose fatte, insieme
con l'annuncio che il Führer stava per invadere la Polonia.
Il Duce rispose seccamente che l'Italia non era pronta a prestare alla Germania l'assistenza militare richiesta. Insomma, se Francia e Inghilterra fossero entrate in guerra, noi
saremmo rimasti neutrali. Hitler, ovviamente, s'infuriò.

All'alba del 1° settembre 1939 l'esercito del Reich invase
il paese e s'impadronì rapidamente di Danzica. Poco dopo
arrivò l'ultimatum inglese e francese. «E adesso?» si chiese Hitler, che non se lo aspettava. La debolezza politica e
la credulità delle due grandi potenze occidentali che si erano fatte infinocchiare a Monaco lo avevano autorizzato a
pensare l'impensabile, cioè che l'Occidente avrebbe assistito immobile alla spartizione della Polonia tra Germania e
Russia, che da parte sua aveva prontamente invaso la zona
orientale del paese. Il 17 settembre l'esercito tedesco entrò
a Varsavia. I polacchi ebbero 70.000 morti e 700.000 prigionieri, la Germania 11.000 caduti.

Hitler non stimava l'esercito francese, ma temeva l'Inghilterra. S'illuse che Chamberlain accettasse la pace sacri-
ficando la Polonia e, di fronte allo scontato rifiuto, ebbe uno
scatto d'ira: «Metterò in ginocchio l'Inghilterra e distrug-
gerò la Francia». Quando in novembre il Führer programmò l'attacco, alcuni ufficiali del suo Stato maggiore pensaro-

no di fermarlo con un colpo di Stato, ma rinunciarono poco prima dell'azione. Quel che non avevano osato i generali, l'osò un falegname di 36 anni, Georg Elser, che agì da solo, senza mandanti. Piazzò una formidabile carica a orologeria sul palco in cui Hitler avrebbe dovuto tenere un comizio. Nell'attentato persero la vita 8 persone, ma non Hitler, che, accorciando inopinatamente il discorso, aveva lasciato il palco dieci minuti prima dell'esplosione.

Le condizioni meteorologiche suggerirono ai tedeschi di rinviare gli attacchi ulteriori a primavera. Il 9 aprile 1940 le navi da guerra germaniche entrarono nel porto di Copenaghen senza che la marina danese facesse in tempo ad abbozzare una qualche resistenza. La Norvegia si consegnò grazie alla viltà del primo ministro Vidkun Quisling (da allora il suo cognome fu usato per indicare un traditore acquiescente). Il mondo assistette sbigottito alla rapidità dei successi tedeschi: la neutralità di Olanda, Belgio e Lussemburgo fu violata e i paesi sconfitti in pochi giorni. Contemporaneamente la prevista (da Hitler) inettitudine dell'esercito francese apriva ai nazisti le porte di casa attraverso le Ardenne. Gli inglesi, accorsi in aiuto dell'alleato, furono fermati a Dunkerque e si salvarono con una spettacolare ritirata. La «linea Maginot», su cui contava la resistenza francese, fu superata senza fatica e il 14 giugno a Parigi sventolarono le bandiere con la croce uncinata. Gli Alleati accusarono 90.000 caduti e 2 milioni di prigionieri, mentre i tedeschi persero 30.000 uomini. Hitler era al massimo dell'eccitazione. Dieci giorni dopo, il governo collaborazionista del maresciallo Pétain accettava l'armistizio ottenendo il controllo della Francia centromeridionale, che divenne di fatto una colonia tedesca. Pétain firmò l'armistizio anche con l'Italia, che era entrata in guerra con grande affanno il 10 giugno attaccando i francesi.

Prima del famoso discorso di Mussolini dal balcone di piazza Venezia, il ministro degli Esteri Ciano aveva consegnato la dichiarazione di guerra all'ambasciatore francese André François Poncet, arrivato a Roma dalla Germania con la speranza di convincere Mussolini a fermare Hitler.

«È un colpo di pugnale a un uomo in terra» avrebbe detto François-Poncet a Ciano, con il quale era in rapporti amichevoli. Questa tesi, sposata dallo storico Francesco Perfetti sul «Tempo» nel 2009, è prevalsa sulla più nota versione della «pugnalata alla schiena» perché non solo la Francia aspettava l'attacco italiano, ma aveva addirittura immaginato di prevenirlo assaltando le nostre truppe di confine. Mussolini s'illuse di sedersi con poca spesa al tavolo dei vincitori, ma Hitler quasi lo ignorò avendo sconfitto la Francia da solo. Conquistati sei paesi in cinque settimane, Hitler era certo che l'Inghilterra avrebbe ceduto. Ma nel frattempo, a Londra, il primo ministro Chamberlain era stato sostituito da Winston Churchill.

Dalla presa di Parigi alla sconfitta in Inghilterra

Adolf Hitler non aveva mai visto Parigi. All'alba del 28 giugno atterrò a Le Bourget accompagnato da Albert Speer, suo architetto di fiducia. Tre Mercedes nere si fermarono all'Opéra deserta, ma illuminata come per uno spettacolo di gala. Hitler, che pure si era documentato su quanto avrebbe visto, restò abbacinato.

In dieci mesi, Hitler era diventato il padrone di mezza Europa, dalla Norvegia alla Francia, dalla Polonia all'Olanda. I governi amici di Mussolini e di Franco lo coprivano sul fronte meridionale. Perché non si fermò? Perché l'impero che aveva conquistato nella primavera del 1940 andò tragicamente in frantumi cinque anni dopo? Questo libro è stato ispirato dalla constatazione che tutti i grandi leader alla fine cadono per un'improvvisa, irreparabile miopia che li rende vittime del delirio di onnipotenza.

Hitler cominciò a perdere la guerra nel momento in cui era certo di vincerla piegando l'Inghilterra. La grande occasione di mettere in ginocchio la rivale l'aveva avuta in maggio a Dunkerque, quando gli inglesi avevano fatto una testa di ponte mandando centinaia di migliaia di uomini in aiuto alla Francia. Churchill aveva capito che non avrebbe retto e aveva cominciato a ritirare le truppe. Invece di approfittare del momento di massima debolezza del nemico, il Führer sospese l'attacco di terra, influenzato da Göring, che lo convinse di poter sconfiggere gli inglesi con la sola aviazione. Fu un errore decisivo. L'aviazione inglese contrastò meglio del previsto quella tedesca, mentre l'assenza di una pressione di terra consentì al comando britannico di ritirare incolumi dalla costa francese 350.000 uomini, il quadruplo di quanto avesse sperato. Alla metà del luglio 1940 Churchill rifiutò la pace. Hitler decise l'invasione dell'Inghilterra, e motivò la Germania il 16 luglio con un memorabile discorso al Reichstag riunito in seduta solenne al teatro Kroll.

Hitler valutò che la Russia non sarebbe accorsa in aiuto dei britannici e che gli Stati Uniti non sarebbero stati pronti prima del 1945, a guerra ormai vinta dai tedeschi. Eppure, la flotta che avrebbe dovuto trasportare le forze terrestri in Inghilterra fu decimata dall'aviazione britannica, che contrastò molto efficacemente la Luftwaffe di Göring. Il Führer fu sconfitto per la prima volta e, nell'autunno, rinunciò al suo progetto. Göring si era illuso di eliminare in quattro giorni le forze aeree a difesa della parte meridionale dell'isola e di distruggere l'intera Royal Air Force in meno di un mese. Non solo non vi riuscì, ma all'inizio di settembre commise un secondo errore fatale. Invece di mirare a obiettivi strategici, i piloti tedeschi colpirono il centro della capitale, provocando molte vittime. Gli aerei inglesi ebbero la forza di reagire immediatamente e di bombardare Berlino. I danni risultarono assai modesti, ma l'impatto psicologico fu enorme. Era la prima volta che i cittadini della capitale tedesca si accorgevano della guerra e si sentirono improvvisamente insicuri e dubbiosi sulla forza militare del Reich.

Dal 7 settembre al 3 novembre 1940 Londra fu bombardata per 57 notti consecutive, ma il morale degli inglesi non crollò mai, né diminuì la loro produzione bellica, capace in quel solo anno di sfornare quasi 10.000 aerei da combattimento: trenta al giorno.

Gli inglesi vinsero per tre ragioni. Avevano un leader d'acciaio come Churchill. Conoscevano i sistemi radar meglio dei tedeschi e ne fecero un uso magnifico. Potevano contare sull'abilità e lo spirito di sacrificio dei piloti superstiti della più grande battaglia aerea della storia. «Mai tanto si dovette da tanti a così pochi» disse il primo ministro ai Comuni.

«San Pietroburgo deve essere rasa al suolo...»

La Russia non aveva battuto ciglio mentre la Germania estendeva il proprio impero sull'intera Europa, ma quando, alla metà del giugno 1940, Hitler costrinse la Francia all'armistizio, Stalin si prese i paesi baltici e cominciò la penetrazione nei Balcani con rapida brutalità: abrogò tutti i partiti che non fossero comunisti, ne arrestò i capi, sostituì i Parlamenti e dichiarò l'annessione alla Madre Russia di Lituania, Estonia e Lettonia. Hitler ci restò male e capì che due galli nello stesso pollaio europeo erano troppi. Decise perciò di «schiacciare la Russia» e, dopo una pantomima di trattative fasulle, il 22 giugno 1941 un esercito di quasi 4 milioni di soldati tedeschi, rinforzati da militari rumeni e slovacchi, invase la parte di Polonia sotto il controllo russo dando inizio alla campagna più tragica della seconda guerra mondiale, che in meno di quattro anni avrebbe portato alla morte di 20 milioni di civili russi e di 3,5 milioni di soldati tedeschi.

Come al solito, l'avanzata della Wehrmacht fu rapida e inesorabile: il 19 settembre aveva già preso Kiev. Ma la battaglia era costata ai tedeschi la perdita di 400.000 uomini, l'11 per cento dell'intero esercito orientale. Mentre Francisco Franco riusciva a defilarsi facendo infuriare il Führer, ma salvando se stesso e la Spagna, il Duce spedì in Russia l'Armir, un contingente di 230.000 uomini male equipaggiati che vennero esposti alla tragedia di un'epica ritirata. Quando la Wehrmacht galoppava, i nazisti già avevano pianificato la partizione della Russia tra annessioni e protettorati e la sua distruzione alimentare.

La storia decise diversamente. Il 18 settembre, a tre mesi dall'invasione della Polonia sovietica, Hitler era convinto che Leningrado e Mosca sarebbero cadute al più presto. Ordinò la distruzione completa della magnifica San Pietroburgo (come si chiamava fino allo scoppio della prima guerra mondiale) e l'eliminazione dei suoi 3 milioni di abitanti. Göring spiegò a Ciano: «Quest'anno in Russia moriranno da 20 a 30 milioni di persone. Forse è un bene che sia così perché certe nazioni vanno decimate».

In quella fase decisiva della guerra, atteggiamenti psicologici e militari s'intrecciavano continuamente. Churchill ebbe insospettabili crisi d'ansia vedendo i danni provocati dai sottomarini tedeschi a chiunque s'avventurasse nella Manica. Ma il suo cinismo lo portò a bombardare la flotta francese ferma sulla costa orientale del canale uccidendo 1200 marinai dei suoi ex e futuri alleati per evitare che le loro navi fossero utilizzate dai tedeschi. Hitler, che soffriva dell'incubo inglese perfino più che di quello russo, sperava che Churchill fosse sostituito da un primo ministro pronto alla pace. Avrebbe lasciato alla Gran Bretagna tutto l'impero, purché si togliesse l'idea di controllare l'Europa occidentale. Il 2 ottobre decise di sferrare l'attacco finale a Mosca, sperando di conquistarla prima dell'inverno. Il 20 ottobre le armate tedesche erano comunque a 50 chilometri dalla capitale, da cui vennero evacuati ministeri e ambasciate. Un mese dopo erano arrivate a 30 chilometri. Ma l'inverno russo non perdona. E Hitler commise lo stesso errore di Napoleone. La controffensiva sovietica fu pesantissima. Stalin seppe in anticipo della follia giapponese di attaccare l'America e dirottò le armate orientali a difesa della capitale, riuscendo a salvarla. Intanto Leningrado, assediata dall'8 settembre 1941, resistette fino al 18 gennaio 1944, quando i tedeschi furono sconfitti.

Da Pearl Harbor a Stalingrado

L'atteggiamento del Giappone fece precipitare le cose. Hitler avrebbe voluto che l'impero nipponico, alleato di Germania e Italia, si limitasse ad abbaiare tenendo in allarme la flotta Usa per distrarla da un possibile impegno atlantico in favore della Gran Bretagna. Tokyo insistette perché Berlino s'impegnasse a collaborare in una guerra contro gli Stati Uniti, ma non rivelò che le proprie portaerei erano già in navigazione verso la costa americana. Il comando di Washington conosceva i codici cifrati giapponesi ed è perciò incomprensibile come sia rimasto sorpreso dell'attacco a Pearl Harbor nelle prime ore di domenica 7 dicembre 1941. Incredibilmente, anche i tedeschi furono sorpresi, tant'è che Ribbentrop mandò al diavolo l'ufficiale di servizio che lo aveva svegliato per dargli l'annuncio pensando a una bufala. A Washington, Roosevelt dovette faticare per convincere il Congresso (e le forze armate) a dichiarare guerra anche alla Germania e all'Italia, perché tutti avrebbero preferito vedersela con il solo Giappone.

All'inizio del 1942 Göring, giunto a Roma indossando anelli vistosi e una pelliccia che a Ciano sembrò degna di una «cocotte», disse al ministro degli Esteri italiano che entro quell'anno la Russia sarebbe stata sconfitta e l'anno successivo sarebbe stata la volta dell'Inghilterra. In realtà, il 1942 fu l'anno in cui le sorti della guerra si rivoltarono definitivamente contro i nazisti.

In Africa, nonostante il genio di Rommel e l'eroismo degli italiani a El Alamein, gli inglesi riportarono una grande vittoria. Quando Rommel chiese di potersi ritirare, Hitler gli rispose di vincere o morire insieme ai suoi soldati (tedeschi e italiani). Ne morirono in effetti moltissimi, prima dell'inevitabile resa finale.

Nel frattempo, sul fronte russo la battaglia di Stalingrado stava diventando decisiva sia per Stalin sia per Hitler. Entrambi gli eserciti erano a corto di carburante e il controllo della strada per il Caucaso avrebbe garantito al vincitore la sopravvivenza. Nella primavera del 1942 Hitler aveva perso 1 milione 100.000 uomini e non aveva riserve per rimpiazzarli. Doveva quindi scegliere se prendere Stalingrado o il petrolio del Caucaso, non avendo la forza per raggiungere entrambi gli obiettivi. Decise di giocare sui due tavoli, gettando nella costernazione i suoi generali e ponendo le premesse per la sconfitta definitiva.

All'inizio del gennaio 1943 i russi offrirono ai tedeschi intrappolati a Stalingrado la possibilità di salvarsi la vita. Proposero condizioni onorevoli di resa che il comandante germanico trasmise a Hitler, caldeggiandole: c'erano 18.000 feriti senza cure, mancavano i viveri e le munizioni. «Proibisco la resa» rispose il Führer. «La VI Armata terrà le posizioni fino all'ultimo uomo e all'ultima cartuccia.» Il 31 gennaio il radiotelegrafista tedesco mandò il suo ultimo messaggio: «I russi sono alla porta del nostro bunker. Stiamo distruggendo gli apparecchi». I prigionieri tedeschi furono 91.000, quel che restava di un'armata di 285.000 uomini. Solo 5000 sarebbero tornati dai campi di concentramento sovietici.

La «soluzione finale» per gli ebrei

Già prima di cominciare la guerra, Hitler aveva deciso di sbarazzarsi di tutti gli ebrei. Il 30 gennaio 1939 disse in un discorso al Reichstag: «Se la finanza ebraica internazionale riuscirà ancora una volta a spingere le nazioni in una guerra mondiale, la conseguenza sarà l'annientamento della razza ebraica in tutta Europa». Nell'estate del 1941 Göring chiese a Reinhard Heydrich, direttore della Sicurezza nazista, di comunicargli al più presto un prospetto «da cui risultino le misure già prese per l'attuazione della progettata soluzione finale del problema ebraico». Per Hitler, ebrei e slavi erano «sottouomini». Gli slavi andavano utilizzati come schiavi, gli ebrei dovevano scomparire.

All'inizio gli ebrei venivano fucilati, ma questo richiedeva un gran numero di uomini perché, per garantire l'equilibrio psicologico dei propri soldati, i comandanti organizzavano quasi sempre plotoni d'esecuzione (soltanto gli ufficiali sparavano il colpo alla nuca dei sopravvissuti). Si decise allora di provvedere con camion adattati a camere a gas, ma anche questo sistema fu abbandonato perché non garantiva un'elevata quantità di vittime in poco tempo. Alcuni dei campi di concentramento furono pertanto trasformati in campi di sterminio e tra i responsabili dei lager si scatenò la gara a chi fosse il più bravo nell'assassinio di massa. Al processo di Norimberga Rudolf Höss, uno dei comandanti di Auschwitz, si vantò di aver usato un gas di qualità migliore rispetto a quello impiegato a Treblinka. Il comandante di questo campo replicò di aver liquidato 80.000 ebrei in un semestre.

Auschwitz mostrò una migliore capacità «industriale» di sterminio. Furono costruite camere a gas che contenevano 2000 persone per volta. Poi fu usato un gas più raffinato del monossido di carbonio. Höss dichiarò che le vittime di Treblinka sapevano che sarebbero state eliminate, mentre ad Auschwitz i più credettero di andare a disinfestarsi dai pidocchi. La selezione degli internati era operata da personale medico in base alle caratteristiche fisiche: quelli più robusti venivano inoltrati ai campi di lavoro, gli altri – a cominciare dai bambini – venivano uccisi. Lo sterminio sarebbe dovuto avvenire in segreto, ma l'odore emanato dai corpi bruciati nei forni crematori avvertì rapidamente gli abitanti delle zone limitrofe di quel che accadeva dietro i fili spinati dei campi. Prima delle esecuzioni e soprattutto dopo, i corpi delle vittime venivano ispezionati alla ricerca di orecchini, anelli, orologi, preziosi, capsule dentarie d'oro.

La spoliazione dei beni degli ebrei era precedente al loro viaggio nei campi di sterminio. Ma essi non erano i soli a venir depredati. Appena occupava un paese, Hitler ordinava il sequestro dell'oro e dei titoli depositati nella banca nazionale per pagare le «spese di occupazione». Alla fine della guerra, questi sequestri ammontavano complessivamente a 15 miliardi di dollari. Le opere d'arte requisite ai mercanti ebrei finirono nelle collezioni private di Hitler e Göring, il gerarca più potente e corrotto, o nei musei tedeschi.

Un capitolo a sé, non meno crudele e delirante, è quello delle sperimentazioni mediche sui prigionieri. Un'équipe di sadici torturatori si accanì sui poveri corpi dei detenuti con risultati scientifici pressoché nulli, ma a prezzo di sofferenze disumane e della morte delle vittime.

Quante persone furono uccise ad Auschwitz? A Norimberga Höss parlò di 16.000 morti al giorno nel 1944, quando occorreva procedere più in fretta. Altre fonti parlano di 6000 esecuzioni giornaliere. È un fatto che, nell'estate del 1944, in un mese e mezzo furono sterminati tra 250.000 e

300.000 ebrei ungheresi. Secondo la dichiarazione di Höss, le vittime nella sola Auschwitz furono 2,5 milioni, cifra che dimezzò in un successivo processo a Vienna. Secondo Eugen Kogon (*The Theory and Practice of Hell*), un intellettuale cristiano oppositore del nazismo sopravvissuto a sei anni di internamento a Buchenwald, su 7 milioni 820.000 internati le vittime furono 7 milioni 125.000, cifra che Shirer considera esorbitante. Raul Hilberg (*La distruzione degli ebrei in Europa*), che ha dedicato buona parte della sua vita a spulciare documenti sulla Shoah, parla di 5-6 milioni di vittime tra i soli ebrei, su una quindicina di milioni complessivi uccisi dai nazisti. Ma studi più recenti ipotizzano un numero ancora superiore.

Il crepuscolo degli dèi

La sconfitta di Stalingrado mutò radicalmente l'umore di Hitler. Non si fidava più di nessuno, i suoi soli amici erano la cagna Blondi, un pastore tedesco, ed Eva Braun, che rimase con lui fino alla fine. La caduta del fascismo e la necessità di invadere l'Italia avevano distratto truppe preziose dai diversi fronti. In coincidenza con la caduta del Duce, dal 24 luglio 1943 per una settimana l'aviazione britannica aveva accecato i radar tedeschi utilizzando nastri d'alluminio e distrusse Amburgo con una tempesta di fuoco, incendiando case, chiese e ospedali. Migliaia di persone rimasero uccise, carbonizzate in strada o soffocate nei rifugi. Il fortissimo impatto psicologico provocò al Führer un accesso d'ira.

Nel 1944 Hitler era un uomo solo e malato. In aprile, parlando con il fantasma di quello che era stato Benito Mussolini, gli illustrò nuove armi tecnologiche in grado di colpire a 300 chilometri di distanza per ridurre Londra in polvere. Ma entrambi sapevano che non sarebbero mai entrate in funzione. Il 4 giugno la presa di Roma da parte degli americani lo lasciò indifferente: compito delle sue truppe in Italia era di rallentare l'avanzata alleata per ritardarne lo sfondamento in Europa. Il pessimismo e la sfiducia, però, dilagavano ormai anche tra gli ufficiali.

Piccoli gruppi di coraggiosi tentarono cinque volte di ucciderlo, ma senza successo. La cosa più sconvolgente è che il popolo tedesco si strinse ancora di più intorno al suo Führer, il quale, convinto che le cose andassero male per colpa dei generali, diede a Himmler, capo delle SS, più ampi poteri militari e a Goebbels, capo della propaganda, più ampi poteri civili. Ma la guerra era ormai perduta.

Il 20 novembre 1944 Hitler lasciò la Tana del Lupo, un bunker di montagna ai confini tra la Polonia e la Russia dove aveva trasferito il proprio quartier generale dal giugno 1941, quando era iniziato l'attacco all'Urss, e tornò a Berlino sul suo treno blindato. Era il segnale più evidente della ritirata. Eppure, ancora una volta, il Führer delirò immaginando un contrattacco decisivo a ovest. Trasferitosi nel Nido dell'Aquila, un rifugio di montagna non lontano da Salisburgo e dal Berghof, lanciò un'offensiva nelle Ardenne, e quando, dopo un primo successo, intimò agli Alleati la resa, il comandante americano gli rispose: «Andate al diavolo».

A Capodanno del 1945 ogni speranza tedesca di vittoria era svanita. Hitler fece ritorno nel suo bunker di Berlino. Autorizzò senza convinzione e inutilmente richieste agli Alleati di combattere al suo fianco contro la Russia e alla Russia di unirsi a lui contro gli Alleati. La pietra tombale su ogni illusione fu cementata da Jalta, in Crimea, il 12 febbraio 1945. Roosevelt, Stalin e Churchill decisero che la Germania sarebbe stata divisa e smilitarizzata, i criminali di guerra processati. Hitler non batté ciglio e concluse che la resa sarebbe stata inutile.

Il 20 aprile 1945 il Führer compiva 56 anni, ma nel bunker il clima non era festoso, nonostante le giovani ed eroiche segretarie avessero stappato lo champagne. Si respirava un'aria da «si salvi chi può». Il più sfrontato fu Göring: messe in salvo moglie e figlia, denaro e opere d'arte, si accomiatò da Hitler cercando di convincerlo – prima di scappare – di trasferirsi a sud, nell'Obersalzberg. Lui lo congedò tendendogli stancamente la mano. Processato e condannato a morte dal tribunale di Norimberga, Göring si suicidò alla vigilia dell'esecuzione.

Il 23 aprile Himmler offrì agli Alleati una resa, che fu respinta. Poi fuggì. Rintracciato, si uccise il 23 maggio con una capsula di cianuro.

Il 29 aprile, con i russi ormai alle porte del bunker, Eva Braun chiese e ottenne di sposare Hitler. Un consigliere comunale riuscì a raggiungere il bunker su un'auto blindata. Goebbels e Martin Bormann, il segretario personale del Führer, fecero da testimoni. Le segretarie procurarono champagne e panini. La sera Hitler dettò alla sua segretaria più giovane le ultime volontà: lasciava i beni allo Stato e i quadri alla galleria di Linz. Nel testamento politico, addossò di nuovo alla comunità ebraica internazionale la responsabilità della tragedia.

Il giorno dopo Hitler si chiuse nello studio con Eva, che aveva deciso di morire con lui, come Claretta Petacci con Mussolini. I loro corpi furono rinvenuti l'uno accanto all'altro su un divanetto. La donna emanava un forte odore di acido prussico. Lui aveva un foro di proiettile sulla tempia destra e, ai piedi, una pistola Walther 7.65. I cadaveri furono bruciati, come aveva ordinato Hitler. Dell'uomo che aveva fatto tremare il mondo, i russi trovarono resti sufficienti a riempire una scatola di sigari. Eppure, venticinque anni dopo, le spoglie di Hitler e di Eva Braun vennero riesumate e cremate, e le ceneri disperse, quasi a voler scongiurare per sempre il pericolo che quegli antichi fantasmi potessero, in un modo o nell'altro, tornare in vita.

Stalin, apoteosi di un seminarista georgiano

Le vite parallele di due dittatori

Un ex caporale austriaco e un ex seminarista georgiano hanno plasmato la storia del XX secolo. Dotati entrambi di un'istruzione scolastica approssimativa, destinati nella visione dei loro protettori a essere subalterni a qualcun altro, hanno stravolto la geografia dell'Europa e condizionato l'esistenza di popoli interi con un intuito formidabile, una superbia militare costata milioni di morti ai rispettivi eserciti, un cinismo e una crudeltà che hanno annientato almeno 6 milioni di ebrei e – secondo Boris Eltsin – oltre 20 milioni di russi. Adolf Hitler e Iosif Stalin sono i due leader più studiati di sempre dagli storici, più amati e odiati dai loro connazionali, e protagonisti di inquietanti vite parallele. Il potere del primo è durato dodici anni, quello del secondo trenta, ma entrambi possono essere definiti alla pari due colossi del male.

Alan Bullock (*Hitler e Stalin. Vite parallele*), barone britannico, storico e testimone del secondo conflitto mondiale come corrispondente di guerra della BBC, li vede assimilati dalla brama di potere assoluto a qualunque costo e affianca quelle che Enzo Bettiza (*Corone e maschere*) chiama le loro «immani piramidi burocratiche, militari, ideologiche e terroristiche», lasciando immaginare che Hitler abbia creato il suo tremendo Stato di polizia ispirandosi alla dittatura staliniana. Va oltre un ex agente del servizio segreto militare sovietico, Viktor Suvorov (*Stalin, Hitler, la rivoluzione bolscevica mondiale*), fuggito nel 1978 in Inghilterra: con una tesi molto ardita, ancorché suffragata da dati inediti, sostiene che il nazismo sarebbe stata una filiazione diretta e programmata del bolscevismo. Hitler, in sostanza, non sarebbe mai diventato Hitler, se Stalin non avesse voluto. Neppure la seconda guerra mondiale sarebbe scoppiata se il dittatore sovietico non l'avesse prevista e progettata fin dal 1927, dando una mano ai nazisti per conquistare il potere.

Secondo Suvorov, Stalin riteneva che l'Europa sarebbe stata conquistabile in caso di guerra. Per questo, nei suoi disegni, Hitler – definito dai sovietici «rompighiaccio della rivoluzione» – avrebbe dovuto aprirgli la via. Per questo, fallita in Germania l'insurrezione bolscevica nel 1923, la strada per scardinare le democrazie europee, per distruggere la Francia e l'Inghilterra, avrebbe potuto essere soltanto un'altra: come scrive Bettiza, «riarmare l'esercito tedesco, offrirgli in territorio russo spazi e munizioni per le manovre, appoggiare la scalata di Hitler ai vertici del Reich per poi stringere un patto con lui e coprirgli le spalle nella sua prevista aggressione alla Polonia e alle democrazie europee». Avrebbe, dunque, avuto ragione Lev Trockij nel sostenere, come fece più volte fra il 1933 e il 1939, che Stalin in definitiva ha dato via libera sia a Hitler sia ai suoi oppositori e ha sospinto l'Europa verso la guerra. Ma la Storia è bizzarra e, a un certo punto, cambiò direzione di marcia. Hitler, come afferma Bettiza, iniziò a suicidarsi prima dei tempi calcolati e auspicati da Stalin. Il Führer decise di violare il patto Molotov-Ribbentrop, sottoscritto nel 1939, prima che lo facesse Stalin e attaccò la Russia, commettendo il tragico errore di aprire un secondo fronte (un terzo, addirittura, se contiamo l'Africa) ma mettendo i sovietici in enorme difficoltà.

Per noi profani la guerra è una sola: cannoni, carri armati, bombe, aerei servono più o meno sia per attaccare sia per difendersi. La tecnica militare dice altro. Osserva Suvorov: «Avevamo formidabili cacciabombardieri costruiti non per battagliare nel cielo, ma per colpire aeroporti e cit-

tà oltrefrontiera. Avevamo i più veloci blindati del mondo
... [*che*] ripetevano in chiave ... moderna la mobilità delle
cavallerie leggere di Gengis Khan contro i centauri feuda-
li, uomo e destriero, in panoplie [*armature*] di ferro. Quei
carri armati potevano addirittura sbarazzarsi dei cingoli
e proseguire su ruote, correndo a una velocità di 100 chilometri orari. Quindi, come si è poi dimostrato, del tutto
inutilizzabili in una strategia difensiva sulle pessime strade sovietiche, ma potenzialmente utilizzabilissimi sulle
ottime autostrade germaniche in una strategia offensiva».
La conclusione di Suvorov è che se Hitler avesse rispettato il «patto col diavolo», Stalin con la sua cavalleria velo-
ce avrebbe forse potuto spingersi dagli Urali all'Atlantico, e attribuisce all'ingenuità di Roosevelt l'averlo aiutato
ad arrivare comunque fino all'Elba, fiume di confine tra
le due Germanie.

Stalin ha realizzato almeno metà delle conquiste sogna-
te, meritandosi la memorabile definizione di Hitler: «È una
belva, ma una belva di dimensioni grandiose». Ed è morto nel suo letto nel 1953, all'età di 74 anni, per l'ignavia dei
suoi terrorizzati pretoriani. Compianto dai russi, celebrato
dai comunisti, ossequiato dagli avversari. Un capolavoro.

Il piccolo Iosif diventa Stalin

I grandi rivoluzionari sovietici erano tutti piuttosto be-
nestanti. Esponenti della piccola e media borghesia russa,
spesso di origine ebraica, avevano studiato e viaggiato. D'altra parte, il loro mentore Karl Marx non era figlio di un'e-
sponente della borghesia industriale tedesca e di un raffinato avvocato ebreo? Non si era trastullato con la domestica
fino a riceverne un figlio? Come ricorda Sergio Romano
nel suo *I confini della storia*, Stalin era il solo popolano della
compagnia, l'unico né russo né ebreo, figlio di un ciabatti-
no georgiano, ammesso che la madre Ekaterina – giovane
e bella, arrotondava il bilancio familiare lavorando a casa
dei ricchi – non l'abbia avuto da un facoltoso mercante locale. (I sostenitori di questa tesi osservano che al piccolo

Iosif non sarebbe bastata una borsa di studio per permettersi gli studi che ha fatto.) Poiché, una volta andato al potere, Iosif avrebbe massacrato gli artigiani, nelle agiografie di regime il padre legittimo venne retrocesso (o meglio, promosso) al rango di operaio in un calzaturificio. Sta di fatto che questi era un incallito ubriacone e picchiava il ragazzo, che finì con l'odiarlo; mentre la madre lo proteggeva e ne fu amatissima.

Nato nella cittadina di Gori nel 1878 (undici anni prima di Hitler e cinque prima di Mussolini), Soso (così lo chiamavano tutti da ragazzo) fu un buon allievo della scuola ecclesiastica locale. La statura si fermò a un metro e 60 e dovette rappresentare per lui un piccolo complesso, visto che avrebbe chiesto al capo della sua scorta di trovargli scarpe con la suola alta. A differenza di Berlusconi, che si sarebbe limitato a questo piccolo vezzo, Stalin avrebbe assistito alle parate su una pedana, in modo che la folla lo vedesse qualche centimetro sopra gli altri gerarchi.

Lo scrittore sovietico Michail Šolochov, che lo conobbe, fu colpito dallo sguardo: «Sorride, ma i suoi occhi sono come quelli di una tigre, l'animale da preda per eccellenza, che pure è capace di stare pazientemente in agguato della sua vittima». Sarà questa una caratteristica costante di Stalin: non prenderà mai la parola nelle riunioni di regime, lasciando gli altri a bollire nel loro brodo per poi farne un solo boccone con una zampata finale.

Al seminario di Tbilisi (Tiflis) fu un discreto allievo: studiò il greco e il latino e, una volta al potere, ne avrebbe raccomandato la reintroduzione nelle scuole sovietiche. A 16 anni il suo carattere diventò manifestamente ribelle, cosa peraltro piuttosto scontata in una scuola in cui venivano messi al bando anche autori come Tolstoj. S'innamorò del marxismo, vagheggiò il trionfo del «proletariato» sulle «classi sfruttatrici». Espulso all'età di 21 anni dal seminario per non aver dato gli esami, lavorò per un anno nel locale Osservatorio astronomico come impiegato e, quando venne chiuso perché covo di sovversivi socialdemocratici, diventò un rivoluzionario di professione.

Il suo primo nome di battaglia fu Koba, molto popolare nel Caucaso, e *Koba il Terribile* (ma Stalin avrebbe preferito «l'Indomabile») è il titolo del libro di Martin Amis dedicato al dittatore georgiano. Il secondo e definitivo, Stalin (dal tedesco *stahl*, «acciaio»), arrivò più tardi e si adattò perfettamente al suo carattere. Koba finì in carcere per un anno e mezzo per aver partecipato (e forse diretto) a una grande manifestazione antizarista in cui furono uccisi tredici dimostranti. Nel 1903 fu condannato a tre anni di esilio in Siberia, ma dopo qualche mese riuscì a fuggire e fece ritorno nel Caucaso.

In quegli anni il partito dei marxisti rivoluzionari russi era diviso in due correnti: i bolscevichi, guidati da Lenin, e i menscevichi, che non erano affatto moderati ma ritenevano che il passaggio al socialismo dovesse avvenire per via democratica, e non con un golpe armato. Stalin diventò subito un bolscevico duro e puro, rapinò una banca per finanziare il partito e per tale motivo ne fu temporaneamente espulso dall'ala legalitaria.

Emil Ludwig, il giornalista tedesco biografo di Mussolini che lo intervistò nel 1931 (*Tre ritratti di dittatori*), provò a chiedergli notizie della rapina. Lui sorrise, si alzò, prese un opuscolo con la propria biografia e gli mostrò che della rapina non c'era traccia. (Con gli stranieri lo «zar rosso» era molto amabile: una volta chiese il permesso di accendere la pipa e, con tale gesto, conquistò l'intervistatore.)

Nel 1905, a 27 anni, Stalin s'innamorò di Ekaterina Svanidze, una bella ragazza dai grandi occhi neri e i capelli raccolti dietro la nuca. L'anno dopo si sposarono in chiesa: il giovane bolscevico si piegò alle richieste della fidanzata e il matrimonio fu celebrato da un sacerdote che aveva conosciuto in seminario. Due anni dopo era già vedovo: il tifo gli portò via la bella Ekaterina, che fece comunque in tempo a lasciargli un figlio, Jakov. «Koba l'Indomabile» era distrutto dal dolore. «Questa creatura ha intenerito il mio cuore di pietra» disse dinanzi al feretro. «Ora che è morta, muoiono con lei anche i miei ultimi sentimenti di amore per il prossimo.» Profezia tragicamente vera.

Stalin, Lenin e la Rivoluzione d'Ottobre

Stalin venne arrestato ed esiliato più volte, espatriò clandestinamente per partecipare ai congressi del Partito operaio socialdemocratico russo di Londra e Stoccolma, e finalmente nel 1912 poté incontrare e frequentare Lenin a Cracovia, in Polonia. Il «vecchio» esortò il giovane rivoluzionario ad approfondire il tema delle nazionalità: i bolscevichi coltivavano ancora l'utopia della rivoluzione proletaria mondiale, ma le pressioni nazionaliste suggerivano prudenza. Scrivendo l'anno dopo *Il marxismo e la questione nazionale*, libro astutamente cerchiobottista, Stalin conquistò Lenin. Quest'ultimo aveva soltanto otto anni più dell'altro, ma la differenza di prestigio aumentava psicologicamente la differenza di età e perfino quella di statura. Non a caso veniva chiamato *vozd'*, «duce», l'appellativo che poi sarebbe stato riservato a Stalin. Lenin era alto solo un metro e 65, ma nell'immaginario collettivo era un gigante. (La stessa cosa sarebbe capitata a Gramsci, che misurava un metro e mezzo: una guardia carceraria gli disse di esserselo figurato immenso.)

La prima guerra mondiale sembrò complicare i piani dei bolscevichi. La rivoluzione del 1905, con la sua iniziale vampata di democrazia, si era esaurita, il governo zarista aveva condonato i reati degli esiliati e li aveva arruolati nell'esercito (Stalin, però, fu riformato per una menomazione al braccio sinistro), e lo stesso Lenin, ancora nel gennaio 1917, disse a un gruppo di studenti svizzeri che la sua generazione non sarebbe vissuta abbastanza per vedere la rivoluzione. E invece – anche se la famiglia imperiale si era liberata della nefasta influenza di Rasputin – la monarchia cedette di schianto. Il guscio autocratico era stato svuotato dalla ribellione sociale generalizzata, che invano Lev Tolstoj aveva tempestivamente segnalato allo zar Nicola II.

Il successo della rivoluzione del febbraio 1917 sorprese per primi i marxisti russi. Dalla Svizzera, Lenin dichiarò che soltanto la rivoluzione socialista avrebbe portato la pace, mentre Stalin si precipitò a San Pietroburgo (che allora si chiamava Pietrogrado) insieme a Lev Kamenev – il compagno della prima ora che avrebbe fatto fucilare nel periodo delle Grandi Purghe – per scongiurare il conflitto con i menscevichi. Quando Lenin tornò finalmente in patria, Stalin fu pronto ad allinearsi rinnovando il patto fiduciario con il leader, che lo fece entrare con Kamenev nel comitato centrale del partito. Il governo provvisorio nato dalla Rivoluzione di Febbraio era guidato (si fa per dire) da Aleksandr Kerenskij, un avvocato molto popolare in quel momento ma politicamente debole, tanto da essere accusato di aprire le porte ai bolscevichi i quali, una volta preso il potere nell'ottobre dello stesso anno, lo costrinsero a fuggire dal paese travestito da marinaio.

Robert Conquest, uno storico inglese che negli anni Trenta era comunista e ha scritto una delle più importanti biografie del dittatore sovietico, nota che Stalin non partecipò in alcun modo all'assalto bolscevico al Palazzo d'Inverno, la reggia zarista di San Pietroburgo, la notte tra il 7 e l'8 novembre 1917 (25-26 ottobre secondo il nostro calendario). La sua tesi è che, nei momenti cruciali, il suo istinto gli suggeriva di temporeggiare, di ponderare i fatti, per poi adeguarsi alla nuova situazione. Nonostante questo, Lenin lo fece entrare nel governo come commissario del popolo (ministro) per le Nazionalità.

Nel frattempo la guerra con la Germania continuava, tanto che i tedeschi furono a un passo dalla conquista di San Pietroburgo, costringendo il nuovo governo a trasferirsi a Mosca. Stalin portò con sé come segretaria Nadežda (Nadja) Allilueva, la figlia sedicenne di un bolscevico georgiano, che, racconta Antonio Ghirelli nel suo *Tiranni*, è stata descritta come una bellezza tipicamente meridionale, con qualche tratto gitano dovuto alla nonna. Stalin fu a lungo ospite della sua famiglia e trascorse con lei e la sorella Anna piacevoli serate leggendo ad alta voce brani di Čechov e Gor'kij o versi di Puškin. Si aggiunga che la piccola Nadja, quando aveva 3 anni, fu salvata proprio da Iosif mentre stava per annegare in un fiume e s'innamorò di lui appena ebbe l'età per farlo. Lascia, perciò, perplessi la diceria di una violenza sessuale consumata sul vagone letto di un treno.

Per fare la rivoluzione, Lenin aveva bisogno della pace con la Germania. La ottenne nel 1918, a costo di perdere Ucraina, Polonia orientale, Stati baltici e Caucaso. In compenso controllava quasi tutto il resto dell'immenso territorio russo. Liberati dall'assolutismo zarista, i russi caddero dalla padella nella brace. La guerra civile tra i menscevichi «bianchi» e i bolscevichi «rossi», più forti numericamente, sarebbe bastata da sola a ridurre alla fame il paese. Lenin ci mise del suo, ordinando la requisizione coatta di tutte le derrate alimentari disponibili. («Se duecentomila proprietari terrieri potevano dominare la Russia, perché non possono farlo duecentomila comunisti?») Il risultato fu la prima, gigantesca carestia della nuova era rivoluzionaria.

La gestione di questa emergenza fu affidata con pieni poteri a Stalin che, in compagnia di quattrocento agenti della polizia segreta e della giovane segretaria Nadja, arrivò con un treno blindato a Caricyn (la futura Stalingrado) e fece ammazzare tutti i responsabili, veri o presunti, della crisi alimentare. Stalin avrebbe dovuto rispondere gerarchicamente a Trockij, ma ne ignorò gli ordini e continuò con le esecuzioni. Il suo slogan era: «La morte risolve tutti i problemi: nessun uomo, nessun problema». Si comportò in modo irresponsabile anche nella difesa della città dagli attacchi dei menscevichi, ignorando, come poi sarebbe stata sua abitudine, il parere degli «specialisti militari», e così, pur disponendo di forze superiori, riuscì a perdere 60.000 uomini. Nell'ultima fase della guerra civile, moltiplicò le esecuzioni di chiunque non fosse d'accordo con lui, nella convinzione che il terrore rianimasse gli indecisi. Lenin s'infuriò, ma non tolse la fiducia a «Koba il Terribile».

Il «comunismo di guerra» e la requisizione coatta delle derrate provocarono ribellioni tra i contadini, al punto che Lenin fu costretto a reintrodurre nelle campagne un minimo di regole di mercato con la Nuova politica economica (Nep). Ma intanto, nel solo 1921, morirono di fame 5 milioni di persone, portando il numero di vittime del periodo postrivoluzionario a 14 milioni. Il futuro presidente degli Stati Uniti Herbert Hoover, allora direttore dell'agenzia americana per il rifornimento di viveri agli alleati europei, intervenne con aiuti massicci che salvarono milioni di vite, ma Stalin fu tra i pochi che, oltre a non ringraziarlo, cercarono addirittura di ostacolare il progetto. John Reed, il giovane scrittore comunista americano testimone della Rivoluzione d'Ottobre (*I dieci giorni che sconvolsero il mondo*), disse di Stalin: «Non è un intellettuale. Non è nemmeno particolarmente ben informato, ma sa quello che vuole. Ha carattere e un giorno finirà in cima al mucchio».

In cima al mucchio ci finì il 4 aprile 1922, quando Lenin lo fece nominare segretario generale del comitato centrale del Partito comunista. Un mese dopo il leader bolscevico ebbe il primo ictus, inizio di un'agonia durata quasi due anni. Benché avesse cominciato a diffidare dell'autoritarismo eccessivo di Stalin e si fidasse più di Trockij, che pure considerava un megalomane, la sua progressiva debilitazione ebbe come risultato l'alleanza dei tre dirigenti più importanti – Stalin, Kamenev e Zinov'ev – contro Trockij. Nel suo testamento politico, reso pubblico da Nikita Chruščëv soltanto nel 1956, Lenin scrive che Stalin, da segretario generale, «ha concentrato nelle proprie mani poteri illimitati e non sono sicuro che sarà capace di utilizzare tale autorità con prudenza sufficiente ... È troppo rozzo e questo difetto, che è tollerabile nel rapporto tra comunisti, è intollerabile in un uomo che ricopre la carica di segretario generale».

Lenin morì il 21 gennaio 1924, e da quel momento niente e nessuno riuscì a fermare l'ascesa di Stalin. Da segretario generale strutturò il partito come un governo con i diversi ministeri: organizzazione, propaganda, cultura, amministrazione, servizio segreto. Controllava personalmente tutto e tutti, utilizzava gli uni contro gli altri come pedine di una scacchiera infernale e cominciò ad attaccare gli avversari interni. Ghirelli ricorda la raffinatissima e perversa strategia che fu alla base dei processi degli anni

Trenta. L'«incriminazione per analogia» consisteva nell'accusare qualcuno di aver ripetuto ciò che era stato detto da qualcun altro, fosse una «spia» o un «agente del nemico di classe», a riprova del legame di complicità tra i due. L'«evoluzione delle colpe trascorse» si fondava, invece, su un abile dosaggio di citazioni e di dossier polizieschi. E molto spesso i «traditori» furono costretti ad ammettere colpe non proprie. (Fu con tali mezzi che vennero condannati per «frazionismo» tanto Trockij quanto i suoi quarantasei compagni che avevano osato protestare contro i metodi di Stalin.) È davvero straordinario come quest'uomo sia riuscito, a poco a poco, a eliminare tutti i maggiori protagonisti della Rivoluzione d'Ottobre.

Nel giugno 1924 furono eletti i sette membri effettivi del Politburo. La gerarchia vedeva ai primi due posti Lev Kamenev e Grigorij Zinov'ev. Entrambi ebrei di famiglia borghese, intellettuali con studi universitari (legge il primo, filosofia, letteratura e storia il secondo), erano rispettivamente presidente del Politburo e del Soviet di Mosca e presidente dell'Internazionale comunista e del Soviet di San Pietroburgo. Stalin era al terzo posto e precedeva la figura più carismatica del gruppo, Lev Trockij, rivoluzionario e intellettuale di grande caratura (chiamato dai compagni «Penna»), che durante e dopo la Rivoluzione d'Ottobre era stato il più stretto collaboratore di Lenin. Al quinto posto figurava Nikolaj Bucharin, figlio di due insegnanti, rivoluzionario dalla primissima giovinezza, scrittore notevole, amatissimo dalla base. Chiudevano la lista Aleksej Rykov, studente di legge prima di dedicarsi anima e corpo alla rivoluzione diventando presidente del Consiglio dei commissari del popolo, e Michail Tomskij, l'unico operaio del gruppo, promosso capo del sindacato. Bene, sei di questi membri del Politburo sarebbero stati fisicamente eliminati dal settimo, unico sopravvissuto del gruppo. L'uomo meno prestigioso, ma senz'altro il più abile e diabolico.

Milioni di morti nelle campagne

Stalin era l'unico dirigente del partito a non avere una posizione ideologica ben definita: passava dalla «destra» alla «sinistra», transitando per il «centro», in modo da spiazzare alleati e avversari, e mettendo gli uni contro gli altri. Kamenev e Zinov'ev s'illusero di servirsene per le loro manovre contro Trockij e ne furono travolti. (Questo accade spesso in politica: si pensi alla vicenda italiana, da Mussolini a Craxi, considerati «manovrabili» da chi ne favorì l'ascesa al potere.) Capito l'errore, recuperarono l'alleanza con Trockij, innamorato della rivoluzione mondiale, ma furono sconfitti da Stalin con la strategia più realistica del «socialismo in un solo paese», le cui tesi furono scritte da Bucharin.

Liquidata la «sinistra» del partito, Stalin fece fuori anche la «destra» di Bucharin, Rykov e Tomskij. Bucharin, moderato (si fa per dire) e gradualista, era per un'applicazione estensiva della Nep: le grandi aziende industriali erano state espropriate, ma le piccole avrebbero potuto essere gestite autonomamente e i contadini avrebbero potuto vendere una parte dei loro prodotti sul mercato libero. Stalin, al contrario, era per l'esproprio immediato di tutti i mezzi di produzione (compresa la terra dei contadini) e per l'industrializzazione forzata della Russia. Come ricorda Romano, con i piani quinquennali furono costruite industrie, acciaierie, centrali idroelettriche. Furono innalzate dighe e tagliati canali. Nacque così la seconda potenza industriale del mondo e uno dei paesi più alfabetizzati, ma la società sovietica aveva i piedi d'argilla, che nei successivi cinquant'anni l'avrebbero sostenuta sempre meno fino a provocarne lo schianto finale.

In un paese rurale come la Russia, lo sconvolgimento dell'agricoltura ebbe conseguenze drammatiche. I contadini ricchi, anche se disponevano soltanto di una trentina di ettari, venivano chiamati «kulaki». Quando nel 1928 la Nep venne sostituita dal primo piano quinquennale, Bucharin si affannò invano a spiegare che un contadino non osava installare un tetto in metallo per paura di essere definito «kulak», e se comprava una macchina lo faceva in modo che i comunisti non se ne accorgessero. Nel 1929 Stalin fece deportare i kulaki che, due anni prima, si erano ribellati all'ordine di vendere il grano al prezzo stabilito dal governo. Lo stesso Bucharin fu destituito.

Anni dopo, nel 1942, Stalin confidò a Churchill di aver dovuto ingaggiare una «lotta spaventosa» contro 10 milioni di contadini, aggiungendo placidamente che erano stati in gran parte eliminati dai loro dipendenti. In realtà, il numero di vittime della riforma agraria staliniana fu assai superiore. Tra il 1929 e il 1932, 15 milioni di uomini, donne e bambini furono costretti ad abbandonare le loro terre per raggiungere in gran parte le regioni artiche. Molti, piuttosto che consegnare il loro bestiame allo Stato, preferirono ucciderlo. Già nel 1930 Stalin poteva annunciare la liquidazione dei kulaki come classe sociale.

Il capo del partito non si fidava di nessuno, tantomeno di quegli «specialisti» che avrebbero dovuto dargli una mano in ogni campo, dall'agricoltura all'esercito, alla scienza. Anzi, li fece progressivamente eliminare dopo processi senza diritto alla difesa e condotti da un pubblico ministero raffinato e crudele, Andrej Vyšinskij. La distruzione di intere classi sociali ebbe conseguenze devastanti sull'economia rurale. I *kolchoz*, le cooperative agricole con adesione obbligatoria istituite dal regime sovietico, avevano fallito l'obiettivo, e quindi la collettivizzazione nelle campagne fu attuata con la forza.

Assunto il pieno controllo del partito, nel 1932 Stalin diede un nuovo giro di vite alla repressione governativa. Conquest ricorda che questa volta le vittime prescelte furono i contadini ucraini, quelli che si erano opposti con maggior vigore alla politica di collettivizzazione. Stalin non volle ammettere che la produzione era calata e, sulla base di cifre cervellotiche, pretese che allo Stato fosse consegnata una quantità di cereali superiore a quella effettivamente raccolta. Ne seguì una carestia spaventosa: durante l'inverno, dai 5 ai 7 milioni di persone morirono di fame. I tribunali lavorarono a ritmi forzati per condannare i «sabotatori». Spesso

bastava il furto di qualche pannocchia per meritare la fucilazione. In caso di attenuanti eccezionali, il malcapitato se
la cavava con dieci anni di carcere e la confisca della proprietà. Inoltre, fu abbassata a 12 anni la soglia anagrafica
per essere condannati a pene severissime e a quella capitale. Per arginare l'ondata di sdegno che si sollevò anche nel
loro paese, i comunisti francesi – filosovietici come quelli italiani – sostennero che la tempra socialista aveva fatto
diventare uomini responsabili anche i bambini di quell'età.

Per decenni le autorità sovietiche hanno negato che quel-
l'anno ci fosse stata una carestia e solo dopo la caduta dell'URSS
sono emersi documenti che dimostrano come il genocidio per
fame degli ucraini sia stato organizzato con premeditazione
dalla classe dirigente staliniana per vincere la resistenza della popolazione rurale alla collettivizzazione forzata.

Il suicidio di Nadja

In quegli anni la vita coniugale di Stalin attraversò una
crisi irreversibile, fino al suo tragico epilogo. Nadja, che il
quarantunenne Iosif aveva sposato nel 1919, dopo avergli
dato due figli – Vasilij, che avrebbe fatto una forzata carriera nell'aviazione come ufficiale pilota (il padre lo degra-
dò per indegnità) e sarebbe morto alcolizzato nel 1962, e la
più nota Svetlana, che si sarebbe trasferita negli Stati Uniti
dove è morta nel 2011 – aveva cercato qualche spazio di
autonomia, chiedendo e ottenendo di lavorare nel partito,
e voleva iscriversi all'università. Svetlana definiva la madre «una piccola barchetta agganciata a un enorme transatlantico», sebbene diede molto filo da torcere al marito
e fosse anche una mamma severa. Tanto che racconterà di
averle preferito la tenerezza del padre, che amava tenerla
sulle ginocchia. (Non è certo l'unico caso di uomo politico, e in particolare di dittatore, con comportamenti pubblici e privati clamorosamente diversi.) Alla fine, però, annota
Conquest, Nadja ottenne di potersi iscrivere a corsi di produzione tessile presso l'Accademia industriale. Lì apprese
della tragedia ucraina, dei bambini che morivano di fame,

degli episodi di cannibalismo. Quando ne parlò con il marito, lui andò su tutte le furie, e gli studenti che le avevano dato quelle informazioni furono arrestati.

L'8 novembre 1932, per celebrare il quindicesimo anniversario della rivoluzione, le massime autorità del partito furono invitate a una cena organizzata al Cremlino da Kliment Vorošilov, futuro maresciallo dell'Unione Sovietica che, alla morte di Stalin, avrebbe assunto la guida del Soviet supremo. (Il suo successore fu Leonid Brežnev.) Iosif e la moglie sedevano l'uno di fronte all'altra e litigarono apertamente. Non è chiaro se lei fosse infastidita per l'atteggiamento troppo confidenziale del marito con una commensale, se lui l'avesse costretta a bere o, addirittura, le avesse tirato addosso una sigaretta accesa, sta di fatto che Nadja abbandonò la tavola seguita dalla moglie di Molotov, sua amica e confidente, che l'accompagnò in una lunga e inquieta passeggiata nei giardini del Cremlino.

Quel che accadde nelle ore successive si seppe soltanto dopo il 1989, quando Michail Gorbačëv rivelò le parti ancora segrete del famoso rapporto di Chruščëv al XX congresso del PCUS del 1956. Dopo la morte di Stalin, il capo della sua scorta raccontò che a una certa ora della notte Nadja, dopo aver telefonato ripetutamente al marito senza trovarlo, aveva chiesto all'ufficiale di servizio dove fosse. «Alla dacia di Kuncevo» fu la risposta. A pochi chilometri dal Cremlino. Con chi? «Con la moglie di Fëdor Gusev», in quel momento ambasciatore a Londra, rivelò l'incauto. Nadja, già malata di nervi, scossa dalle frequenti scappatelle del marito, si uccise con un colpo di rivoltella, dopo aver scritto a Iosif un duro messaggio personale e politico. È opinione comune che questo episodio (l'unico per il quale Stalin fu visto piangere) ne abbia, se possibile, inasprito ulteriormente il carattere.

Il Grande Terrore e la Grande Guerra Patriottica

Nel 1934, prendendo spunto dall'assassinio di Sergej Kirov, capo del partito di Leningrado (come era stata rinominata San Pietroburgo nel 1924), Stalin avviò la strategia del Terrore, che avrebbe toccato il culmine fra il 1936 e il 1939. Kirov era un dirigente molto popolare e fu assassinato nel suo ufficio da uno squilibrato. In quel gesto Stalin intravide, o finse di intravedere, la prova di un complotto e ne approfittò per programmare l'eliminazione dei suoi avversari. Il Rapporto Chruščëv rivelò che, dei 139 membri del comitato centrale eletti al congresso del 1934, nel giro di tre anni 98 furono arrestati e fucilati. Dei 1966 delegati, 1108 furono arrestati, imprigionati o deportati per presunti delitti contro lo Stato. «Stalin» scrisse Chruščëv «era un uomo molto diffidente, morbosamente sospettoso. Era capace di fissare qualcuno e di chiedergli: "Perché il vostro sguardo oggi è così sfuggente?". Oppure: "Perché oggi abbassate gli occhi ed evitate di guardarmi in faccia?".» Furono uccisi, con l'accusa di tradimento, anche dirigenti dei «partiti fratelli» ospitati a Mosca. Palmiro Togliatti, negli anni in cui visse a Mosca, vedeva scomparire fisicamente persone con cui aveva lavorato fino al giorno precedente e lui stesso, coricandosi, non era sicuro di vedere l'alba alzandosi dallo stesso letto.

A cavallo degli anni Trenta le personalità più eminenti dell'Unione Sovietica, oltre a Stalin, erano Trockij, Kamenev e Zinov'ev. Lev Trockij, fin dal 1929, era stato esiliato ad Alma-Ata, in Kazakistan. Da lì si spostò in Turchia e in Europa, poi chiese asilo agli Stati Uniti, ma Roosevelt glielo negò. Nel 1937, infine, si rifugiò in Messico. La protezione e la scorta personale garantite dal governo non valsero a salvargli la vita. Il 20 agosto 1940 Ramón Mercader, agente di Stalin spacciatosi per un trotzkista canadese, lo uccise con un colpo di piccozza alla testa. Lev Kamenev e Grigorij Zinov'ev erano stati fucilati quattro anni prima, dopo un processo farsa in cui erano stati costretti a confessare di aver ordito con Trockij un complotto per assassinare Kirov.

L'aspetto più tragico dello stalinismo, e che lo differenzia dalle altre dittature, consiste proprio nelle confessioni estorte agli avversari politici per poterli condannare a morte. Non regge, infatti, l'ipotesi di una falsa confessione come gesto eroico per salvare i propri parenti, perché alcuni di questi li seguirono rapidamente nella tomba. Con tutte le fatali approssimazioni, si è calcolato che, soltanto fra il 1936 e il 1939, circa 5 milioni di persone siano state giustiziate oppure imprigionate o deportate, e che i sopravvissuti siano stati non più del 10 per cento. Nell'intero periodo in cui fu al potere, Stalin firmò personalmente 230.000 condanne a morte. Le vittime erano suddivise per categorie (generici, militari, agenti dei servizi segreti e così via) e un elenco era riservato alle «mogli di nemici del popolo». In una sola giornata, il 12 dicembre 1937, Stalin e Molotov firmarono 3167 sentenze capitali, dopodiché se ne andarono a vedere un film nella saletta privata del Cremlino.

Nel 1938 Lavrentij Berija, che si era formato nei quadri dei servizi segreti, diventò capo dell'NKVD, l'apparato di sicurezza dello Stato. Meno rozzo, ma se possibile più spietato dei suoi predecessori, Berija continuò nell'opera di decimazione e diede il meglio di sé nel 1940 durante l'occupazione della Polonia, quando ordinò il massacro di 25.700 prigionieri polacchi, tra cui 14.700 ufficiali, nel bosco di Katyń. La sua crudeltà era tale che subito dopo la morte di Stalin, per tagliare il simbolico cordone di continuità con il regime passato, Chruščëv e Molotov lo fecero uccidere dopo un processo più che sommario il 23 dicembre 1953, o forse l'avevano addirittura eliminato alcuni mesi prima con un'esecuzione a freddo durante una riunione del comitato centrale.

Il sospetto sistematico e generalizzato, unitamente alla sfiducia verso gli «specialisti», indusse Stalin a decimare diverse categorie professionali: ingegneri, chimici, fisici e, soprattutto, militari. Alla fine degli anni Trenta (e quindi alla vigilia del secondo conflitto mondiale) furono uccisi senza processo 3 dei 5 marescialli dell'Unione Sovietica, 16 dei 17 comandanti d'armata, 60 dei 66 generali di corpo d'armata, 133 dei 199 generali di divisione, 221 dei 397 generali di brigata, quasi tutti gli ammiragli della flotta e perfino i commissari politici del servizio segreto infiltrati tra i militari per spiarli. Per completare l'istruzione militare di un ufficiale di Stato maggiore occorrevano una dozzina d'anni e ne servivano venti per un comandante d'armata. Con le decimazioni delle alte sfere dell'esercito, si capisce perché fino al 1942 l'Unione Sovietica abbia subìto disastrose sconfitte militari.

Quando Hitler diede avvio all'«operazione Barbarossa» (l'invasione dell'Unione Sovietica), Stalin cadde in una crisi di disperazione. Si rifugiò nella dacia di Kuncevo e i dirigenti del partito dovettero andare a scongiurarlo di tornare a Mosca per evitare ritardi e smarrimento negli alti comandi. «Perché siete venuti?» chiese a Molotov e agli altri, sbigottiti di vederlo in quello stato. Secondo Conquest, Stalin pensò perfino che i suoi compagni volessero arrestarlo o ucciderlo. Quando capì che era ancora lui il capo, diede prova del suo intuito straordinario, affiancando all'appello ai «compagni» quello ai «cittadini, fratelli e sorelle».

Fu l'inizio della Grande Guerra Patriottica, in cui il linguaggio abituale dei rivoluzionari bolscevichi lasciò il posto a quello nazionale. Furono sospese le persecuzioni contro la Chiesa ortodossa e celebrate le vittorie zariste del 1812 contro Napoleone. Il conflitto con l'esercito tedesco ebbe la sua epopea nell'eroica difesa di Stalingrado, come era stata rinominata la città di Caricyn fin dal 1925, subito dopo la morte di Lenin e quando Stalin non aveva ancora il controllo assoluto del potere. (Già dal 1961 sarebbe diventata Volgograd.) In realtà, è ormai comune tra gli studiosi la convinzione che, senza gli aiuti occidentali, l'URSS non avrebbe resistito all'attacco di Hitler. Gli Alleati fornirono ai russi 14.000 aerei da combattimento e un forte supporto tecnico anche a terra.

Nonostante la difficoltà sul fronte interno, Stalin non rinunciò mai a comportarsi da Stalin. Nel drammatico 1943 distolse dal fronte di guerra 20.000 tra camion e vagoni ferroviari per deportare in campi di concentramento 2 milioni fra ceceni e appartenenti ad altre minoranze etniche accusati di non essersi battuti contro i tedeschi. Un terzo di loro non sarebbe più tornato a casa. Lo «zar rosso» gareggiò con Hitler anche in crudeltà. Quando i comandanti sul campo gli chiesero di poter evacuare Kiev, si rifiutò, incu-

rante di provocare decine di migliaia di morti e di consegnare ai tedeschi mezzo milione di prigionieri. Respinse la
richiesta della Svezia di rispettare la convenzione di Ginevra
nel trattamento dei prigionieri, lasciando senza protezione
i suoi soldati in mano ai tedeschi e spedendo ai lavori forzati i prigionieri germanici. Quando i nazisti gli offrirono
di scambiare suo figlio Jakov, tenente d'artiglieria, catturato a Smolensk, con il feldmaresciallo Friedrich Paulus, ar-
resosi a Stalingrado, disse di non avere figli con quel nome.
Poi indagò sulle ragioni della resa del figlio e tenne in prigione per due anni sua moglie, rilasciandola solo nel 1943
quando Jakov cercò la morte scagliandosi contro la recin-
zione del campo di concentramento e fu abbattuto da una
sentinella. E allorché, nella controffensiva finale, l'Armata
rossa entrò in Germania, la violenza dei soldati russi contro
la popolazione civile tedesca fu tremenda. «Dopo centinaia
di chilometri di fuoco e morte» disse Stalin a uno stupefat-
to Milovan Gilas «un soldato avrà pur diritto di spassarse-
la con una donna o di prendersi qualcosina…»

Roosevelt sottovalutò sempre Stalin e il suo successore
Truman lo trovò cordiale e disponibile. L'unico che capì subito con chi aveva a che fare fu Winston Churchill. E mentre gli occidentali si preoccupavano che la Russia non in-
vadesse il Giappone, Stalin si riprese paese dopo paese
tutti i possedimenti dell'ex impero zarista. Le perdite su-
bite dal popolo russo a causa della guerra furono immen-
se: 20 milioni di morti, 32.000 fabbriche distrutte, 1700 città e 70.000 villaggi devastati dai nazisti.

«Un morto è una tragedia. Un milione di morti una statistica»

Dopo la guerra, Stalin accantonò i generali che potevano offuscare i suoi meriti nella vittoria. Questa sorte toccò
anche a Georgij Žukov, il vero vincitore della guerra, il leggendario comandante «che mai perse una battaglia». Stalin
lo destinò a incarichi di second'ordine, temendone la popolarità. E Žukov si rifece con gli interessi dopo la morte
del dittatore: diventò ministro della Difesa con Chruščëv,

al quale garantì l'appoggio decisivo quando i «colonnelli» del partito (Molotov, Malenkov, Kaganovič, Bulganin) tentarono un golpe per destituirlo.

Dopo la vittoria nella seconda guerra mondiale, Stalin diventò il faro del comunismo internazionale. Nel 1949 Palmiro Togliatti ne celebrò i settant'anni con queste parole: «La vita di Stalin colpisce non soltanto l'intelligenza ma l'immaginazione stessa degli uomini, per qualche cosa di grandioso, di meraviglioso che rassomiglia al portento». Da tre anni, per usare una celebre espressione di Churchill, «in mezzo all'Europa era calata una cortina di ferro». Resa ancor più allarmante dal colpo di Stato attuato nel 1948 dai comunisti in Cecoslovacchia, con lo scioglimento dei partiti democratici e l'uccisione del ministro degli Esteri Jan Masaryk, unico socialista in un governo eterodiretto da Mosca. «Sono andato a Mosca come ministro degli Esteri di un paese indipendente e ne sono tornato come lacchè della Russia» disse, dopo essere stato costretto a rifiutare il Piano Marshall.

Tre mesi dopo la morte di Masaryk, Stalin ordinò il blocco di Berlino, la capitale divisa tra russi, americani, inglesi e francesi alla fine della guerra. Un imponente ponte aereo consentì tuttavia agli Alleati di conservare un'enclave strategica nel cuore della Germania Est. Nello stesso periodo maturò la ribellione di Tito, che portò la Iugoslavia a conquistare una progressiva autonomia da Mosca, pur nella fedeltà politica al modello sovietico. Stalin cercò di eliminarlo con due attentati, il cui fallimento ne indebolì l'immagine internazionale. Nel 1950 consolidò i suoi rapporti con Mao Tse-tung e con Ho Chi Minh, ma commise un errore autorizzando il leader nordcoreano Kim Il Sung a invadere la Corea del Sud: l'esito, infatti, fu disastroso grazie al pronto intervento americano.

All'interno, le persecuzioni non cessarono mai, diventando anzi più raffinate. Gli intellettuali presero il posto dei politici nel ruolo di vittime designate: i nomi più illustri furono quelli di Bulgakov, Pasternak, Prokof'ev, Šostakovič e Solženicyn, il cui romanzo *Una giornata di Ivan Denisovič* è ambientato in un gulag siberiano dove morirono 17.000 deportati. Nelle persecuzioni, Stalin non ebbe riguardi nemmeno per la propria famiglia. Fece arrestare le cognate, tra cui Zenja, diventata sua amante. A Svetlana spiegò così la decisione: «Sapevano troppo e chiacchieravano troppo. E questo giova ai nemici...».

Stalin visse in solitudine gli otto anni trascorsi dalla fine della guerra alla sua morte. I gerarchi del regime organizzavano spesso grandi cene, dalle quali erano bandite le donne. Se c'era un'orchestra, si ballava tra soli uomini. Chruščëv sostiene che durante il conflitto «qualche rotella nella testa di Stalin abbia smesso di funzionare» e lo descrive come una persona «volgare e aggressiva con chiunque». Se non fosse morto il 5 marzo 1953, si sarebbe macchiato di una violenta e sanguinosa campagna antisemita di stampo hitleriano. L'antica avversione per gli ebrei si era rafforzata dopo la guerra ed ebbe il suo epilogo nel presunto «complotto dei medici».

L'équipe sanitaria del Cremlino era in larga parte composta da ebrei. Quando Vladimir Vinogradov, medico personale di Stalin, gli consigliò di rinunciare a cene interminabili con grande consumo di vodka e di adottare uno stile di vita più sobrio, il dittatore pensò che fosse stato orchestrato un piano per eliminarlo. Ordinò un'inchiesta e concluse che i «medici ebrei» volevano uccidere i massimi dirigenti del Cremlino. Il processo fu fissato per il 5 marzo e, visto il prevedibile esito, le esecuzioni per la settimana successiva. Da lì sarebbe partita una campagna antiebraica di massa. Ma la sua morte bloccò tutto.

Uno degli uomini più potenti del mondo se ne andò in modo «spaventoso», come avrebbe detto la figlia Svetlana. Ghirelli racconta che, quando gli venne un colpo apoplettico, il dittatore venne curato tardi e male perché l'unico medico che conosceva davvero il suo corpo, Vinogradov, era in carcere. La sua scorta, terrorizzata all'idea di entrare nell'appartamento di Stalin senza il suo permesso, lo scoprì riverso in terra con una dozzina d'ore di ritardo. Le cure di routine non servirono a niente. Svetlana arrivò sconvolta e tentò invano di farsi riconoscere. L'altro figlio, Vasilij, si mise a gridare al complotto. L'immagine teatrale del vecchio dittatore che, incapace ormai di parlare, annichilisce con lo sguardo terrorizzato e terrorizzante i testimoni del suo trapasso è degna della tragedia staliniana.

La figura del Piccolo Padre resta comunque un mistero. Ai suoi funerali parteciparono milioni di persone. Centinaia restarono uccise nella ressa. I comunisti di tutto il mondo misero il lutto. Gli avversari ebbero parole di rispetto. «Si dava da fare per ingannare la gente» disse Charles De Gaulle. «Ma la sua passione era talmente aspra da fare capolino comunque, non senza una sorta di tenebroso fascino.» Il suo corpo imbalsamato fu sepolto nella piazza Rossa accanto al mausoleo di Lenin, per esserne sfrattato pochi anni dopo quando Chruščëv celebrò la destalinizzazione.

Dirà lo scienziato dissidente Andrej Sacharov: «Ci vollero anni prima che capissi appieno fino a che punto l'inganno, lo sfruttamento e la truffa vera e propria fossero connaturati all'intero sistema stalinista. Questo mostra il potere ipnotico dell'ideologia di massa». Eppure, a sessantacinque anni dalla sua morte, Stalin resta in Russia uno dei personaggi più popolari. Ha fallito nella rivoluzione socialista, ma ha fatto dell'URSS una superpotenza mondiale della seconda metà del Novecento. A quale prezzo? «Un morto è una tragedia» disse un giorno. «Un milione di morti una statistica.»

Benito Mussolini,
dal consenso alla tragedia

Bambino muto e giovanotto bigamo

Benito Mussolini diventò capo del governo italiano a 39 anni e fu il più giovane dittatore del Novecento. Hitler fu nominato cancelliere a 44 anni, Franco divenne «caudillo» a 46, Lenin prese il potere a 47 e Stalin a 44. Nemmeno negli Stati democratici, presidenti e primi ministri a lui contemporanei furono insediati in età più giovane: da Churchill a Roosevelt, a De Gaulle. In Italia si è dovuto aspettare quasi un secolo e Matteo Renzi per avere un presidente del Consiglio della stessa età.

La nomina di Mussolini fece sensazione perché il Duce rottamò una classe politica che aveva trent'anni più di lui e perché – in Italia e nel mondo – si ritenne che fosse la persona giusta arrivata al momento giusto per salvare l'Italia da una crisi che sembrava irrisolvibile. Per quindici dei suoi vent'anni di potere ebbe un consenso enorme. Cadde per un errore fatale che accomuna molti degli «uomini soli al comando»: eccesso di sicurezza e di ambizione.

L'infanzia di Mussolini fu disagiata, malgrado fosse nato a Dovia di Predappio (Forlì), in una zona ricca come la Romagna. La sua famiglia era meno plebea di quanto lui amava far credere (il padre, fabbro, gestiva anche un caffè e la madre era figlia di un veterinario), ma il tenore di vita era assai modesto. Nel suo *Mussolini*, Pierre Milza racconta che, a 3 anni, Benito non proferiva parola. Il medico che lo visitò scosse la testa: «Deficienza mentale». La madre non si rassegnò e corse da uno specialista che sentenziò, profetico: «Non preoccupatevi. Parlerà, anche troppo».

Studiò in collegio dai preti (e forse per questo diventò anticlericale) e, diplomatosi maestro, fu assegnato a Gualtieri, in Emilia, dove fece letteralmente la fame: 40 delle 56 lire di stipendio se ne andavano per alloggiare in una pensione. La miseria, però, non gli impedì di essere fin da giovanissimo uno sfrenato donnaiolo. A 19 anni, nel 1902, espatriato in Svizzera per le sue idee rivoluzionarie, fu a sua volta sedotto da una donna più rivoluzionaria di lui, Angelica Balabanoff, «brutta, buona e sincera». La loro relazione conobbe fasi alterne, ma durò più di un decennio e si ruppe quando Mussolini diventò interventista.

Nel 1909, a 26 anni, incontrò la donna che, con il disappunto dei suoi genitori, avrebbe sposato, Rachele Guidi, figlia diciottenne di una cameriera del ristorante che il padre di Benito aprì una volta in pensione. Andarono ad abitare in un bilocale miserrimo, arredato con un letto, un tavolo sbilenco, due sedie e una cucina a carbone. Un anno dopo nacque Edda, la primogenita.

A 29 anni, Mussolini era già un leader, capo della corrente rivoluzionaria al congresso socialista di Reggio Emilia e molto popolare all'interno del partito. Emilio Gentile, uno degli storici più critici, nel suo saggio *Fascismo. Storia e interpretazione* lo descrive dotato di «una personalità che appariva già allora originale e fascinatrice, possedeva eccellenti doti di moderno politico di massa, sapeva suscitare emozioni e passioni col suo stile conciso e violento di giornalista e oratore efficacissimo». Trasferitosi a Milano, diresse per due anni l'«Avanti!», che portò da 20.000 a 100.000 copie, e fu introdotto nei salotti buoni, sempre conteso dalle donne. Nel 1914 si unì a Ida Dalser, un'intelligente ragazza di Trento che aveva ricevuto una cospicua eredità da una ricca signora della quale era stata la badante.

Sempre nel 1914 Mussolini fu espulso dal Partito socialista per aver sposato la causa interventista. Già un suo articolo intitolato *Dalla neutralità assoluta alla neutralità attiva e operante*, difeso da Antonio Gramsci e criticato da Angelo

Tasca, aveva diviso il mondo socialista. Come Gramsci, Mussolini riteneva che la guerra fosse levatrice della rivoluzione. In favore dell'interventismo brandì il suo nuovo giornale, «Il Popolo d'Italia», che ebbe un successo travolgente (passando in pochi mesi da 30.000 a 80.000 copie). Prima che la fortuna gli tornasse accanto, fu Ida a sostenere economicamente l'amante, vendendo – novella Violetta – una parte del proprio patrimonio.

Quando l'Italia entrò in guerra, Mussolini partì volontario per il fronte, dove sarebbe stato ferito gravemente e promosso caporale con la motivazione di essere «primo in ogni impresa di lavoro e di ardimento». Una sua degenza all'ospedale di Treviglio, dove era stato ricoverato per «ittero catarrale», fu occasione – il 18 dicembre 1915 – di un drammatico scontro fra Rachele, che aveva sposato con rito civile il giorno precedente, e Ida, che pare avesse portato all'altare qualche tempo addietro. Come risulterebbe da un documento in cui si certificava che, al momento della partenza per il fronte, il suo stato di famiglia era composto dalla moglie Ida Dalser e «da figli numero uno». Era infatti nato Benito Albino, detto Benitino, che ebbe una vita breve e travagliata. Appena ne ebbe la possibilità, Mussolini fece rinchiudere in manicomio Ida – che lo assillava di richieste – e, più tardi, il figlio. La donna si ammalò e morì nel 1937 fra atroci sofferenze. Benitino la seguì nel 1942, a 26 anni.

Il rischio di Soviet italiani, la crescita dei fascisti

Nel 1919 l'Italia scoprì di aver perso la guerra che pensava di aver vinto pochi mesi prima. La Rivoluzione bolscevica del 1917 aveva infiammato gli animi dei socialisti italiani, nelle cui file i riformisti erano autorevoli, per quanto deboli e inconcludenti. Centinaia di migliaia di reduci si trovarono senza lavoro e addirittura senza il rispetto che avrebbero meritato. Il bilancio dello Stato era in condizioni disastrose. Si aggiunga l'umiliazione inflitta all'Italia dalla Conferenza di pace di Parigi che, togliendoci l'italianissima Fiume (e non solo), simbolicamente occupata da quel matto geniale di Gabriele d'Annunzio, autorizzò l'uso della sinistra espressione «vittoria mutilata».

Mussolini, che fin dal 1915 si era appropriato della parola «fascista», nel 1919 fondò a Milano i Fasci di combattimento. I fascisti erano pochi e violenti, e alle elezioni di fine anno, col nuovo sistema proporzionale, non presero un seggio. Lo stesso Mussolini, nonostante la popolarità, raccattò soltanto 5000 voti nella «sua» Milano. Così Francesco Saverio Nitti restò al governo, ma l'Italia era ingovernabile e per di più sull'orlo di una guerra civile. Già nell'estate del 1919, annotava Pietro Nenni nella sua *Storia di quattro anni*, «in tutta Italia sorgevano improvvisati soviet annonari. Nell'Emilia, nella Romagna, in Toscana, nelle Marche si poteva parlare di vera e propria insurrezione popolare con frequenti e sintomatici casi di fraternizzazione fra rivoltosi e truppe». Il paese fu travolto dagli scioperi di operai, contadini, ferrovieri, postini. In Puglia vennero occupate le terre. A Torino il governo inviò un esercito di 50.000 uomini per sedare una rivolta. I socialisti si dimostrarono al tempo stesso incapaci di portare fino in fondo la rivoluzione e di domare i focolai sempre più diffusi e pericolosi.

Nel suo *Giolitti*, Nino Valeri racconta che nell'agosto 1920 l'Alfa Romeo a Milano fu invasa da 500.000 lavoratori. Le commissioni interne espropriarono gli ingegneri della gestione della fabbrica e la affidarono agli operai più esperti, organizzando nel contempo «centurie rosse» armate per la difesa degli impianti. A fine agosto gli stabilimenti milanesi occupati erano duecento. Occupate anche l'Ansaldo a Genova e la Fiat a Torino. Giolitti era convinto che la vera rivoluzione non sarebbe mai scoppiata ed evitò gli scontri armati, ma l'opinione pubblica era spaventata e gli imprenditori cominciarono a finanziare il Partito fascista.

La violenza dei rivoltosi e l'incubo che l'Italia seguisse l'esempio russo furono un terno al lotto per Mussolini. Gentile racconta che le leghe rosse, sostenute dai socialisti e attive dalla pianura padana alla Toscana, esercitavano «un controllo quasi totale sulla vita politica ed economica, spesso adoperando metodi vessatori e intolleranti verso i ceti borghesi e talvolta verso gli stessi lavoratori». Fu così che, quando le squadracce fasciste cominciarono a bastonare i capi delle leghe rosse, «l'offensiva antiproletaria dello squadrismo, condotta all'insegna della difesa della proprietà, fu accolta favorevolmente da tutti i partiti antisocialisti come una "sana reazione" contro le violenze massimaliste. Ciò consentì al fascismo di accreditarsi come difensore della borghesia produttiva e dei ceti medi». Il risultato fu che in un anno, dalla fine del 1920 a quella del 1921, gli iscritti al Partito fascista passarono da 20.000 a 250.000, più dei socialisti, che al congresso di Livorno del 1921 si scissero con la diaspora comunista. Negli scontri che si verificarono durante la campagna elettorale del 1921 (solo nell'ultimo mese prima del voto si contarono 105 morti) la polizia, che parteggiava per Mussolini, arrestò molti più socialisti che fascisti, contro l'evidenza dei fatti.

Le urne castigarono i socialisti (da 156 a 122 seggi), premiarono i popolari (da 100 a 107), i comunisti appena nati (16 seggi) e soprattutto i fascisti, che passarono da 0 a 35 (45 con gli alleati nazionalisti). Giolitti si dimise e fu sostituito da Ivanoe Bonomi, un galantuomo socialista giudicato da Gaetano Salvemini (e non solo) un buono a nulla. Il nuovo presidente riuscì, tuttavia, a far sottoscrivere a fascisti e socialisti un «patto di pacificazione» che mise Mussolini in minoranza nel suo stesso partito. Ma i partiti maggiori – i socialisti e i popolari –, secondo Carlo Rosselli, che sarebbe stato vittima del fascismo, non furono all'altezza della situazione. Mentre Mussolini riacquistava il controllo dei suoi, il paese di fatto non era governato, e forse nemmeno governabile. Bonomi si dimise il 26 febbraio 1922, e Luigi Sturzo – che non perdonava a Giolitti lo sdoganamento dei fascisti – impedì allo statista di Dronero di riciclarsi per l'ennesima volta, e il cerino finì nelle fragili mani di Luigi Facta. E lui lo cedette a Vittorio Emanuele Orlando, che propose un governo di unità nazionale (socialisti, cattolici, fascisti), ma i socialisti si tirarono indietro all'ultimo momento.

Quando il cerino tornò nelle mani di Facta era ormai quasi consumato e gliele bruciò in poco tempo. I socialisti – complici involontari dell'odiato Mussolini – proclamarono uno sciopero generale il 30 luglio e lo sospesero il 3 agosto, dopo che i fascisti si erano mobilitati per garantire il funzionamento dei servizi principali, occupare le sedi municipali e devastare gli uffici dei «rossi». Ormai Mussolini era di gran lunga l'uomo più potente d'Italia e bisognava discutere soltanto le modalità con cui gli sarebbe stato consegnato il potere.

Il colpo di Stato di Vittorio Emanuele III

Al congresso di Napoli (24 ottobre 1922) Mussolini scelse con notevole acume politico i quadrunviri che avrebbero diretto la «marcia su Roma». Italo Balbo, giovane eroe di guerra, era l'anima dello squadrismo. Michele Bianchi era un grande sindacalista: avrebbe inventato gli uffici di collocamento per limitare lo sfruttamento dei contadini da parte degli agrari. Cesare Maria De Vecchi era un colto avvocato piemontese, che garantiva la borghesia monarchica e l'aristocrazia. Emilio De Bono era il portavoce del malessere degli alti gradi militari.

Mentre Facta e il redivivo Giolitti pensavano di riciclarsi annerendo la loro camicia (i fascisti la indossavano nera per contrastare la rossa dei garibaldini), al re premeva soltanto che Mussolini prendesse il potere nel rispetto dello Statuto.

La storia non si fa con i se, ma se Mussolini fosse andato a prendere un caffè a villa Savoia, la residenza privata di Vittorio Emanuele III sulla Salaria, avrebbe avuto l'incarico di formare il governo senza la pantomima della marcia su Roma. Il re gli avrebbe forse chiesto di associarsi a un Giolitti o a un Salandra, e al prevedibile diniego gli avrebbe consegnato il potere. Ma l'Italia è il paese del melodramma, e questa volta lo spettacolo cominciò al teatro San Carlo di Napoli. Mussolini esaltò le sue legioni «potentemente inquadrate» (in realtà erano 26.000 uomini armati di pistole e soprattutto di bastoni), confermò la sua fedeltà alla monarchia, ma non alla democrazia, giudicandola un arnese ormai inservibile.

Come racconta Renzo De Felice, la mattina del 25 otto-bre Michele Bianchi, uno dei quadrunviri, disse ai camera-ti: «Insomma, fascisti, a Napoli ci piove. Che ci state a fare? Andiamocene a Roma». Il programma prevedeva il con-centramento delle truppe a Perugia, la marcia su Roma il 28 ottobre, l'intimazione al governo Facta di cedere i poteri e, in caso di rifiuto, l'attacco alla capitale da cinque punti. L'ordine agli squadristi era di mantenere un atteggiamen-to amichevole nei confronti dell'esercito e di non attaccar-lo. L'esercito, da parte sua, era perfettamente in grado di difendere Roma e di rispedire i fascisti a Perugia con pe-santi perdite. Ma nessuno lo mobilitò.

Con l'Italia che ribolliva e i fascisti in marcia, Vittorio Emanuele se ne stette per l'intera giornata del 27 ottobre nella bella tenuta di San Rossore. Facta sapeva che, se si fosse dimesso, la marcia su Roma sarebbe stata sospesa, ma perse tempo e lo fece soltanto alle 8 di sera, al ritor-no del re. Questi respinse le dimissioni, anche se non ab-biamo prove documentali, e disse che Roma andava dife-sa. Dopodiché se ne andò a dormire, come fece Mussolini, che guidava le operazioni da Milano. Nella notte i fascisti avanzarono sulla capitale, occupando i servizi strategici e – quel che è peggio – fraternizzando con le truppe incon-trate lungo il percorso.

Alle 6 del mattino Facta svegliò il re e riunì il Consiglio dei ministri, che proclamò all'unanimità lo stato d'assedio. Poi avvertì i prefetti, fece affiggere i manifesti sulle strade di Roma e alle 9, tornando dal sovrano per la firma del do-cumento, se la vide rifiutare. Fu questo il vero colpo di Stato di Vittorio Emanuele, non la nomina di Mussolini, che sa-rebbe avvenuta secondo i più corretti termini costituzionali. Facta si dimise, Mussolini chiese e ottenne che nel telegram-ma di convocazione al Quirinale fosse precisato che sarebbe stato incaricato di formare il nuovo governo: cosa inaudi-ta sul piano protocollare. La sera del 29 prese il vagone let-to e la mattina successiva, alle 11, ricevette l'incarico dal re.

Nei vent'anni successivi il sovrano – che avrebbe compiuto un nuovo «colpo di Stato» facendo arrestare Mussolini – si è sempre difeso tentando di dividere le proprie responsabilità con la classe dirigente del paese. È vero che per i fascisti tifavano il potere economico e quello militare, la Chiesa e la massoneria. Ma casa Savoia ha pagato con la perdita del regno – ancor prima della fuga dell'8 settembre 1943 – la mancata difesa di Roma il 28 ottobre 1922 e l'incapacità di farsi mediatore autorevole tra le parti in causa per accompagnare al potere Mussolini senza farsi tirare per la giacca fino a strapparla. L'aspetto grottesco della vicenda è che, quasi un secolo dopo, non sono ancora chiare le ragioni che portarono il re nel giro di poche ore a cambiare parere sullo stato d'assedio.

Il giorno dopo aver ricevuto l'incarico, Mussolini presentò un governo di larga coalizione in cui i ministri fascisti erano soltanto tre su tredici e sedevano accanto a popolari, nazionalisti, democratici, liberali, militari e a un indipendente, Giovanni Gentile all'Istruzione. Toccò ad Alcide De Gasperi, presidente dei deputati popolari, dare il suo assenso alla coalizione, subìto invece da Sturzo. Mussolini tenne per sé l'interim dell'Interno e degli Esteri. Di fatto, il governo era lui. E lo fece capire benissimo nel discorso d'insediamento dicendo «potevo fare di quest'aula sorda e grigia un bivacco di manipoli». I deputati fascisti erano soltanto 35, ma alla Camera il nuovo esecutivo ottenne 306 voti a favore e 116 contrari. Al Senato il rapporto fu di 196 a 19. Meno di un mese dopo, il 24 novembre, il governo chiese pieni poteri in materia economica e amministrativa. Votarono a favore Giolitti, De Gasperi, Facta, Bonomi, Orlando e Salandra. Tutti i notabili dell'Italietta sostenevano il fascismo, come del resto Benedetto Croce, che fino al 1925 non batté mai ciglio (e spesso, nemmeno dopo). Gli iscritti al Partito nazionale fascista, saliti da 250.000 a 300.000 durante la marcia su Roma, nel giro di un anno schizzarono a 800.000. Gli italiani avevano capito subito la nuova direzione del vento.

Delitto Matteotti. Dal governo autoritario alla dittatura

Appena eletto, Mussolini si affrettò a girare l'Italia in lungo e in largo: tra il 1923 e il 1924 visitò tutte le regioni italiane, raggiungendo località in cui nessuno dei suoi predecessori aveva mai messo piede. Come scrive Emilio Gentile, «stabilì un contatto diretto con la gente comune, quasi a voler dare la sensazione fisica che ora essa era più vicina al potere e poteva essere da questo ascoltata ed esaudita attraverso la sua persona. Alla gente comune, il Duce appariva come il capo di un governo che aveva uno stile nuovo».

Nel luglio 1923 il Parlamento approvò quasi all'unanimità la nuova legge elettorale (chiamata Acerbo dal nome del suo promotore), che assicurava la maggioranza assoluta dei seggi al partito che avesse conquistato appena il 25 per cento dei voti. Seguirono mesi turbolenti in cui i due ministri popolari si dimisero dal governo, il partito si divise, il movimento cattolico (e non solo) fu turbato dall'assassinio di don Giovanni Minzoni ad Argenta, nel Ferrarese. Eppure Mussolini riuscì a presentarsi alle elezioni del 6 aprile 1924 con un «listone» di cui accettarono di far parte uomini come Antonio Salandra, Vittorio Emanuele Orlando ed Enrico De Nicola. Il «listone» conquistò il 66,3 per cento dei voti, contro l'11 per cento dei socialisti delle due confessioni (riformisti e massimalisti) e il 9 per cento dei popolari.

Le opposizioni denunciarono brogli e violenze, ma a Mussolini fu facile obiettare che il «listone» avrebbe avuto più voti di tutti gli altri partiti messi insieme anche se gliene avessero tolti un milione e mezzo. «Prima d'allora» ha scritto Denis Mack Smith «il fascismo aveva avuto dietro di sé in maniera inequivocabile l'autorità del re e delle due Camere: da allora in poi poté pure sostenere di rappresentare la volontà dell'elettorato».

Solo un incidente mortale poteva guastare la luna di miele tra Mussolini e l'Italia. E l'«incidente» – chiamiamolo così – fu il delitto Matteotti. Giacomo Matteotti, coraggioso deputato socialista, il 30 maggio aveva pronunciato un lunghissimo e appassionato discorso alla Camera per contestare i risultati delle elezioni. I fascisti lo interruppero ripetutamente con fischi e lazzi. Il Duce lo seguì invece con attenzione e fece perfino cenno di zittire i suoi. Alla fine, accasciandosi sfinito sul seggio, Matteotti fu udito sussurrare ai suoi compagni: «Preparate adesso la mia orazione funebre». In effetti Mussolini uscì terreo dall'aula e gridò a Cesare Rossi, capo ufficio stampa della presidenza del Consiglio: «Che cosa fa questa *Ceka*? Cosa fa Dumini? Quell'uomo dopo quel discorso non dovrebbe più circolare». La *Ceka* era una specie di polizia di partito, con una modesta struttura organizzativa, istituita dopo le elezioni del '24 con funzioni di sorveglianza e d'informazione, e guidata dallo squadrista fiorentino Amerigo Dumini.

Sabato 10 giugno alle 16.30 Matteotti fu sequestrato dinanzi alla sua casa sul lungotevere da Dumini e da altri quattro uomini. L'operazione fu eseguita con tale perizia che il portiere dello stabile ebbe tutto il tempo di annotare il numero di targa dell'automobile dei rapitori e di segnalarlo alla polizia. Sembra certo che Matteotti abbia reagito e che ci sia stata una colluttazione. I cinque non dovevano avere una strategia, tanto che vagarono per ore nella periferia nord di Roma prima di seppellire il cadavere in un bosco sulla via Flaminia, dove sarebbe stato trovato il 16 agosto dal cane di un cacciatore. Lo scandalo fu enorme: Mussolini si dimise da ministro dell'Interno, licenziò il direttore generale della polizia e il questore di Roma. Ricerche compiute nell'arco di quasi un secolo non sono riuscite peraltro a documentare una sua diretta responsabilità come mandante del delitto. Lui stesso affermò che soltanto un suo nemico avrebbe potuto architettare un piano così diabolico per metterlo in difficoltà. Eppure non era stato il Duce a dire che, dopo quel discorso, quell'uomo non avrebbe più dovuto circolare? Cesare Rossi scappò in Francia, fu attirato a Campione con un tranello e condannato per attività antifascista. Restò undici anni in carcere e aspettò la fine del regime al confino nell'isola di Ponza. Eppure fu proprio lui nel 1947, in uno dei processi per il delitto Matteotti, a scagionare il Duce. «Lo zelo di Marinelli diede attuazione alle minacce di Mussolini pronunciate in un momento d'ira e conformemente alla mentalità tipicamente fascista per la quale chi non si piegava doveva essere costretto a farlo con la violenza» (De Felice, *Mussolini, il fascista*).

Le indagini furono immediate e i responsabili arrestati. Se la cavarono con una condanna a cinque anni di carcere al termine di un processo farsa e ne scontarono solo due. Dopo il delitto Matteotti, Mussolini si trovò completamente isolato. I partiti antifascisti abbandonarono la Camera: si parlò di «Aventino», evocando il colle romano dove nel 494 a.C. la plebe si era ritirata per protestare contro i patrizi. Fu un errore: non sarebbero più tornati in Parlamento. Parlando a braccio alla Camera, il 3 gennaio 1925 il Duce si assunse «io solo, la responsabilità politica, morale, storica di quanto avvenuto». Sfidò il Parlamento a trascinarlo dinanzi alla Corte di giustizia, negò l'esistenza di una *Ceka*, prese le distanze da quanto gli era stato attribuito («Se le frasi più o meno storpiate bastano per impiccare un uomo, fuori il palo e fuori la corda») e chiuse la partita tracciando l'identikit del fascismo: «Se il fascismo non è stato che olio di ricino e manganello, e non invece una passione superba della migliore gioventù italiana, a me la colpa! Se il fascismo è stata un'associazione a delinquere, io sono il capo di questa associazione a delinquere! Se tutte le violenze sono state il risultato di un determinato clima storico, politico e morale, ebbene a me la responsabilità di questo». Quel giorno furono soppresse la libertà di stampa e la libera attività parlamentare. Un governo autoritario che aveva pur sempre una base democratica si trasformava in dittatura.

Tra repressione, Concordato e consenso

Le leggi eccezionali promulgate nel 1926 e la nascita del Tribunale speciale per la difesa dello Stato furono la naturale conseguenza del discorso del 3 gennaio 1925, ma il regime le giustificò con i quattro attentati compiuti in poco tempo contro Mussolini. Il più importante, in verità, non ebbe luogo. Il 4 novembre 1925 l'ex deputato socialista Tito

Zaniboni fu arrestato poco prima di colpire il Duce durante le cerimonie per il settimo anniversario della vittoria nella prima guerra mondiale. E gli altri tre non ebbero conseguenze rilevanti. Violet Albina Gibson, un'aristocratica inglese un po' matta, gli sparò un colpo di pistola in Campidoglio sfiorandogli il naso. Il marmista anarchico toscano Gino Lucetti gli lanciò una bomba a mano mancandolo, ma ferendo otto persone. Il quindicenne Anteo Zamboni gli sparò a Bologna: il proiettile scheggiò le decorazioni sul petto di Mussolini, il ragazzo fu linciato dalla folla e non fu mai chiarito chi l'avesse aiutato.

Le squadracce fasciste eliminarono subito due delle figure più belle della democrazia liberale italiana. Il 20 luglio 1925 Giovanni Amendola fu massacrato di botte a Pieve di Nievole (Pistoia): sarebbe morto pochi mesi dopo a Cannes. Stessa sorte toccò a Torino il 5 settembre successivo a Piero Gobetti, il geniale e giovanissimo editore di tanti antifascisti, fondatore della rivista «La Rivoluzione liberale». Morì nei pressi di Parigi il 15 febbraio 1926: non aveva ancora 25 anni. Mussolini aveva ordinato al prefetto di Torino di rendergli «la vita difficile».

Con una circolare del 5 gennaio 1927, i prefetti diventarono il presidio provinciale del fascismo. Mussolini disegnò un assetto istituzionale opposto a quello attuato da Lenin e Stalin in Russia. I sovietici inglobarono lo Stato nel partito (il comitato centrale era il vero organo di governo), Mussolini il partito nello Stato. La trasformazione del Gran Consiglio del fascismo in organo costituzionale (1928) fu di fatto una fiction: se formalmente tale organismo poteva deliberare su tutto, dalle liste dei deputati alle prerogative del sovrano e dello stesso presidente del Consiglio, di fatto non veniva mai convocato. L'ultima riunione, prima di quella drammatica e fatale del 25 luglio 1943, si era tenuta nel 1939.

Il Duce capì subito, con il suo intuito straordinario, che avrebbe dovuto separare la sua immagine da quella di gerarchi che in larga parte non stimava e che, in effetti, erano in genere persone mediocri. Quanto ai pochi che non lo erano, si tagliavano i panni addosso. Come ricorda Giordano

Bruno Guerri in *Fascisti*, Balbo disprezzava Ciano, Ciano non sopportava Starace, Starace detestava Grandi. Tutti gli storici, però, sono concordi nel riconoscere che solo distinguendosi ed elevandosi sopra di loro Mussolini poté costruire un mito, anche internazionale, che sarebbe durato vent'anni, resistendo all'ignominia delle leggi razziali e ai primi due anni di guerra. Un sicuro antifascista cattolico come Arturo Carlo Jemolo ha osservato: «Resto dell'avviso che Mussolini per larghezza di consensi, per profondità di affetti, sia stato amato come non furono né Garibaldi, né Mazzini. E fermamente reagisco alla leggenda di un Mussolini caro solo ai ricchi e ai borghesi; chi ricorda certi deliri delle masse operaie per lui, certi sdilinquimenti isterici delle donne del popolo, chi nella propria cerchia rammenta i molti umili, i molti poveri, che giuravano per il Duce, tremavano per lui alla notizia di un attentato, non può aderire a questa leggenda» (*Anni di prova*).

La Chiesa aveva appoggiato la presa di potere di Mussolini perché temeva le tentazioni bolsceviche dei socialisti massimalisti e dei comunisti, dopo aver a lungo subìto la discriminazione dei governi liberali. Poco dopo l'unità d'Italia, nel 1866, il governo aveva promulgato le «leggi eversive» sopprimendo molti enti ecclesiastici, incamerandone il patrimonio, trasformandolo in bene demaniale e vendendolo in parte all'asta. La presa di Roma completò l'«oltraggio», sicché il papa – sfrattato dal Quirinale – si chiuse in Vaticano e ne uscì sessant'anni dopo con la firma dei Patti Lateranensi l'11 febbraio 1929. Le ragioni della svolta furono spiegate da Pio XI in un'udienza accordata il 13 febbraio ai professori e agli studenti della giovane Università Cattolica di Milano: «Forse ci voleva un uomo come quello che la Provvidenza ci ha fatto incontrare, un uomo che non avesse le preoccupazioni della scuola liberale» le cui leggi, «i cui ordinamenti, anzi disordinamenti tanto sono più intangibili e venerandi tanto più brutti e deformi». In virtù dei Patti, il pontefice rinunciava a ogni ambizione temporale, accettando di limitare il suo regno alla sola Città del Vaticano. In compenso, la religione «cattolica, apostolica, romana» diventava religione di Stato. Le altre confessioni venivano semplicemente «tollerate». La Chiesa vedeva riconosciuti i diritti civili del matrimonio religioso e incassava un'importante rendita finanziaria.

Se Mussolini con la mano destra firmava i Patti, con la sinistra isolava e perseguitava l'Azione cattolica e scioglieva gli scout. Prima del Concordato, Pio XI abbozzò perché non voleva far saltare una trattativa faticosa e riservata durata più di due anni. Più tardi protestò invece contro la decisione del regime di occuparsi in esclusiva dell'educazione giovanile e non accettò mai l'alleanza di Mussolini con Hitler. Nel 1933 la Chiesa aveva firmato un concordato con la Germania nazista sulla libertà religiosa che Hitler aveva subito violato. Il 14 marzo 1937, nell'enciclica *Mit brennender Sorge* («Con viva ansia»), papa Ratti dichiarò guerra al nazismo e, dopo l'approvazione delle leggi razziali del 1938, anche a Mussolini.

La bonifica pontina e l'ammirazione di Roosevelt

Vittorio Emanuele III non amò mai il Duce, ma dopo avergli dato l'incarico di governo nel rispetto dello Statuto non mosse un dito quando Mussolini se lo mise sotto i piedi. Nel 1929 gli italiani tornarono a votare. Ma fu una farsa: i candidati furono scelti dalle corporazioni sindacali e vagliati dal Gran Consiglio. I fascisti presero il 98,34 per cento dei voti e va reso omaggio a quel 10 per cento che si astenne. Ha tuttavia ragione Giordano Bruno Guerri quando sostiene che il Duce avrebbe vinto con grandissimo margine anche in una consultazione regolare.

Mussolini manifestò un certo rispetto per il Senato, un'istituzione che nel 1919 – al momento della nascita dei Fasci di combattimento – voleva eliminare. Prima e durante il fascismo i senatori erano scelti dalla Corona e dal governo tra aristocratici e professionisti meritevoli, e la carica era a vita: mantennero quindi l'incarico tutti i senatori, tra cui Croce e Luigi Einaudi, nominati prima della marcia su Roma. L'iscrizione al partito non era obbligatoria, ma quando l'Unione nazionale senatori diventò Unione nazionale fascista del Senato furono poche decine quelli che resistettero, senza peraltro perdere il seggio.

Oggi è difficile comprendere come mai Mussolini godesse di un consenso così ampio, mentre la libertà di voto era inesistente e quella di pensiero assai limitata, anche se personalità come Benedetto Croce poterono vivere indisturbate per l'intero ventennio. Forti investimenti pubblici, un'attenta politica sociale e culturale, e la trasformazione delle infrastrutture finanziarie del paese dotarono il fascismo di strumenti che gli sarebbero sopravvissuti per decenni nel dopoguerra.

L'investimento più importante fu la bonifica delle paludi pontine, a poche decine di chilometri da Roma: fertili e ricche durante l'impero romano, erano ormai ridotte ad acquitrini malsani, abitati da poche centinaia di persone in condizioni di assoluto degrado. Nel 1930 Mussolini disegnò un rettangolo di 50 chilometri per 16 e chiamò 26.000 coloni dal Veneto (una delle aree più depresse e povere d'Italia) i quali, insieme a 230.000 altri lavoratori, bonificarono 800 chilometri quadrati di terreno fondando una serie di borghi intitolati ai luoghi di storiche battaglie della prima guerra mondiale: Borgo Grappa, Borgo Piave, Borgo Sabotino, Borgo Podgora, Borgo Montello e così via. Fu anche istituita una nuova forma di cooperazione economica, a metà strada tra individualismo e collettivismo. Ogni azienda agraria (con dotazione di mezzi meccanici e di un'organizzazione che nessun singolo contadino avrebbe potuto permettersi) serviva cento casali, che costituivano un piccolo borgo. In questo modo il regime arginò la disoccupazione nel periodo più duro della crisi partita nel '29 dagli Stati Uniti e che in Italia ebbe un impatto assai minore che negli altri paesi europei, anche per l'arretratezza della nostra economia. Fatto 100 il nostro reddito nazionale nel 1929, nel 1934 era sceso a 95, come quello inglese, mentre quello francese era a 75, il tedesco a 70 e lo statunitense a 55. La bonifica pontina destò l'ammirazione di Franklin Delano Roosevelt, che nel 1933 la prese a modello nel Tennessee Valley Authority Act, un colossale piano di rinascita che interessò sei Stati americani con una superficie cento volte più grande delle paludi pontine. Wolfgang Schivelbusch, analizzando *3 New Deal* (americano, tedesco e italiano), ricorda che Roosevelt confidò a un giornalista: «Non mi perito di dirle, in confidenza, che mi tengo in contatto piuttosto stretto con quel degno gentleman italiano».

Al prestigio internazionale di Mussolini diede un enorme contributo un libro scritto dal grande giornalista ebreo Emil Ludwig, che s'incontrò con il Duce nella Sala del Mappamondo per dodici giorni consecutivi. A Ludwig fu vietato di prendere appunti durante i colloqui e non se ne capisce la ragione, visto che Mussolini sapeva benissimo che da quelle lunghe conversazioni sarebbe nato un libro: ne rilesse attentamente le bozze, e chi analizza le poche correzioni vi scopre la mano del grande giornalista. Mussolini si rivelò un conversatore colto e brillante, passava con disinvoltura da Shakespeare a Nietzsche, citava Goethe in tedesco. Il libro, *Colloqui con Mussolini*, fu tradotto in molte lingue ed ebbe uno straordinario successo internazionale. Mussolini non voleva che uscisse in Italia perché la sua franchezza di linguaggio avrebbe messo in difficoltà una parte dei suoi, ma Arnoldo Mondadori fece una sorta di edizione pirata, che circolò a prezzi da mercato nero.

Intellettuali e banchieri al servizio del regime

Mussolini riuscì a mantenere il pareggio di bilancio nei primi otto anni di governo, ma nel 1930 autorizzò il disavanzo per un colossale piano di opere pubbliche. In *Fascio e martello*, Antonio Pennacchi annota ben 147 città e borghi costruiti a cavallo degli anni Trenta. Nacquero città di architettura razionalista come Littoria (l'attuale Latina), Aprilia, Pontinia, Pomezia. Lo sforzo urbanistico maggiore fu però compiuto a Roma, nell'area che dal centro porta verso Ostia. Nel 1938 – l'anno delle sciagurate e fatali leggi razziali – Mussolini presentò in Campidoglio il progetto dell'Expo 1942, l'Olimpiade della Civiltà, che avrebbe dovuto mostrare al mondo la nuova grandezza di Roma. Questo conferma che il Duce, pur sapendo che si sarebbe arrivati a una guerra mondiale, non prevedeva certo che Hitler di lì a poco avrebbe invaso la Polonia. I lavori proseguirono a un ritmo tale che dopo quattro anni, quando dovettero fermarsi per il cattivo andamento della guerra, era stato costruito l'intero quartiere dell'Eur, a cominciare dal Palazzo della Civiltà del Lavoro, che – scrive Emilio Gentile in *Fascismo di pietra* – dimostra la temporanea volontà di pace di Mussolini. Nacquero in quegli anni complessi di grande funzionalità ed eleganza, come la città universitaria della Sapienza e gli attuali ministeri degli Esteri alla Farnesina e dell'Industria in via Veneto, arricchiti da opere dei maggiori artisti del tempo, generosamente finanziati dal ministero della Cultura popolare.

L'autorappresentazione del fascismo, diffusa dai cinegiornali dell'epoca, offre l'immagine di ridicoli gerarchi guidati da un ridicolo Duce con il quale si scambiano sguardi marziali e saluti romani. Quanti sanno, però, che il fascismo poté contare – con pochissime, coraggiose eccezioni – sui migliori intellettuali italiani, gli stessi che subito dopo il 25 luglio 1943, e comunque nell'immediato dopoguerra, passarono quasi tutti sotto le bandiere del Pci, grazie all'intelligente amnistia morale di Togliatti?

Ma veniamo alle leggi razziali del 1938. Uno dei più implacabili sostenitori della persecuzione degli ebrei fu Giuseppe Bottai. Che era anche l'uomo culturalmente più aperto del regime. Nel 1940 fondò una rivista di grande prestigio, «Primato», che morì con il regime nel luglio 1943. Con l'intelligente razzista Bottai furono lieti di collaborare i più bei nomi dell'antifascismo tardivo, tra cui Nicola Abbagnano, Giulio Carlo Argan, Vitaliano Brancati, Arrigo Benedetti, Carlo Emilio Gadda, Mario Luzi, Eugenio Montale, Cesare Pavese, Vasco Pratolini, Giuseppe Ungaretti, Cesare Zavattini e molti altri importanti intellettuali. Tra i musicisti i più noti erano Luigi Dallapiccola e Gianandrea Gavazzeni. Tra i pittori e gli scultori, Renato Guttuso (esaltò gli squadristi in una recensione), Giovanni Fattori, Mino Maccari, Mario Mafai,

Giacomo Manzù, Giorgio Morandi. Alberto Moravia chiese protezione al regime, Norberto Bobbio scrisse una lettera al Duce per avere una cattedra, Giorgio Bocca difese la politica razziale, il giovanissimo Giovanni Spadolini appoggiò il regime, come fece Eugenio Scalfari scrivendo su «Roma fascista». Nel 1938 il grande archeologo Ranuccio Bianchi Bandinelli affiancò Mussolini nell'accompagnare Hitler in visita a Roma e a Firenze, e poi Hermann Göring. (Diventato comunista dopo il 25 luglio, nel 2004 fu accusato dalla partigiana Teresa Mattei di essere tra i mandanti dell'omicidio di Giovanni Gentile.) Non deve meravigliare, quindi, che nel 1931 soltanto 12 valorosi titolari di cattedra universitaria su 1250 risposero «preferirei di no» alla richiesta di prendere la tessera fascista per non perdere il posto.

Mussolini seppe tirare dalla sua parte anche personalità non fasciste o addirittura – come Alberto Beneduce, socialista e massone – irriducibilmente antifasciste. Prima dell'avvento del fascismo, Beneduce aveva fondato l'Istituto nazionale delle assicurazioni (Ina) e il Consorzio di credito per le opere pubbliche, due istituzioni finanziarie statali destinate a una grande longevità e gestite con criteri privatistici da dirigenti ben retribuiti e della stessa matrice laica. Il finanziere, che dopo il delitto Matteotti aveva perfino pensato di attentare alla vita di Mussolini, alla fine (e senza prendere la tessera) ne diventò collaboratore brillante e indispensabile. Nel 1926 gestì con estrema abilità le trattative internazionali per far tornare la lira a «quota 90» con la sterlina, cioè al tasso di cambio precedente la marcia su Roma. Nel 1931 fondò l'Istituto mobiliare italiano (Imi) per la concessione di crediti industriali a lungo e medio termine. Poco dopo arrivò l'Iri, Istituto per la ricostruzione industriale, che salvò tre grandi banche trasferendo allo Stato il comando della politica creditizia. Beneduce fu il capofila geniale di una casta di finanzieri laici e spesso massoni che si formarono sotto il fascismo senza quasi mai aderirvi e che hanno dominato per decenni nel dopoguerra il mondo dell'«alta banca» e della finanza: Raffaele Mattioli, Donato Menichella, Enrico Cuccia (che sposò una figlia di Beneduce), Guido Carli e Paolo Baffi.

Gli anni del consenso e la guerra d'Africa

I sindacati fascisti difesero con una certa efficacia i diritti dei lavoratori, usando anche l'arma dello sciopero. («Viva il Duce, ma noi vogliamo mangiare» recitava un cartello impugnato da una donna durante una manifestazione). Nel 1934 l'Italia fu il primo paese al mondo ad avere le 40 ore settimanali a parità di salario. Nacquero l'Opera nazionale per la maternità e l'infanzia, l'Inps, l'Inail e le casse mutue malattie per le diverse categorie, che alla fine degli anni Trenta avevano 13 milioni di iscritti. La scuola elementare fu portata a cinque anni, l'obbligo scolastico a 14, anche se non era facile far rispettare questa norma in un paese ancora largamente rurale. Gli interventi assistenziali si moltiplicarono: vennero introdotti l'indennità di disoccupazione, gli assegni familiari e le integrazioni salariali per i lavoratori sospesi o a orario ridotto a causa della crisi successiva al Grande Crollo del 1929. Per compensare i lavoratori della riduzione dei salari, il regime predispose «una serie di servizi sociali e ... di possibilità ricreative, sportive, culturali, sanitarie, individuali e collettive, sino allora sconosciute o quasi in Italia e che influenzarono largamente il loro atteggiamento verso il fascismo e soprattutto quello dei giovani che più ne usufruirono» (Renzo De Felice, *Mussolini il duce*). Alla vigilia della guerra, 5 milioni di persone erano iscritte all'Opera nazionale del dopolavoro, che contava su 1277 teatri, 771 cinema, 2066 filodrammatiche, 7000 tra orchestre, bande e scuole corali, 6500 biblioteche. I bambini erano iscritti all'Opera nazionale balilla, assorbita più tardi dalla Gioventù italiana del littorio. L'iscrizione a tali organismi non era obbligatoria ma, come annota Gian Franco Venè, «non aderire era cocciutamente provocatorio (una provocazione della quale il bambino avrebbe subito le conseguenze crescendo) perché inopportuno dal punto di vista assistenziale» (*Mille lire al mese*).

Queste iniziative procurarono un forte consenso al regime, che non calò nemmeno nel 1937 quando in Francia i fratelli antifascisti Carlo e Nello Rosselli furono assassinati da estremisti di destra. Gaetano Salvemini (*No al fascismo*) sostenne che il mandante era Galeazzo Ciano, ministro degli Esteri, e De Felice ha molti dubbi sul fatto che Mussolini avesse autorizzato il delitto, se non altro per i contraccolpi internazionali che la vicenda avrebbe avuto. Lo stesso Duce accenna a una propria estraneità nel colloquio con il giornalista amico Yvon de Begnac (*Palazzo Venezia. Storia di un regime*): «Non sempre il potere arriva a controllare le azioni dell'apparato che lo rappresenta».

La guerra d'Africa, accelerando l'alleanza con Hitler, fu l'inizio della fine: un delirio colonialistico che non potevamo permetterci. I documenti raccolti da De Felice dimostrano che anche la parte della diplomazia più fredda con il regime fascista riteneva inevitabile che quest'ultimo estendesse la propria influenza su Etiopia e Somalia. Tutte le grandi nazioni europee erano potenze coloniali e l'Italia era spinta a conquistare quel «posto al sole» che le era mancato dopo le sfortunate avventure a cavallo fra Ottocento e Novecento. La sconfitta di Adua del 1896 era una ferita ancora aperta.

Italia, Francia e Inghilterra erano legate da un trattato del 1906 che le impegnava a rispettare le reciproche zone d'influenza. Di fronte al rifiuto della sua richiesta di poter operare in Etiopia, Mussolini ritenne di forzare la mano, impegnandosi comunque a salvaguardare le posizioni degli alleati, che però la presero male. Il 3 ottobre 1935 ebbero inizio le operazioni militari, il 6 le truppe italiane entrarono in Adua e l'indomani la Società delle Nazioni inflisse all'Italia pesanti sanzioni economiche. Nonostante le gravi ripercussioni sulla vita quotidiana (i prezzi aumentarono di un terzo nel giro di un anno), gli italiani si strinsero intorno al regime, a riprova di come l'avventura africana non fosse vissuta affatto come tale. Anche politici e intellettuali antifascisti come Orlando e Croce consegnarono la propria medaglietta di senatore quando venne lanciata la campagna dell'«oro alla Patria»: furono raccolte 37 tonnellate di fedi d'oro, 115 tonnellate d'argento, 16 milioni di lire in contanti, titoli, polizze e libretti di risparmio.

Per una volta, la nostra strategia militare sul campo fu efficace, come riconosce uno storico militare ineccepibile come Giorgio Rochat (*Le guerre italiane 1935-1943*). Tra il gennaio e l'aprile 1936 il maresciallo Pietro Badoglio vinse cinque importanti battaglie, e il 5 maggio annunciò a Mussolini l'ingresso vittorioso in Addis Abeba, mandando in visibilio la folla richiamata in piazza Venezia. Il regime ammise di aver usato aggressivi chimici una sola volta, ma gli studi più aggiornati (Nicola Labanca in *Oltremare* e Angelo Del Boca in *La guerra d'Etiopia*) sembrano dimostrare il contrario. Gli inglesi ritirarono subito le sanzioni, ma quel breve lasso di tempo ebbe due conseguenze: una socioeconomica, l'altra politica. La prima fu il rilancio dell'economia autarchica. La produttività nazionale crebbe sensibilmente: in due anni i disoccupati si ridussero da 1 milione a 700.000. La seconda fu la caduta nella trappola dell'alleanza con la Germania. Hitler, all'inizio, era contrario all'avventura africana di Mussolini, ma questi non se ne curò: era furioso con il Führer per il tentato colpo di Stato in Austria del 1934 e per l'assassinio del cancelliere e suo protetto Engelbert Dollfuss. Ma, al momento delle sanzioni, Hitler – che vedeva Francia e Inghilterra come il fumo negli occhi – fu molto vicino all'Italia. Si avverò così la profezia di Margherita Sarfatti che, alla vigilia della campagna d'Africa, aveva ammonito il Duce: «Lei ha abbastanza già da colonizzare nelle Puglie, in Sicilia, in Calabria... Se Lei va in Abissinia, allora cadrà nelle mani dei tedeschi e Lei è perduto...».

Le donne del Duce

La Sarfatti era da diciotto anni per Mussolini molto più di un'amante. Si erano conosciuti nel 1912, quando lui dirigeva l'«Avanti!», ma la loro relazione sentimentale iniziò nel 1918. Margherita aveva 38 anni, Benito 35. Sposata con un avvocato ebreo, la Sarfatti tenne a battesimo il fascismo nella sua villa Il Soldo, vicino Como, sede di un prestigioso salotto letterario frequentato da intellettuali e artisti, come Corrado Alvaro, Umberto Boccioni, Ada Negri, Luigi Pirandello e Mario Sironi. Lì fu progettata la marcia su Roma e fu Margherita a pagare il biglietto del vagone letto con cui Mussolini si recò a Roma per ricevere la mattina del 30 ottobre 1922 l'incarico di formare il governo. Il suo libro *The Life of Benito Mussolini*, pubblicato a Londra nel 1925 e uscito in Italia con il titolo *Dux*, procurò al protagonista un'enorme notorietà internazionale. Fu lei a insegnargli le buone maniere a tavola e a vestirsi decentemente. Fu ancora lei a sostenerlo psicologicamente nei giorni difficili del delitto Matteotti («Errore» scrisse la Sarfatti «di giovanotti energici»).

Il loro flirt si tradusse presto in amore. Prima violentissimo da parte di lui (secondo le abitudini), poi forte, possessivo, razionale da parte di lei. A lei interessava poco la fedeltà del corpo dell'amante: le bastava possederne il cervello. «L'amore per quella scrittrice fu nuovo e profondo» racconta la sorella Edvige in *Mio fratello Benito* «perché riuscì a domare le disposizioni più vere del suo animo e della sua mente, perché egli amò in quell'occasione anche la qualità e i difetti femminili verso cui era rimasto prima, e tornò dopo, sprezzante.» Rachele, che era gelosissima della Sarfatti, chiese al marito di allontanarla dal «Popolo d'Italia» e ne fu rassicurata. Quando scoprì la bugia, si precipitò all'ufficio postale di Merano, dove si trovava, e scrisse un telegramma sterminato con epiteti che lasciarono allibita l'impiegata. Mussolini tentò di rabbonirla al telefono, ma lei, temendo una nuova bugia, minacciò di andare a Milano e di far saltare con una bomba il palazzo del «Popolo d'Italia». Era il 1931.

La relazione di Mussolini con la Sarfatti durò ancora cinque anni. Durante la guerra d'Africa, lei andò a Londra e negli Stati Uniti (i Roosevelt la invitarono a prendere un tè) per cercare alleanze. Rientrata nel 1936, tentò di convincere Mussolini a mollare Hitler e guardare a occidente. Non fu ascoltata. Finché un giorno, dopo due ore di anticamera a palazzo Venezia, Quinto Navarra, fidato usciere del Duce, le disse che non sarebbe stata ricevuta. Lei si vendicò nel dopoguerra vendendo a un chirurgo plastico americano per 120.000 dollari le lettere del celeberrimo amante. Morì nel 1961, a 81 anni.

Mussolini era adorato dalle donne. Le richieste d'incontro erano migliaia. Venivano filtrate da un ufficio apposito e ogni pomeriggio un'ammiratrice veniva ammessa nell'enorme studio nella Sala del Mappamondo a palazzo Venezia. Le «visitatrici fasciste» non erano tutte giovani, né tutte belle, ma quasi tutte erano borghesi. E tutte abbastanza procaci. Mussolini le possedeva in rapidissimi amplessi sul grande tappeto ai piedi della scrivania o in uno dei vani dei finestroni che davano sulla piazza. «Durò fino al 24 luglio», il giorno del Gran Consiglio che mise in minoranza Mussolini, annota Navarra nelle sue *Memorie*. La mattina del 25, il Duce in persona fece annullare l'appuntamento già fissato con una signora S. di Ferrara.

Per gli incontri più lunghi e piacevoli, il Duce faceva aprire la Sala dello Zodiaco dell'appartamento Cybo, dal nome del cardinale che l'aveva occupato. Dal 1936 questo fu il nido d'amore di Claretta Petacci. La figlia del medico del Vaticano era innamorata di Mussolini fin da ragazza: a 14 anni gli scrisse un'appassionata lettera di solidarietà dopo l'attentato della Gibson. Nel 1932, all'età di 20 anni, lo conobbe a Ostia insieme alla famiglia e al suo futuro marito. A 24, separatasi dopo due soli anni di matrimonio, ne diventò l'amante. Mussolini aveva 53 anni. Racconta Pasquale Donadio (*Una tragica storia d'amore*) che la ragazza fu convocata telefonicamente a palazzo Venezia dalla segreteria del Duce. Si presentò da sola e fu accolta nella Sala del Mappamondo: «Mussolini entrò in argomento senza sottintesi ... [Le] disse che adesso, essendo separata dal marito, era padrona di se stessa. Clara annuì; lui divenne tenero, stringente, incalzante. Ella si abbandonò con gioia al gioco amoroso, perché era proprio quello l'uomo che aveva sognato, idolatrato, voluto».

Non fu una relazione felice. Claretta trascorreva interi pomeriggi nell'appartamento Cybo leggendo o ascoltando musica, mentre nella vicina Sala del Mappamondo Mussolini sbrigava gli affari o magari si intratteneva con una «visitatrice fascista». Spesso si riduceva a vederla una mezz'ora la sera, disfatto dalla stanchezza, e prima di tornare immancabilmente a casa. Claretta non approfittò dell'intimità con Mussolini per migliorare la propria posizione, al contrario della famiglia: padre e sorella fecero carriere folgoranti nella medicina e nel cinema, il fratello fu un autentico profittatore di regime e svaligiò per Claretta le migliori boutique di via Condotti. La donna doveva nascondere i regali migliori a Mussolini, che si sarebbe infuriato: lui, testimonia Navarra, le regalò solo qualche vestito di media importanza, attingendo – assicura De Felice – ai fondi del «Popolo d'Italia» o ai buoni del Tesoro in cui investiva i propri risparmi. Era però gelosissima di Benito. Arrivò a farlo pedinare, ma lui le disse bruscamente che non intendeva cambiare abitudini. Allora perché questa relazione fu interrotta soltanto dalla morte di entrambi? Mussolini era un uomo solo. Claretta era il suo vero, unico ristoro.

Le leggi razziali e il baratro della guerra

Pochi sanno che Mussolini fu a lungo un convinto difensore degli ebrei, prima di lasciarsi coinvolgere nella tragica spirale delle leggi razziali. Nel 1932, allo scrittore ebreo Emil Ludwig confidava: «L'antisemitismo non esiste in Italia. Gli ebrei italiani si sono sempre comportati bene come cittadini e come soldati si sono battuti coraggiosamente. Essi occupano posti elevati nelle università, nell'esercito, nelle banche...». E non esitò a spiegare l'antisemitismo con la convinzione che «gli ebrei sono il capro espiatorio quando ai tedeschi le cose vanno male». Quando nella primavera del 1933 Hitler cominciò a perseguitare gli ebrei, Mussolini gli scrisse una lettera perentoria in cui lo invitava a desistere dall'iniziativa. Il povero ambasciatore Vittorio Cerruti, incaricato di leggerla a Hitler, raccontò che il Führer cominciò a «urlare come un ossesso».

In *Storia degli ebrei italiani sotto il fascismo*, De Felice sostiene che fino al 1937 «l'idea di un antisemitismo di Stato fu lontanissima da lui» e il sentimento maturò in modo prepotente dopo le campagne d'Africa e di Spagna. Mussolini contestò infatti alla comunità ebraica internazionale un ruolo determinante nella campagna anti-italiana sviluppatasi nei paesi democratici europei che determinò l'isolamento politico ed economico dell'Italia. La trionfale visita in Germania nel settembre 1937, ricambiata dal Führer nel maggio 1938, gli strinse al collo il cappio di un'alleanza tragica e irreversibile. Da quel momento Hitler andò avanti per conto suo. Non consultò il Duce nemmeno per le iniziative più importanti, ignorando il «Patto d'acciaio» stretto fra i due paesi nel maggio 1939. (Il Patto, in verità, sarebbe stato violato anche da Mussolini, quando non entrò subito in guerra a fianco dell'alleato nazista.)

Le leggi razziali approvate il 6 ottobre 1938 rappresentano la pagina più nera della storia italiana moderna. 48.032 ebrei furono espulsi dalle scuole, radiati dall'esercito, allontanati dai luoghi di lavoro e dalle competizioni sportive. Di questi, 7200 finirono nei campi di sterminio e soltanto un migliaio sopravvisse. La collezione della rivista «La difesa della razza», diretta da Telesio Interlandi, è un documento implacabile sul grado di aberrazione nel calpestare la dignità di decine di migliaia di italiani colpevoli solo di professare la religione ebraica. L'aspetto doloroso della questione è che mentre in privato molti italiani si prodigarono per nascondere gli ebrei e sottrarli alla deportazione, non si alzò alcuna voce da parte degli intellettuali antifascisti: perfino un uomo della levatura di Luigi Einaudi tacque.

Il diffuso sentimento antitedesco degli italiani cominciò a vacillare dinanzi alle spettacolari vittorie naziste. («Il popolo è una puttana» si sfogò grevemente il Duce con Ciano. «Va col maschio che vince...») Il blocco navale impostoci dagli inglesi fu una delle scintille che scatenarono il conflitto. Churchill se ne pentì tardivamente, mentre Mussolini confidava a un inviato di Roosevelt: «Capite che un italiano non può mandare una nave da Trieste, porto italiano, a Massaua, altro porto italiano, senza che gli inglesi gli portino via metà del carico? Quanto vi piacerebbe se gli inglesi facessero ciò alle vostre navi in regolare navigazione tra New York e New Orleans?».

Il 10 giugno 1940, alle 6 del pomeriggio, il Duce annunciò
che era giunta «l'ora delle decisioni irrevocabili ... La parola d'ordine è una sola ... vincere! E vinceremo!». Vittorio
Foa, il grande antifascista che era rinchiuso a Regina Coeli
da cinque anni, raccontò che l'acclamazione della folla era
talmente forte da percorrere qualche chilometro in linea
d'aria e sfondare le spesse mura della prigione per entrare
nella sua cella. Ma i dubbi su come sarebbe andata a finire erano tanti. Corso in battaglia per sedersi dopo qualche
mese al tavolo del vincitore, Mussolini confidò a Myriam
Petacci, sorella di Claretta, che la guerra sarebbe durata
«non meno di cinque anni».

Per noi fu un disastro. Partimmo male con la Francia, che
pure era in ginocchio. Proseguimmo peggio con la Grecia
e l'Albania, che certo non erano grandi potenze. In Africa,
nei primi mesi fummo salvati da Rommel, il vero dominatore di quel fronte. All'inizio del 1942 Mussolini sognava di entrare ad Alessandria d'Egitto su un cavallo bianco.
A novembre, quando ci fu dato tardivamente il permesso
di ritirarci, erano vivi soltanto 300 uomini della Folgore su
5000. Guadagnarono l'onore delle armi, in riconoscimento
di un eroismo grande e inutile. All'inizio del 1943 perdem-
mo Tripoli e l'Africa. Da quasi due anni eravamo impela-
gati sul fronte più tragico, quello russo. Nella notte tra il 21
e il 22 giugno 1941 Mussolini era stato svegliato da Hitler
che gli comunicava l'attacco a Stalin. Noi eravamo già im-
pegnati con esiti drammatici nei Balcani, nelle isole ioni-
che della Grecia e in Africa. Non eravamo assolutamente
nelle condizioni di aprire un terzo fronte. Eppure, nel giro
di due anni inviammo in Russia 230.000 soldati, 74.800 dei
quali non sono mai tornati.

Dal Gran Consiglio a piazzale Loreto

Mussolini era ormai isolato. Non gli giovò il tentativo di ri-
guadagnare il favore dell'opinione pubblica sostituendo molti capi militari e cacciando dal governo fascisti di primissimo
piano come Ciano, Grandi e Bottai. Il colpo di grazia arrivò

nella notte tra il 9 e il 10 luglio 1943, quando 160.000 uomini al comando del generale americano Eisenhower sbarcarono in Sicilia. L'orizzonte era ingombro di 280 navi da guerra, cariche di 600 carri armati e 1800 cannoni. La debole resistenza opposta da dieci divisioni italiane e due tedesche fu travolta. I siciliani acclamarono gli invasori il 22 luglio, al loro ingresso a Palermo. Gli americani, bravissimi nella propaganda, furono aiutati dalla mafia.

Appena gli Alleati sbarcarono in Sicilia, furono proprio Ciano, Grandi e Bottai insieme ad altri gerarchi a chiedere al Duce di convocare il Gran Consiglio del fascismo, organo costituzionale ormai quasi in disuso. Gli contestavano una gestione troppo accentrata della guerra. Mussolini convocò la riunione il 16 luglio, convinto di poter controllare i malumori con l'appoggio del re. Ma la situazione precipitò il 19 con il bombardamento alleato del quartiere romano di San Lorenzo, che spinse papa Pio XII a uscire dal Vaticano per solidarizzare fisicamente con la folla.

Quello stesso giorno, il Duce incontrò Hitler a Feltre. Il capo di Stato maggiore dell'esercito, Vittorio Ambrosio, gli suggerì di chiedere il consenso a una pace separata o, almeno, dei rinforzi. Mussolini non fece né una cosa né l'altra. La pace separata gli fu chiesta da alcuni gerarchi durante la seduta del Gran Consiglio, la sera del 24 luglio. Proposta respinta. Fu a quel punto che Dino Grandi – da sempre ostile alla guerra – lo invitò a farsi da parte, ripristinando lo Statuto albertino e restituendo al re il comando delle forze armate. Presentò un ordine del giorno che fu approvato con 19 voti favorevoli, 8 contrari e una astensione. «Signori, avete aperto la crisi del regime» concluse gelido Mussolini. «La seduta è tolta.»

Si è discusso a lungo sulle ragioni che indussero il dittatore ad accettare docilmente le decisioni dei suoi gerarchi. Il figlio Romano, nel suo libro di memorie *Il Duce mio padre*, ricorda che Mussolini avrebbe potuto far arrestare senza difficoltà i gerarchi ostili: bastava che attivasse un pulsante bloccaporte sistemato sotto la scrivania. Vittima della miopia che colpisce i grandi uomini politici nella fase spesso cruciale della loro carriera, era convinto di controllare la situazione e confidava molto nel sostegno del re. Gli chiese udienza e alle 17 del 25 luglio si presentò a villa Savoia. Vittorio Emanuele lo licenziò in poco più di un quarto d'ora. «Lei è l'uomo più odiato d'Italia» gli disse. «Le cose non vanno più.» Poi gli annunciò la sua sostituzione con il maresciallo Badoglio. «Voi prendete una decisione di gravità estrema» rispose Mussolini. Salendo su un'ambulanza, s'irritò vedendosi circondato da guardie armate e s'illuse di essere accompagnato alla Rocca delle Caminate, la sua residenza estiva a qualche chilometro da Predappio. Gli italiani seppero della novità alle 22.45, quando Badoglio lesse alla radio un comunicato che si concludeva in modo tragicamente ambiguo: «La guerra continua». Con chi e contro chi non era chiaro.

La gestione del prigioniero fu a dir poco dilettantesca. Nei quaranta giorni successivi all'arresto, il Duce cambiò più volte destinazione. Fu detenuto in due caserme romane, poi destinato a Ventotene e dirottato a Ponza. Passò quindi alla Maddalena e, visto che il mare era poco sicuro, si optò per la montagna: prima un villino di Assergi, ai piedi del Gran Sasso, e poi, dal 3 settembre, l'albergo di Campo Imperatore, costruito da poco e meta degli sciatori del bel mondo romano. 43 carabinieri e 30 poliziotti montavano la guardia con due mitragliatrici. Hitler, imbufalito, ordinò la liberazione del prigioniero, che avvenne il 12 settembre per opera di un abilissimo maggiore dei paracadutisti, Harald Mors, che atterrò davanti all'albergo con un aliante. (La propaganda nazista attribuì il merito dell'operazione al commissario politico, il capitano delle SS Otto Skorzeny.) I militari italiani, convinti che le «cicogne» che volteggiavano in cielo fossero americane, non sparano un colpo.

Mussolini si fece «salvare» senza entusiasmo. Incontrò a Monaco di Baviera Rachele, i figli e alcuni gerarchi (Farinacci, Pavolini, il feroce razzista Preziosi), che furono le prime pietre angolari della Repubblica di Salò, sul lago di Garda, tra Lombardia e Veneto. Il proposito era di vendicare il «tradimento» del nuovo governo italiano che aveva firmato l'8 settembre l'ambiguo e perciò tragico armistizio e di rallentare l'avanzata degli Alleati verso nord.

Salò ha due profili, nettamente diversi tra loro. Il primo, recentemente rivalutato, è quello di migliaia di giovani arruolatisi in buona fede per lavare l'onta del «tradimento» dell'alleato con cui avevamo cominciato la guerra. Il secondo, noto fin dall'inizio, è quello di un regime ferocemente razzista in cui si mossero le bande di alcuni criminali (da Pietro Koch a Mario Carità) che insanguinarono l'Italia settentrionale.

Mussolini era ormai un ostaggio nelle mani di Hitler. Oggettivamente responsabile dell'operato dei suoi uomini, talvolta tentò invano di frenare la follia omicida dei nazisti e protestò inutilmente per la strage di Marzabotto. Visse un dramma politico e familiare nel gennaio 1944 al processo di Verona, che condannò alla fucilazione i gerarchi che avevano contribuito alla caduta del regime. La vittima più illustre fu Galeazzo Ciano, genero del Duce. Rachele ne invocava la morte, la moglie Edda tentò invano di salvarlo, barattando con i tedeschi la consegna dei suoi *Diari*. Il 16 dicembre 1944, a guerra civile ormai persa, il Duce tenne un discorso al teatro Lirico di Milano: era il fantasma di se stesso.

Avrebbe potuto arrendersi, scegliendo il luogo, il momento e il nemico al quale consegnarsi. Lo fece troppo tardi, il 25 aprile 1945. Nello studio di Ildefonso Schuster, il carismatico arcivescovo di Milano, incontrò quattro dirigenti del Comitato di liberazione nazionale: il socialista Riccardo Lombardi, il democristiano Achille Marazza, il liberale Giustino Arpesani e il generale Raffaele Cadorna. Trattarono su come salvare la vita ai gerarchi che si sarebbero arresi e alle loro famiglie. Mussolini si riservò di dare una risposta entro un'ora, ma non lo fece. Fu intercettato dai partigiani due giorni dopo a Dongo, mentre con una divisa tedesca addosso cercava di superare il confine, confuso tra altri soldati in ritirata. Accanto a lui c'era Claretta, che non aveva voluto lasciarlo. Dopo l'arresto, Mussolini e la Petacci furono condotti in una cascina, e fu lì che trascorsero l'unica notte insieme. L'indomani vennero uccisi dinanzi al cancello di villa Belmonte, a Giulino di Mezzegra, vicino Dongo.

Chi decise la morte di Mussolini? Gli americani avrebbero voluto processarlo, gli inglesi e i comunisti italiani lo volevano morto. Nel dopoguerra, Leo Valiani raccontò a Massimo Pini che la decisione di uccidere il Duce senza processo fu presa da lui, dal socialista Sandro Pertini e dai comunisti Luigi Longo ed Emilio Sereni. Per molti anni ha retto la versione ufficiale che a sparare a Mussolini fu Walter Audisio, il «colonnello Valerio», un partigiano noto per la sua brutalità. Vennero poi fatti altri nomi di partigiani (Aldo Lampredi, Michele Moretti), finché nel 1994 Bruno Giovanni Lonati, un importante dirigente di aziende industriali che aveva fatto la Resistenza, rivelò di averlo ucciso lui su incarico di un agente segreto inglese, John Maccaroni (*Quel 28 aprile. Mussolini e Claretta. La verità*). Churchill voleva sbarazzarsi del Duce perché avrebbe potuto svelare cose molto compromettenti sui loro rapporti. Il carteggio segreto tra i due, che forse era nella borsa che Mussolini portava con sé al momento dell'arresto, non è mai stato ritrovato. La tesi fu confermata nel 2002 da Luciano Garibaldi (*La pista inglese. Chi uccise Mussolini e la Petacci?*). Tutto è verosimile, niente è documentato in maniera inoppugnabile.

Il giorno successivo all'esecuzione, 29 aprile, i corpi di Mussolini e di Claretta furono appesi a testa in giù alla pensilina di un distributore di benzina in piazzale Loreto, a Milano. L'atroce spettacolo suscitò indignazione in larga parte dell'opinione pubblica e nello stesso mondo antifascista.

Un frate ricompose la gonna della Petacci con una spilla da balia. Una signora, passando lì accanto, commentò: «Però, due belle gambette aveva…».

Franco, il Caudillo in pantofole

Dittatore silenzioso e implacabile

Francisco Franco è morto nel suo letto a 83 anni nel 1975, dopo aver sepolto Benito Mussolini, ucciso il 28 aprile 1945 nei pressi di Dongo (Como), e Adolf Hitler, suicidatosi due giorni dopo nel bunker di Berlino. Monarca repubblicano per 36 anni, ha nuotato sott'acqua mentre gli altri due dittatori si agitavano in superficie ed è rimasto saldo al suo posto a terra mentre loro annegavano nel mare in tempesta. Carismatico senza carisma, ha aborrito comizi e bagni di folla, rinunciando a esternazioni che la sua voce chioccia avrebbe reso ridicole.

È stato meno sanguinario di Hitler ma assai più di Mussolini, suoi alleati nella guerra civile spagnola, che ha utilizzato cinicamente e si è guardato bene dal ricambiare quando gli chiesero di scendere in campo al loro fianco nel secondo conflitto mondiale. Conquistato il potere senza alcuna clemenza per i nemici del suo stesso sangue, ha saputo garantire la transizione dalla dittatura alla democrazia, restituendo così alla Spagna una monarchia costituzionale e un sistema parlamentare corretto: due giorni dopo la morte di Franco salì sul trono Juan Carlos di Borbone, un giovanotto di 37 anni che sembrava un bamboccione e che invece, già nel 1981, fu decisivo nello sventare un colpo di Stato militare. Ha inoltre saputo costruire un apparato burocratico più efficiente e moderno di quello italiano, che ha consentito alla Spagna di inserirsi rapidamente nelle varie istituzioni comunitarie europee.

Come Hitler, Franco ha mutuato da Mussolini l'ideologia fascista, ma senza commettere quei fatali errori che portarono il Duce all'abbraccio mortale con il Führer. Opportunista come i politici più raffinati, non ha mai fatto i colpi di testa tipici dei militari che conquistano il potere. Per avvicinarsi all'obiettivo, ha calzato pantofole silenziose anziché le scarpe chiodate. Ma, al momento opportuno, non ha avuto alcuna pietà nel compiere stragi, ricambiando con gli interessi quelle perpetrate dai «rossi». Un «burocrate della garrota», lo ha ben definito Antonio Ghirelli in *Tiranni*.

Ha sempre avuto la Chiesa dalla sua parte e l'ha ricambiata con un Concordato rispetto al quale, dal punto di vista dell'influenza della religione sulla società civile, i nostri Patti Lateranensi sono un documento laicista. A differenza degli altri grandi dittatori del Novecento europeo (Hitler, Stalin e Mussolini) che, pur indossando la divisa e avendo assunto il comando delle forze armate dei rispettivi paesi, non erano militari di carriera, Franco è stato un comandante militare eccellente, tanto da meritarsi per la vita l'appellativo di Generalissimo. Ed è stato un Caudillo, l'equivalente spagnolo del Führer tedesco, del Duce italiano e del Vozd' sovietico. Un leader assoluto, temuto dai nemici e adorato da chi lo ha considerato un salvatore e tuttora prega per la sua anima.

«Viva la muerte!»

Francisco Franco, nato nel 1892 a El Ferrol, in Galizia, aveva 6 anni quando gli Stati Uniti sloggiarono gli spagnoli da Cuba con una guerra doppiamente umiliante per gli sconfitti, perché durò soltanto quattro mesi e i vincitori non persero nemmeno una battaglia importante. Grande fu quindi la frustrazione per un paese coloniale che era stato uno dei più potenti del Rinascimento nel vedere sfilarsi, una dopo l'altra, le ultime perle della gloria passata.

La famiglia di Franco operava nel mondo marittimo e lui avrebbe voluto fare l'ufficiale di marina, ma poiché dopo la sconfitta cubana il governo spagnolo aveva ridimensionato la flotta, ripiegò – sia pur a malincuore – sull'esercito. Non andò mai d'accordo con il padre Nicolás, che lo considerava un inetto, forse per la bassa statura e la pancetta precoce, e mostrò sempre indifferenza nei confronti della spettacolare carriera del figlio. (Nicolás Franco, traditore seriale della moglie – cattolica integralista come tutte le donne spagnole di un secolo fa –, pensò bene di esalare l'ultimo respiro in una casa d'appuntamenti.)

Persa Cuba, nel 1912 la Spagna andò a guerreggiare in Marocco. Qui il ventenne sottotenente Francisco si diede da fare e, due anni dopo, fu promosso capitano. Ferito in azione, reclamò un riconoscimento più prestigioso e, a 24 anni, prese i gradi di maggiore.

Assegnato nel 1917 a un reggimento di Oviedo, vi incontrò la donna della sua vita, la diciassettenne María del Carmen Polo y Martínez Valdés, di famiglia aristocratica. I genitori della ragazza si opposero alla frequentazione, ma ci voleva ben altro per scoraggiare un uomo testardo come Francisco. Aspettò qualche anno e la sposò, già da colonnello. Quando nel 1926 nacque sua figlia, che fu chiamata Carmen come la madre, lui, nemmeno trentaquattrenne, era il più giovane generale d'Europa.

Il governo spagnolo, che non si era rassegnato alla perdita del proprio potere coloniale, nel 1920 si era inventato una sorta di Legione straniera di stanza in Marocco, affidandone il comando a Franco. Il generale imbracciò il vessillo dell'ardimento e fece proprio il motto della Legione «Viva la muerte!». Per incoraggiare i suoi, riferisce Ghirelli, chiedeva: «Sai perché sei venuto? Sei venuto a morire». Confermò, inoltre, di essere onesto quanto pedante: durante una drammatica ritirata, ammonì i furieri di tenere in ordine i quaderni contabili per salvaguardare l'onore del corpo.

All'epoca la Spagna soffriva di una certa fragilità democratica. E siccome i colpi di Stato sono sempre frutto di un alto grado di frustrazione, dal malcontento dell'opinione pubblica per la perdita delle colonie e dal fallimento dell'impresa marocchina scaturì nel 1923 il *pronunciamiento* di Miguel Primo de Rivera, un generale dell'esercito che instaurò un regime dittatoriale con la benedizione del sovrano. Che, pur guadagnandosi qualche benemerenza con la chiusura della questione marocchina, non riuscì a riparare decentemente la macchina istituzionale e nel 1930 rassegnò le dimissioni nelle mani del re Alfonso XIII. Il 14 aprile 1931, di fronte alla netta affermazione della sinistra repubblicana alle elezioni amministrative, il re spagnolo si dimise e fu proclamata la Seconda Repubblica. A capo del governo provvisorio andò il conservatore cattolico Niceto Alcalá-Zamora, che però, preso tra i due fuochi delle estreme, cadde dopo pochi mesi.

Le elezioni politiche che si tennero subito dopo registrarono una schiacciante vittoria dei socialisti. Ma il paese non si tranquillizzò, e i vertici militari, progettando una rivincita, guardarono al giovane generale Franco. Ma questi – mostrando per la prima volta un fiuto politico sopraffino – scrisse una lettera al quotidiano monarchico «Abc» per ribadire la propria fedeltà al re, riconoscendo però il dovuto rispetto ai repubblicani che avevano vinto le elezioni. «Rispettare e obbedire» furono le sue parole d'ordine.

Tuttavia Manuel Azaña, l'intellettuale della sinistra radicale che era a capo del nuovo governo, decise che era meglio togliersi di torno Franco e lo incaricò di organizzare la difesa delle Baleari. Come spesso accade agli uomini politici di sinistra, Azaña fu travolto dalle fratture interne alla sua maggioranza e spiazzato dall'ala rivoluzionaria, che alimentò nel paese scontri con i conservatori, spalleggiati dalla Falange d'ispirazione fascista. Franco rifiutò una candidatura blindata alle elezioni del 1933, che sancirono una forte riscossa della destra, coadiuvata dai profughi repubblicani cattolici guidati da José María Gil-Robles. (Toccai con mano il carisma di quest'uomo, che rimase a fianco di Franco fino alla morte del dittatore, nei nostri numerosi incontri avvenuti a metà degli anni Settanta, quando mi recai in Spagna per intervistare alcuni protagonisti del de-

licatissimo periodo di transizione verso la democrazia.)
La sinistra si ribellò con le armi al risultato elettorale e in
molte città si poté assaggiare un antipasto di guerra civile.

Nell'agiografia *Il generalissimo Franco*, pubblicata nel 1937,
Joaquín Arrarás, il principale storico franchista, evoca in termini romantici il rientro del generale dalle Baleari in abiti
contadini e il suo ingresso al ministero della Guerra, dove
assunse il comando delle operazioni militari per soffocare
la rivoluzione. Nel centro di Madrid si sparava strada per
strada, mentre i cecchini delle due fazioni si fronteggiava-
no dai tetti. Ormai Franco aveva compiuto la sua definitiva scelta di campo: «Qui è una guerra di frontiera» disse
a un giornalista. «I fronti sono il socialismo, il comunismo
e le altre sovversioni, che attaccano la civiltà per sostituir-
la con la barbarie.»

Nemmeno l'estrema sinistra le mandava a dire. Dopo la
grande vittoria del Fronte popolare alle elezioni politiche
generali del 16 febbraio 1936 (contestata dai monarchici, i
quali affermarono di aver ottenuto 400.000 voti in più), il
futuro primo ministro Francisco Largo Caballero dichiarò:
«Nel giorno della vendetta non lasceremo pietra su pietra
di questa Spagna che vogliamo distruggere per costruire
la nostra». La guerra civile era ormai alle porte. In giugno
Gil-Robles denunciò l'incendio di decine e decine di chiese da parte dei repubblicani e l'aggressione ai parroci che
le custodivano.

Il 13 luglio venne ucciso José Calvo Sotelo, leader della destra conservatrice alle Cortes, per vendicare un ufficiale repubblicano assassinato a Madrid dai falangisti.
Il 18 Radio Ceuta trasmise la frase in codice: «Su tutta la
Spagna il cielo è senza nubi», che diede ufficialmente il via
all'*alzamiento*. Franco era di stanza in Marocco e non aveva i
mezzi per trasferire subito in patria le sue truppe. Li chiese
a Mussolini, che all'inizio nicchiò. Allora telefonò a Hitler,
che si dimostrò disponibile e convinse anche il dittatore italiano ad aiutarlo. Così un ponte aereo italo-tedesco portò il
Generalissimo, capo delle tre armi, a guidare il fronte anti-
repubblicano nella guerra civile spagnola.

La guerra civile spagnola e l'intervento italiano

Raccontare una guerra civile è compito ingrato, perché entrambe le fazioni commettono violenze inaudite, ma siccome la storia viene in genere scritta dai vincitori, le più note e raccontate sono quelle perpetrate dai vinti. Nel caso della guerra civile spagnola, invece, un dittatore fascista ha sconfitto brigate internazionali sostenute dalla sinistra colta d'Europa e degli Stati Uniti. Perciò è più facile imbattersi nelle atrocità franchiste – che furono molte – che in quelle comuniste, che non furono poche. Ernest Hemingway seguì gli scontri come corrispondente di guerra aggregato all'esercito repubblicano antifranchista. Eppure, in *Per chi suona la campana* racconta le violenze delle due parti. Ecco un eccidio compiuto dai repubblicani: «Vidi la sala piena di uomini che battevano alla cieca con i randelli ... urlavano, infilzavano senza fermarsi ... si udivano uomini nitrire come cavalli in un incendio ... E vidi il parroco, con la tonaca rialzata, arrampicarsi sopra una panca e i suoi inseguitori che lo colpivano e lo tagliavano con falci e coltellacci...». Ed eccone uno perpetrato dai franchisti: «I miei erano di sinistra, come tanti altri a Valladolid. Quando i fascisti ripulirono la città, fucilarono per primo mio padre, poi mia madre perché avevano votato per i socialisti. Poi il marito di una delle mie sorelle, solo perché era sindacalista. Poi cercarono il marito dell'altra sorella e siccome lei non sapeva dov'era la fucilarono perché non aveva parlato». È probabile che abbia ragione Gerald Brenan (*The Spanish Labyrinth*), uno storico inglese vissuto a lungo in Spagna, quando dice che, almeno nei primi mesi della guerra civile, per ogni giustiziato dai repubblicani ce ne fossero due o tre ammazzati dai franchisti.

La vittima più illustre di questi ultimi fu Federico García Lorca, ucciso un mese dopo l'inizio degli scontri. Aveva 38 anni. Il poeta si trovava a Granada, dove suo cognato, sindaco della città, era stato fucilato perché socialista. Si era rifugiato in casa di un amico poeta, franchista, che inutilmente ne patrocinò il rilascio quando fu arrestato con l'accusa di omosessualità e di adesione alla massoneria. Venne fucilato in un bosco e il cadavere gettato in una fossa comune: i suoi resti non sono mai stati ritrovati.

Paul Preston, lo storico inglese considerato il maggior esperto sulla guerra civile spagnola e biografo del dittatore, sostiene che le vittime non militari siano state 200.000 (cifra condivisa da altre fonti) e afferma che il Caudillo avrebbe voluto «ripulire» fisicamente la Spagna da tutti gli oppositori. Un obiettivo, come abbiamo visto, condiviso anche dai repubblicani. Preston ricorda, peraltro, le violenze dei comunisti contro proprietari terrieri e sacerdoti, uccisi a decine di migliaia. In un solo mese (agosto 1936) furono ammazzati 2000 preti e una decina di vescovi (*The Spanish Holocaust*).

Riccardo Michelucci ha ricordato sull'«Avvenire» (21 giugno 2012) lo scempio di centinaia di chiese cattoliche e il massacro di Paracuellos, un piccolo centro alle porte di Madrid in cui furono uccisi 2000 veri o presunti sostenitori del franchismo. Questa strage porta la firma dei repubblicani comunisti e Preston, sulla base di documenti scoperti di recente, afferma che vi fu pesantemente coinvolto Santiago Carrillo, in collaborazione con la polizia segreta sovietica. Lo storico inglese parla di «circa 50.000 morti accertate tra i civili nelle aree controllate dai repubblicani e di una cifra almeno tre volte superiore per quanto riguarda i caduti per mano degli uomini di Franco».

Alla violenza sbrigativa dei suoi reparti, Franco associò una straordinaria capacità di mediazione, riuscendo a riunire sotto l'unica bandiera della Falange spagnola le due confessioni monarchiche (i «carlisti», fedeli ai Borbone, e i «legittimisti», già guidati da Calvo Sotelo), i cattolici e i simpatizzanti fascisti e nazisti. Le violenze contro le chiese e i sacerdoti, e l'ideologia fortemente conservatrice del Caudillo, portarono la Chiesa spagnola a schierarsi apertamente con i franchisti i quali, una volta al governo, l'avrebbero ampiamente ricompensata abolendo il matrimonio civile, delegandole ogni decisione in materia di divorzio e adottando il cattolicesimo come religione di Stato. Al contrario, la sinistra si spaccò subito. Anarchici e trockisti si scontrarono nelle strade di Barcellona con i comunisti fedeli a Stalin, che imposero come capo del governo, al posto del rivoluzionario Largo Caballero, il più «ragionevole» Juan Negrín, un fisiologo legato ai sovietici.

La guerra civile spagnola durò meno di tre anni, dall'estate del 1936 ai primi mesi del 1939, ma, soprattutto nei primi due, si trasformò in una piccola guerra mondiale per la straordinaria presenza di soldati e volontari stranieri. Le brigate internazionali, costituite immediatamente per ordine di Stalin, riunirono 60.000 uomini in prevalenza comunisti, provenienti da una cinquantina di paesi. I 4000 italiani vennero inquadrati nel battaglione Garibaldi, sotto la responsabilità politica di Palmiro Togliatti per incarico del Comintern. La guida del battaglione, in cui militavano comunisti come Luigi Longo e socialisti liberali come Carlo Rosselli, fu affidata inizialmente al repubblicano Randolfo Pacciardi.

Nel fronte franchista, l'Italia era largamente presente con 48.823 uomini (di cui 29.006 volontari in camicia nera e il resto formato da militari dell'esercito), 248 aerei, 542 cannoni, 756 mortai, 81 carri armati e quasi 4000 automezzi. Uomo chiave dell'alto comando italiano era Mario Roatta che, grazie alla campagna di Spagna, avrebbe fatto una carriera fulminante diventando nel 1941 capo di Stato maggiore dell'esercito di Mussolini. Quattromila soldati italiani non sarebbero mai tornati a casa.

«*España no puede entrar por gusto...*»

Il 26 aprile 1937, 57 aerei da guerra, quasi tutti della Luftwaffe, bombardarono la città basca di Guernica. Come sarebbe accaduto spesso durante la seconda guerra mondiale, le bombe non si limitarono a colpire obiettivi militari e distrussero quasi metà città. Sul numero delle vittime non c'è mai stato accordo tra le parti, ma dovrebbe essere compreso fra 200 e 400. Guernica diventò il simbolo storico della sopraffazione franchista sulla popolazione spagnola, grazie anche al memorabile dipinto di Pablo Picasso, tornato in Spagna nel 1981 dopo un lungo esilio ed esposto al museo Reina Sofía di Madrid dal 1992.

A metà aprile 1938 i franchisti isolarono Barcellona e la Catalogna dal resto della Spagna controllata dai repubblicani. Nell'estate il primo ministro Negrín chiese la fine del conflitto e, come prova di buona volontà, smobilitò le brigate internazionali, che lasciarono il paese dopo una malinconica sfilata nelle vie di Barcellona. Franco fece in parte la stessa cosa con le milizie italiane: ormai controllava la situazione e approfittò delle divisioni interne alla sinistra (che sfociarono perfino in scontri a fuoco tra le diverse fazioni) e dell'indignazione per gli eccessi anticlericali dei repubblicani per forzare i fronti rimasti.

In gennaio cadde Barcellona, in marzo Madrid. Il 1° aprile 1939 Radio Burgos trasmise il bollettino della vittoria. La Chiesa, vittima di violenze inaccettabili, benediceva il Caudillo con un memorabile *Te Deum* di ringraziamento nella basilica di Santa Barbara di Madrid e Pio XII ringraziava i monarchici ricevendo in Vaticano una delegazione di militari spagnoli.

La repressione franchista fu implacabile e sanguinosa. Il mondo conobbe la *garrota*, un collare di ferro attaccato a un palo e collegato a una morsa che, stringendosi, soffocava lentamente il condannato. Nel luglio 1939 Galeazzo Ciano, ministro degli Esteri del Duce, annotava nel celebre *Diario*: «Le esecuzioni sono ancora numerose: nella sola Madrid da 200 a 250 al giorno; a Barcellona 150, 80 a Siviglia che non cadde mai in mano ai rossi». Le esecuzioni numericamente più significative si registrarono fra gli insegnanti, con la fucilazione di 6000 maestri.

Perché Mussolini decise di entrare nella guerra civile spagnola dalla porta principale, rimettendoci 4000 uomini e un'enorme quantità di risorse? Secondo John F. Coverdale (*I fascisti italiani alla guerra di Spagna*), la scelta del Duce non era mirata tanto a favorire la nascita di un regime fascista, quanto piuttosto a impedire il successo di una rivoluzione socialista in Spagna, che avrebbe creato un formidabile asse franco-spagnolo: in caso di guerra, la Francia avrebbe potuto trasferire sul continente le proprie truppe africane passando per le Baleari, sulle quali Mussolini aveva messo gli occhi. Renzo De Felice, nel suo *Mussolini il duce*, osserva che il regime fascista era così all'oscuro dei progetti di Franco che seppe dell'*alzamiento* solo a cose fatte e che una delle ragioni del suo intervento nella guerra civile spagnola fu il coinvolgimento a fianco dei repubblicani di tutto l'antifascismo italiano e dei sovietici, che scesero anch'essi in campo con aerei, carri armati e materiale bellico. Il Duce temeva, insomma, un'«infezione rossa» incontrollabile e si sentì costretto ad assumere un impegno che andò ben al di là di quanto aveva immaginato.

Preso a modello prima da Hitler e poi da Franco, Mussolini fu – in dimensioni diverse – vittima di entrambi. Il Caudillo, invece, fu più astuto. Era affascinato dal Duce, gli chiese aiuto, ma durante il Ventennio l'interscambio economico tra Italia e Spagna – cartina di tornasole di ogni protettorato – fu assolutamente irrilevante. Eppure, senza l'aiuto tedesco e soprattutto italiano, difficilmente avrebbe vinto: nel 1939 il debito accumulato dalla Spagna nei confronti dell'Italia ammontava a 8,5 miliardi di lire, pari a circa 7,5 miliardi di euro. (Nell'arco di trent'anni sarebbe stato restituito meno del 10 per cento della somma.) Una cifra enorme per un'economia arretrata come quella spagnola.

Elena Aga Rossi, nella sua analisi della «politica estera dell'impero», sostiene che l'Italia fascista ha cominciato a perdere la seconda guerra mondiale in Spagna. Il bilancio militare dello Stato italiano era di circa 6 miliardi di lire all'anno: spenderne 8,5 in ventiquattro mesi indebolì in modo irrimediabile le potenzialità delle nostre forze armate. Dal canto suo, Gennaro Carotenuto (*Franco e Mussolini*) ricorda che il Duce avrebbe voluto che il conflitto mondiale non scoppiasse prima del 1942, e il Caudillo anche più tardi. Hitler, invece, invase la Polonia solo cinque mesi dopo la fine della guerra civile spagnola. Mussolini resistette un anno prima di cedere all'illusione di sedersi al tavolo dei

vincitori, mentre Franco, dopo aver preso in giro per un po'
i due colleghi, concluse con malcelato sollievo: «España no
puede entrar por gusto...», la Spagna non può entrare in
guerra per divertimento. E se ne restò a casa. L'invio di una
División Azul in Russia restò simbolico e di non lunga durata. La Spagna, strategicamente decisiva per l'attacco del-
l'Asse a Gibilterra, fu attentissima a non irritare troppo gli
inglesi, mantenendo un atteggiamento di rigida neutralità.

Il lungo e tormentato viaggio verso la democrazia

Il dopoguerra non cominciò bene per il franchismo. Nel
1946 l'Assemblea generale delle Nazioni Unite dichiarò
«fascista» il regime di Franco e non ammise la Spagna nel
club. L'Onu chiese addirittura agli Stati membri di ritirare
i propri ambasciatori a Madrid. A niente era valso l'allenta-
mento della morsa operato dal regime con l'istituzione, già
nel 1942, delle Cortes españolas con *procuradores* nominati
dal governo e dalle corporazioni e, nel 1945, di una specie
di difensore civico a tutela dei cittadini. Tuttavia era fatale che la divisione dell'Europa in due blocchi contrapposti
portasse alla fine dell'isolamento della Spagna con il Patto
di Madrid stipulato nel 1953 con gli Stati Uniti e al suo ingresso nelle varie organizzazioni internazionali (l'ammissione all'Onu avvenne nel 1955). Ma la vera svolta si ebbe a
metà degli anni Sessanta con l'elezione a suffragio universale di 100 membri delle Cortes, la libertà di culto, la divisione dei poteri tra capo dello Stato e capo del governo e l'avvicinamento di Juan Carlos alla successione di Franco, che
risultava ancora formalmente reggente del regno di Spagna.

Alla fine del 1973 l'Eta, un'organizzazione terroristica di
estrema sinistra fondata nel 1959 per sostenere e promuovere la lotta per l'indipendenza del popolo basco, sembrò
assestare un colpo durissimo ai primi tentativi di democrazia spagnola uccidendo con uno spettacolare attentato
dinamitardo l'ammiraglio Luis Carrero Blanco, che Franco
aveva appena nominato primo ministro, pensando di ritirarsi. Spedito dal telegiornale a Madrid, trovai la capitale

sgomenta per gli effetti devastanti dell'azione terroristica e per la straordinaria abilità di chi l'aveva progettata e
compiuta. Per tre settimane i militanti dell'Eta, travestiti
da elettricisti, avevano potuto scavare indisturbati nella
strada percorsa quotidianamente dall'ammiraglio nel suo
tragitto dalla chiesa, dove si fermava ogni mattina per la
messa, all'ufficio. Avevano piazzato 50 chili di dinamite
sotto il manto stradale e altri 25 su un'auto parcheggiata
in seconda fila poco distante. Per la forza dell'esplosione,
l'auto blindata di Carrero Blanco volò sopra un palazzo
di sei piani e ricadde in un cortile sul lato opposto. «Vissuto da ammiraglio, è morto da aviatore» fu la battuta che
circolava in quei giorni a Madrid. Ricordo che per girare per strada noi giornalisti dovevamo avere un permesso scritto, ma la censura era assai blanda e, di fatto, ope-
rammo in libertà.

Contrariamente alle attese, il regime non si inasprì e nel
giro di un anno il successore di Carrero Blanco, Carlos Arias
Navarro, liberalizzò le elezioni municipali, legalizzò le associazioni politiche e concesse una certa libertà sindacale,
mentre l'Opus Dei continuava ad avere un peso determinante nella politica spagnola. In pratica, soltanto i comunisti erano ancora fuorilegge.

Franco morì il 20 novembre 1975. Tornando da inviato
a Madrid, potei liberamente incontrare i membri dell'opposizione moderata, mentre il corrispondente Ilario Fiore
riferiva le opinioni del Palazzo franchista. Due anni dopo
poterono rientrare in patria il leader comunista Santiago
Carrillo e il giovane capo socialista Felipe González, eletti entrambi in Parlamento con il moderato Adolfo Suárez,
che venne confermato primo ministro, mentre Juan Carlos
di Borbone occupò a pieno titolo il trono.

Ero già stato in Portogallo per la Rivoluzione dei Garofani
del 1974. Spedendomi a Madrid, il direttore del telegiornale Villy de Luca mi disse sbrigativamente: «In Spagna
le cose funzionano al contrario. I comunisti sono moderati
e i socialisti rivoluzionari». Aveva ragione. In Portogallo
avevo incontrato il capo comunista Álvaro Cunhal, anco-

ra su posizioni staliniste, mentre il socialista Mário Soares (che sarebbe diventato presidente della Repubblica) era un riformista moderato. («Sono vissuto sotto un regime fascista» mi disse. «Ma i fascisti, bene o male, mi hanno fatto lavorare. I comunisti mi avrebbero incarcerato.») Nelle nostre lunghe conversazioni, Carrillo, amabilissimo, aveva dimenticato completamente i suoi trascorsi di stalinista ed era perfino più riformista di Enrico Berlinguer e del leader comunista francese Georges Marchais, con i quali formò rel 1977 a Madrid il triunvirato «eurocomunista». Mentre González, giovane ed entusiasta, mi sembrò più rigido.

In quegli anni la dittatura franchista sembrava già un lontanissimo ricordo. Il Caudillo passava così alla storia come l'unico dittatore europeo del Novecento che si dimostrò al passo con i tempi.

I GRANDI DEMOCRATICI

«Mio figlio Winston, un mediocre...»

Lord Randolph Churchill era convinto che suo figlio Winston fosse un po' ottuso, così, quando compì 14 anni, lo fece trasferire dalla sezione ordinaria della prestigiosa Harrow School londinese alla sezione militare. Lì per lì il ragazzo non la prese male, anche se avrebbe preferito prepararsi per l'università. Prima di arrivare alla sua decisione e di comunicarla al figlio, il padre ne aveva ammirato la collezione di 1500 soldatini, perfettamente schierati in assetto di combattimento. «Comandare un esercito era una prospettiva eccitante» avrebbe raccontato in seguito Churchill. «Per anni pensai che mio padre, con la sua esperienza e il suo intuito, avesse colto in me le qualità del genio militare.» E Churchill sarebbe diventato realmente un genio militare, oltre che il più importante genio politico europeo della prima metà del Novecento. Eppure dovette subire a lungo la disistima paterna. Che fu sepolta insieme al corpo ancora giovane di Lord Randolph, morto a 46 anni di sifilide, quando Winston ne aveva 21 e non aveva ancora potuto dar prova di quello che sarebbe diventato di lì a poco.

Churchill era il più vecchio dei grandi statisti del XX secolo con i quali si sarebbe confrontato in due guerre mondiali e in un'infinità di conflitti coloniali. Era nato prematuramente nel 1874, figlio primogenito di Lord Randolph, un conservatore diventato per poco tempo Cancelliere dello Scacchiere (ministro delle Finanze), e Lady Janette (Jennie)

Jerome. Secondo la consuetudine dell'aristocrazia di epoca vittoriana, Winston non godette dell'affetto dei genitori, che lo lasciarono alle cure di un'istitutrice prima di schiaffarlo in collegio, dove di rado andarono a trovarlo. Il ragazzo se la cavava in quasi tutte le materie, ma era sistematicamente il peggiore in condotta, ed ebbe così la possibilità di conoscere la verga del direttore, che faceva sanguinare. (Lo ricambiò facendogli a pezzi il cappello di paglia.)

Gli esami di ammissione all'accademia militare di Sandhurst andarono male. Il padre era furioso e pensava di trovargli una sistemazione nel mondo degli affari. Ma Winston riprovò altre due volte e li superò, anche se dovette accontentarsi della cavalleria, perché l'ingresso in fanteria richiedeva punteggi più elevati. Lord Randolph gli scrisse parole terribili: «La mancata ammissione nella fanteria dimostra in modo inconfutabile il tuo stile di lavoro sciatto, spensierato e irresponsabile, con cui ti sei sempre distinto nelle varie scuole. Non ho mai sentito un giudizio davvero positivo sulla tua condotta nello studio da nessun insegnante o istitutore». Più tardi Churchill s'illuse che la sifilide avesse alterato la mente e i giudizi paterni, ma il dubbio non lo abbandonò mai.

Pur essendo di famiglia agiata, Winston voleva mantenersi da solo. Recatosi, appena ventunenne, all'Avana dove infuriava la lotta tra gli indigeni e gli occupanti spagnoli, scrisse articoli di cronaca e di analisi politica che gli valsero il plauso anche di Neville Chamberlain, futuro primo ministro: la sua previsione sull'imminente intervento americano si rivelò azzeccata. Poco dopo si fece apprezzare di nuovo come corrispondente di guerra sul fronte indiano. Inviò lettere al «Daily Telegraph» e telegrammi quotidiani di trecento parole al «Pioneer» di Allahabad, su cui aveva scritto Rudyard Kipling, e al tempo stesso onorò il mestiere di soldato, partecipando valorosamente a cariche di cavalleria e ad aspri conflitti a fuoco. «Sparai quaranta colpi a bruciapelo» scrisse alla nonna. «Non ne sono certo, ma credo di aver colpito quattro uomini. Ad ogni modo, sono caduti.»

Un suo saggio sull'assedio di Malakand, al quale aveva partecipato, gli valse persino un invito al numero 10 di

Downing Street. «Ho capito più di quegli scontri dai vostri scritti che da ogni altro documento che era mio dovere leggere» lo elogiò il primo ministro Salisbury. E fu proprio grazie a una sua segnalazione che Churchill partecipò poi all'invasione del Sudan. Quando i dervisci furono sconfitti, assistette al massacro di migliaia di prigionieri feriti, ai quali gli inglesi inflissero lo stesso trattamento che avevano subìto dagli indigeni in altre occasioni. Ne restò inorridito e poco dopo abbandonò la carriera militare per dedicarsi con maggior impegno a quella di corrispondente di guerra. Andò in Sudafrica come inviato del «Morning Post», guadagnando in quattro mesi l'equivalente di 80.000 euro di oggi. Preso prigioniero dai boeri che avevano attaccato il treno militare su cui viaggiava, riuscì però a evadere.

La fulminea carriera politica e la Grande Guerra

Morto il padre, la madre di Churchill si mise a spendere a piene mani e lui, vedendo volatilizzarsi il patrimonio di famiglia, la inchiodò a una causa giudiziaria, poi revocata, nel timore che sposasse un giovane spiantato. Cosa che sarebbe puntualmente avvenuta più tardi, quando Lady Jennie si unì a un ufficiale coetaneo del figlio. Nel frattempo Winston faceva carriera.

A 26 anni Churchill fu eletto deputato nel Partito conservatore, anche se non era affatto un conservatore. Nella sua biografia, Martin Gilbert ricorda che Winston credeva nell'intervento dello Stato per garantire a tutti i cittadini un tenore di vita minimo, l'occupazione e il benessere sociale, la riduzione degli orari e il miglioramento delle condizioni di lavoro in fabbrica, del servizio sanitario nazionale e del sistema pensionistico. Un suo chiodo fisso, poi, era che i lavoratori diventassero azionisti delle aziende di cui erano dipendenti.

Churchill guadagnò anche molti soldi con un ciclo di conferenze in tutta l'Inghilterra, in Irlanda e perfino negli Stati Uniti, dove fu presentato da Mark Twain a Theodore Roosevelt, poco prima che diventasse presidente.

Fanatico del libero scambio, Churchill cominciò a votare regolarmente contro le posizioni conservatrici, finché un giorno entrò alla Camera dei Comuni e andò a sedersi tra i liberali. Era il 1904 e lui aveva 30 anni.

Durante una festa la madre gli presentò la figlia di un'amica, Clementine Hozier, una bella ragazza di 19 anni. Quel giorno Winston la ignorò e i due si sarebbero rivisti soltanto quattro anni dopo, quando aveva stravinto le elezioni con i liberali ed era già diventato viceministro delle Colonie e ministro del Commercio. Questa volta i due si piacquero. Lui le scrisse: «Quei vostri strani, misteriosi occhi, di cui tanto ho cercato di carpire il segreto». Poi, mentre Clementine era ospite dei Churchill nella loro splendida tenuta di campagna a Blenheim, la chiese in moglie. Lo fece nel tempietto di Diana, dove la coppia si era rifugiata durante un temporale, e la giovane accettò. Aveva 23 anni, Winston 33. («Non sono ricco né ben sistemato,» scrisse alla futura suocera «ma vostra figlia mi ama ... e penso di poterla fare felice, e di poterle dare una posizione e una carriera degne della sua bellezza e delle sue virtù.») Qualche mese dopo si sposarono. Come dono di nozze, il re d'Inghilterra, Edoardo VII, gli regalò il bastone da passeggio con manico d'oro che lo avrebbe accompagnato per tutta la vita. La coppia sarebbe rimasta insieme per cinquantasette anni, ma Clementine capì subito che il marito l'avrebbe sempre tradita con l'amante più insidiosa: la vita pubblica. Dopo la nascita della prima figlia, Diana, Churchill cercò con risultati modesti di conciliare i doveri pubblici con quelli privati. «La balia mi guarda come un intruso» protestò con la moglie, promettendole che, perso il bagnetto di un giorno, avrebbe «officiato» l'indomani.

Le sue iniziative come ministro del Commercio ebbero un carattere fortemente progressista: istituì duecento uffici di collocamento, un salario sociale minimo, intervalli regolari per i pasti sul luogo di lavoro, indennità di disoccupazione. Ma la sua politica progressista, approvata dai Comuni, fu stracciata dalla Camera dei Lord. Alla fine del 1909 il Parlamento fu sciolto, ma Churchill riconquistò subito (gennaio

1910) il seggio e diventò ministro dell'Interno e poi Primo Lord dell'Ammiragliato, cioè ministro della Marina.

Nel 1911, tre anni prima della Grande Guerra, illustrò nei dettagli l'attacco che la Germania avrebbe mosso contro la Francia violando la neutralità del Belgio, di cui la Gran Bretagna era garante. Nel 1912 la presentazione in Parlamento del suo poderoso piano di potenziamento della marina britannica – per avere sempre, come amava dire, una nave in più della flotta tedesca –, in risposta a un'analoga mossa del Kaiser, ottenne un consenso trionfale. Clementine, cagionevole di salute e con due figli (nel 1911 era nato Randolph) da accudire, non era presente. Churchill se ne dolse, ma d'altra parte si sentiva in colpa con lei: «Vorrei baciare il tuo caro volto» le scrisse «e carezzare le tue gote di bambina e sentirti far le fusa tra le mie braccia».

Nel 1914, dopo aver introdotto l'aviazione di marina e imparato a volare sugli aerei da combattimento, con geniale preveggenza – ricorda Gilbert – convinse il governo ad acquisire la maggioranza della Compagnia petrolifera angloiraniana (la futura British Petroleum), assicurandosi carburante in quantità illimitata e a buon prezzo in previsione della guerra ormai imminente.

Il 28 giugno 1914 gli spari di Sarajevo aprirono la crisi internazionale. Churchill inviò inutilmente la flotta nel mare del Nord per ammonire la Germania. I preparativi lo eccitavano («hanno un fascino orrido» scrisse alla moglie) e, al pari di tutti gli interventisti, era morbosamente attratto dalla catastrofe. Al momento dello scoppio del conflitto, il primo ministro Lloyd George lo descrisse come «un uomo davvero felice».

Churchill pensava in grande. «Nella sua strategia» annota Sergio Romano in *I volti della storia* «risuona l'eco antica delle grandi gesta marittime della storia britannica: Drake contro la Grande Armada, Wellington contro Napoleone ... Voleva forzare i Dardanelli, conquistare la penisola di Gallipoli, puntare su Costantinopoli, colpire la coalizione degli imperi nel suo punto più debole, costringere la Turchia ad abbandonare il conflitto, liberare la Russia dalla sua minaccia meridionale, risalire verso l'Europa, attaccare la Germania e l'Austria lungo la penisola balcanica.»

Non andò bene. Il maltempo e le mine misero in difficoltà la flotta sui Dardanelli, costringendo l'ammiraglio a ritirarsi. Si aggiunga che le navi britanniche non erano riuscite a difendere Anversa, finita in mani tedesche con conseguente, drammatico esodo della popolazione. Churchill era un boccone troppo ghiotto perché i suoi nemici non lo sbranassero. Dovette dimettersi e restò fuori dal governo per due anni, imparando a dipingere. In questo periodo rientrò per tre mesi e mezzo nell'esercito con il grado di tenente colonnello, andò in trincea sul fronte occidentale e poco mancò che una granata non lo uccidesse. Intanto la moglie aveva partorito il terzo figlio e i suoi sentimenti nei confronti del marito erano cambiati. «Siamo ancora giovani,» gli scrisse «ma il tempo vola portandosi dietro l'amore e lasciando solo l'amicizia, che dona molta serenità, ma non dà grandi stimoli né calore.» Winston non se l'aspettava. «Mia adorata,» si precipitò a risponderle «non parlarmi di "amicizia": ti amo di più mese dopo mese e sento il bisogno di te e di tutta la tua bellezza.»

Al fronte, Churchill aveva conquistato i commilitoni e apprezzato la crescente importanza dei carri armati, che valorizzò ulteriormente nell'ultima fase della guerra quando, dopo i due anni di castigo, tornò al governo come ministro per gli Armamenti. Il governo fu sommerso dalle polemiche. Scrisse il «Morning Post»: «La presunzione suprema di quest'uomo lo porta a credersi Nelson sui mari e Napoleone in terra». L'autunno del 1917 fu il più drammatico. Le truppe anglofrancesi non riuscivano a sfondare in Belgio, mentre l'esercito italiano crollava a Caporetto. Il primo ministro Lloyd George si precipitò in Italia e spedì truppe in nostro soccorso, mentre Churchill metteva sotto pressione le fabbriche di armamenti. Convinto che i carri armati sarebbero stati determinanti per la vittoria finale, dal luglio 1918 ne fece produrre 1500 al mese. Si scoprì così che i nuovi mezzi consentivano di risparmiare molte vite e molti soldi.

Nell'autunno del 1917 la vittoria nella battaglia di Cambrai, nella Francia settentrionale, aveva portato agli Alleati la conquista di una settantina di chilometri quadrati di territorio, ottenuta al prezzo della perdita di 10.000 uomini, tra morti e feriti, e di 6,5 milioni di sterline di munizioni, mentre nei tre mesi della battaglia delle Fiandre i circa 90 chilometri quadrati di territorio sottratti al nemico erano costati 300.000 uomini e 84 milioni di sterline. Grazie anche all'intervento americano (Wilson inviò un contingente di 120.000 soldati ogni mese e ogni tipo di armamenti), gli Imperi centrali cedettero di schianto su tutti i fronti e la guerra finì l'11 novembre 1918.

La sera in cui fu celebrata la vittoria, Clementine (in attesa del quarto figlio) raggiunse il marito per recarsi insieme a lui a Downing Street, dove erano stati invitati a cena da Lloyd George. Penarono per arrivarci, perché la loro automobile fu sommersa da una folla di persone festanti.

Otto mesi prima, la Russia si era ritirata dal conflitto per decisione del nuovo potere bolscevico instaurato da Lenin con la Rivoluzione d'Ottobre, di cui Churchill intuì subito l'enorme potenziale destabilizzante per le democrazie occidentali. Pertanto invitò il suo governo alla cautela nel disarmo dell'esercito tedesco: «Attenti,» ammonì «potrà tornarci utile per tenere a bada i russi…». La storia avrebbe deciso diversamente.

«Uccidere i rossi, baciare i crucchi…»

Poco prima della fine della guerra, Churchill aveva assistito al terzo matrimonio della madre. Il suo giovane marito l'aveva lasciata nel 1913 per sposare un'attrice e Lady Jennie aveva aspettato cinque anni prima di unirsi, ancora una volta, a un uomo più giovane, un funzionario del Nigerian Civil Service con ventitré anni meno di lei – che ne aveva ormai 64 – e tre in meno del figlio. Jennie sarebbe morta nel 1921, per i postumi di una caduta. Lo stesso anno Winston e Clementine persero la figlia Marigold di 2 anni e mezzo per una meningite, ma un anno dopo nacque un'altra bambina, Mary, il quinto figlio della coppia.

Churchill restò ininterrottamente al governo fino al 1935, passando dal ministero della Guerra a quello delle Colonie e, poi, fu nominato Cancelliere dello Scacchiere, ovvero ministro del Tesoro, il posto che aveva occupato suo padre («Ne conservo con orgoglio la toga»). Come ministro della Guerra fece suo uno slogan ruvido e sbrigativo («Uccidere i rossi, baciare i crucchi»), convinto che «tra tutte le tirannidi della storia, quella bolscevica è la peggiore, la più distruttiva, la più degradante». In poco più di dieci anni si sarebbe pentito della generosità concessa alla Germania sui debiti di guerra. L'ipotesi di un'alleanza con i tedeschi in funzione antirussa fece infuriare i francesi, vittime della durezza del Kaiser.

Nelle vesti di ministro delle Colonie tentò senza successo di mediare tra ebrei e arabi: il suo sogno di insediare gli ebrei in Palestina con il consenso della maggioranza araba non si realizzò, così come il proposito di ridurre le enormi spese del protettorato britannico sul Medio Oriente. Ottenne faticosamente dal Parlamento britannico il riconoscimento del diritto dell'Irlanda meridionale a governarsi da sola (pur senza essere giuridicamente indipendente). E come Cancelliere dello Scacchiere si districò abilmente nella giungla dei debiti di guerra tra ciò che la Gran Bretagna doveva dare agli Stati Uniti e ciò che doveva ricevere da Francia, Belgio e Italia, oltre che, naturalmente, dalla Germania.

L'avvento al potere di Hitler nel 1933 sconvolse di nuovo gli equilibri europei e Churchill usò la stessa veemenza con cui aveva attaccato i russi per ammonire il proprio governo contro «la più sinistra delle dittature», lamentando il tradimento dell'impegno preso dai tedeschi dopo la guerra di instaurare una democrazia parlamentare. (In effetti, nel 1919 era nata la Repubblica di Weimar, che però fu di costituzione gracile e morì giovanissima.) Quando nel 1935 Mussolini invase l'Etiopia, dopo aver avvertito delle sue intenzioni inglesi e francesi che, sulle prime, non ebbero nulla da ridire, fu Churchill a mobilitare la flotta inglese nel Mediterraneo e a chiedere le sanzioni all'Italia. E allorché al ministro inglese, in vacanza a Cannes, qualcuno obiettò che tutti i paesi europei avevano colonie e quindi l'Italia si era messa semplicemente sulla loro scia, la sua soave risposta fu: «Tutto ciò che appartiene al passato non redento è chiuso nel limbo dei peccati del tempo che fu».

Sul riarmo Churchill ripeté il copione scritto negli anni precedenti la Grande Guerra. Avvertì che la Germania stava investendo moltissimo negli armamenti. Dapprima inascoltato, ricevette poi pubbliche scuse. Tuttavia, dopo le elezioni del 1935, fu escluso dal governo. «È un insulto!» protestò, mentre i suoi tanti nemici, anche nel mondo della carta stampata, lo sommergevano di frizzi e lazzi. Tentò invano di convincere re Edoardo VIII, di cui era amico, a non abdicare per sposare Wallis Simpson e nel 1938, da deputato senza responsabilità governative, ammonì chi le aveva a non sacrificare la debole Cecoslovacchia nell'illusione di scongiurare la guerra. La sua campagna antitedesca lo aveva esposto agli occhi di Hitler, che lo avrebbe avuto come principale avversario per sei anni, fino al tragico epilogo del conflitto.

Il 3 settembre 1939 la Gran Bretagna dichiarò guerra alla Germania e Churchill fu chiamato a guidare la marina, ventiquattro anni dopo averla lasciata. La fase iniziale del conflitto vide la formidabile avanzata tedesca, che costò il posto al primo ministro Chamberlain, rimpiazzato il 10 maggio 1940 dallo stesso Churchill. «Vi prometto soltanto sangue, fatica, lacrime e sudore» disse ai Comuni in un discorso memorabile. E qualche giorno dopo, in una lettera a Mussolini, gli chiese: «È troppo tardi per impedire che scorra un fiume di sangue tra il popolo inglese e quello italiano?». Era troppo tardi. Meno di un mese dopo, il Duce sarebbe sceso in campo nell'illusione di raccogliere frutti ormai maturi.

«Avevamo il mondo ai nostri piedi»

I primi mesi di guerra andarono malissimo per gli inglesi e per coloro che avrebbero dovuto salvare, i francesi. Già nel maggio 1940 la Francia stava per crollare e Churchill temette che lo sfondamento tedesco potesse proseguire oltre la Manica. Fu ordinato alle truppe di stanza a Calais di resistere a qualsiasi costo (anche pagando un pesantissimo prezzo in vite umane). Questo diede a 350.000 soldati (per due terzi inglesi e per un terzo francesi) il tempo di rientrare in Inghilterra dalle spiagge di Dunkerque, all'estremo confine settentrionale della Francia. Fermati sul mare, i tedeschi attaccarono dal cielo. Nella sola giornata del 15 settembre un migliaio di aerei da guerra, tra caccia e bombardieri, si avventarono su Londra. I britannici ne abbatterono una sessantina e la controffensiva dell'Air Force riuscì a salvare la situazione. Questo scontro nei cieli sarebbe stato ricordato dalla Storia come «la battaglia d'Inghilterra». Gli inglesi l'avevano vinta, ma aver scongiurato la resa della capitale non significava aver fatto grossi progressi sul piano militare. Il traffico commerciale era in sofferenza per l'affondamento di centinaia di mercantili e per i martellanti bombardamenti sulle città: a quello tragico di Coventry, nel novembre 1940, partecipò anche l'aviazione italiana.

Il fulmineo avvio dell'«operazione Barbarossa» contro l'Urss nel giugno 1941 fece temere agli inglesi un repentino crollo sovietico, con la possibilità per Hitler di scatenare contro l'Inghilterra le divisioni impegnate sul fronte orientale. Churchill scommise tutto sulla resistenza di Stalin: trasmise ai russi codici cifrati usati dai tedeschi e li inondò di rifornimenti anche con l'aiuto degli Stati Uniti, ancora riluttanti a impegnarsi massicciamente nella guerra con proprie truppe. A convincerli furono infine i giapponesi con l'attacco alla flotta americana a Pearl Harbor il 7 dicembre 1941. Roosevelt elaborò un programma a lunga scadenza, attrezzandosi per uno sbarco sul versante francese della Manica nel 1943. Ma nel 1942 i tedeschi erano ancora fortissimi e Churchill, anche per confortare Stalin, ordinò di bombardare il maggior numero possibile di città tedesche. «Non abbiamo implorato pietà e non avremo pietà» sentenziò. Alla fine di ottobre il generale britannico Bernard Law Montgomery attaccò italiani e tedeschi a El Alamein e, nel gennaio 1943, arrivò la notizia che i russi avevano vinto a Stalingrado e catturato 250.000 militari italiani e tedeschi.

Il 25 luglio 1943, racconta Gilbert, Churchill seppe della caduta di Mussolini mentre stava guardando un film. «Visto che lui se n'è andato» telegrafò l'indomani a Roosevelt «tratterei con qualunque governo italiano non fascista che possa consegnare la "merce".» La «merce» erano l'intero territorio e tutti i mezzi di trasporto dello Stato italiano, che le forze alleate intendevano usare contro i tedeschi. La Germania, dal canto suo, era indebolita psicologicamente (il bombardamento di Amburgo aveva distrutto due case su tre e ucciso oltre 40.000 persone), ma sul campo di battaglia vendeva cara la pelle.

Il 4 settembre 1943 gli anglocanadesi sbarcarono in Calabria attraverso lo stretto di Messina, dopo che gli americani avevano conquistato la Sicilia. L'8 settembre gli italiani firmarono l'armistizio e, a causa di una sopravvalutazione delle forze tedesche presenti a Roma, fu bocciato il piano di Eisenhower di lanciare sulla capitale una divisione aerotrasportata. Lo sbarco alleato a Salerno lasciò sperare in una liberazione della Città Eterna molto più rapida di quella avvenuta poi nel giugno 1944. Invece gli angloamericani furono bloccati per molti mesi ad Anzio e, più a sud, a Cassino, provocando la forte irritazione di Churchill, ormai prossimo ai 70 anni e in condizioni di salute sempre più precarie. In ogni caso, la vittoria degli Alleati era considerata ormai probabile e ci si cominciò a chiedere quale sarebbe stato il destino della Germania.

Gilbert racconta che la sera del 5 giugno 1944, mentre i soldati americani sventolavano la bandiera a stelle e strisce sul Colosseo, il primo ministro inglese stava cenando con la moglie e le annunciò l'imminente sbarco in Normandia. «Ti rendi conto» le disse «che quando ti sveglierai domani mattina potrebbero essere morti 20.000 uomini?» In realtà, come comunicò a Stalin, la sua previsione era di perderne 10.000. I caduti, invece, furono «soltanto» 3000. Quattro mesi più tardi, quando gli Alleati consideravano ormai vinta la guerra, Churchill volò a Mosca per concordare con Stalin la spartizione dell'Europa.

Il racconto di Gilbert dimostra come il cinismo di due uomini (Roosevelt, fisicamente molto debilitato, partecipò al
successivo incontro di Jalta) decise la sorte di centinaia di
milioni di persone. Churchill si vergognava di parlare di «divisione di sfere d'influenza», perché gli americani si sarebbero scandalizzati. Ma di questo si trattò. Il primo ministro
inglese esibì un «documento indecente» sul quale erano in-
dicate le percentuali di interesse della Russia e della Gran
Bretagna in cinque paesi europei. Per la Romania concedeva
alla Russia il 90 per cento di interesse e il 10 all'Inghilterra;
per la Grecia proponeva il 90 per cento a inglesi e americani e il resto alla Russia. Iugoslavia e Ungheria erano divise
a metà, mentre la Bulgaria sarebbe andata al 75 per cento
alla Russia e al 25 per cento agli altri. Stalin studiò l'elenco,
prese una matita blu, vi tracciò un grande visto e lo resti-
tuì. Seguì un lungo silenzio. Il foglio con il segno a matita
era al centro del tavolo. «Non potrebbe sembrare alquanto cinico» domandò Churchill «che si siano risolte tali questioni, cruciali per milioni di persone, in modo così sbrigativo? Bruciamo il foglio.» «No, conservatelo» rispose Stalin.

All'inizio di febbraio 1945 Roosevelt raggiunse gli altri
due capi di Stato a Jalta, sul mar Nero, per integrare e for-
malizzare l'accordo. «Avevamo il mondo ai nostri piedi»
avrebbe scritto Churchill. «Venticinque milioni di uomini
marciavano ai nostri ordini per terra e per mare. Sembravamo amici.» Il presidente americano morì due mesi dopo
e fu sostituito da Harry Truman. In Inghilterra cadde la
Grande Coalizione che per tutta la durata della guerra aveva tenuto insieme laburisti e conservatori, e Churchill, che
aveva salvato il paese, perse le elezioni e diventò il capo
dell'opposizione.

Il 6 agosto fu sganciata l'atomica su Hiroshima, il 9 su
Nagasaki, il 15 il Giappone si arrese. La guerra era finita,
il nazismo e il fascismo sconfitti, ma l'Europa era divisa in
due. Alla Camera dei Comuni Churchill pronunciò un discorso memorabile: «Da Stettino nel Baltico a Trieste nel-
l'Adriatico è calata attraverso il continente una cortina di
ferro. Dietro questa linea si trovano tutte le capitali degli

antichi Stati d'Europa centrale e orientale, Varsavia, Berlino, Praga, Vienna, Budapest, Belgrado, Bucarest e Sofia; tutte queste città famose si trovano in quella che debbo chiamare la sfera sovietica e sono tutte soggette, in una forma o nell'altra, non soltanto all'influenza sovietica, ma anche a un controllo assai stretto e in molti casi crescente da parte di Mosca». Si salvò la Grecia, si sarebbe salvata l'Austria. Gli altri paesi avrebbero dovuto aspettare 44 anni e la caduta del Muro di Berlino alla fine del 1989 per convertirsi alla democrazia.

Churchill restò per una sola legislatura fuori da Downing Street. Nel 1951, dopo aver festeggiato il mezzo secolo di ininterrotta attività parlamentare, diventò di nuovo primo ministro. Toccò a lui il 6 febbraio 1952 recitare il «Dio salvi la regina», festeggiando la traumatica successione della giovane Elisabetta al padre Giorgio VI, morto a soli 57 anni. L'anno successivo vinse il premio Nobel per la letteratura grazie alla monumentale *La seconda guerra mondiale*, in sei volumi.

A 80 anni, Churchill si trovò a essere il primo ministro più longevo della storia britannica, ma il suo cuore dava continui segni di cedimento e i colleghi conservatori, guidati dall'ambizioso ministro degli Esteri Anthony Eden, lo costrinsero alle dimissioni all'inizio del 1955, con qualche mese di anticipo rispetto ai suoi piani. Restò in Parlamento fino a 90 anni, ma si prese lunghi periodi di riposo e di vacanza, dedicando molto tempo alla pittura («Un'amica che non fa richieste eccessive»). Morì a 91 anni, il 24 gennaio 1965, e i suoi funerali furono i più solenni, dopo quelli del duca di Wellington nel 1852.

Churchill fu un uomo cinico e spregiudicato, che cambiò opinione secondo le convenienze proprie e del suo paese. E lo fece a voce alta e senza alcun imbarazzo. Ma, come abbiamo detto, fu un genio assoluto. La Gran Bretagna gli deve molto della sua grandezza, l'Europa molto della sua salvezza.

Roosevelt, il dittatore «democratico»

Fatto per conquistare le folle

Il presidente americano Franklin Delano Roosevelt fu un dittatore democratico? Sì, secondo Mussolini, che nel 1941, nel dichiarare guerra agli Stati Uniti, lo definì «despota democratico», mettendo fine a un lungo idillio. È noto che nell'amministrazione Roosevelt gli ammiratori del fascismo erano parecchi. Rexford Tugwell, l'uomo più a sinistra tra i democratici al governo, si spinse a dire che «il fascismo è la macchina sociale più scorrevole ed efficiente che io abbia mai visto. E ne sono invidioso». E Wolfgang Schivelbusch, nel suo libro *3 New Deal* (quello americano, il fascista e il nazista), sostiene che «negli anni Venti gli intellettuali americani, scoraggiati dai fallimenti del liberalismo, si lasciarono tentare dall'idea che il fascismo rappresentasse la realizzazione dei propri ideali».

Molti oppositori di Roosevelt lo definivano un dittatore democratico («democratico» per modo di dire). Nel 1934 lo scrittore Waldo Frank, nell'articolo *Will Fascism Come to America?* (Il fascismo arriverà in America?), scrisse che la National Recovery Administration, una specie di «agenzia per lo sviluppo» che fu una delle iniziative più forti prese dal governo statunitense per superare la Grande Depressione, era «l'inizio del fascismo americano». Non a caso Roosevelt chiamò a guidarla un generale. Nello stesso anno George Soule, direttore liberal di «New Republic», affermò in *The Coming American Revolution*: «Stiamo sperimentando l'economia fascista senza averne sofferto i guasti sociali e politici».

FDR, come veniva chiamato, aveva poteri assoluti e li esercitava con disinvolta decisione. In questo assomigliava a Donald Trump, un altro «uomo solo al comando» di cui parleremo. Con una differenza, però: la popolarità di Roosevelt, che lo portò a governare per dodici anni fino alla morte, era tale da intimidire la stessa Corte suprema, sbigottita per taluni suoi eccessi, mentre Trump cammina sempre sul filo sospeso su un burrone, con una folla gigantesca che aspetta solo che cada.

Un altro elemento di differenza con Trump, nato ricco come lui, è che Roosevelt (Hyde Park, 1882) ha avuto una formazione aristocratica. Rampollo degli eredi di una famiglia protestante olandese (il padre) e di coloni francesi (la madre), crebbe nella bambagia in una grande tenuta di campagna sul fiume Hudson. Arthur M. Schlesinger jr, biografo innamorato di Roosevelt, ne ricorda la frequentazione delle migliori scuole americane strutturate secondo il rigoroso sistema britannico: «Gli studenti vivevano in piccole celle: doccia fredda la mattina, lavandini in pietra nera o catini di latta per lavarsi, camicia bianca e scarpe nere per il pranzo... Era una scuola di carattere. Franklin ne uscì temprato e risoluto» (*L'età di Roosevelt*).

Dopo aver conseguito un dottorato in storia dell'arte e prima di fare l'avvocato in uno studio di Wall Street, a 23 anni sposò Eleanor Roosevelt (stesso cognome, stessa parentela con Theodore Roosevelt, il vecchio presidente che condusse all'altare la nipote preferita per darla in moglie al cugino). «Non sarò una signora dell'alta società, ripeteva Eleanor da ragazza. È sempre stata un po' impacciata: troppo alta, quasi un metro e ottanta, occhi celesti, incantevoli, ma un brutto profilo, il mento sfuggente, i denti all'infuori, il sorriso cavallino, un grosso neo vicino alle labbra. Ma possiede una grazia innata e l'eleganza di una lady» (Laura Laurenzi in *Liberi di amare*). Eleanor avrebbe avuto un ruolo decisivo nella carriera del marito, come forse nessun'altra donna nella storia. Al punto che a Washington circolava questa battuta: «Non c'è da preoccuparsi. In caso di emergenza il generale MacArthur manda l'esercito, Edgar Hoover manda la polizia, il presidente Roosevelt manda la moglie».

La professione di avvocato stava però stretta al giovane Franklin: bello, atletico (correva i 100 metri piani in 12 secondi...), era fatto per conquistare le folle. La politica era la sua vocazione. Eletto per due volte senatore (1910 e 1912), divenne sottosegretario alla Marina occupandosi soprattutto degli affari economici. E lo restò fino al 1920, maturando due convinzioni, consolidate nel corso della prima guerra mondiale: l'America non deve mai restare isolata dall'Europa e la Casa Bianca deve essere il motore organizzativo della nazione, anche in tempo di guerra.

Amori e tradimenti di Roosevelt e signora

Nel 1918 la vita coniugale di Roosevelt subì uno strappo irreparabile. Aprendo la valigia del marito di ritorno da una missione militare in Europa, Eleanor scoprì un pacco di lettere d'amore. Franklin aveva da anni una relazione con Lucy Mercer, la segretaria di Eleanor, una splendida ragazza dell'alta società: collaboratrice perfetta, amica premurosa, amatissima dai figli della coppia (ne avrebbero avuti sei, secondo i desideri di Franklin, ma uno lo persero in tenerissima età). Eleanor pensò al divorzio. Impossibile, avrebbe stroncato la carriera del marito. Ma anche la propria, per come se l'era immaginata. Restarono insieme, dopo una lunga riflessione da parte di lei che – cresciuta senza la figura paterna – non voleva che la stessa cosa accadesse ai suoi bambini. Ma il matrimonio diventò una pura formalità sociale: i due dormirono sempre in camere separate. «Non ci sarà tra loro più nessuna intimità» racconta la Laurenzi. Mai più. Lui ha 37 anni, lei 34. «Non mi costò nessun sacrificio» confiderà un giorno Eleanor alla figlia Anna «perché i rapporti sessuali con tuo padre sono stati sempre un tormento per me.» Evidentemente, non per le altre donne.

Roosevelt aveva la fama dello sciupafemmine: perfino durante il viaggio di nozze, a Cortina d'Ampezzo, tradì la moglie con una sartina americana passata alla storia con nome (Kitty) e cognome (Gandy). Eleanor ricambiò intrecciando una relazione con la propria guardia del corpo, Earl Miller, confermata dal figlio James, dopo la morte della mamma, in un libro di memorie sulla famiglia. (Quando si ha poca libertà di movimento, queste relazioni sono fatali: si pensi a Diana Spencer...)

Roosevelt aveva una dote e una disabilità, entrambe notevolissime. La dote era la voce: alla radio sapeva sedurre gli ascoltatori come pochi, grazie a un tono suadente che era l'opposto di quello perentorio del suo predecessore Herbert Hoover. Nei lunghi anni della presidenza, le «conversazioni al caminetto» conquistarono gli americani. La disabilità era una paralisi alle gambe, frutto di una poliomielite fulminante che lo aggredì a 39 anni, nel 1921. Da allora fu costretto a indossare un busto d'acciaio e a camminare con le stampelle o con un supporto ortopedico. Il suo carattere, però, trasformò questa debolezza in una grande energia. Ne diede prova nel 1928, durante la campagna elettorale che lo portò a diventare governatore dello Stato di New York: andò in giro con una Buick e fece i comizi dal sedile posteriore.

La crisi del 1929 arrivò al momento giusto per dargli l'opportunità di dimostrare la sua grande sensibilità sociale e le sue indubbie capacità organizzative. Nelle vesti di governatore, trasferì alcune industrie dalle città nelle campagne, per consentire agli operai di lavorare ma anche di coltivare un pezzetto di terra, e attivò forme efficienti di assistenza ai disoccupati. In polemica con il presidente in carica, il repubblicano Hoover, disse che l'aiuto a chi ha perso il lavoro deve essere fornito dal governo come dovere sociale e non come carità. Nel contempo ammonì che il grande processo di espansione era finito. «Non possiamo favorire l'immigrazione dall'Europa e invitare gli emigranti a dividere con noi la nostra ricchezza senza fine. Forniamo ora un misero livello di vita al nostro popolo.» Cambiando la parola Europa con Africa, sono gli stessi concetti che ascoltiamo in Italia dall'apertura della crisi nel 2008.

Durante la campagna elettorale per le presidenziali del 1932 la vita di Eleanor Roosevelt, impegnatissima accanto al marito, cambiò radicalmente. La Associated Press incaricò una delle giornaliste più famose d'America, Lorena Hickok, di seguire passo passo la probabile, futura first lady. Laura Laurenzi, che ha dedicato alla relazione tra le due donne un capitolo del suo libro, descrive Lorena come una «che divora la vita»: «Fuma due pacchetti di Camel al giorno, sigari e occasionalmente la pipa, beve volentieri qualche bicchiere di bourbon, è una buona forchetta, gioca a poker, le piace la boxe, si esprime con un eloquio colorito e robusto. Veste in modo maschile, senza alcuna civetteria…». Insomma, una «donna-uomo», come la definì Roosevelt.

Quando s'incontrarono, Eleanor aveva 48 anni, Lorena 39. La giornalista la seguì ovunque, scoprì tratti nascosti del suo carattere, diventò la sua confidente. Violò le regole di base del giornalismo sottoponendo i suoi articoli alla revisione dell'ufficio stampa di Roosevelt. Un paio di settimane prima delle elezioni, le due donne trascorsero insieme una notte in treno e sbocciò l'amore. Si scoprirono perse l'una dell'altra.

Roosevelt trionfò alle elezioni con il 57 per cento dei voti, Eleanor e Lorena diventarono inseparabili, facendo di fatto vita comune e scrivendosi migliaia di lettere per trent'anni, fino alla morte della signora Roosevelt. Quando nel 1978 la FDR Library aprì gli archivi della loro corrispondenza privata, vennero fuori 3500 lettere, una parte della corrispondenza tra le due donne, in cui si raccontano anche retroscena di anni decisivi della vita americana, dalla Grande Depressione alla seconda guerra mondiale.

«Dobbiamo aver paura della paura stessa»

Roosevelt ebbe tutto il tempo di prepararsi alla conquista della Casa Bianca perché il crollo di Wall Street, che diede l'avvio alla Grande Depressione, avvenne sette mesi dopo l'insediamento di Herbert Hoover. Il suo intero mandato fu dedicato alla gestione della crisi, e quello che sarebbe stato il suo avversario democratico alle elezioni del 1932 poté tranquillamente prendergli le misure. La crisi era stata improvvisa e, all'inizio, ne fu sottovalutata la portata. L'esplosione delle quotazioni di borsa era giustificata da anni di grande sviluppo tecnologico e di enormi progressi in quella che noi chiamiamo «ricerca e innovazione». Ma, secondo John Galbraith, già all'inizio del 1928 si avvertivano i primi scricchiolii: «Cominciò sul serio la fuga in massa verso la finzione, elemento essenziale della vera orgia speculativa» (*Il grande crollo*).

Ai primi di settembre 1929 i titoli cominciarono a calare, gli speculatori più avvertiti vendettero, chi aveva comprato azioni allo scoperto (cioè senza soldi) dovette disfarsene per rientrare almeno in parte e si innescò un circuito perverso di panico che degenerò in follia collettiva. Giovedì 24 ottobre 1929 – racconta Galbraith – «molti si accorsero per la prima volta che potevano essere rovinati, del tutto e per sempre, e non venire a saperlo». Imperterrito, Hoover se ne andò in campagna con un suo biografo, mentre il segretario al Tesoro, Andrew William Mellon, miliardario e grande collezionista di quadri, dedicò il weekend a una mostra di primitivi fiamminghi organizzata per beneficenza.

Il mondo finanziario crollò definitivamente martedì 29 ottobre. Fu scambiato il triplo di azioni dei giorni di grande euforia, la gente rovinata cominciò a contarsi a milioni, si ebbero i primi suicidi. In molti posti finirono le banconote e tornò il baratto: barba e capelli dal barbiere contro patate e cipolle.

La vulgata vuole che Hoover abbia sbagliato tutto e che Roosevelt sia stato l'angelo salvatore e non abbia sbagliato una mossa. Non è proprio così. Hoover fece certo molti errori, passando dall'immobilismo all'iperattivismo. Come quando ordinò ai maggiori industriali del paese di non licenziare gli operai e non tagliare i salari: mossa «socialista» di grande valore umanitario, ma molte aziende in difficoltà finirono col chiudere. A suo merito va il gigantesco piano di opere pubbliche in tutto il paese, a suo demerito la mossa protezionistica che fu ricambiata con ugual moneta dagli Stati europei danneggiando le esportazioni americane. Aumentò l'aliquota fiscale più alta dal 25 al 63 per cento.

Ma nulla cambiò. Nel 1932, anno elettorale, le acciaierie lavoravano al 12 per cento della potenzialità degli impianti. La produzione di ghisa era tornata ai livelli di quasi quarant'anni prima. La gente non ne poteva più dell'ottimismo profuso a piene mani da Hoover nelle conferenze stampa e aspettava Roosevelt come il Messia.

FDR promise un «New Deal», un Patto Nuovo, rielaborando lo slogan dell'amato cugino Theodore («Square Deal», Patto Onesto). Nel novembre 1932 vinse con 7 milioni di voti di scarto su Hoover. E il 4 marzo 1933, nel suo discorso d'insediamento alla Casa Bianca, pronunciò una frase destinata alla fama: «L'unica cosa di cui dobbiamo aver paura è la paura stessa: terrore senza nome, ingiustificato, che paralizza tutti i nostri sforzi per tramutare la ritirata in avanzata». Durante la campagna elettorale, Roosevelt aveva tenuto il piede in due scarpe: pur volendo dare l'impressione di essere un uomo energico, conquistò la fiducia dei progressisti senza spaventare i conservatori. Vinte le elezioni, cambiò tono chiedendo al Congresso di affidargli «l'unico strumento che mi rimarrebbe per affrontare la crisi: ampi poteri esecutivi per combattere una guerra contro l'emergenza; poteri tanto ampi quanto quelli che mi sarebbero concessi se fossimo invasi da un nemico esterno». «È l'avvisaglia di una dittatura» si allarmò il giornalista Edmund Wilson, che non lo amava. Ma era anche l'unica strada possibile. Il Congresso gli diede subito i poteri richiesti e, in poco più di tre mesi (i famosi «cento giorni»), Roosevelt adottò una serie di provvedimenti straordinari che costituirono appunto l'inizio del New Deal e furono integrati e rafforzati negli anni successivi.

La sua prima preoccupazione fu la riorganizzazione dell'economia agricola, finanziando la proprietà mediante ipoteche, limitando la produzione e gestendo le eccedenze. Voleva aumentare i prezzi, che erano crollati al 40 per cento rispetto al 1926. I medi e soprattutto i grandi proprietari terrieri dapprima rifiutarono la mordacchia, ma dopo un anno l'agricoltura si risollevò davvero, anche se la riduzione della produzione lasciò i mezzadri senza lavoro. Per rilanciare l'industria, emise decreti sull'onesta concorrenza, favorì le aziende che accettarono di convenzionarsi con lo Stato accettando le nuove regole, stabilì il numero massimo di ore lavorative e il salario minimo. Mai i dipendenti avevano avuto un potere contrattuale così forte. Varò, inoltre, un gigantesco piano di opere pubbliche e impegnò i disoccupati in lavori utili alla collettività. Il suo proposito dichiarato era di indurre a collaborare industriali, agricoltori, commercianti e lavoratori come riteneva fosse riuscito a fare Mussolini in Italia.

Il New Deal: fu vera gloria?

Poiché la deflazione aveva impoverito i sottoscrittori dei mutui, con una mossa che entusiasmò i populisti Roosevelt invertì le parti e punì i prestatori di denaro, che avevano goduto di un vantaggio eccessivo, rimettendo in circolo 200 miliardi di dollari. Ma l'inflazione, che cominciava a crescere, non diede l'atteso ristoro a chi aveva acceso un mutuo sulla casa: due famiglie americane su dieci (ma in certi Stati la percentuale era più alta) non erano più in grado di pagare le rate. Allora Roosevelt tagliò di 100 milioni gli stipendi agli statali e portò l'aliquota massima delle imposte al 79 per cento. E quando i magnati dell'industria decisero di non distribuire gli utili per evitare che fossero falcidiati dal fisco, mise una tassa sugli utili non distribuiti. Un provvedimento che, come scrisse il «New York Times», bloccò l'espansione. Provò anche a comprare oro per deprezzare il dollaro, ma gli andò male.

FDR non amava ammettere di aver sbagliato: piuttosto che smentirsi, preferiva cambiare consiglieri. L'unico che non osò licenziare fu John Maynard Keynes, il grande economista inglese che viene indicato – in parte a torto – come l'ispiratore della politica espansionistica di Roosevelt. Anche se, a giudicare dalla loro corrispondenza, i due si detestavano. Il presidente americano dichiarava di non sapersi raccapezzare nel guazzabuglio di cifre di Keynes e l'altro ribatteva affermando che gli era difficile trovare un politico più incompetente di lui in economia.

Facendo un bilancio del New Deal, Giuseppe Mammarella ricorda che, in dieci anni, le spese del governo federale triplicarono, passando da 3 a 9 miliardi di dollari. Il 40 per cento era destinato a spese sociali inesistenti prima della Grande Crisi e il resto a misure per combattere la recessione. Inoltre, il personale della pubblica amministrazione fu triplicato per attuare tutti i provvedimenti legislativi. «Lo Stato assumeva per la prima volta nella storia americana nuove funzioni sociali,» scrive Mammarella (*L'America da Roosevelt a Reagan*) «interveniva nella realtà economica del paese, tentava di indurre gli operatori privati a programmare la produzione, si trasformava in datore di lavoro e si impegnava a operare una redistribuzione della ricchezza per salvare dal bisogno e dall'inedia milioni di cittadini.»

Alle elezioni del 1936 Roosevelt vinse in 46 Stati su 48, ma la situazione del paese era critica. Il 20 gennaio 1937, giurando per l'inizio del secondo mandato, disse: «La nostra uscita dalla Depressione è evidente». Mentiva. I salari erano cresciuti in un anno dell'11 per cento e quelli dei lavoratori dell'acciaio del 33, ma le aziende avevano bloccato gli investimenti e ridotto la manodopera (nel gennaio 1938 la disoccupazione era risalita al 17 per cento), il valore delle azioni continuava a essere inferiore a un terzo di quello dell'estate del 1929, prima del Grande Crollo. Quanto a Keynes, trovò schizofrenica la campagna di Roosevelt contro le aziende produttrici e distributrici di energia elettrica e gas: «Le nazionalizzi, altrimenti firmi una pace in termini tolleranti» gli scrisse.

Dopo tutti questi sconvolgimenti, nel 1941 (data in cui cessa la Grande Depressione), secondo l'Istat americano la percentuale dei gruppi familiari sotto la soglia di povertà (1000 dollari di reddito annuo) era scesa soltanto dal 15,9 al 15,1 per cento, mentre i percettori di alti redditi (superiori ai 10.000 dollari annui) era salita dal 2,9 al 3,4 per cento. Insomma, nei primi otto anni il New Deal era sostanzialmente fallito. Molte aziende operanti nei servizi, notò Keynes, furono uccise per decreto. E se in altri settori i privati producevano a ritmi forzati, «purtroppo il governo risucchiava tutta l'aria nella stanza» (Amity Shlaes, *L'uomo dimenticato*). Ci vollero sette anni perché la produzione industriale tornasse ai livelli del '29 e ventisei perché l'indice azionario di Wall Street risalisse alle quotazioni antecedenti al Grande Crollo.

Quando nel 1940 si presentò agli elettori americani chiedendo di essere rieletto per la terza volta, Roosevelt ricevette la spinta decisiva dall'ormai incandescente situazione internazionale: da un anno l'Europa era di nuovo in guerra. E gli americani non se la sentirono di cambiare cavallo. Il riarmo diede all'economia degli Stati Uniti l'impulso necessario. Scrive ancora la Shlaes: «Roosevelt non aveva saputo cosa fare con la gente a spasso nel 1938, ma adesso lo sapeva: poteva farne dei soldati». E il «Time», che pure non lo amava: «Sia Mosè o Lucifero, Roosevelt è comunque un capo».

«L'America ama la pace e detesta la guerra»

Impegnato allo spasimo sul fronte della politica interna, Roosevelt ebbe poco tempo per occuparsi di quella estera. Nel primo mandato si mantenne fedele alla tradizione dell'isolazionismo americano. Quando il Giappone attaccò la Cina, si limitò a qualche sanzione economica ai nipponici e ad aiuti in denaro a Chiang Kai-shek. «L'America ama la pace e detesta la guerra» disse nel 1937, ma nello stesso discorso avvertì il Congresso che la politica nazifascista al potere a Roma, Berlino e Tokyo avrebbe potuto mettere in pericolo gli Stati Uniti, oltre che i paesi europei ancora liberi. Tuttavia, nei primi due anni di guerra si limitò a inviare armi alla Gran Bretagna e alla Francia, senza impegnare militarmente il proprio paese. E già questo sforzo fu contestato dai conservatori al grido di «America first!», Prima l'America!, che ottant'anni dopo sarebbe stato rilanciato da Donald Trump. Quando Hitler attaccò la Russia (22 giugno 1941), Roosevelt capì che, prima o poi, gli sarebbe toccato entrare nel conflitto, anche se i suoi avversari sostenevano che il nazismo era lontano.

Gli Stati Uniti si trovarono improvvisamente in guerra la mattina di domenica 7 dicembre 1941, quando il Giappone attaccò la base americana di Pearl Harbor, nelle isole Hawaii. E poiché il Giappone non era ufficialmente in guerra con gli Stati Uniti, l'opinione pubblica americana parlò di tradimento e chiese vendetta e vittoria. Ma l'attacco giapponese era davvero imprevedibile? Sergio Romano (*I volti della storia*) ritiene di no, anche se non sposa la tesi (minoritaria) di quanti sostengono che Roosevelt sapeva in anticipo dell'aggressione e non intervenne per avere il pretesto di entrare in guerra. Già il 17 novembre l'ambasciatore degli Stati Uniti a Tokyo aveva avvertito la Casa Bianca che il Giappone avrebbe potuto sferrare un attacco improvviso. Tre giorni dopo i giapponesi sembrarono correggere il tiro e proposero a Washington un accordo di buon vicinato. I negoziati fallirono, il timore di un'aggressione a sorpresa crebbe e il 6 dicembre, poche ore prima dell'attacco, un telegramma di pace inviato da Roosevelt all'imperatore del Sol Levante incrociò un ultimatum giapponese agli Stati Uniti.

Romano ricorda un tragico equivoco che impedì agli americani di difendersi. Essi conoscevano il codice cifrato giapponese e lessero l'ultimatum prima che fosse consegnato, ma tardarono a decrittare la parte del documento in cui il governo di Tokyo chiedeva al proprio ambasciatore di consegnare la nota (di fatto, la dichiarazione di guerra) un'ora prima dell'attacco e di distruggere subito dopo le macchine cifranti. L'avessero letto per tempo, gli americani avrebbero potuto difendersi. I diplomatici in servizio a Tokyo, invece, lo ebbero tra le mani mentre 354 aerei nipponici stavano già piombando sulla base hawaiana.

Dopo un'ora e quaranta minuti di bombardamenti, gli americani lasciavano sul campo 2200 morti, un migliaio di feriti, 188 aerei, 8 corazzate, 3 incrociatori, 3 cacciatorpediniere e 4 navi ausiliarie. I giapponesi se la cavarono con una sessantina di morti, pochi aerei e qualche sottomarino tascabile distrutti. Nel dopoguerra i giapponesi si difesero dicendo che dovettero prevenire un'aggressione americana, vista la loro carenza di petrolio per rifornire la flotta. Ma Pearl Harbor diede a Roosevelt la giustificazione politica dell'intervento nel secondo conflitto mondiale e quella morale – ancora molto controversa a oltre settant'anni di distanza – delle bombe atomiche su Hiroshima e Nagasaki.

Roosevelt chiuse il suo lungo ciclo politico alla conferenza di Jalta (1945), in cui si alleò con Stalin contro Churchill, sentendosi rimproverare da molti di aver favorito l'egemonia sovietica nel dopoguerra. (Nei primi due anni di conflitto Stalin era stato alleato di Hitler e aveva ordinato ai comunisti occidentali di non attaccarlo, mentre i pochi comunisti americani furono entusiasti dell'improvvisa amicizia tra Roosevelt e il Piccolo Padre, chiamato affettuosamente «Uncle Joe», Zio Peppino.) Secondo Paolo Mieli (*Storia e politica*), a Jalta non fu innescata la «guerra fredda» né i Grandi si spartirono cinicamente l'Europa: «Se alcuni Paesi dell'Europa balcanica e centro-orientale vennero consegnati a Stalin, questo fu perché inglesi e americani non si resero conto fino in fondo che glieli stavano consegnando». Quanto alla guerra fredda – e su questo Mieli ha ragione – sarebbe stato impossibile che regimi dittatoriali e regimi democratici convivessero in modo diverso da quello con cui hanno convissuto per buona parte della seconda metà del Novecento.

Due mesi dopo Jalta, il 12 aprile 1945, Roosevelt morì per un'emorragia cerebrale nella bella casa coloniale di Warm Springs, in Georgia. Aveva 63 anni.

Eleanor, la più amata first lady americana

Rimasta vedova, Eleanor visse a lungo in simbiosi con Lorena Hickok. Le due donne si scambiarano per trent'anni, fino alla morte della first lady, lettere appassionate. «Ti amo profondamente, Lorena, teneramente» le scrisse un giorno di San Valentino. E Lorena, nel loro primo Natale insieme, le regalò un suo anello di zaffiri e diamanti che Eleanor avrebbe poi sempre portato all'anulare sinistro.

Fu Lorena a costruire il personaggio Eleanor e fu Eleanor a costruire il personaggio Roosevelt. La brillante giornalista dell'Associated Press rinunciò allo scoop della vita quando, conoscendo in anticipo il discorso sul New Deal che il presidente aveva spedito alla moglie, rinunciò a diffonderlo. Così passò il guado. Lasciò la professione che amava (se ne sarebbe tardivamente pentita) per stare sempre accanto alla donna che amava. Fu lei a condurre Eleanor nelle aree più depresse d'America dove Roosevelt concentrò, poi, i suoi interventi economici e sociali. Fu lei – ricorda la Laurenzi – a farne una paladina delle battaglie civili alle quali si sarebbe ispirato Martin Luther King. A insegnarle a parlare in pubblico. A diventare una leader.

Quando Eleanor fu travolta dagli impegni pubblici, i loro incontri si diradarono. Dopo la morte del marito, infatti, viaggiò in tutto il mondo, tenendo fino a centocinquanta conferenze all'anno. Allora Lorena rimpianse il suo lavoro, le lettere d'amore non le bastavano più. «Io ero legata alla persona, non al personaggio» scrisse con amarezza a Eleanor.

La first lady più amata nella storia americana morì nel 1962, a 78 anni, di tubercolosi ossea. Lorena non partecipò al funerale. Sarebbe morta, in povertà, sei anni dopo.

Charles De Gaulle,
Giamburrasca d'Europa

Un militare si nomina leader

Se al posto di Badoglio l'Italia avesse avuto un Charles De Gaulle alla guida della Resistenza... Meglio ancora: se Dino Grandi, invece di aspettare il 25 luglio 1943, visto che era contrario alla guerra e amico dell'Inghilterra, fosse scappato a Londra per dirigere da lì l'opposizione al fascismo bellico, come fece De Gaulle, avremmo chiuso in modo diverso la tragica parentesi della nostra partecipazione alla seconda guerra mondiale. Comunque sia, i francesi furono molto più acquiescenti degli italiani all'occupazione tedesca. Lo Stato di Vichy, asservito completamente alla Germania nazista per quattro anni, era molto più grande della Repubblica di Salò, e l'antisemitismo francese era e resta leggendario. Eppure un solista come De Gaulle, amato tardivamente dalla folla e detestato da generazioni di politici, riuscì a trascinare un paese sconfitto e collaborazionista sul trono dei vincitori, al punto di ottenere un proprio settore di controllo nella ripartizione di Berlino alla pari di Stati Uniti, Unione Sovietica e Gran Bretagna, che la guerra l'avevano vinta davvero.

Nato a Lille nel 1890 da una famiglia cattolica di piccola nobiltà, De Gaulle ereditò dal padre, insegnante di storia, l'idea di un nazionalismo rigoroso (ed egoista) che avrebbe a lungo segnato la politica francese. La madre, se possibile, era ancora più intransigente in fatto di culto dei valori della patria. L'infanzia di Charles fu di una tristezza infinita. Come racconta Charles Williams nella sua biografia del generale, a pranzo, dopo la preghiera, si tenevano brevi discorsi estemporanei in latino sul menu del giorno. La sera era dedicata a interminabili letture di Rostand o Seneca. Visite settimanali agli Invalides, per meditare sulla tomba di Napoleone, considerato un usurpatore. Il motto della famiglia De Gaulle era: ordine, tradizione, monarchia, cattolicesimo, patriottismo. Con esclusione del fervore monarchico, il resto segnò Charles per sempre. Nasce da qui anche il forte culto di De Gaulle per la propria personalità: scriveva di sé in terza persona come Cesare, che mantenne peraltro un profilo certamente più basso.

Il padre aveva combattuto nella guerra franco-prussiana del 1870-71, conclusasi con la completa disfatta dei francesi, tanto che Napoleone III ci rimise il posto (e noi ne approfittammo per annettere Roma al regno d'Italia, visto che il papa non aveva più il suo protettore). Ma il desiderio di rivincita era per la Francia brace viva che covava sotto uno strato di cenere molto sottile. Così, quando intraprese la carriera militare, allo scoppio della prima guerra mondiale il giovane capitano Charles De Gaulle combatté con due convinzioni: l'assoluta certezza che una vittoria avrebbe riscattato l'onta del passato e la totale sfiducia negli ordinamenti democratici del tempo. «La mediazione parlamentare tra l'opinione pubblica e lo Stato» annota Gaetano Quagliariello nel suo monumentale *De Gaulle* «gli apparve una ritualità svuotata di sostanza che si sarebbe limitata a coprire una collusione di fatto tra quattro poteri – il legislativo, l'esecutivo, il giudiziario e la stampa – concentrati nelle mani di una ristretta oligarchia tenuta insieme da vincoli fortissimi». Questa oligarchia si sarebbe opposta strenuamente alla strategia gollista di imporre alla Francia un regime politico con qualche tratto di autoritarismo.

La guerra di De Gaulle durò meno di due anni. Nel marzo 1916 fu preso prigioniero dai tedeschi e trattenuto fino alla fine del conflitto. Il giovane ufficiale si mise in luce per tre ragioni: il sostegno alla nascita di un esercito professionale, la valorizzazione del carro armato come arma decisiva nei conflitti moderni e, soprattutto, la convinzione che ci sarebbe stata presto una seconda, grande guerra. De Gaulle intuì già nel 1925, dalla lettura del *Mein Kampf* di Hitler, che il progetto del nazismo nascente era quello di annientare la Francia. Secondo Quagliariello, fu allora che si convinse che le guerre non vengono vinte dall'esercito più forte, ma dal popolo più resistente. Fu profetico se si guarda al comportamento degli inglesi nella seconda guerra mondiale, assai meno se si pensa a come la Francia sarebbe caduta di schianto e quasi tutti i francesi si sarebbero costituiti ai tedeschi nella Repubblica di Vichy, rimpiangendone in parte il regime ben oltre la fine del conflitto.

Per vent'anni, la vita di De Gaulle scorse sottotraccia e la sua carriera militare si sviluppò in modo ordinario. Nel 1921 si sposò con Yvonne Charlotte Vendroux, che sarebbe stata la sua compagna fino alla morte e dalla quale ebbe un figlio maschio (destinato a diventare ammiraglio e senatore) e due femmine.

De Gaulle andò sempre controcorrente. Non gli piaceva un sistema di potere eccessivamente democratico, lo allarmava la sottovalutazione del pericolo tedesco da parte degli alti comandi e dei loro referenti politici, con conseguenti e fatali ritardi sul riarmo. Ma nessuno gli diede retta.

Allo scoppio della seconda guerra mondiale fu promosso in gran fretta generale di brigata e il 6 giugno 1940 entrò nel governo come sottosegretario «tecnico» alla Difesa nazionale. Lo scelse il presidente del Consiglio Paul Reynaud, uomo della destra moderata in cui De Gaulle si riconosceva pienamente. Il 10 giugno l'Italia dichiarò guerra alla Francia e ne occupò, sia pur a fatica, il confine orientale. Il 14 i tedeschi entrarono a Parigi e l'indomani De Gaulle partì per l'Inghilterra. Formalmente era un disertore, ma di fatto, rifiutando l'armistizio firmato dal suo governo con gli occupanti tedeschi, si metteva a capo della Resistenza francese.

Il suo messaggio del 18 giugno rivela insieme *grandeur*, coraggio, arroganza, presunzione, patriottismo: «Io, generale De Gaulle, soldato e capo francese, ho coscienza di parlare a nome della Francia». Non era vero, la Francia si era arresa e la Resistenza comunista era certamente più rappresentativa di lui. Eppure, uomo solitario e amante dei solitari, anche con le carte, egli intuì di poter essere un utile appiglio per le democrazie occidentali: anzi, per l'Inghilterra di Churchill, visto che Roosevelt e gli Stati Uniti non hanno mai potuto soffrirlo. Annunciò al primo ministro inglese la costituzione di un Comitato nazionale senza nessun colore politico e interessato a liberare il territorio francese, difendere l'impero e ristabilire le libertà nazionali. «La forza militare che io ho costituito non fa politica.» Nasceva France libre, la libera Francia in esilio.

De Gaulle era un mitomane? Sì, secondo alcuni dei suoi interlocutori. No, almeno non del tutto, secondo Churchill. Al suo progetto aderirono alcune colonie dell'impero francese, ma la disfatta di Dakar, in Senegal, lo spinse di nuovo in acque pericolose. Tra alti e bassi si arrivò al 1942: nel frattempo le file di France libre si erano ingrossate, e anche se gli inglesi guardavano con interesse, tra i generali francesi che avevano disconosciuto il governo di Vichy, a quelli con un grado più alto del suo, De Gaulle poteva contare soprattutto sul suo personale carisma.

Altissimo, magrissimo, alieno al sorriso e a ogni forma di confidenza (non gradiva le telefonate, doveva essere lui a farle), usava un linguaggio sicuro e un tono autorevole che conferiva un fondamento reale anche ai programmi più fumosi. Oscillando fra destra e sinistra, fin dai primi anni di guerra trasformò un'iniziativa militare in iniziativa politica, contrastando l'attenzione degli Stati Uniti verso la Repubblica di Vichy.

Dalla vittoria militare a quella politica

Quando gli Alleati sottrassero l'Algeria al controllo del governo collaborazionista francese, il 3 giugno 1943 De Gaulle trasferì da Londra ad Algeri la sede centrale di France libre. Un anno dopo, nella capitale algerina s'insediò il governo provvisorio della repubblica francese e nell'agosto 1944 De Gaulle poté fare ritorno nella Parigi appena liberata. Il generale aveva conquistato una leadership incontrastata e trasversale già alla vigilia dello sbarco in Normandia (6 giugno 1944). Giunto tre giorni prima a Londra, si rifiutò di dare la sua copertura politica all'operazione finché non ebbe garanzie che la Francia libera sarebbe stata governata dai francesi. Il suo carisma riuscì così a riunire tutte le numerose e variegate componenti della Resistenza. Scongiurando il pericolo di una rivolta comunista, della permanenza dei collaborazionisti al potere e di un'amministrazione alleata, De Gaulle diventò il leader della nazione francese.

Eppure, alla fine della guerra, l'uomo che per primo aveva guidato la Resistenza democratica al nazismo si trovò di nuovo isolato. «La Quarta Repubblica nasce senza De Gaulle, vale a dire senza l'avallo dell'uomo che l'aveva resa possibile» annota Sergio Romano nella sua *Storia di Francia*. Il generale si dimise dopo quasi due anni da capo del governo provvisorio il 20 gennaio 1946 in segno di protesta contro una Costituzione ancora troppo legata (per i suoi gusti) al sistema parlamentare. Intanto il paese era allo sbando, e già nel 1947 il «compromesso storico» tra cattolici, comunisti e socialisti si era dissolto. All'opposizione, i gollisti avevano ben poco da spartire con le due frazioni comuniste (stalinisti e trotzkisti) e con i radicali. Secondo Romano, una parte rilevante dei francesi rimpiangeva il generale Henri-Philippe Pétain, collaborazionista ma mite, idolo delle donne, che conquistava con lo sguardo irresistibile, nonché instancabile frequentatore di letti femminili, al punto da fornire all'aiutante di campo l'indirizzo dell'amante di turno affinché potesse rintracciarlo nelle emergenze. (Sarebbe morto in prigione nel 1951, a 95 anni.) Pur essendo debole e diviso, il governo aveva comunque la forza per nazionalizzare carbone, elettricità, gas, banche, assicurazioni, trasporto aereo e perfino la Renault. Associò gli operai alla gestione delle aziende, migliorò i redditi più bassi, soprattutto in agricoltura, e fondò l'École Nationale d'Administration, la mitica Ena, che avrebbe formato i *grands commis de l'État* e la migliore burocrazia europea.

Eppure questa politica di «sinistra» non dispiaceva affatto a De Gaulle, attento alle questioni sociali al punto d'indispettire l'ala più conservatrice del suo elettorato. Così, per dodici anni, egli non presentò alcun serio programma alternativo, limitandosi a martellare il governo. Il suo Rassemblement du peuple français (Rpf), fondato nel 1947, era un movimento più che un partito, tanto che i militanti potevano avere la «doppia tessera». Ma nel frattempo faceva proseliti la sua idea di uno Stato che non fosse ostaggio dei riti parlamentari e fosse governato da un uomo forte. Alle elezioni municipali del 1947 il Rpf prese quasi il 40 per cento dei voti, che salì al 42 alla tornata elettorale dell'anno successivo per il Senato. Ma il rifiuto opposto da De Gaulle alla Quarta Repubblica lo isolò per anni. Dovette aspettarne dodici per tornare al potere, chiamato a gran voce dall'opinione pubblica francese, frustrata da tre grandi sconfitte coloniali e da un sistema politico boccheggiante. (Nel 1953 René Coty fu eletto presidente al tredicesimo scrutinio: classica situazione all'italiana.)

Nel marzo-maggio 1954 la tremenda battaglia di Dien Bien Phu, nel Nordovest del Vietnam, si concluse con la vittoria trionfale dei comunisti di Ho Chi Minh guidati dal mitico generale Giap. La disfatta dei francesi portò alla loro cacciata da quella che allora si chiamava Indocina e alla divisione del Vietnam in due Stati, ottenuta in extremis dagli americani dopo che il disastro di Dien Bien Phu aveva rischiato di consegnare l'intera nazione ai comunisti. Nel 1956 un corpo di spedizione anglofrancese partì per l'Egitto per riappropriarsi del canale di Suez, chiuso dal presidente egiziano Nasser per protestare contro la mancata concessione di finanziamenti americani per la costruzione della diga di Assuan. La pesantissima crisi internazionale che ne seguì si concluse con la sconfitta degli europei. Inoltre, l'autonomia concessa dal governo francese a Marocco e Tunisia faceva vacillare agli occhi dell'opinione pubblica anche gli ultimi resti del sogno imperiale.

Ma il colpo di grazia arrivò dall'Algeria. Questo paese non era considerato una colonia, bensì una «provincia d'oltremare» della madrepatria, dove 1 milione di francesi vivevano accanto a 8 milioni di algerini. Pochi mesi dopo la sconfitta in Indocina, il sopracciglio sanguinante del governo francese fu colpito dalla rivolta algerina, che si protrasse per quattro anni. Nel 1958, quando la situazione stava per sfuggire di mano, i generali Raoul Salan e Jacques Massu presero il potere, minacciando di estendere il colpo di Stato alla madrepatria. Soltanto De Gaulle poteva evitare la guerra civile. E la evitò.

Diventato presidente del Consiglio nella primavera del 1958, il 28 settembre propose un referendum per la nascita di una repubblica semipresidenziale, che vinse con il 79,2 per cento dei voti. Il capo dello Stato, eletto da un'assemblea di «grandi elettori», nominava il primo ministro, restando però di fatto il capo dell'esecutivo, assumendosi la responsabilità delle scelte più importanti e ridimensionando fortemente il potere del Parlamento. Era nata la Quinta Repubblica e De Gaulle ne era il capo carismatico.

Una presidenza controcorrente

La mediazione dei «grandi elettori» non poteva star bene a un uomo come De Gaulle, abituato a confrontarsi direttamente con il popolo. Perciò, il 28 ottobre 1962 un altro referendum (vinto con il 62,2 per cento dei voti) consentì al presidente della Repubblica di essere eletto a suffragio universale. In Francia il presidente del Consiglio risponde a Camere fortemente ridimensionate nei poteri, mentre quello della Repubblica – vera autorità morale e politica del paese – risponde al popolo sovrano. (In Italia, nella Commissione bicamerale per le riforme del 1997, il suo presidente Massimo D'Alema avrebbe accettato il semipresidenzialismo alla francese caro al centrodestra in cambio del voto con il doppio turno di collegio, anch'esso mutuato dalla Francia. Ma, con questo sistema elettorale, difficilmente il centrodestra avrebbe vinto.)

De Gaulle capì che il colonialismo era ormai un privilegio d'altri tempi e, dopo appena due anni di mandato presidenziale, concesse l'indipendenza a dodici Stati africani.

Restava la grana più grossa, l'Algeria: grossa perché, come abbiamo detto, questo paese era un pezzo di Francia. Tuttavia l'opinione pubblica, se da un lato sentiva il legame affettivo ed economico con la colonia nordafricana, dall'altro non ne poteva più di rivolte e di golpe, cosicché nel 1961 approvò in un referendum l'autodeterminazione dell'Algeria con il 75 per cento dei voti.

I militari non la presero bene e accusarono De Gaulle di ambiguità per le promesse fatte a Salan e Massu nel 1958. «Ho sposato il secolo» disse il generale con la consueta solennità per giustificare la fine del colonialismo. Loro risposero con un golpe che fallì, ma fu il padre di un'organizzazione terroristica, l'Oas (Organisation armée secrète), che, al grido di «L'Algeria è francese e lo resterà», in quattro anni di guerriglia provocò la morte di 2000 persone e un attentato fallito per ammazzare De Gaulle. (Una serie di amnistie tra il 1968 e il 1982 reintegrarono progressivamente nell'esercito regolare i militari golpisti.) Gli accordi di Évian (18 marzo 1962) fecero dell'Algeria uno Stato sovrano e i francesi li approvarono in un referendum con il 90 per cento dei voti, ma il clima sociale e politico era tutt'altro che pacificato: tra la primavera e l'autunno di quell'anno i nazionalisti musulmani algerini, al grido di «O la valigia o la bara», costrinsero 900.000 francesi a un rimpatrio convulso, drammatico e caotico.

Nel 1965 si svolsero in Francia le prime elezioni con il nuovo sistema che prevedeva che il presidente della Repubblica venisse scelto direttamente dal popolo. De Gaulle ebbe bisogno del secondo turno per battere (con il 54 per cento dei voti) il candidato dei socialisti, François Mitterrand. I gollisti vinsero pure le elezioni legislative del 1967, ma ormai anche il capo dell'opposizione era legittimato dal voto popolare, e quindi il generale, pur mantenendo intatto il suo carisma, ebbe una controparte degna di questo nome.

In politica estera De Gaulle continuò a fare il Giamburrasca, facendo esercitare alla Francia un ruolo molto più importante di quello corrispondente al suo reale peso politico, grazie al formidabile colpo di spacciarla per uno dei vincitori della seconda guerra mondiale e al fatto di possedere

la bomba atomica (la famosa *force de frappe*, forza d'urto).
Il suo avversario storico, fin dai tempi della guerra, furono gli Stati Uniti. Per dispetto a loro, nel 1964 riconobbe la
Cina di Mao, nel 1965 propose che i saldi delle bilance dei
pagamenti avvenissero in oro e non in dollari, nel 1966 invitò gli americani ad abbandonare il Vietnam proponendo
la difficile neutralità indocinese. Si oppose il più a lungo
possibile all'integrazione europea – ritenendo che, se fosse
riuscita, gli Stati Uniti avrebbero controllato più facilmente il continente – e all'ingresso dell'Inghilterra nella Comunità, e al tempo stesso non volle mai un esercito europeo:
un tragico errore. Nel 1967 creò scompiglio internazionale gridando in Canada «Vive le Québec libre!». Un conto è
una provincia francofona, un altro uno Stato indipendente.

Nel 1968, i disordini del «Maggio francese» amplificarono
quelli più contenuti di Berkeley, in California, e di Berlino.
Sergio Romano spiega la rivolta negli atenei francesi con il
disagio di una nuova popolazione studentesca aumentata
a dismisura negli ultimi anni: «Per la prima volta nella storia dell'educazione in Francia, le università non sono più in
grado di garantire uno sbocco professionale e ciò determina negli studenti un sentimento di rivolta e di frustrazione
che si estende agli ambienti sociali da cui essi provengono». Si aggiunga il contagio del vento vietnamita e cubano
e si otterrà un cocktail che paralizzò il paese per settimane e costrinse il governo guidato da Georges Pompidou a
concedere importanti aumenti salariali. Ma si sa che il disordine porta all'ordine. La «maggioranza silenziosa» manifestò la richiesta di «normalità» con una sfilata di 1 milione di persone lungo gli Champs-Élysées. De Gaulle sciolse
il Parlamento, indisse elezioni anticipate e stravinse: il suo
partito ottenne 294 seggi (contro i 244 delle elezioni precedenti) e la Federazione della sinistra democratica e socialista 57 (contro 116).

Il generale aveva la Francia in mano. La perse per un'ultima forzatura che, forse, avrebbe potuto risparmiarsi. Fin
dall'autunno del 1968 De Gaulle tornò alla vocazione di sinistra che l'aveva accompagnato molto tempo prima. Riformò

l'università, riconobbe la «sezione sindacale d'impresa» accrescendone il peso contrattuale, trasferì alle regioni alcune prerogative dello Stato. («Con una straordinaria inversione di rotta» osserva Sergio Romano in *I volti della storia* «il più forte e centralizzato degli Stati europei sarebbe diventato "regionale".») Ma questo avrebbe comportato un'ulteriore stretta costituzionale: il Senato sarebbe stato fuso con l'equivalente del nostro Cnel, il Consiglio nazionale dell'economia e del lavoro, e avrebbe avuto una funzione sostanzialmente consultiva. I sondaggi avvertirono inutilmente De Gaulle che una vittoria sarebbe stata quanto mai difficile. Come sarebbe accaduto quasi cinquant'anni dopo a David Cameron in Inghilterra e a Matteo Renzi in Italia, egli legò tuttavia il suo avvenire politico ai risultati del referendum. E perse. La Francia non lo voleva più.

Poco dopo la mezzanotte del 27 aprile 1969, saputo della sconfitta, annunciò le dimissioni con effetto da mezzogiorno. Racconta Romano: «Prima di tornare nel suo "buen retiro" di Colombey-les-deux-Églises, De Gaulle fece un viaggio in Irlanda dove i fotografi lo ritrassero mentre falciava a lunghi passi la brughiera, sotto un cielo di piombo, senza guardare in faccia nessuno, tirandosi dietro la moglie Yvonne e un aiutante di campo. Da allora non fece dichiarazioni, non rilasciò interviste, non dette udienze e parve animato da una sola preoccupazione: evitare che qualcuno invocasse la sua autorità e si proclamasse suo successore. "Il re aveva abdicato, il re non aveva eredi."».

Charles De Gaulle morì d'infarto il 9 novembre 1970 mentre faceva un solitario. Aveva 80 anni. Pochi giorni prima aveva confidato a Marie-Agnès, la sorella maggiore: «Ciò che mi ha spesso rassicurato è la convinzione che la mamma sarebbe stata dietro di me, a sostenermi, sempre e in qualunque situazione».

CHI LI HA VISTI?

Forattini '80

John F. Kennedy, il mito perpetuo

Un successo costruito a tavolino

A un secolo dalla nascita e a più di cinquant'anni dalla morte, John Fitzgerald Kennedy è l'unico leader del Novecento il cui mito non conosce confini. Eletto presidente degli Stati Uniti a 43 anni e ucciso a 46, sotto l'apparente prestanza fisica nascondeva patologie che per chiunque altro sarebbero stati ostacoli insormontabili. Il suo eroismo di volontario in guerra commosse l'opinione pubblica americana. Il suo sorriso e la sua raffinata scioltezza conquistarono subito l'elettorato femminile. Ma, fin dalla giovinezza, ogni sua mossa e ogni sua iniziativa furono finalizzate a una carriera politica costruita a tavolino dal ricchissimo, cinico, inappagabile padre.

Kennedy diventò presidente degli Stati Uniti con il voto determinante dell'elettorato etnico: immigrati e neri. Ma soltanto tardivamente suo padre Joe – il vero *dominus* della famiglia – si convinse (e, di conseguenza, lo convinse) che le origini irlandesi tenute a lungo nascoste avrebbero potuto risolversi in un vantaggio. Il nonno di Joe e quello di sua moglie Rose erano emigrati nel ghetto più infimo di Boston a metà dell'Ottocento, scacciati dalla loro terra dalla carestia. In America avevano fatto una discreta fortuna e, soprattutto, avevano messo i figli in condizione di farne altra. Ma poiché i ricchi protestanti americani arricciavano il naso dinanzi ai cattolici irlandesi, la coppia non amava affatto che si ricordassero le proprie origini.

John, chiamato da tutti Jack, nacque a Boston il 29 maggio 1917 e prese anche il cognome della madre, Fitzgerald. La coppia aveva già un figlio maschio, Joe jr, e dopo John ne avrebbe avuti altri sette. Nove figli in diciassette anni stroncarono Rose, che non fu mai una madre affettuosa («Non mi ha mai chiesto come stessi» ricorderà Kennedy). Quando nacque John, il padre aveva 29 anni ed era già un uomo d'affari molto affermato nel settore delle costruzioni navali. Si arricchì ulteriormente con la prima guerra mondiale e, poi, ancora di più come agente di cambio e nel settore degli alcolici dopo la fine del proibizionismo.

I giovani Kennedy trascorsero la loro infanzia in una villa immensa, piena di nutrici e personale di servizio, in cui i genitori vivevano da separati in casa. Rose era una donna gelida e anaffettiva, mentre Joe era afflitto da bulimia sessuale, malattia ereditata dal figlio presidente. La sua relazione con l'attrice Gloria Swanson fu uno scandalo pubblico. Le altre decine di scappatelle e la scarsa predisposizione a corrispondere alle attenzioni di un marito così esigente indussero Rose a dormire da sola dopo la nascita del nono figlio. «Basta sesso» annunciò. E fu così.

In un paese in cui l'aristocrazia era formata da miliardari istruiti, i genitori – anche dopo il trasferimento a New York – iscrissero i figli maggiori, Joe jr e John, alle scuole più prestigiose del New England, con l'obiettivo non tanto di educarli nel modo migliore quanto di farli entrare in contatto con i rampolli delle famiglie più influenti degli Stati Uniti. Nel frattempo si erano già manifestate le cattive condizioni di salute di John, che compromisero il suo successo nelle attività sportive, in cui invece eccelleva il fratello maggiore Joe jr (era lui il Kennedy più ammirato, e questo generò in John un autentico complesso). Alto 1,83 – troppo per un peso di 68 chili –, aveva un bel torace, gambe lunghe anche se esili, ma un fisico fragile. Ciononostante, piacque subito alle ragazze, che s'innamoravano del suo sorriso e del suo tratto aristocratico.

Quando John ebbe compiuto 20 anni, il padre gli organizzò un lungo viaggio in Europa con Lem Billings, un ragazzo di buona famiglia della Pennsylvania, compagno di scuola e amico per la vita di John e dei Kennedy. Si è molto discusso del rapporto tra i due, visto che Lem era omosessuale. Nel 2007 David Pitts, nel suo *Jack and Lem*, sostiene che, alle prime avance sessuali di Lem, John avrebbe risposto: «Non sono quel tipo di ragazzo», pur non interrompendo, anzi consolidando, l'amicizia. Diversa l'opinione di Jerry Oppenheimer che, sul «Daily Mail» del 9 giugno 2017, in occasione del centenario della nascita di Kennedy, ha parlato di almeno un episodio di sesso orale tra i due. Comunque siano andate le cose, John sarebbe passato alla storia come un formidabile, patologico donnaiolo.

Nella sua monumentale biografia, Robert Dallek ricorda che nell'Europa del 1937 John trovò irritanti i francesi perché imbrogliavano gli americani sul conto e perché il loro tratto distintivo era «l'alito che sa di cavolo e il fatto che non hanno la vasca da bagno». Ne dedusse che la Francia «è una nazione molto primitiva» e associò nel giudizio la Spagna. E detestò i tedeschi per la loro arroganza, il loro complesso di superiorità e l'eccesso di *Heil Hitler!* Fu piacevolmente sorpreso, invece, dagli italiani: «Le loro strade sono molto più affollate e piacevoli di quelle francesi e tutta la razza sembra più attraente. Sembra che il fascismo li tratti bene». Anche Lem Billings ne ricavò una buona impressione: «L'Italia [è] più pulita e la gente più agiata di quanto ci fossimo aspettati», anche se pochi giorni dopo John corresse parzialmente il giudizio scrivendo che «gli italiani sono la razza più chiassosa che esista; devono sempre immischiarsi in tutto».

Quello stesso anno Roosevelt nominò Joe Kennedy, il padre di John, ambasciatore in Gran Bretagna: l'onore più alto per un grande uomo d'affari che, così, consolidò il primato sociale della famiglia. E quando nel 1939 scoppiò la guerra, John – seduto con i suoi nella tribuna di Westminster – fu molto impressionato dal discorso di Churchill sulla decisione inglese per l'intervento. Nel 1940 pubblicò il saggio *Perché l'Inghilterra dormì*, una rielaborazione della tesi con cui si era laureato tre anni prima all'università di Harvard, che conteneva una severa critica agli accordi di Monaco.

La politica e l'ossessione per le donne

Nel frattempo il fisico di John era diventato sempre più fragile. Si ammalò del morbo di Addison (una malattia delle ghiandole surrenali), di colite spastica, di duodenite diffusa, e soffrì di mal di schiena, un disturbo che lo tormenterà per tutta la vita. Nonostante avesse i requisiti per essere riformato (come in effetti fu), chiese al padre una raccomandazione per indossare ugualmente la divisa. Ma questo non gli bastava. Nel 1943, durante la guerra, ottenne con la raccomandazione del nonno materno il comando di una piccola motosilurante, un ruolo così impegnativo da richiedere uno stato di salute perfetto. In agosto una squadra di motosiluranti, tra cui quella di John, fu inviata in missione contro un convoglio giapponese al largo delle isole Russell, nell'arcipelago delle Salomone. La spedizione fu disastrosa. La sua motosilurante fu squarciata da un colpo sparato da un cacciatorpediniere nemico. Due uomini morirono e John si gettò in acqua con i compagni per recuperare cinque superstiti in balìa delle onde e poi, da solo, per trarne in salvo altri due. I grandi giornali statunitensi titolarono *Il figlio di Kennedy eroe nel Pacifico*.

Intanto le sue condizioni fisiche si aggravarono, al punto che fu costretto a rientrare negli Stati Uniti, mentre il fratello Joe jr – pilota di un bombardiere con a bordo un enorme carico di esplosivo – moriva in un'eroica quanto spericolata missione di guerra sulla Manica. Il padre, che lo aveva destinato alla carriera politica, fu distrutto dalla notizia. E lo fu anche John, che vide il vecchio complesso verso il fratello trasformarsi in un incubo. «Sto boxando contro un'ombra in un match in cui l'ombra vince sempre» disse.

Il vecchio Kennedy decise allora che fosse il secondogenito a prendere il posto del primogenito defunto. Le premesse non erano buone. John non aveva ancora 30 anni, era rigido, freddo. Lui sosteneva di essere timido, altri lo consideravano troppo snob per mischiarsi con la folla. Ma quando iniziò la campagna elettorale per il Congresso, si mise a battere la strada dalle 7 del mattino, incontrando gli operai davanti ai cancelli delle fabbriche, fino a tarda sera, quando concludeva la giornata conversando con le giovani elettrici, riunite in abitazioni private. Qui dava il meglio di sé, con il suo sorriso disarmante, il suo atteggiamento spigliato, il modo informale di vestirsi e di sedersi.

Il diabolico padre adesso rivendicava le origini irlandesi della famiglia per sottolineare la diversità di Jack rispetto agli altri candidati: «La nuova generazione offre un leader» fu lo slogan. La famiglia Kennedy spese una fortuna per la campagna elettorale, ma il candidato ci mise del suo e vinse a mani basse le primarie del Partito democratico. Da uomo straricco, riuscì a essere credibile nel promettere alla classe operaia e alla piccola borghesia una ragionevole politica di sviluppo economico e sociale. Nonostante la vittoria repubblicana alle elezioni per il Congresso del 5 novembre 1946, John seppellì sotto i propri voti l'avversario conservatore, facendo il suo ingresso, a soli 29 anni, nella Camera dei rappresentanti.

Il primo mandato parlamentare non fu entusiasmante. Jack era disciplinato, ma la sua attività principale a Washington pare fosse quella di avere più donne possibile. Peter Collier e David Horowitz, biografi della famiglia Kennedy, hanno scritto che questa bulimia sessuale «non era tanto un'affermazione di se stesso, quanto la ricerca del suo io ... un pizzicotto al braccio per dimostrare che esisteva ancora». John veniva descritto come un narcisista, preoccupato di affogare nel sesso la solitudine di cui soffriva in famiglia. Voleva sapere tutto delle donne, le interrogava sulla loro intimità e, appena gli cedevano, le lasciava. Priscilla Johnson, un'attraente collaboratrice che, a quanto pare, gli resistette, ha raccontato ai due biografi che quando gli faceva la paternale («Perché rischi di cacciarti in uno scandalo che può comprometterti la carriera?»), lui scrollava tristemente le spalle: «Non lo so, davvero. Non posso fare diversamente». Era convinto di morire giovane e voleva succhiare ogni soffio di vita possibile. Intanto la sua insufficienza surrenale si aggravava. Nel 1947, durante il viaggio di ritorno da Londra a bordo della *Queen Mary*, ricevette addirittura l'estrema unzione.

I membri della Camera erano 435, quelli del Senato 100. Era chiaro quale fosse il nuovo obiettivo per un politico ambizioso come Jack. Lo raggiunse nel 1952, a 35 anni, dopo un lungo lavoro per migliorare la propria preparazione, anche in politica estera. Nella memoria collettiva, Kennedy resta il presidente più aperto al dialogo nell'epoca della guerra fredda. Eppure, Dallek ricorda che tutta la formazione politica acquisita dal giovane democratico per candidarsi al Senato era improntata al più inflessibile anticomunismo. In quel periodo gli Stati Uniti erano impressionati dall'espansione dell'influenza sovietica in Europa. Nel 1947, un anno prima che il colpo di Stato in Cecoslovacchia ne fosse la drammatica conferma, Kennedy era allarmatissimo per le sorti dell'Italia. Fu tra quanti approvarono lo stanziamento di forti sovvenzioni americane alla Dc e alle altre forze politiche democratiche italiane perché si difendessero «dal furioso attacco della minoranza comunista», individuando il nostro paese come «il primo campo di battaglia del tentativo comunista di conquistare l'Europa occidentale».

Alla Casa Bianca, dopo aver battuto Nixon in tv

In quegli anni John, dopo un lungo viaggio in Medio Oriente e in Asia con il fratello Robert (Bobby), capì che, se il comunismo era un grande problema, lo erano ancora di più le condizioni di miseria e di sottosviluppo di milioni di asiatici. Bobby, avvocato, lavorava al dipartimento della Giustizia e accettò malvolentieri di dirigere la campagna del fratello per le elezioni del Senato del 1952, un impegno proibitivo che assolse però con la massima diligenza. Jack si occupava dei grandi temi, Bobby della «cucina». E che cucina, visto che i soldi non mancavano e che, alla vigilia delle elezioni nel Massachusetts, furono distribuiti 1 milione 200.000 opuscoli.

Il voto femminile e il voto etnico furono decisivi nella conquista del seggio senatoriale: la quasi totalità dei cattolici e degli ebrei espresse il proprio consenso per Kennedy, e le donne premiarono il bel candidato.

Nel 1953, a 36 anni, il «giovane scapolo gaudente», come lo definì un giornale, decise di sposarsi. E lo fece con Jacqueline Bouvier, 24 anni, proveniente da una ricca famiglia cattolica ed esponente dell'alta società. Sembrarono – e forse erano – molto innamorati l'uno dell'altra. «Erano così simili» diceva estasiato Lem Billings, l'amico fraterno di John. «Anche i nomi, Jack e Jackie, due metà di un tutto unico … Era incredibile vederli all'opera a un ricevimento. Riuscivano a darti l'impressione che non c'era posto al mondo dove avresti voluto essere se non lì ad ascoltarli.» Il matrimonio fu celebrato il 12 settembre, nella tenuta del patrigno della sposa a Newport. Le nozze dell'anno, e non solo.

Tuttavia, i rapporti nella coppia si guastarono quasi subito. Lei lo rimproverava di lasciarla troppo sola, lui l'accusava di essere una spendacciona. Ma il punto centrale era un altro: lui non aveva resistito per un solo istante alla sua bulimia sessuale. La tradiva apertamente: per esempio, accompagnava la moglie a una festa e poi spariva con un'altra donna. Una situazione insostenibile. Si aggiunga che le condizioni di salute di John si stavano aggravando. Oltre al morbo di Addison, aveva almeno una mezza dozzina di malattie serie e un terribile mal di schiena che lo costrinse a un delicatissimo intervento chirurgico: andò in coma e per la seconda volta gli fu somministrata l'estrema unzione. Il padre – un vero monumento al cinismo – non batté mai ciglio. In fondo, disse al figlio, Roosevelt è stato un grande presidente e ha guidato il paese dalla sedia a rotelle. «Non preoccuparti, papà, ce la farò» fu la risposta di Jack.

Nel 1958 John F. Kennedy fu confermato al Senato con quasi il 74 per cento dei voti, ma ormai il suo sguardo andava oltre il Campidoglio ed era puntato sulla Casa Bianca. Nel 1960 avrebbe avuto soltanto 43 anni: nessuno prima di lui, a quell'età, si era azzardato a competere per la presidenza. Ma non c'era niente che potesse fermarlo, anche se la strada era molto accidentata per almeno tre motivi. Il primo era il suo avversario repubblicano, Richard Nixon, da otto anni vicepresidente in carica di Eisenhower. Notissimo al pubblico, aveva una consumata esperienza politica. Il secondo era l'opposizione religiosa: un conto era fare il senatore, un altro il presidente degli Stati Uniti. L'elettorato protestante risultava dai sondaggi nettamente contrario alla prospettiva di un cattolico alla Casa Bianca. Il terzo ostacolo era la sua immagine: bello, brillante, ma troppo giovane e troppo fragile.

John decise di accettare la sfida e, prima ancora di annunciare la propria candidatura, girò in lungo e in largo per l'America. Scese ufficialmente in campo il 2 gennaio 1960 ed ebbe la nomination democratica l'11 luglio, dopo aver battuto quattro senatori e due governatori. Scelse come candidato vicepresidente Lyndon B. Johnson, proveniente da una modesta famiglia texana, massone e con una lunga esperienza politica. Ancora una volta fu Bobby il duro e implacabile direttore della campagna elettorale del fratello. Nel suo discorso di accettazione, Kennedy puntò a superare il problema religioso dicendo che Stato e Chiesa sono due entità assolutamente distinte, e fu in quell'occasione che lanciò la parola d'ordine per la quale sarebbe passato alla storia: «Noi ci troviamo oggi alla soglia di una Nuova Frontiera, la frontiera degli anni Sessanta, una frontiera aperta a vie e prospettive ancora ignote, una frontiera aperta a speranze ancora inappagate e a nuove minacce incombenti».

In ogni caso, Kennedy partiva sfavorito e doveva dimostrare agli americani di essere più credibile del suo avversario repubblicano in un confronto diretto. Nixon non si fece pregare: era andato benissimo nell'apparizione televisiva per le elezioni del 1952, quando diventò vicepresidente di Eisenhower, e non c'era ragione perché non dovesse ripetere la stessa performance contro un politico più giovane e meno navigato. Il primo duello avvenne il 26 settembre 1960 negli studi della Cbs e fu seguito da 70 milioni di telespettatori. Kennedy non aveva un solo organo del corpo che funzionasse alla perfezione, tranne il cervello, eppure il suo sorriso e la sua sicurezza ne facevano il ritratto della salute.

I due avversari tennero un atteggiamento molto diverso. Kennedy si rivolse al popolo americano sia all'inizio sia alla fine del suo intervento, ignorando in sostanza l'avversario. Nixon, invece, attaccò costantemente lo sfidante, e questa sua aggressività ebbe la peggio nei confronti della serena determinazione dell'altro. Henry Cabot Lodge, famoso ambasciatore Usa alle Nazioni Unite e candidato alla vicepresidenza con Nixon, alla fine del confronto era depresso. Poiché gli aveva raccomandato di non essere troppo aggressivo, sbottò: «Quel figlio di puttana ha appena perso le elezioni». A giocare in favore di John ci furono anche l'arresto di Martin Luther King per violazione della segregazione razziale in un ristorante di Atlanta (Georgia) e la sua condanna a quattro mesi di lavori forzati per violazione della libertà vigilata. Le conseguenti polemiche diedero una spinta formidabile alla campagna di Kennedy per la tutela dei diritti dei neri. Nixon non aprì bocca e la popolazione di colore passò in blocco ai democratici. La vittoria di Kennedy fu comunque di misura, non tanto nei voti elettorali quanto in quelli popolari: ne prese soltanto 118.000 in più dell'avversario, per il quale votò compatto il Sud razzista.

Lo scacco della Baia dei Porci

Appena eletto, Kennedy si trovò a gestire la prima grossa grana: la progettata invasione di Cuba da parte di esuli anticastristi per abbattere il regime di Fidel. Nella primavera del 1960 il presidente Eisenhower aveva cercato la strada della mediazione attraverso i buoni uffici dell'Argentina, ma il Líder Máximo l'aveva respinta. Così era stata allertata la Cia, che venne autorizzata a addestrare in Guatemala il corpo di spedizione anticastrista. Poco prima che Kennedy assumesse le funzioni presidenziali, Eisenhower – che lo teneva informato di ogni mossa – aveva rotto le relazioni diplomatiche con Cuba, dopo la decisione del regime di ridurre drasticamente il numero di funzionari dell'ambasciata americana all'Avana. Cuba era ormai un paese comunista nel «cortile di casa» e gli Stati Uniti avevano risposto con pesanti sanzioni economiche.

Nei piani della Cia, l'operazione stava assumendo sempre più importanza. Come ricorda Sergio Romano (*I volti della storia*), concepita inizialmente come un'«infiltrazione di massa» per appoggiare la guerriglia anticastrista che ancora combatteva sulle montagne dell'isola, lungo il cammino era diventata nelle menti dei suoi registi una sorta di piccolo «D-Day», con mezzi anfibi, carri armati, copertura aerea. La forza d'invasione avrebbe occupato una parte dell'isola, permettendo al Consiglio rivoluzionario, formato da esponenti dei partiti anticastristi, di costituire un governo provvisorio. Gli Stati latino-americani avrebbero riconosciuto la nuova Cuba democratica, il governo provvisorio avrebbe invocato l'intervento degli Stati Uniti, la popolazione si sarebbe sollevata contro Castro, una parte dell'esercito sarebbe passata con i ribelli e Washington avrebbe mandato i marines. Del resto, non era così che i sovietici avevano giustificato il loro intervento nelle repubbliche del Baltico all'inizio della seconda guerra mondiale e a Budapest nel 1956?

Quando conobbe i dettagli del piano, Kennedy rimase perplesso ma non interruppe i preparativi, perché temeva che il comunismo cubano estendesse la sua influenza sul continente sudamericano, sapeva che sull'isola erano in arrivo aerei Mig sovietici ed era consapevole del fatto che, bloccando l'invasione, si correva il rischio di rafforzare il regime castrista. Si programmò così lo sbarco per il 17 aprile 1961 nella Baia dei Porci, sul lato opposto rispetto all'Avana. Nel suo celebre *I mille giorni di John F. Kennedy alla Casa Bianca* Arthur Schlesinger ricorda che il morale dei quasi 1500 uomini in partenza dal Nicaragua, dove erano stati trasferiti per non destare sospetti sul coinvolgimento americano, era alto, ma l'addestramento assai approssimativo. I volontari con esperienza militare erano soltanto 135, ai quali si erano uniti 245 studenti e il completo campionario della società cubana, dai pescatori ai medici, dai contadini agli uomini d'affari. Metà del contingente era composta da neri.

La spedizione fu un totale disastro. L'aviazione americana che doveva preparare il terreno bombardò gli aeroporti cubani ma risparmiò alcuni aerei che, poi, avrebbero colpito duramente gli invasori. Kennedy bloccò una seconda incursione per non mettere in imbarazzo il proprio rappresentante all'Onu, che negava ogni coinvolgimento degli Stati Uniti nell'operazione. Disponendo della piena libertà nei cieli, un velivolo cubano colpì la nave che trasportava munizioni e ricetrasmittenti per gli invasori. Il previsto appoggio della popolazione non ci fu perché Castro fece arrestare 20.000 persone e poi schierò altrettanti uomini in armi contro i poveri insorti, 300 dei quali caddero sul campo (gli altri furono catturati).

Qualcuno cercò di convincere Kennedy a cambiare opinione e ad autorizzare l'intervento delle forze armate americane, ma lui era deciso a chiudere la partita. Quando un collaboratore gli chiese che cosa ne sarebbe stato del prestigio della nazione se avessero permesso il fallimento dell'operazione, rispose bruscamente: «Che cos'è il prestigio? È l'ombra del potere o la sostanza del potere? Noi agiremo sulla sostanza del potere.». Nonostante i numerosi insulti ricevuti dall'intellighenzia conservatrice americana (di cui il «Time» si fece portavoce), la popolarità del presidente uscì rafforzata dalla disastrosa impresa e raggiunse incredibilmente l'82 per cento. Romano osserva che, se Castro aveva vinto sul piano militare, Kennedy si era aggiudicato la partita politica.

Il tragico amore per Marilyn Monroe

Il 20 gennaio 1961, mentre Kennedy giurava come presidente degli Stati Uniti, Marilyn Monroe era in volo per il Messico dove andava a divorziare dal commediografo Arthur Miller. Era il suo terzo marito, ma, confessò, «la prima persona che mi fa ricordare di avere un'anima e non solo un corpo». («È la donna più donna del mondo,» ricambiò lui «ma è anche la ragazza più triste che abbia mai conosciuto.») Lei voleva il poeta, lui la femmina. Che peraltro si prese qualche distrazione, per esempio con l'attore Tony Curtis, con il quale ebbe un flirt (e forse un figlio abortito) durante le riprese del film *A qualcuno piace caldo*

(1959). Il loro matrimonio non poteva durare, e infatti durò meno di cinque anni.

Nella sua bulimia sessuale, Kennedy aveva mietuto a piene mani nel mondo dello spettacolo. Erano state sue amanti Gene Tierney, la bellissima star degli anni Quaranta, Angie Dickinson e Lee Remick, due celebrità del tempo. E ne aveva combinate di tutti i colori con Jayne Mansfield, il seno più celebre di Hollywood. Jackie non ne poteva più e voleva divorziare. Quando il suocero le offrì un milione di dollari per farla desistere, rispose: «E perché non dieci?». Ma resistette perché si avvicinava la prospettiva della Casa Bianca. Consolandosi nel frattempo con due divi dello schermo, William Holden e Marlon Brando.

Per John, Jackie esisteva come first lady, non come donna. E mirò in alto, all'attrice allora più famosa del mondo, quella Marilyn Monroe con la quale avrebbe potuto rendere la pariglia al padre e alla sua Gloria Swanson. La relazione con Marilyn cominciò prima che lui diventasse presidente, ma crebbe d'intensità dopo l'insediamento. S'incontravano in tre posti: la Casa Bianca, l'hotel Carlyle e la casa di Peter Lawford, amico e cognato di Jack e mezzano anche di Bobby. I loro amplessi erano tutt'altro che leggendari. («Come un gallo nel pollaio» raccontava lei. «Bam, bam, bam... Poi dovevo sempre ricordargli di tirarsi su la cerniera dei pantaloni.») Lei si truccava sperando di essere irriconoscibile, al telefono si spacciava per una segretaria, Miss Green, ma tanti, troppi sapevano. Lo staff di Kennedy, che stava già lavorando per il secondo mandato alle elezioni del 1964, lo avvertì più volte che, se fosse scoppiato lo scandalo, la conferma sarebbe stata impensabile. Ma Jack tirava dritto.

Intanto l'umore di Marilyn era sempre più instabile. I suoi capricci sul set iniziavano a diventare intollerabili e le cure di uno psichiatra non risolvevano i suoi gravi segni di squilibrio. Recuperò la piena lucidità solo alla vigilia del 19 maggio 1962, giorno in cui era stata programmata al Madison Square Garden di New York una grande festa per il quarantacinquesimo compleanno del presidente. Nonostante i produttori del film che stava girando l'avessero diffidata dall'abbandonare il set e Bobby Kennedy l'avesse sconsigliata, temendo reazioni negative nel mondo democratico, Marilyn preparò una grande sorpresa. Si presentò vestita di un leggerissimo abito trasparente color carne e cantò con voce sensuale *Happy Birthday*, lasciando tutti come inebetiti. Quando il Madison esplose in un'ovazione, Jack la raggiunse sul palco e disse: «Ora, con gli auguri di una ragazza tanto dolce e graziosa, potrei ritirarmi dalla vita politica».

La loro storia finì in quel momento, al suo apice. Fu John Edgar Hoover, famigerato capo dell'Fbi, a intimargli di abbandonare sia Judith Campbell, che era anche l'amante di un mafioso, sia la Monroe. Kennedy chiuse la prima storia con una telefonata, mentre a Marilyn non fece nemmeno quella. Lei si disperò, ma la linea diretta con la Casa Bianca era stata chiusa. Così si presentò senza preavviso a casa di Bobby, facendolo infuriare. Minacciò di rivelare ogni cosa in una conferenza stampa. Tutti sapevano tutto, ma nessun giornale aveva osato scrivere una riga.

Marilyn morì nella sua casa di Los Angeles nella notte tra il 4 e il 5 agosto 1962, due mesi e mezzo dopo l'apoteosi del Madison Square Garden. Si uccise con i barbiturici. O forse fu aiutata a farlo, perché era diventata una donna pericolosa. Generosa con tutti, aveva sul conto 4000 dollari. Una sua frase ne riassume la vita: «La croce che devo portare in cambio della fama è essere un simbolo dell'amore e non essere amata».

Jack la dimenticò in fretta, continuando impunemente nelle scorrerie sessuali che lo portarono a frequentazioni ad altissimo rischio, come quella con Mary Meyer, una pittrice amica di Jackie coinvolta in oscuri rapporti con la Cia e assassinata nel 1964, forse con la complicità della stessa agenzia, o con Ellen Rometsch, sospettata di essere una spia della Germania Est, e a far organizzare party con ragazze squillo alla Casa Bianca. In nome della privacy del presidente, non una parola uscì sui giornali, ma molti ritengono che, se Kennedy si fosse candidato a un secondo mandato, i suoi avversari non sarebbero stati così generosi.

Dallas, 22 novembre 1963

Nessuna delle grandi riforme di politica interna (riduzione fiscale, contributi federali all'istruzione, assistenza sanitaria) progettate da Kennedy nei suoi 34 mesi di presidenza si tradusse in legge, ma tutte furono realizzate da Lyndon B. Johnson quando gli succedette alla Casa Bianca. Alcuni critici gli rimproverano un'eccessiva prudenza in tema di diritti civili, ma è un fatto che la sua popolarità si deve, oltre che al carisma personale, a un paio di grandi mosse azzeccate in politica estera.

All'inizio degli anni Sessanta il leader sovietico Nikita Chruščëv era in affanno nell'attuazione delle riforme economiche interne e, come accade spesso ai dittatori, rilanciò rumorosamente in campo politico internazionale. Il colpo grosso fu l'invio a Cuba di 40 missili che raddoppiavano per quantità e potenza le armi già puntate alla tempia degli Stati Uniti. Uno storico influente come Barton J. Bernstein, nel suo articolo *The Cuban Missiles Crisis* pubblicato nel 1980 sulla rivista «Political Science Quarterly», fu tra i non pochi a sostenere che Kennedy se l'era cercata. Un presidente «diverso» non avrebbe provocato l'Urss con l'avventura della Baia dei Porci, non avrebbe potenziato l'armamento nucleare americano al punto di surclassare quello sovietico e non avrebbe installato in Italia e in Turchia missili puntati contro la Russia. Ciò detto, l'iniziativa sovietica era troppo plateale e simbolica per restare senza risposta.

Kennedy si mosse con prudenza. Mantenendosi in costante contatto con l'ambasciatore sovietico, nell'autunno del 1962 ordinò una «quarantena», termine elegante per definire la minaccia di blocco delle navi sovietiche con materiale militare dirette a Cuba. La lettura delle testimonianze di quei giorni drammatici dimostra l'estrema tensione tra la Casa Bianca e gli Stati maggiori favorevoli alla prova di forza, la notevole autonomia operativa di questi ultimi e la difficoltà del segretario alla Difesa nell'avere assicurazioni che non sarebbero stati sparati colpi «alla Sarajevo», cioè in grado di far scoppiare un conflitto nucleare mondiale. Alla fine di un'estenuante trattativa, Chruščëv cedette: smontò sotto il controllo Usa i missili già installati, in cambio dello smantellamento di quelli americani in Turchia.

La popolarità di Kennedy negli Stati Uniti e nell'intero Occidente crebbe in maniera esponenziale e fu ulteriormente rafforzata dalla sua visita in Europa nell'estate del 1963. Il presidente americano subiva il fascino di De Gaulle, ma in quell'occasione saltò la Francia, che aveva appena negato alla Gran Bretagna l'ingresso nella Comunità economica europea. Nella partita Stati Uniti-Inghilterra contro Francia, l'Italia – con il primo governo di centrosinistra guidato da Amintore Fanfani – si era schierata con i due alleati. I socialisti amavano Kennedy e, per tranquillizzare Washington, nel gennaio 1962 Pietro Nenni aveva pubblicato su «Foreign Affairs» un articolo in cui negava che il Psi volesse l'uscita dell'Italia dalla Nato.

Kennedy arrivò a Roma il 1° luglio 1963: le immagini lo mostrano accanto al capo dello Stato Antonio Segni mentre, con una gigantesca scorta d'onore e su una Flaminia scoperta, attraversa la Roma imperiale rispondendo con il sorriso alla folla plaudente. Da otto giorni il presidente del Consiglio era Giovanni Leone, alla guida di uno dei tanti «governi balneari» che servivano a far prendere tempo ai partiti. Affascinato dalla sua bella moglie, donna Vittoria, Kennedy – con sorprendente malagrazia – le disse: «Adesso capisco il successo di suo marito...». «Lei non ne conosce i meriti» lo gelò con un sorriso Vittoria, in perfetto inglese.

Il presidente americano era reduce da una trionfale visita di quattro giorni in Germania, nel corso della quale, in un discorso tenuto a Berlino di fronte a una folla in delirio, aveva pronunciato una frase che sarebbe passata alla storia: «Duemila anni fa il maggior motivo d'orgoglio era poter dichiarare *Civis romanus sum*. Oggi nel mondo libero il maggior motivo d'orgoglio è poter dire *Ich bin ein Berliner!* [*Io sono berlinese*]». I puristi osservano che avrebbe potuto risparmiarsi l'*ein*, ma l'effetto fu memorabile. «Non avremo un altro giorno come questo nella nostra vita» disse poi all'assistente che gli aveva scritto i discorsi per i tedeschi.

Cinque mesi dopo fu assassinato. Tre americani su quattro erano convinti che sarebbe stato rieletto nel novembre 1964 e, un anno prima, lui aveva già cominciato la campagna con il fratello Bobby (anzi, con i fratelli, visto che Ted ne aveva ereditato il posto di senatore), che dall'inizio del mandato presidenziale di John era ministro della Giustizia. John F. Kennedy arrivò a Dallas, Texas, la mattina del 22 novembre 1963. Dallek sostiene che i servizi segreti e l'Fbi si occuparono troppo dell'estrema destra e troppo poco di un possibile attentatore della sinistra radicale.

Lee Harvey Oswald, 24 anni, era uno di loro. Congedatosi senza onore dai marines, aveva trascorso tre anni in Unione Sovietica e ne era tornato da poco con una moglie russa. Considerato dai suoi superiori un uomo di grande intelligenza, aperto sostenitore di Fidel Castro, era stato assunto di recente al Texas School Book Depository, sotto le cui finestre sarebbe passato il corteo presidenziale, come da piantina pubblicata in quei giorni dai giornali. Alle 12.30 Oswald sparò tre colpi da una finestra del sesto piano con un vecchio fucile italiano (Carcano, modello 91 da 6.5 mm) comprato per posta. (Un modello analogo è stato trovato in Italia nell'estate del 2017 in uno stabilimento metallurgico del Pistoiese con il cartello «C. Warren», dal nome della commissione che indagò sul delitto.) Alle 13 il presidente era morto. Soltanto il bombardamento di Pearl Harbor aveva avuto sugli americani lo stesso impatto traumatico. Ai funerali parteciparono rappresentanti di 92 nazioni e, per volontà della moglie, la salma fu sepolta nel cimitero monumentale di Arlington, Washington, dove riposano gli eroi della storia americana, accanto alla fiamma eterna.

Arrestato poche ore dopo il delitto, Oswald fu ucciso il 24 novembre mentre usciva da una stazione di polizia di Dallas per essere portato in tribunale. Gli sparò a bruciapelo Jack Ruby, un ambiguo gestore di night-club che gli gridò: «Hai ucciso il presidente, topo di fogna». Le testimonianze dicono che si sarebbe trovato di fronte a Oswald per caso, ma l'idea che alla base della morte di Kennedy vi fosse un complotto è sempre stata forte, malgrado non sia mai stato dimostrato dalle varie commissioni d'inchiesta che hanno indagato sul delitto. Questo capitolo è destinato a riaprirsi ancora una volta. Tra i 2800 file ai quali il governo americano ha tolto il vincolo del segreto il 27 ottobre 2017, uno si riferisce ai possibili rapporti di Oswald con i servizi segreti russi. Per saperne di più, occorrerà aspettare il momento in cui Donald Trump deciderà di rendere pubblici i 300 fascicoli sui quali ha imposto ancora il segreto.

Per evitare che fossero rivelate nei dettagli le disastrose condizioni fisiche del fratello, Bobby fece distruggere il referto dell'autopsia, mentre il medico personale del presidente bruciò le cartelle cliniche che gli erano state chieste dall'Fbi.

Il comportamento tenuto dinanzi alla morte del marito fece di Jackie Kennedy un mito. In realtà, diventò subito l'amante di Bobby. Candidato alla presidenza degli Stati Uniti, questi morì il 6 giugno 1968 in seguito a un attentato compiuto la sera prima in un albergo di Los Angeles da Sirhan Sirhan, un palestinese cristiano che gli rimproverava l'amicizia con Israele. Quello stesso anno Jackie sposò l'armatore greco Aristotelis Onassis (che per lei lasciò Maria Callas) e il suo mito finì. Liquidata con 26 milioni di dollari alla scomparsa del secondo marito, nel 1975, Jacqueline Kennedy è morta di tumore nel 1994 e ora riposa accanto a John nel cimitero di Arlington.

Mao, tragico mistero

Era un eroe. No, un mostro

«Incontrai Mao poco dopo il mio arrivo: una figura macilenta, un po' alla Lincoln, di statura superiore alla media cinese, leggermente curvo, con una testa di capelli neri, tenuti molto lunghi. Aveva occhi grandi, inquisitori, il naso pronunciato e gli zigomi sporgenti ... Emana da quest'uomo un'incredibile capacità di sintetizzare ed esprimere le esigenze di milioni e milioni di cinesi e in particolare dei contadini, esseri umani impoveriti, sottoalimentati, sfruttati, analfabeti, ma anche gentili, coraggiosi, generosi e ora ribelli che formano la stragrande maggioranza della popolazione cinese.»

L'americano Edgar Snow fu il primo giornalista straniero a intervistare Mao Tse-tung nel 1936. Dopo aver guadagnato molti soldi in borsa poco prima della crisi di Wall Street del 1929, aveva deciso di spenderli in viaggi e nel 1928 se n'era andato in Cina, dove sarebbe rimasto per tredici anni. Accreditato di simpatie per il movimento comunista cinese, riuscì a raggiungere Mao a Bao'an, nel cuore del paese, dove il leader rivoluzionario e i suoi compagni erano giunti dopo una «lunga marcia» di 10.000 chilometri (segnata da disagi apocalittici e decine di migliaia di morti) per sfuggire ai nazionalisti di Chiang Kai-shek, che avevano messo sulla sua testa una taglia di 250.000 dollari. In quel momento Mao era «presidente del governo centrale provvisorio della Repubblica sovietica cinese». Snow e Mao entrarono in confidenza, parlarono per mesi e dai loro colloqui nacque *Stella rossa sulla Cina*, una biografia fondamentale per conoscere le origini del fenomeno maoista, anche se assolutamente agiografica.

La pubblicazione del libro in Italia alla vigilia del '68 contribuì in modo determinante a fare di Mao il mito di un'intera generazione, che ha ignorato – e in larghissima parte ignora tuttora – le atrocità da lui commesse, ampiamente superiori a quelle di Hitler e di Stalin. In *L'ombra di Mao*, Federico Rampini osserva giustamente che nessuno in Germania si sognerebbe di erigere un monumento a Hitler e ricorda che in Russia la destalinizzazione che seguì la morte del dittatore fu molto severa con lui. Il mausoleo di Mao, al contrario, troneggia al centro di piazza Tienanmen – luogo simbolico del potere cinese – e la sua gigantografia è appesa all'ingresso del palazzo imperiale. Pur senza l'ossessivo culto della personalità che durò per qualche tempo anche dopo la sua morte, ancor oggi – benché la Cina sia un paese moderno e avanzato – nessuno osa aprire un processo all'uomo che ha provocato 70 milioni di morti, secondo le stime più accreditate.

Li Zhisui, il medico che lo ha assistito ogni giorno dal 1954 fino alla morte, avvenuta nel 1976, in *The Private Life of Chairman Mao* sostiene che il dittatore cinese era egocentrico, presuntuoso, irascibile, amante del lusso, predatore sessuale, insicuro della propria cultura, vittima di periodiche e gravi crisi depressive, più furbo che intelligente. Snow, viceversa, ne parla come di «un uomo colto, profondo conoscitore dei classici cinesi, lettore onnivoro, studioso appassionato di storia e filosofia, ottimo oratore, scrittore di stile, dotato di una memoria sorprendente e di una straordinaria facoltà di concentrazione ... Un uomo di inesauribile energia e uno stratega politico e militare di genio». Se i due ritratti sono incompatibili, resta comunque da chiedersi se i suoi meriti furono davvero tali da oscurare tutto il resto.

Da giovane rivoluzionario a padrone della Cina

La dinastia imperiale manciù dei Ching, che governava la Cina dalla metà del Seicento, si estinse di fatto il 15 novembre 1908 con la morte dell'imperatrice madre Cixi, una donna di grande tempra che aveva guidato il paese da reggente per quarantasette anni e scomparve a 72, poco prima che le riforme costituzionali appena abbozzate trovassero attuazione. I tre anni successivi furono assai confusi, fino alla definitiva rivoluzione repubblicana dell'autunno 1911. L'ala radicale del movimento progressista era guidata da un leader cosmopolita, Sun Yat-sen, figlio di un contadino del Guangdong, che aveva viaggiato, studiato in un collegio cristiano di Honolulu, nelle Hawaii, si era laureato in medicina a Hong Kong e poi aveva dato un calcio a religione e carriera per diventare uno dei primi rivoluzionari di professione dei tempi moderni, come ricorda John F. Fairbank nella sua *Storia dell'Asia orientale*.

Sun fu il maestro di Mao, nato nel 1893 a Hunan, nella Cina sudorientale, da una famiglia di contadini relativamente agiati. Legatissimo alla madre, che lo avviò alla religione buddista, entrò subito in conflitto con il padre, il quale lo costrinse all'età di 14 anni a sposare una ragazza un po' più vecchia. Mao la ripudiò rapidamente e nel 1911, quando il vento della rivoluzione democratica soffiò anche dalle sue parti, in segno di ribellione si tagliò il codino. Fu soldato rivoluzionario per sei mesi, poi lavorò da bibliotecario e si diplomò insegnante sotto la guida di un docente carismatico, Yang Ch'eng-chi, e ne sposò la figlia, Yang Kaihui, di cui era profondamente innamorato. La ragazza sarebbe stata giustiziata dal Kuomintang nel 1930 perché non aveva voluto tradire e rinnegare il marito. («Persi il mio superbo pioppo e tu il tuo salice» scrisse lui in una tenerissima poesia.)

Mao entrò nel Partito comunista cinese fin dalla sua fondazione, nel 1921, e come tutti i suoi compagni subì il diktat di Mosca che imponeva l'alleanza con il Kuomintang, il Partito nazionalista guidato da Chiang Kai-shek, un ufficiale ambizioso quanto capace, comandante di un'accademia militare di periferia, che nel 1925, alla morte del carismatico Sun Yat-sen – idolo di Mao –, diventò capo dell'esercito nazionale rivoluzionario e nel 1928 capo della nazione, dopo aver sconfitto i militari del Nord (i cosiddetti «signori della guerra»). Chiang aveva soltanto sei anni più di Mao, ma la sua carriera fu molto più rapida. Approfittò di gravi disordini sindacali a Shanghai per scatenare una durissima repressione (estesa poi a Pechino e ad altre città), ruppe con i comunisti e indusse Mao a creare un piccolo esercito rivoluzionario nello Hunan, che si distinse subito nel massacro dei contadini «ricchi» e nell'esproprio di aziende da affidare alla gestione operaia.

Nel 1931, nello Jiangxi, nacque la Repubblica sovietica cinese. Mao ne diventò presidente, ma l'uomo più influente era Chou En-lai, rientrato dalla Francia dove aveva studiato, intellettuale e politico raffinato che sarebbe stato uno dei collaboratori più illuminati di Mao al potere dagli anni Cinquanta in poi.

In *Aux origines du Grand bond en avant* Jean-Luc Domenach, uno dei pochi autori che fin dagli anni Ottanta hanno rivelato il volto crudele del maoismo, ha scritto che nella sola provincia dello Jiangxi, quartier generale dei comunisti, tra il 1927 e il 1931 si contarono 180.000 morti, quasi tutti contadini che si opponevano all'espropriazione delle terre. Fra il 1934 e il 1935, per sfuggire alle truppe di Chiang, numericamente molto superiori, Mao impegnò il suo esercito nella Lunga Marcia. Fu un'impresa indubbiamente eroica, condotta tra difficoltà e insidie di ogni genere, e che, dopo l'avvento di Mao al potere, è stata mitizzata in Cina e in tutto il mondo.

Una delle pagine che i bambini cinesi hanno imparato a memoria sui banchi di scuola è l'eroica traversata del fiume Dadu. L'esercito di Chiang Kai-shek aspetta l'Armata rossa sul lato opposto di un ponte in legno e lo incendia. Un coraggioso commando maoista sfida il nemico, riesce a superare le fiamme e, mentre molti valorosi cadono nel fiume annegando, un manipolo di sopravvissuti raggiunge l'altra sponda e mette in fuga i nazionalisti. Ebbene, nel loro *Mao, la storia sconosciuta* Jung Chang e Jon Halliday rivelano che la battaglia sul fiume Dadu non c'è mai stata e che l'Armata rossa ha attraversato il ponte senza alcuna perdita. Gli stessi autori, come ricorda Rampini, sostengono che negli anni Venti e Trenta l'Armata rossa cinese era tutt'altro che un'organizzazione democratica: mentre molti soldati morivano per denutrizione e malattie, Mao e gli altri ufficiali viaggiavano in portantina, avevano razioni di cibo più sostanziose e un'assistenza medica speciale. Nello stesso periodo Mao fece torturare 4400 compagni accusati di essere antibolscevichi, represse una rivolta contro il suo stile di comando, facendo ammazzare migliaia di persone e arrivò a calunniare lo stesso Chou En-lai, con il quale poi avrebbe ricucito il rapporto.

L'invasione giapponese della Cina costrinse Mao e Chiang Kai-shek a un'altra alleanza di facciata, perché entrambi rinviarono la resa dei conti al termine della guerra. Il conflitto cino-giapponese richiamò nel paese alcuni corrispondenti occidentali incuriositi dalla figura di Mao, che contribuirono ad accrescerne, di riflesso, anche la popolarità in patria. Nel 1940 i cinesi riuscirono a bloccare l'avanzata giapponese e Mao, con le sue bande di partigiani comunisti, assestò i primi colpi alle truppe del Kuomintang, sostenuto dagli americani e anche dai russi, che mantenevano una certa ambiguità giocando su due tavoli. Alla fine, nel 1945, Stalin si affrettò a sottoscrivere un trattato con Chiang per dare seguito agli accordi di Jalta e recuperare i territori persi dalla Russia zarista nella guerra con il Giappone del 1905.

Durante la seconda guerra mondiale, con il Giappone nemico di Russia, Stati Uniti e Gran Bretagna, per l'Occidente Chiang Kai-shek era formalmente il capo della Cina: le foto d'epoca lo ritraggono accanto a Roosevelt e a Churchill alla Conferenza del Cairo del 1943. Nel 1946 Mao e Chiang s'incontrarono per vedere se era davvero possibile far splendere «due soli in cielo». Dopo un mese e mezzo di trattative si arrivò alla rottura e alla guerra civile. Mao vi si presentò in una posizione psicologica di forza, anche se poteva di-

sporre di 1 milione di uomini contro i 4 del Generalissimo.
Antonio Ghirelli, nel suo *Tiranni*, ricorda come al VII congresso del Partito comunista cinese del 1945 nacque il culto maoista della personalità: Mao venne acclamato come «il più rivoluzionario statista della storia cinese, guida incomparabile del partito, il maggiore teorico e scienziato che il movimento comunista abbia mai avuto».

Con grande intelligenza politica, l'uomo che si era già esercitato in repressioni spietate e avrebbe perpetrato autentici genocidi sociali ordinò ai soldati dell'Armata rossa di evitare violenze e saccheggi ai danni della popolazione, conquistandone gradualmente il sostegno, fattore essenziale in una guerra civile. Così, in tre anni riuscì a ribaltare le sorti del conflitto, grazie al decisivo contributo militare di Lin Piao, un grande generale eliminato da Mao nel 1971 con l'accusa (fondata) di aver cercato di ucciderlo. I comunisti costrinsero Chiang a rifugiarsi a Formosa (oggi Taiwan), un'isola del mar Cinese meridionale strappata nel 1945 ai giapponesi, dove avrebbe guidato un piccolo Stato indipendente protetto dagli americani e dove sarebbe morto a 87 anni nel 1975, un anno prima di Mao.

E il maoismo infestò l'Europa

Il 1° ottobre 1949 Mao Tse-tung proclamò in piazza Tienanmen la nascita della Repubblica popolare cinese, che avrebbe guidato per ventisette anni. Ghirelli colloca Mao accanto a Hitler e Mussolini «nella galleria dei dittatori di una destra idealista e sciovinista, che pongono il loro carisma al di sopra di ogni valore e la lotta per la grandezza della nazione come il supremo obiettivo della politica». La collocazione a destra è forse arbitraria, ma, da vecchio socialista, Ghirelli non riusciva ad accogliere Mao nel pantheon della sinistra.

Come ogni dittatore, Mao aveva l'incubo del tradimento. Subito dopo la guerra civile, eliminò migliaia di militari e di quadri di partito accusati di intelligenza con Chiang. Poi cominciò la campagna contro gli intellettuali, che avrebbe caratterizzato l'intera stagione maoista. Nel 1956 lanciò la campagna dei «Cento fiori»: «Che cento fiori fioriscano, che cento scuole di pensiero gareggino». Era un invito al pluralismo, e centinaia di migliaia di studenti e di intellettuali abboccarono. Ma quando nel 1957 la ricreazione finì, chi aveva manifestato opinioni diverse da quelle di Mao (i «germogli velenosi») fu arrestato e inviato ai campi di rieducazione. Dinanzi alla ribellione dell'ufficio politico del partito, l'organizzatore della trappola dovette ammettere che solo il 10 per cento delle vittime era colpevole e Mao – per la prima e ultima volta – dovette scusarsi pubblicamente.

Un gigantesco paese agricolo con oltre mezzo miliardo di abitanti aveva certamente bisogno di una radicale riforma agraria, ma la campagna di consenso al regime si trasformò nel massacro di milioni di persone. Domenach, che ha avuto accesso a documenti ufficiali, ha calcolato che le vittime della riforma agraria furono tra i 2 e i 5 milioni, alle quali vanno aggiunti i 4-5 milioni di deportati nei campi di lavoro forzato. Lo studioso francese affianca a questa tremenda campagna le persecuzioni e le esecuzioni avvenute nel 1950 quando la Cina intervenne nella guerra di Corea contro gli americani: lo stesso Mao parlò di 800.000 controrivoluzionari liquidati, ai quali Domenach aggiunge 2,5 milioni di persone ristrette nei campi di «rieducazione».

Alla fine degli anni Cinquanta Mao promosse il «Grande balzo in avanti», che associava alla requisizione delle terre la campagna per la produzione di acciaio. Quelli tra il 1958 e il 1961 furono i «tre anni amari». Oggi gli stessi cinesi riconoscono che il Grande balzo fu, in realtà, un disastro economico colossale. In *La rivoluzione della fame* Jasper Becker ha dimostrato come la leggenda che il comunismo avrebbe assicurato una ciotola di riso a ogni cinese cadeva di fronte alle testimonianze della strage causata dalla miseria diffusa, che portò persino a episodi di cannibalismo.

I primi anni Sessanta si caratterizzarono per la distruzione anche delle più piccole attività agricole individuali, tipiche della tradizione cinese, in favore delle grandi comuni, che vennero peraltro dotate di attrezzature molto avanza-

te. Ci furono anche iniziative stravaganti come lo sterminio dei passeri, accusati di beccare le spighe di grano, e la
vendetta della natura portò a una gigantesca proliferazione di parassiti e alla conseguente distruzione dei raccolti.
Al tempo stesso, come abbiamo detto, ci fu la corsa all'acciaio, che portò alla costruzione in ogni villaggio di altifor-
ni in miniatura.

La rottura del 1960 con l'Urss, dovuta all'eccessivo dogma-
tismo maoista, mise la Cina in forte difficoltà, ma il Grande
Timoniere continuò per la sua strada. Una strada sbagliata, vista la terribile carestia prodotta dalla nuova linea di
politica economica, con il doppio risultato di far morire di
fame milioni di cinesi e di ammazzarne altri milioni per la
loro opposizione alle assurde riforme. (Ghirelli ricorda la
follia di bollire i cadaveri dei bambini per ricavarne conci-
me.) La propaganda imponeva l'esportazione dei cereali,
che avrebbe attenuato la fame all'interno del paese, e nel
contempo il rifiuto degli aiuti americani, che avrebbero attenuato le conseguenze della carestia.

L'ultimo tragico fallimento di Mao fu la Grande rivoluzione culturale proletaria, che a partire dal 1966 scatenò
milioni di giovani – le Guardie Rosse – a «bombardare il
quartier generale», a distruggere cioè la stessa nomenklatura del partito non perfettamente allineata e gli intellettuali sopravvissuti alle purghe precedenti. I giovani rivoluzionari brandivano il *Libretto rosso* con le citazioni del loro
presidente, che ebbe larghissima diffusione anche in Occidente e fu la bibbia del '68. Un assistente universitario di
Pechino lanciò la rivolta negli atenei leggendo alla radio il
testo di un tazebao, cioè di un manifesto propagandistico.
E una moltitudine di fanatici invasati irruppe nelle università con l'obiettivo di togliere ai docenti ogni dignità: i loro
volti furono dipinti d'inchiostro, le loro teste coperte da co-
pricapo ridicoli, i meno fortunati dovettero camminare car-
poni, mangiare erba ed essere sottoposti a vessazioni umi-
lianti e dolorose. «Non vogliamo la gentilezza, vogliamo la
guerra» fu il motto di quel periodo. Era la «caccia ai ratti»,
che andavano sterminati.

Come ha ricordato Giulio Meotti sul «Foglio» del 22 maggio 2016, in occasione del cinquantenario della Rivoluzione culturale, Bach fu proibito, i cantanti della celebre Opera di Pechino furono spediti a rieducarsi nelle campagne, i pianoforti fatti a pezzi (spesso insieme ai pianisti), le opere d'arte bruciate. Finirono al bando profumi, cosmetici, vestiti e scarpe non proletarie. Il corpo delle donne fu cancellato dentro l'orribile divisa proletaria unisex. I laureati furono mandati a zappare e cataste di libri occidentali vennero distrutte con gli schiacciasassi. Intere biblioteche e pezzi dell'antico patrimonio artistico cinese andarono distrutti, costringendo un uomo assennato come Chou En-lai a far murare il palazzo imperiale per evitarne il saccheggio. Gli istituti di ricerca scientifica furono sciolti, i laboratori distrutti, con il risultato di aumentare il ritardo della Cina rispetto agli altri paesi.

L'Occidente finse di non vedere e molti intellettuali rimasero estasiati dalle novità introdotte da Mao. Simone de Beauvoir assicurò: «Non ci sono pressioni politiche sugli intellettuali». Dalla femminista Julia Kristeva al semiologo Roland Barthes, i francesi considerarono il *Libretto rosso* «la ristampa dei Vangeli». Nel 1971 Dario Fo, esaltando la lotta che opponeva nel campo della letteratura e dell'arte il proletariato alla borghesia, spiegava che in Cina «c'è l'uomo nuovo perché c'è una filosofia nuova». Alberto Moravia, in *La rivoluzione culturale in Cina*, scrisse: «Che cos'è la povertà cinese? È la condizione normale dell'uomo. L'uomo nasce sfornito di tutto, ignudo come le fiere nella foresta. I cinesi hanno il necessario e non il superfluo». Lo psichiatra Franco Basaglia apprezzò che in Cina «la stragrande maggioranza dei malati fosse curata politicamente, con il pensiero di Mao». In *Dalla Cina* Maria Antonietta Macciocchi esaltò l'abolizione delle gerarchie, la sostituzione dei direttori di fabbriche e università con i comitati rivoluzionari, fondendo il lavoro manuale e intellettuale. E nel 1971 Umberto Eco scrisse sul «manifesto» che, per evitare che qualcuno fosse vestito peggio degli altri, «l'uniformità del costume è il segno del sacrificio che una comunità fa per garantire un minimo di benessere a tutti».

La società italiana fu infestata dal maoismo più di tutte le altre in Europa. (Non a caso il '68, altrove spentosi dopo sei mesi, da noi è durato vent'anni.) Un'intera generazione ne fu ammaliata e ideologicamente corrotta. Nelle università si appendevano tazebao con ideogrammi che nessuno capiva. «Il libretto rosso,» ha scritto Natalia Aspesi sulla «Repubblica» (11 novembre 1993) «dapprima importato direttamente dalla Cina già tradotto in italiano, poi stampato anche in Italia, era entrato come oggetto indispensabile nelle case borghesi, assieme ai manifesti, con mietitrici e soldati cinesi molto festosi. Nei primi anni Settanta anche alla Scala si andava con la giacca blu alla Mao, fatta su misura dal sarto di famiglia.»

Satiro incallito e imperatore misantropo

Il giornalista cinese Tan Hecheng, che quando era organico al regime ebbe accesso a report ufficiali, ha documentato in *The Killing Wind* la strage di Daoxian, nella provincia di Hunan: nel 1967, in 66 giorni furono massacrate oltre 9000 persone, compresi bambini piccolissimi e individui in età molto avanzata. Confrontando le fonti più aggiornate, Riccardo Michelucci («Avvenire», 5 luglio 2017) stima in 1,5 milioni il numero delle vittime della Rivoluzione culturale, durata dal 1966 al 1976, data della morte di Mao.

Per la sua ultima purga, il Grande Timoniere si affidò a Lin Piao, vecchio compagno arrivato al vertice delle forze armate, e a Chang Ching, quarta e ultima moglie del presidente. Quest'ultima, insieme ad altri tre dirigenti di livello non elevato (la cosiddetta «Banda dei Quattro»), cercò di eliminare, senza peraltro riuscirci, le due figure più moderate e ragionevoli del regime, Chou En-lai e Deng Xiao-ping.

La «signorina Li» aveva ventuno anni meno di Mao ed era bellissima: begli occhi, bella bocca, bell'ovale, bei capelli pettinati all'occidentale, con una frangetta capricciosa. Era un'attrice mediocre, ma aveva le idee chiarissime. Mollò infatti lo sceneggiatore e critico autorevole che si era preso per marito, s'iscrisse al Partito comunista e raggiunse

Mao nel remotissimo quartier generale dove lo aveva portato la Lunga Marcia. Guidata e tenuta d'occhio da un ruffia-
no intelligente nei suoi primi passi nella giungla di potere
cresciuta ai piedi di Mao, finalmente riuscì a incontrarlo in
occasione di una conferenza all'Istituto marxista-leninista:
«Si preparò con la massima cura a quell'appuntamento fatale, vestendosi con un accenno di civetteria, truccandosi
con mano leggera e sapiente, facendo in modo di arrivare
in anticipo per potersi sedere quasi di fronte all'oratore»
(Laura Laurenzi, *Amori e furori*).

Mao ne fu subito conquistato. Era sposato con la terza
moglie, He Zizhen, una donna con l'ovale allungato, dolce e aristocratico, che nascondeva la fermezza e il coraggio
di una combattente formidabile e di una fantastica tiratrice
scelta (veniva chiamata «la ragazza dalle due pistole»). He
era un'eroina della Lunga Marcia, ma la durezza di quell'e-
sperienza ne aveva compromesso l'equilibrio psichico, tanto che nel 1937 era andata a curarsi a Mosca. Comunque
sia, tentò di opporsi in tutti i modi al nuovo matrimonio
del marito. Anche la nomenklatura del partito non vedeva di buon occhio la «signorina Li», ma Mao era Mao e decise di sposarla nel 1939 senza grande pubblicità, per non
urtare gli altri gerarchi.

Assunto lo pseudonimo di Chang Ching, la signora Mao
conquistò i rari ospiti stranieri del marito: ci sono stati tra-
mandati giudizi concordi sulla sua bellezza, piacevolezza,
raffinatezza, dignitosa conoscenza dell'inglese, abitudini
e gusti occidentali. Tutti furono colpiti dai suoi denti verdi: come il marito, che li aveva dello stesso colore, li lava-
va raramente e solo con il tè. («La tigre non si lava i denti,
ma li ha sempre taglienti» diceva il Grande Timoniere.) La
coppia ebbe soltanto una figlia, mentre Mao ne aveva avuti sei (tre maschi e tre femmine) da He Zizhen. E una delle
accuse che dopo la morte del marito furono rivolte a Chang
Ching fu di aver maltrattato i figli dei precedenti matrimoni.

La «signorina Li» acquisì un potere enorme, ma dopo
quasi vent'anni di matrimonio Mao la umilierà creandosi
un autentico harem a cielo aperto. Laura Laurenzi raccon-

ta il primo tradimento. Il 26 dicembre 1958 Mao compiva 65 anni mentre era in viaggio. Il segretario del Partito comunista della provincia in cui il capo era di passaggio offrì un grande banchetto in suo onore, ma all'ora di cena il festeggiato non si presentò. Fece sapere che preferiva restare per conto proprio a leggere e riposare. Durante la notte Chang Ching non riusciva a dormire e chiamò la propria infermiera personale. Questa non rispose ai ripetuti squilli di campanello e Chang, facendosi guidare da un presentimento, andò in punta di piedi nella camera da letto del marito e lo trovò in intimità con la giovane infermiera. Lei fece una scenataccia e Mao, per tutta risposta, partì con il treno presidenziale lasciandola a terra. Chang si scusò e conservò il suo potere. In seguito il Grande Timoniere la usò, insieme agli altri componenti della Banda dei Quattro, per le operazioni più spregiudicate e crudeli, anche durante la Rivoluzione culturale.

Alla morte del marito, Chang Ching tentò di prendere il potere. Arrestata, processata e condannata a morte, pena poi commutata in ergastolo, s'impiccò nell'infermeria del carcere nel 1991, all'età di 77 anni.

Come abbiamo detto, la dissoluta vita privata di Mao fu rivelata alla metà degli anni Novanta da Li Zhisui, il suo medico personale, al quale nel 1988 fu accordato il permesso di andare negli Stati Uniti, dove poté finalmente raccontare dettagli sconcertanti di quel che accadeva nella nuova Città Proibita. Mao ha trascorso gli ultimi anni della sua vita rinchiuso nella sua enorme camera da letto-studio-pranzo. Non si vestiva, rimanendo spesso in pigiama o in mutande. Scorreggiava rumorosamente e invitava tutti a farlo. Accanto alla camera da letto c'era una piscina, ma il Grande Nuotatore (celebri le sue foto nelle acque dello Yangtze) non vi si immergeva quasi mai.

La sua principale patologia era il sesso. Aveva la fobia dell'impotenza, dopo aver scoperto di essere diventato sterile. Convinto che dopo i sessant'anni si verificasse un crollo della virilità, si curava con estratti di corna di cervo tritate e, con il passar degli anni, aumentava il numero di donne possedute. Era sempre circondato da giovani, gestite da una maîtresse autoritaria, che si alternavano nel procurargli piaceri in tutte le forme possibili: il letto stesso era costruito in modo da favorire alcune posizioni sessuali. La condizione per esservi ammesse era la totale ignoranza. Il ritratto del poeta sensibile contrasta con il desiderio di intrattenersi soltanto con persone incolte. Una volta i dirigenti del partito di Shanghai gli mandarono attrici raffinate e intellettuali, che lui non volle nemmeno ricevere. Gli era bastata la quarta moglie. Affetto da sifilide, rifiutò sempre di curarla. Anzi, la trasmetteva senza problemi alle sue amanti, che si ritenevano onorate del contagio. Una delle sue favorite fu, tuttavia, provvidenziale. Era la moglie di un subalterno del generale Lin Piao e, sotto le lenzuola, rivelò a Mao che si stava preparando un colpo di Stato contro di lui.

La crudeltà del Grande Timoniere si estendeva alle persone a lui più vicine e per lui più preziose: per esempio impedì a Chou En-lai, suo primo ministro e uomo chiave per i rapporti internazionali, di curare il cancro da cui era affetto. Glielo concesse solo quando era ormai troppo tardi.

Mao morì il 9 settembre 1976, a 83 anni. Nel farne un ritratto, Fernando Mezzetti ricorda che la sua scomparsa fu preceduta e seguita da due eventi straordinari. Il 28 luglio un terremoto spaventoso distrusse la città di Tangshan, a nordest di Pechino, provocando 300.000 morti, e il 23 ottobre un'eclissi di sole oscurò gran parte della Cina. «La terra impazzita e il cielo oscurato. Nell'impero dei segni, due episodi che nel profondo della mentalità collettiva annunciano la fine di una dinastia. Così fu. Mao Tse-tung muore da vero imperatore, primo e ultimo della sua dinastia.»

Chi fu davvero quest'uomo? Il gigante che riscattò la Cina o il più grande inganno del Novecento?

Fidel Castro, mezzo secolo di dittatura

«La storia mi assolverà»

Può bastare un numero a identificare una democrazia? Se sì, a Cuba questo numero può essere il dieci. Fidel Castro è rimasto al comando per lo stesso periodo di tempo in cui negli Stati Uniti si sono avvicendati dieci presidenti: Eisenhower, Kennedy, Johnson, Nixon, Ford, Carter, Reagan, Bush padre, Clinton e Bush figlio. È stato idealmente sul trono di Cuba anche durante gli otto anni di Obama. E ha fatto in tempo a vedere l'elezione di Trump. Il suo agiografo Ignacio Ramonet, con il quale Castro ha scritto l'*Autobiografia a due voci*, ha osservato: «Sotto la sua guida, quel piccolo paese che si estende per poco più di centomila chilometri quadrati e popolato da undici milioni di abitanti ha potuto esercitare una politica da grande potenza su scala mondiale, arrivando perfino a mettere in atto un braccio di ferro con gli Stati Uniti, senza che i suoi dirigenti riuscissero mai a sottometterlo, né a modificare il percorso della Rivoluzione cubana». Questo è vero. Come è vero che, nel confronto politico, il Davide cubano ha battuto il Golia yankee. Vedremo tra poco perché e a che prezzo. Di chi fu la colpa?

Fidel Castro diventò comunista perché gli Stati Uniti lo presero sotto gamba e perché, all'inizio, simulò la sua ideologia per dare scacco all'ingombrante vicino. Certo è che la sua giovinezza sembrava orientata da tutt'altra parte. Nato nel 1926 in un piccolo villaggio dalla seconda moglie del padre, proprietario terriero molto benestante, Fidel fece tutti gli studi in prestigiose scuole dei gesuiti e si laureò in legge all'Avana, dove subì l'influenza di docenti antiamericani. Gli anni universitari furono molto turbolenti: negli scontri tra fazioni rivali, rischiò la morte e non si è mai capito se abbia provocato quella di un avversario. Pur senza dichiarata militanza marxista, Castro si schierò subito contro la classe politica conservatrice dominante, trasformata dalla corruzione e dai dollari americani in un bordello a cielo aperto.

In quegli anni non fece certo lo studente a tempo pieno. Era frequentatore abituale di un curioso bordello animato soltanto da due donne: la tenutaria, Juanita, e una bella ragazza bionda dagli occhi verdi che si faceva chiamare Berta. Fidel giaceva solo con la seconda, anche se la sua tariffa era di quattro o cinque volte superiore a quella di una prostituta di strada. Ricevendo dal padre una bella paghetta a singhiozzo, cioè a seconda dei risultati accademici ottenuti, nel 1948 il ragazzo trovò il tempo di sposarsi con Mirta Díaz-Balart, figlia di una ricca famiglia e il cui padre era molto vicino a Fulgencio Batista, uomo forte della «democrazia» cubana. La coppia andò in viaggio di nozze a New York, dove poco dopo Castro tornò da solo per tre mesi. E qui si apre un mistero.

Nell'autobiografia Fidel non parla di quel periodo, né vi ha fatto cenno in altre occasioni. C'è chi sospetta che proprio allora sia entrato in contatto con agenti dello spionaggio sovietico, ma non ci sono prove. Laureatosi brillantemente nel 1950 pur avendo sempre studiato pochissimo («Sono stato un pessimo studente» riconobbe), aprì uno studio di avvocato difendendo solo persone indigenti o politicamente impegnate a sinistra, mentre rifiutò i clienti che avrebbe potuto procurargli il suocero. Inoltre proibì alla moglie di farsi aiutare dal padre e la famigliola, arricchita dalla nascita di un figlio, Fidelito, se la passò piuttosto male.

Nel 1952 Batista prese il potere con un colpo di Stato e, da quel momento, Fidel e suo fratello Raúl – ideologicamente più duro di lui – decisero di imboccare la strada rivoluzionaria. Nella primavera del 1953 Raúl soggiornò per un breve periodo a Praga, la vera capitale della guerra fredda, dove si dice sia stato addestrato a una delicata attività di spionaggio. Il 26 luglio 1953, insieme a 118 compagni, i due fratelli – che avevano familiarizzato con le armi andando a caccia fin da ragazzi – assaltarono a Santiago de Cuba la caserma Moncada per impadronirsi dell'arsenale. Ma l'attacco fu disastroso e la metà degli uomini di Castro rimase uccisa. Lui fu arrestato e in tribunale annichilì la corte con una fluviale autodifesa che si concludeva con le celebri parole: «La storia mi assolverà». Fu condannato a quindici anni, ma il regime di Batista – evidentemente più tollerante di quello che avrebbe instaurato lui – lo amnistiò dopo due.

Secondo Norberto Fuentes, uno scrittore che gli fu amico prima di riparare negli Stati Uniti, la moglie di Fidel scoprì a cose fatte che aveva assaltato la caserma. Non solo, seppe anche che il marito aveva una solida relazione con Naty Revuelta, moglie di un medico e sua compagna di militanza politica, che gli diede una bambina chiamata Alina, in onore della mamma di Castro. Da parte sua, Castro scoprì, mentre era in prigione, che la moglie veniva mantenuta dal governo di Batista. Finì con il divorzio e Mirta fu assistita da un caro amico comune, al quale Castro non avrebbe mai perdonato il «tradimento». In un'intervista alla «Repubblica» (28 novembre 2016) Fuentes ha raccontato che fin da allora Fidel, convinto che in amore fosse determinante la chimica, avesse fatto suo il motto «tanti amori quante chimiche». Ma, chimica o non chimica, a letto era un «imbranato». Parola di Norka, una leggendaria modella cubana che, di letti, ne aveva frequentati parecchi. Seguendo o precedendo una galleria illustre (da Mussolini a Kennedy), Castro ebbe mille amanti, ma sempre prestazioni mediocri.

L'incontro con Che Guevara e la conquista di Cuba

Fuggito a Città del Messico dopo la scarcerazione, si vendicò del divorzio impostogli dalla moglie facendo rapire da sua sorella il figlioletto all'uscita da scuola. La madre lo riebbe soltanto tre anni dopo, nel 1956, e si trasferì con lui negli Stati Uniti. In Messico, Fidel conobbe un gruppo di esuli cubani e, soprattutto, un medico argentino, Ernesto «Che» Guevara, che fu associato immediatamente alla causa rivoluzionaria. Nell'autobiografia Castro fa un ritratto molto romantico del Che: grande viaggiatore sofferente d'asma, medico in un lebbrosario dell'Amazzonia, rivoluzionario conquistato all'ideologia marxista-leninista e addestrato all'uso delle armi soltanto dai castristi.

Il 2 dicembre 1956 un manipolo di guerriglieri sbarcò nella parte orientale di Cuba dopo una sofferta navigazione dal Messico a bordo di una vecchia nave, la *Granma*. Nel successivo scontro con le truppe di Batista molti compagni di Castro vennero uccisi. Alla fine si contarono 16 sopravvissuti, fra cui i più importanti, a parte Fidel, erano suo fratello Raúl, Che Guevara e Camilo Cienfuegos, che dopo la vittoria diventerà talmente ingombrante e critico delle posizioni castriste da risultare vittima nel 1959 di un misterioso incidente aereo, di cui però non fu mai trovata alcuna traccia.

Castro e i suoi uomini ripiegarono sulla Sierra Maestra dove iniziarono una guerriglia che impegnò molto severamente l'esercito di Batista. Nel 1957 un'abile intervista rilasciata a un inviato del «New York Times» nel suo nascondiglio nella foresta gli procurò una forte popolarità in tutto il mondo. In questa e in altre interviste, Fidel mostrò grande simpatia per gli Stati Uniti che, nel frattempo, avevano (almeno in apparenza) stretto i cordoni nel sostegno, anche militare, a Batista il cui regime cominciava a macchiarsi di atti di violenza intollerabili.

Tuttavia, i servizi segreti americani avvertirono la Casa Bianca che quella di Castro era una manfrina: Raúl non nascondeva più la sua fede marxista e gli infiltrati comunisti nel Movimento 26 luglio, come si chiamava la formazione di Fidel, non si contavano. Ma ormai la marcia dei rivoluzionari castristi era inarrestabile e nemmeno la fuga di Batista a Santo Domingo era servita a placarli. Le truppe di Fidel si erano via via ingrossate, grazie anche al sostegno della popolazione, e in due anni conquistarono Cuba, stretta nella morsa tra la colonna di Castro, che puntava su Santiago, e quella del Che e di Cienfuegos, diretta all'Avana. L'8 gennaio 1959 Fidel Castro entrò all'Avana a bordo di una jeep, con la tuta mimetica e la barba mai tagliata in attesa della vittoria finale (e poi per sempre mantenuta).

Gli Stati Uniti riconobbero immediatamente il nuovo governo e il Líder Máximo, come era stato soprannominato Castro, in visita a Washington, si recò alla Casa Bianca nell'aprile 1959. Se è vero, come è stato detto, che il presidente Eisenhower non lo ricevette di persona perché impegnato in una partita a golf, commise un grave errore. Comunque sia, delegò la pratica al suo vice Richard Nixon, che quasi non aprì bocca, travolto dall'eloquio fluviale dell'interlocutore. Nixon trasse un'impressione negativa da Fidel e, sbagliando anche lui, non realizzò che era comunista. Anche se, vista l'ideologia castrista, difficilmente il rapporto fra Cuba e gli Stati Uniti sarebbe stato felice. È un fatto, però, che la freddezza americana ebbe l'effetto di suscitare subito la simpatia di Nikita Chruščëv e di Mosca nei suoi confronti. I due apparvero perfettamente solidali all'Assemblea generale dell'Onu del 1960, in cui Castro inflisse ai delegati un'orazione di quattro ore e mezzo.

Gli americani avevano ormai i sovietici nel «cortile di casa» e il 17 aprile 1961 l'amministrazione Kennedy favorì l'invasione dell'isola da parte di un contingente di esuli cubani anticastristi, che sbarcarono nella Baia dei Porci. Castro parlò di mercenari addestrati dalla Cia. Ora, non ci sono dubbi sul fatto che la Cia fosse la regista dell'operazione, anche se nel corpo di spedizione non c'era nemmeno un soldato americano. Ma non è vero, come racconta Castro nell'autobiografia, che ci fu un massiccio bombardamento da parte dell'aviazione americana. L'inefficace copertura aerea fu, anzi, la causa principale del completo fallimento dell'operazione, che costò 300 morti agli invasori e 157 ai castristi. Castro ebbe la generosità di restituire agli Stati Uniti i 1200 sopravvissuti («Che cosa ci poteva importare di avere qui milleduecento prigionieri che a Miami sarebbero diventati dei martiri?») e se la fece ben pagare: 2 milioni di dollari in contanti e altri 50 in cibo e medicine.

Fidel sostiene che, al momento dell'invasione della Baia dei Porci, Cuba non era ancora comunista. Lo diventò subito dopo, completando la nazionalizzazione delle imprese e optando per la dipendenza economica dall'Unione Sovietica, anche a causa di un embargo americano che dura, almeno in parte, da oltre cinquant'anni.

Il Líder Máximo era, sorprendentemente, un ammiratore di John F. Kennedy, che definiva «uomo di grande levatura intellettuale», e gli riconosceva l'abilità di aver promosso un piano di grandi aiuti ai paesi latino-americani (aiuti che, secondo lui, erano finiti nelle tasche dei governanti locali), mentre attribuiva la responsabilità della vicenda della Baia dei Porci alla precedente amministrazione Eisenhower. Quanto alla crisi dei missili del 1962, imputava a Chruščëv «l'errore etico e politico» di aver mentito nella lettera a Kennedy parlandogli di armi «difensive» anziché «strategiche». Sapeva benissimo che quei missili, pur essendo stati installati con il pretesto di difendere Cuba da una nuova invasione americana, erano stati concepiti per attaccare gli Stati Uniti e, soprattutto, che potevano essere usati senza l'obbligo di consultarlo. L'altra cosa che lo indispettì fu di non essere stato informato dell'accordo segreto tra Kennedy e Chruščëv sul ritiro dei missili sovietici da Cuba e di quelli americani dall'Italia e dalla Turchia.

Nei decenni successivi, se da un lato le condizioni sociali dell'isola progredirono grazie alle riforme del sistema sanitario e di quello scolastico, che ridusse fortemente l'analfabetismo, la repressione politica, religiosa ed economica divenne sempre più dura. Furono nazionalizzati il piccolo commercio, le professioni e ogni tipo di libera iniziativa, mentre gli esuli cubani negli Stati Uniti contribuivano in maniera decisiva al sostentamento dei loro parenti rimasti in patria con rimesse che, a un certo punto, sfiorarono il miliardo di dollari all'anno. Jimmy Carter tentò di migliorare i rapporti con Castro, ma Ronald Reagan mandò tutto all'aria e lo stesso Michail Gorbačëv – che considerava Cuba ormai strategicamente irrilevante – ridusse gli aiuti e reclamò il pagamento dei debiti, mettendone in ginocchio la già debole economia. Ai primi di aprile 1989, nella sua visita all'isola, Gorbačëv invitò Castro ad aggiornare il suo comunismo ai tempi nuovi e si sentì rispondere che Cuba non aveva avuto uno Stalin e quindi non aveva bisogno di una perestrojka.

Rispettato da tre papi e idolatrato dalla sinistra
(ma meno del Che...)

Secondo le più rigide tradizioni marxiste-leniniste, Castro è sempre stato durissimo nella repressione religiosa, anche se è vero quel che disse al portavoce vaticano Joaquín Navarro-Valls: «Nella nostra rivoluzione non abbiamo ammazzato un solo prete». Valls aveva incontrato Fidel nei viaggi preparatori della storica visita di Giovanni Paolo II all'Avana nel gennaio 1998. Seguii l'evento per «Porta a porta» e fu un'esperienza indimenticabile. Castro indossò per la prima volta un abito scuro, camicia e cravatta, lasciando la divisa militare che era il suo abbigliamento consueto. Faceva una certa impressione la figura bianca del pontefice schiacciata dai teleobiettivi contro la gigantografia di Che Guevara che domina la piazza principale dell'Avana. Inseguii con la telecamera mobile la jeep sulla quale avevano preso posto in piedi Giovanni Paolo II e il Comandante (altro suo soprannome), e mi sembrava di essere in un film. Castro ricevette il papa insieme al fratello Raúl e alla sorella Agustina, che gli chiese di poterlo abbracciare. Il papa la strinse a sé e lei scoppiò in lacrime. Quarant'anni di repressione religiosa si scioglievano in un abbraccio.

In quell'occasione Fidel liberò alcune centinaia di prigionieri politici e fece la stessa cosa quando andarono a trovarlo Benedetto XVI (nel 2012) e papa Francesco. A Benedetto chiese dei libri e lui gli mandò la sua *Introduzione al cristianesimo* e due volumi su Gesù. Francesco visitò Cuba il 20 settembre 2015, quattordici mesi prima della morte del dittatore. Una foto scattata dal suo secondogenito Alex mostra il Comandante molto provato fisicamente, con una tuta sportiva aperta sopra la camicia bianca. Sei mesi dopo, il 20 marzo, anche grazie alla discreta mediazione di papa Francesco, Raúl Castro ricevette Barack Obama in un incontro memorabile che migliorò – sia pur in modo non decisivo – i rapporti tra Cuba e gli Stati Uniti, di nuovo in caduta libera nel 2017 con la presidenza Trump.

I detenuti politici a Cuba sono sempre stati decine di migliaia. Lo stesso Castro ammise che fossero 15.000, altre fonti parlano di 45.000 prigionieri. Fino al 2005 il «Cuba Archive Project», un database gestito dagli anticastristi, riferiva di 9240 «morti politiche». Nel citarlo sul «Giornale» (28 novembre 2016), Fausto Biloslavo sostiene che i cubani giustiziati siano stati almeno 5600 e 1200 le «morti extragiudiziarie» documentate. Secondo Amnesty International, a Cuba durante l'intera avventura castrista vi fu una «repressione sistematica delle libertà fondamentali».

In Italia un comunista a 24 carati come Pietro Ingrao definì il regime cubano una «brutale dittatura», in polemica con Fausto Bertinotti, visitatore affettuoso del Líder Máximo, al quale non scappò mai la parola «dittatore» per definirlo, nemmeno quando Alessandro Trocino del «Corriere della Sera» (27 novembre 2016) cercò di cavargliela di bocca con le tenaglie. Secondo Angelo Panebianco («Corriere della Sera», 1° dicembre 2016), Castro ha sempre beneficiato della clausola della «tirannia più favorita», quella per cui «nella seconda metà del XX secolo era obbligatorio condannare con veemenza i crimini dei nazisti, ma non lo era – anzi, poteva suscitare il sospetto di filofascismo – fare la stessa cosa con i crimini dei comunisti: gli ammazzati dalla sinistra, per molti, valevano meno degli ammazzati dalla destra». E Pierluigi Battista («Corriere della Sera», 27 novembre 2016) ha ricordato «gli scrittori e gli intellettuali che si sono fatti catturare dalla fantasia castrista mettendo da parte la realtà per idolatrare il loro mito». Hans Magnus Enzensberger, che pure faceva parte dei «pellegrini politici» che adoravano Cuba, ha raccontato: «All'Avana incontrai alcuni comunisti negli hotel per stranieri che non avevano la più pallida idea che nei quartieri operai la popolazione doveva fare la fila di due ore per un pezzo di pizza.

Nel frattempo i turisti, nelle loro stanze d'hotel, discutevano di Lukács...».

Non chiesi di intervistare Castro nemmeno quando, alla vigilia della visita di Giovanni Paolo II, sarebbe stato possibile perché la condizione era trasmettere integralmente le risposte: giusto, se non fosse che duravano ore. Un bravo giornalista come Gianni Minà, che lo collocava un gradino più in alto di Nostro Signore, dopo averlo intervistato ha trascorso il resto della vita a trasmettere quel che aveva registrato.

Fidel sosteneva di vivere con una manciata di pesos al mese. Nel libro *La vida oculta de Fidel Castro*, uscito nel 2014, Juan Reinaldo Sánchez afferma che il Comandante «dirigeva il traffico di cocaina come un padrino». Sánchez è stato per diciassette anni il capo della scorta del Comandante, dopo che lui aveva rinunciato a farsi proteggere da dieci «amazzoni» come Gheddafi. Castro gli aveva insidiato la moglie e questo lascia qualche dubbio sulla serenità di giudizio. Comunque sia, nel libro pubblicato molti anni dopo la fuga a Miami, ha raccontato la vita lussuosa del dittatore, che, come il maresciallo Tito a Brioni, aveva a propria disposizione un'isola privata a sud della Baia dei Porci e residenze con piscine, Jacuzzi, bowling, pallacanestro (in gioventù Fidel era un campione) e un ospedale. La sua fortuna personale di centinaia di milioni di dollari lo fece collocare dalla rivista americana «Forbes» tra i re, regine e dittatori più ricchi del mondo. Ossessionato dalla paura di essere ucciso, era sempre accompagnato da due persone con il suo stesso gruppo sanguigno: A negativo. La scorta lo seguiva anche in camera da letto, separata con una tenda dal talamo (Fidel vedeva spuntare gli stivali).

Castro ha avuto uno stuolo infinito di amanti, ma soltanto due mogli. Dopo il divorzio dalla prima, ha sposato nel 1980 Dalia Soto del Valle, che gli ha dato cinque figli maschi (su un totale imprecisato) ed è rimasta avvolta nel mistero fino al 2001, allorché comparve una sua foto accanto al Comandante che festeggiava i 75 anni.

Nel 2008 Fidel ha lasciato la guida del paese al fratello Raúl, che ha annunciato di non ricandidarsi nel 2018.

L'ultima apparizione in pubblico è avvenuta il 13 agosto 2016, in occasione del suo novantesimo compleanno. Fidel Castro è morto la sera del 25 novembre successivo, è stato cremato e le sue ceneri sono state portate in processione per nove giorni, percorrendo in senso inverso i 900 chilometri che nel 1959 furono percorsi dai *barbudos* tra Santiago de Cuba e L'Avana.

Quasi cinquant'anni prima era morto Ernesto Che Guevara. Qualche tempo dopo la fine della guerra rivoluzionaria a Cuba, a metà degli anni Sessanta, aveva già rotto con Fidel e rinunciato a qualunque incarico di governo. Allora Castro gli chiese di andare a combattere in America latina. Nel 2009 «Benigno» Ramírez, compagno del Che ed esule a Parigi, ha raccontato a Massimo Nava («Corriere della Sera», 25 gennaio 2009) che il gruppo guerrigliero fu tradito in Bolivia dal Partito comunista locale su ordine di Mosca e d'accordo con Castro, al quale il Che faceva ormai troppa ombra, come gliel'aveva fatta a suo tempo Cienfuegos.

Catturato a La Higuera l'8 ottobre 1967, Ernesto Che Guevara fu ucciso il giorno successivo. Aveva 39 anni. Con il passare del tempo, il suo mito ha superato quello di Fidel.

I RIVOLUZIONARI CONSERVATORI

Ronald Reagan,
attore mediocre, grande presidente

Da Hollywood alla conquista della California

Ah, se me la ricordo la notte del 4 novembre 1980. Conducevo su Raiuno lo speciale sulle elezioni americane e, quando il rosso dei voti repubblicani dilagò sullo schermo annunciando la trionfale vittoria di Ronald Reagan, nello studio calò il gelo. Non c'era uno – dico uno – degli ospiti che non fosse una vedova di Jimmy Carter. Un attore di second'ordine alla Casa Bianca? Un cowboy con l'hobby delle barzellette, titolare della valigetta con i codici nucleari? Un anziano ultrà sostenuto dalla destra più a destra poteva avere nelle sue mani il destino del mondo? *Dies nigro signanda lapillo*, una giornataccia da segnare con un sassolino nero, come facevano i romani, disse Paolo Bufalini, figura eminente del Pci.

In effetti, per i comunisti era andata malissimo. Dall'altra parte della cortina di ferro c'era Leonid Brežnev, che temeva davvero che Reagan schiacciasse il bottone nucleare, come Reagan temeva che lo schiacciasse Brežnev. Ebbene, l'attore di second'ordine, il cowboy amante delle barzellette, l'anziano ultrà sostenuto dalla destra più a destra fu l'uomo che incontrò i leader sovietici più di tutti i suoi predecessori e mise fine alla guerra fredda. Fu l'uomo che, al termine di otto anni di una grande presidenza, poté dire: «Siamo venuti per cambiare una nazione. Abbiamo cambiato il mondo».

Eppure Reagan colse il suo primo importante successo politico soltanto a 56 anni, nel 1967, come governatore della California. Nessuno allora pensava che, a 70 anni, l'ex attore di Hollywood sarebbe diventato presidente degli Stati Uniti. Nato nel 1911 a Tampico (Illinois) da una famiglia di origini inglesi, per cinquant'anni Ronald dovette lavoro e successo al fisico molto prestante. Prima come bagnino per sette stagioni («Ho salvato 77 persone e nessuna mi ha detto grazie»), poi come attore sempre e solo di film di secondo piano. In realtà, dopo la laurea in sociologia economica, fu un buon cronista di partite di baseball: bella voce, scioltezza di linguaggio. L'abilità oratoria ne aveva fatto anche un leader studentesco.

La Warner Bros lo notò e gli propose un contratto di sette anni. Nel 1937 girò *Love Is on the Air*, un filmetto che ebbe un tale successo da consentirgli di girarne altri diciotto nel biennio successivo. La sua carriera cinematografica durò ventisette anni, ma il suo addio precoce nel 1964 non provocò rimpianti. Qualche anno dopo, una manifestazione satirica gli assegnò un premio alla carriera proprio per averla interrotta. Ronald, però, non pensava certo di andare in pensione. Era un uomo capace di convincere gli altri, ed era questa la ragione per cui guidò a lungo il sindacato degli attori di Hollywood.

Dal sindacato alla politica il passo fu breve. Reagan era profondamente anticomunista e gli anni della guerra fredda lo portarono a indurire ancora di più la sua posizione ideologica. Si convinse che il sindacato degli attori fosse infiltrato da comunisti e, pur senza denunce formali, con un nome in codice segnalò all'Fbi alcuni colleghi particolarmente sospetti. La simpatia per Roosevelt e il New Deal lo spinse a iscriversi al Partito democratico, ma la sua posizione fu sempre ambigua: se il cuore era democratico, la testa diventava sempre più repubblicana, tanto che tra il 1952 e il 1960 (quando faceva ancora l'attore) sostenne le campagne elettorali di Eisenhower e Nixon. Fino alla crisi di Cuba, quando decise di entrare nel Grand Old Party.

Eppure, come ricorda Giuseppe Mammarella in *L'America di Reagan*, i due mandati di Eisenhower furono una fugace parentesi in un'egemonia democratica durata quasi trent'anni. Reagan si schierò con quei conservatori che addebitavano alle aperture dei democratici l'affermarsi di una sorta di statalismo economico e la crescita dei comunisti, che, pur senza raggiungere numeri davvero importanti, durante il New Deal toccarono il massimo storico di presenza negli Stati Uniti. Nel 1964 Reagan, mentre girava l'ultimo film della sua carriera, sostenne la candidatura dell'iperconservatore Barry Goldwater contro Lyndon B. Johnson, che poi fu confermato presidente. Un suo discorso («Il tempo delle scelte»), che rivendicava la libertà dei cittadini dal controllo dello Stato sull'economia e sul mercato, impressionò notevolmente sia l'elettorato repubblicano sia la grande stampa. Il risultato fu che alla fine del 1966 Reagan si vide eleggere governatore di uno degli Stati più ricchi e avanzati: la California. Tenne la carica per otto anni e diventò il leader repubblicano più noto degli Stati Uniti.

«Reaganomics» alla Casa Bianca

Mammarella ricorda che, all'inizio del suo mandato, Reagan allestì una task force di 250 membri, scelti tra i più noti uomini d'affari e imprenditori californiani, con l'incarico di riformare l'apparato statale appesantito dalla gestione democratica. Ci riuscì solo in parte, ma formò una squadra e una lobby che sarebbero state decisive nella futura corsa alla Casa Bianca. Risanò uno spaventoso deficit di bilancio lasciatogli in eredità dai democratici e redistribuì il peso fiscale, diminuendo le tasse sul patrimonio e sui redditi più bassi e aumentando quelle sui profitti delle banche e delle aziende.

Una volta lasciato l'incarico di governatore, Reagan era pronto per la corsa alla Casa Bianca. I repubblicani erano alla guida degli Stati Uniti, perché Gerald Ford era succeduto a Nixon dopo lo scandalo del Watergate. Ed era ovvio che il Grand Old Party confermasse il presidente in carica. Reagan, però, era più forte e più popolare. E avrebbe sicuramente vinto le primarie, se non avesse pasticciato sulla previdenza sociale dicendo che il trasferimento di questa spesa dal governo federale ai singoli Stati avrebbe consentito un risparmio di 90 miliardi di dollari (il contrario di quanto è avvenuto in Italia con la gestione del budget sanitario per opera delle regioni). Gli americani sono persone serie e vanno a verificare ogni promessa. Reagan aveva sbagliato di grosso e perse le primarie per un centinaio di delegati su quasi 1200. E poiché Ford era un candidato debolissimo, il democratico Jimmy Carter diventò presidente.

Molti sostengono che Reagan avrebbe potuto battere Carter fin dal 1976. Lo fece quattro anni più tardi, nel 1980, con un margine enorme: conquistò tutti gli Stati tranne sei, con 10 punti percentuali di margine su Carter. Dopo venticinque anni di astinenza, i repubblicani guadagnarono anche la decisiva maggioranza al Senato.

Questa volta fu lo sfidante a essere notevolmente favorito dalle circostanze. Carter non è stato affatto un grande presidente, indeciso, anticarismatico e pasticcione com'era. Ma la pietra al collo che impedì qualunque ipotesi di conferma alla Casa Bianca fu la disastrosa gestione del sequestro dei diplomatici americani in Iran.

Il 22 ottobre 1979 lo scià Reza Pahlavi, da pochi mesi in esilio dopo la rivoluzione iraniana guidata dall'ayatollah Khomeini, venne ricoverato negli Stati Uniti per operarsi di un cancro. Khomeini vide in questo la prova della complicità tra Pahlavi e gli americani e, inveendo contro il Grande Satana, scatenò centinaia di studenti contro l'ambasciata americana di Teheran. Furono prese in ostaggio 66 persone e, poiché soltanto alcune riuscirono a fuggire o furono liberate, il 24 aprile 1980 il presidente americano Carter ordinò un blitz che partì da due basi militari nel deserto. L'operazione fallì miseramente: vi fu addirittura uno scontro in volo tra un elicottero e un C-130 americani, in cui persero la vita 8 militari. L'opinione pubblica ne fu sconvolta e Carter perse le elezioni di novembre a tavolino. La beffa fu completata il 20 gennaio 1981, quando gli ostaggi furono liberati per intervento dell'Algeria, il giorno stesso dell'insediamento di Reagan.

Negli anni immediatamente successivi Reagan, su suggerimento di Israele, favorì il disgelo con l'Iran e autorizzò forniture militari clandestine al regime dell'ayatollah Khomeini per combattere l'Iraq, reinvestendo il ricavato in aiuti ai Contras, le forze anticomuniste in Nicaragua. Quando trent'anni dopo, nel 2015, sono stati desecretati i documenti dell'epoca, si è scoperto che l'operazione fallì per un sabotaggio attuato dalla Siria e Reagan si trovò in forte difficoltà.

Appena arrivato alla Casa Bianca, Reagan fece quel che aveva annunciato in campagna elettorale: tagliò le tasse del 30 per cento (10 per cento all'anno per tre anni), ridusse le spese sociali, aumentò quelle militari (nacque il famoso progetto «guerre stellari» nella convinzione che solo una formidabile potenza missilistica avrebbe potuto tenere a bada i sovietici). Era, insomma, il classico cocktail repubblicano. Nacque il progetto che sarebbe passato alla storia come «Reaganomics». Ideologo della materia era Arthur Laffer, giovane economista della University of South California che, fin dalla campagna elettorale, aveva convinto il candidato presidente disegnando una curva che avrebbe portato il suo nome. La «curva di Laffer» dimostra che, se la pressione fiscale sale oltre un certo limite, il gettito tributario scende. (È quanto ancora oggi Laffer raccomanda, inascoltato, ai governi italiani.)

Durante il mandato di Carter la caduta degli investimenti era diventata preoccupante e Reagan tentò di rilanciarli con la frusta fiscale. I suoi avversari dissero che il bilancio federale sarebbe saltato e che l'inflazione sarebbe cresciuta. L'inflazione, in realtà, diminuì immediatamente, ma questo sembrò all'inizio il suo unico successo. Il deficit di bilancio crebbe e il taglio delle tasse non fu compensato da un incremento del gettito. Allora il presidente cercò di tamponare la falla aumentando le tasse sui consumi e sollecitando la Federal Reserve ad allentare la stretta monetaria. E come i grandi temporali cessano di colpo e l'arcobaleno si alza sulla terra ancora zuppa di pioggia, a metà mandato gli Stati Uniti furono letteralmente e improvvisamente travolti da una fantastica ripresa economica. Nel giro di un anno il tasso di crescita salì di 8 punti, gli investimenti del 17 per cento, i consumi privati del 5. E tutto grazie alla liquidità procurata dalla diminuzione delle tasse. I risparmi fiscali furono convertiti nell'acquisto di automobili, abitazioni e altri beni costosi.

Le elezioni del 1984 coincisero con il picco della ripresa. Reagan cavalcò benessere e ottimismo con lo slogan «Finora non avete visto niente» e il suo povero avversario democratico, Walter Mondale, vinse soltanto in due Stati su cinquanta e prese il 41 per cento dei voti contro il 59 del presidente uscente. Mammarella fa notare che i sindacati uscirono distrutti dalle elezioni e che il Partito democratico rischiò di diventare il partito degli emarginati (neri e ispanici) con il reddito più basso d'America, mentre le classi emergenti avevano ormai da tempo fatto la loro scelta di campo per i repubblicani.

Nel 1980 Reagan aveva promesso di ridurre in tre anni il deficit di bilancio. Non solo non vi riuscì, ma il disavanzo continuò a crescere di pari passo con la sua popolarità. Nel 1987, quasi alla fine del suo secondo mandato, Reagan firmò un'altra grande riforma fiscale. Ridusse le 14 aliquote sui redditi personali a 2 (15 e 28 per cento) e tagliò di 12 punti quelle sui profitti aziendali (dal 46 al 34 per cento). Disboscò, tuttavia, la selva di detrazioni penalizzando i redditi più alti, mentre cancellò 6 milioni di famiglie dall'elenco dei contribuenti. Ciononostante, nell'intero arco del suo mandato il divario tra le classi più povere e quelle più ricche aumentò.

«Signor Gorbačëv, abbatta questo muro!»

La politica estera di Reagan fu sorprendente quanto quella economica. Nel primo triennio di mandato mantenne alto lo scontro ideologico con l'Urss, che arrivò a definire l'«Impero del Male». Brežnev, d'altra parte, non era certo Mister Simpatia. Il presidente americano fu abilissimo a giocare su due tavoli: da un lato, potenziò il sistema militare, al punto da progettare uno scudo spaziale per proteggere l'intero territorio degli Stati Uniti e intimidire l'Unione Sovietica; dall'altro, fin dal 1981 lanciò la proposta di distruggere tutti i missili che erano stati installati in Europa per controbilanciare la presenza di quelli sovietici, puntati sui paesi occidentali alla fine degli anni Settanta. (In Italia i missili Nato furono installati a Comiso, in Sicilia, nonostante la durissima protesta del Pci.) Tuttavia, constatando quanto fosse facile arrivare a un devastante conflitto nucleare anche per un semplice equivoco, nel 1983 Reagan propose un incontro al successore di Brežnev, Jurij Andropov, che, pur venendo dai servizi segreti, sembrava più aperto al dialogo. Ma con lui non ci fu niente da fare, né con il suo successore Konstantin Černenko. Allora perse la pazienza: «Smettiamo di supplicarli» sbottò, ma quando, subito dopo, Černenko morì e fu sostituito da Michail Gorbačëv, l'invito venne ripetuto per la terza volta.

Intanto l'Unione Sovietica era al collasso: crescita zero, casse vuote per il crollo del prezzo del petrolio, un quarto del prodotto interno lordo assorbito dalle spese militari. Reagan voleva un accordo, Gorbačëv ne aveva un disperato bisogno. Margaret Thatcher, che aveva conosciuto «Gorby» l'anno prima, disse al presidente americano che era finalmente la persona giusta con cui parlare. Sia i rapporti della Cia, sia le referenze della segreteria di Stato e del vicepresidente George Bush sr, erano dello stesso tono.

Reagan e Gorbačëv s'incontrarono quattro volte in quattro anni. A Ginevra nel 1985 ci fu il primo approccio, subito dopo l'elezione del nuovo capo del Cremlino. Sembrava un incontro di circostanza: trent'anni dopo, la pubblicazione dei documenti riservati di quell'anno ha rivelato che Reagan cancellò immediatamente il ritratto di «Impero del Male» per cercare un accordo che evitasse la terza guerra mondiale. L'anno successivo a Reykjavík, in Islanda, si delineò un accordo per il taglio della metà dei missili balistici e la loro scomparsa dall'Europa. A Washington nel 1987 e a Mosca nel 1988 – ultimo anno del secondo mandato di Reagan – fu completato il progetto di disarmo. Quando il 12 giugno 1987 davanti alla Porta di Brandeburgo gridò: «Signor Gorbačëv, abbatta questo muro!», il presidente americano ne conosceva perfettamente le lesioni che di lì a due anni l'avrebbero fatto crollare. Ma il merito della sua caduta fu soprattutto di due persone: Ronald Reagan e Giovanni Paolo II.

Nel suo libro *L'America di Reagan*, scritto alla fine del secondo mandato, Mammarella ricorda che il presidente americano non è riuscito a smantellare le strutture federali nate intorno al Welfare State creato dai democratici né a ridurre come avrebbe voluto la spesa sociale. Nella politica economica, invece, gli va ascritto il successo nella lotta all'inflazione e alla disoccupazione, mentre gli sconti fiscali hanno favorito i consumi più degli investimenti. A trent'anni di distanza, la politica di Reagan è stata molto rivalutata, anche da uomini di sinistra, che lo preferiscono nettamente a Donald Trump. Gli viene riconosciuto di aver dato all'America quella scossa liberale che Margaret Thatcher, sua grande amica, diede alla Gran Bretagna. Si deve a lui il primato mondiale degli Stati Uniti e il colpo mortale inferto all'Unione Sovietica.

Il 30 marzo 1981, due mesi dopo l'insediamento alla Casa Bianca, il presidente scampò per un soffio a un attentato. A Washington stava percorrendo a piedi i dieci metri che separavano l'Hilton dalla sua auto blindata quando uno squilibrato gli sparò diversi colpi di pistola. Restarono feriti alcuni uomini del seguito e lui si salvò perché Jerry Parr, uno degli agenti incaricati della sua sicurezza, lo gettò nell'auto blindata dopo i primi colpi. Un proiettile perforò comunque un polmone del presidente che, trasferito in sala operatoria, disse ai chirurghi: «Spero che siate tutti repubblicani...». Parr si era arruolato nel Secret Service dopo aver visto molti anni prima un film d'azione (*Code of the Secret Service*) interpretato proprio da Reagan («Il mio film peggiore»).

«Se non ci fosse stato Parr, quel giorno avrei perso mio marito» avrebbe ricordato Nancy Reagan, moglie per cinquantadue anni, first lady per otto. Lei e Ronald si erano conosciuti quando lui era presidente del sindacato degli attori. Reagan era stato sposato per nove anni (1940-49) con Jane Wyman, attrice, cantante e ballerina. Dopo il divorzio, nel 1952 sposò Nancy, anche lei attrice. Da allora i due sono stati inseparabili. In pubblico, lei era la moglie discreta e adorante. Alta venti centimetri meno del marito, gli stava teneramente incollata nel giardino della Casa Bianca durante le occasioni ufficiali. Se forse non è vero che in casa fosse lei a portare i pantaloni, in privato certamente ebbe un ruolo di orientamento, consiglio, moderazione: esattamente quello di cui ha bisogno un uomo di grande potere per non uscire di strada quando la vita gli impone di correre ad alta velocità. Nancy rinnovò il triste arredamento imposto da Carter alla Casa Bianca e non badò a spese per un gigantesco servizio di porcellane, rimasto ai successori.

Reagan morì nel 2004, a 93 anni. Da almeno dieci soffriva del morbo di Alzheimer e qualcuno dice che i primi sintomi si manifestarono addirittura negli ultimi mesi di presidenza, a cavallo tra il 1988 e il 1989. E lì fu Nancy a nascondere i momenti più imbarazzanti, come era stata lei – dopo l'attentato del 1981 – a mettere a punto con cura ossessiva l'agenda del marito. Quando se n'è andata nel 2016, a 94 anni, anche la stampa un tempo ostile l'ha salutata con tenerezza.

Reagan viene ricordato come un esempio di uomo solo al comando che ha cambiato l'ideologia di una nazione e ha dato un indirizzo preciso all'intero Occidente. Come Margaret Thatcher.

Margaret Thatcher,
la Lady di Ferro che citava san Francesco

«Si faccia quello che dico io»

«Nata sopra una drogheria. Morta al Ritz. Deve aver fatto per forza qualcosa di buono.» Questa epigrafe, contenuta in una lettera al «Times» di Londra pubblicata all'indomani della sua morte, il 9 aprile 2013, incarna perfettamente il principio che ha sempre guidato Margaret Thatcher: «Esiste un diritto ... a essere diseguali. Ciascuno di noi ha talenti diversi che può applicare a opportunità diverse. Ma fino a quando le regole per conquistare il benessere saranno giuste ... l'ineguaglianza non sarà soltanto giusta, ma sarà necessaria alla libertà stessa». Pronunciò queste parole all'università di Cracovia il 3 ottobre 1991: undici mesi prima era stata cacciata da Downing Street dai suoi stessi compagni di partito, dopo undici anni di permanenza. Ma lei non aveva cambiato idea. Non l'aveva mai fatto in vita sua. «Non m'importa quanto parlano i miei ministri, basta che facciano quello che dico io ... Sono straordinariamente paziente, a patto che alla fine si faccia a modo mio.»

Nel 1979, mentre stava per formare il suo primo governo, la Thatcher chiarì all'«Observer»: «Ci sono due modi di formare un gabinetto. Il primo consiste nell'avere al suo interno persone che rappresentino tutti i punti di vista del partito [*classica soluzione all'italiana*]. Il secondo consiste nell'avere al suo interno soltanto persone decise a procedere nella stessa direzione in cui il mio istinto mi dice di andare. Con chiarezza, costanza, decisione e determinazione. Bisogna che tutti procedano nella medesima direzione». Chi accettava di lavorare con lei, insomma, conosceva le regole del gioco.

Margaret Thatcher fu la prima donna a «regnare e governare» l'Inghilterra dopo Elisabetta I, che nel Cinquecento non era certo una monarca costituzionale. Come ricorda Sergio Romano («Corriere della Sera», 20 aprile 2013), «l'inquilino di Downing Street si chiama primo ministro, ma in realtà è un re pro tempore ... La Gran Bretagna ha gradualmente attribuito al premier tutti i poteri che appartenevano originariamente al sovrano». «La detesto cordialmente» si lasciò sfuggire un giorno Elisabetta II, definita da Romano, in quanto monarca, «un simulacro, una reliquia, un simbolo a cui vengono tributati, nell'interesse della nazione, onori immeritati». Finiti con Churchill (ma solo in vecchiaia) i tempi in cui il primo ministro restava in piedi nell'udienza settimanale dalla regina, la Thatcher cercava di fermarsi a Buckingham Palace meno tempo possibile. («Perché sta sempre seduta sulla punta della sedia?» le chiese un giorno la sovrana.) La sua popolarità fu tale che, quando morì, le furono tributati onori militari pari soltanto a quelli resi a un padre della patria come Winston Churchill. E ai suoi funerali parteciparono anche Elisabetta e Filippo, che prima lo avevano fatto soltanto per quelli del grande statista.

Margaret Roberts ha sempre detto di dovere molto ai genitori. In particolare, al padre droghiere di Grantham, nel Lincolnshire, di solidissima fede metodista («La domenica andavano in chiesa quattro volte»). Nata nel 1925, aveva la politica nel sangue: mentre si laureava in chimica a Oxford (stessi studi di Angela Merkel), fu eletta presidente di un'associazione studentesca. Impiegata come ricercatrice presso un'azienda di materiali plastici, nel 1953 decise di cambiare mestiere, si laureò in legge e diventò avvocato fiscalista. Due anni prima aveva sposato Denis Thatcher, un uomo d'affari di origine neozelandese, e si era convertita all'anglicanesimo. La coppia ebbe due gemelli, Carol e Mark, ma il beniamino della madre sarà sempre il maschio, che lei difenderà anche quando, da adulto, combinerà parecchi discutibili affari approfittando del ruolo materno.

Margaret aveva conosciuto Denis nella sede del Partito conservatore di Dartford, nel Kent, dove si trovava la grande azienda in cui lei lavorava. Lì, all'inizio degli anni Cinquanta, aveva partecipato alle elezioni generali e, pur essendo sconfitta dal candidato laburista, il prestigioso successo personale ottenuto l'aveva messa in evidenza all'interno del partito. Eletta alla Camera dei Comuni nel 1959, a 34 anni, fu tra i pochi conservatori favorevoli all'abrogazione del reato di omosessualità maschile e al diritto all'aborto.

Nel 1971 la Thatcher si fece una cattiva fama come ministro dell'Istruzione nel governo Heath: avendo abolito la distribuzione gratuita del latte agli scolari delle elementari fu chiamata, con un'assonanza tra cognome e qualifica dispregiativa, «Thatcher the Milk Snatcher», la scippatrice di latte. Nel 1974 la sconfitta dei conservatori alle elezioni fu per lei provvidenziale: si candidò alla guida del partito contro il segretario in carica Edward Heath, prototipo del gentiluomo inglese, e all'inizio del 1975 ne diventò la prima leader donna.

Margaret, chimica e avvocato, divenne popolare, anche nelle vignette, con l'immagine della casalinga scatenata. Attaccò l'Unione Sovietica in modo così brutale che un giornale russo fu il primo a definirla «Lady di Ferro». Contrarissima alla pur minima autonomia della Scozia concessa a suo tempo da Heath, certamente – se fosse stata viva e al potere – avrebbe cavalcato la Brexit. Nel 1978 disse in un'intervista: «Gli inglesi sono davvero spaventati che questa nazione possa essere sommersa da persone di una cultura differente». E il meglio doveva ancora venire.

«There Is No Alternative»

In Gran Bretagna il Partito laburista è finanziato da sempre – e in modo trasparente – dai sindacati. Ciononostante, nella seconda metà degli anni Settanta il governo Callaghan fu travolto dagli scioperi e dal malfunzionamento dei servizi pubblici, nonché dal concomitante aumento della disoccupazione. Niall Ferguson, scozzese, storico, economista e accademico tra i più influenti del mondo, ha raccontato al «Foglio» (30 aprile 2013) il declino «all'italiana» dell'Inghilterra anni Settanta: «Non funzionava niente. I treni erano in ritardo, le cabine telefoniche erano sempre rotte (dove vivevo io erano usate come orinatoi), la mia prima pubblicazione fu una lettera al "Glasgow Herald" in cui mi lamentavo dei prezzi alle stelle delle scarpe per la scuola, e l'inflazione era più alta che durante le due guerre. Ma peggio di tutto erano gli scioperi. Scioperavano i minatori. Scioperavano gli scaricatori di porto. Scioperavano perfino i becchini».

Tra la metà degli anni Cinquanta e la metà degli anni Settanta, il prodotto interno lordo italiano era cresciuto, grazie al miracolo economico, di dieci volte, il tedesco e il francese di tre, mentre quello inglese non era nemmeno raddoppiato. Nel suo *Ci vorrebbe una Thatcher* Antonio Caprarica, a lungo corrispondente della Rai nel Regno Unito, ricorda l'«inverno dello scontento» tra l'autunno 1978 e il febbraio 1979. I salari tedeschi, che vent'anni prima erano uguali a quelli inglesi, ormai li doppiavano. Scriveva in un rapporto riservato sir Nicholas Henderson, ambasciatore inglese a Parigi: «Non solo noi non siamo più una potenza mondiale, ma non siamo più di primo rango nemmeno in Europa. Basta andare in giro per l'Europa occidentale oggigiorno per realizzare quanto poveri e umiliati si sentano i britannici a confronto dei loro vicini».

Musica per le orecchie della Thatcher, che il 3 maggio 1979 diventò primo ministro più per demerito dei laburisti che per merito dei conservatori. E subito sorprese i cronisti accalcati dinanzi al numero 10 di Downing Street leggendo alcuni versi di san Francesco: «Dove c'è discordia, che si possa portare armonia. Dove c'è errore, che si porti la verità. E dove c'è disperazione, che si possa portare la speranza». La citazione fece effetto, anche perché sarebbe difficile trovare un leader politico più lontano dal francescanesimo della Lady di Ferro. (Cosa che sarebbe stata rilevata nel 1984 dalla stessa regina Elisabetta nel momento più aspro del confronto tra il primo ministro e i minatori dello Yorkshire in sciopero.)

Nel primo anno e mezzo di governo, la Thatcher impose agli inglesi una cura mozzafiato. Secondo lo schema liberista classico, aumentò l'Iva e i tassi d'interesse per ridurre l'inflazione, che invece aumentò insieme alla disoccupazione, già molto forte. Al tempo stesso, però, assicurò agli inquilini di abitazioni pubbliche congrui finanziamenti per riscattarle, il che diede una bella boccata d'ossigeno al mercato immobiliare.

Il «Times», conservatore per tradizione, la definì «il più impopolare primo ministro da quando si vota». Nello stesso suo partito, lo sconfitto Heath agitò la fronda contro di lei, ma la Lady di Ferro non arretrò di un millimetro. Mentre infuriava la tempesta, disse alla convention femminile conservatrice: «Dobbiamo tenere in equilibrio la nostra produzione e i nostri guadagni. Le nostre proposte non cercano la popolarità, ma sono fondamentalmente giuste. E credo che la gente si renda conto che *There Is No Alternative*, non ci sono alternative». Nacque così la sigla TINA.

«Era necessario,» annota Ferguson «fu un doloroso cambio di regime, una terapia choc che in seguito avrebbe mostrato i suoi effetti positivi. ... Ogni altro leader conservatore, compreso Winston Churchill, sarebbe caduto di fronte a quella disoccupazione, perdita di popolarità e disordine urbano.» Lei no. Dopo due anni di mandato, infatti, il vento cominciò a spirare in suo favore.

La Thatcher dimostrò di avere un eccezionale sangue freddo in parecchie occasioni. La prima, meno di un anno dopo essere stata eletta, fu quando alcuni terroristi arabi sequestrarono 26 persone nell'ambasciata iraniana a Londra chiedendo la liberazione di 91 detenuti in Iran. La Lady di Ferro guidò le operazioni in prima persona, ordinò l'intervento delle «teste di cuoio», i sequestratori furono uccisi (tranne uno) e tutti gli ostaggi liberati (tranne due, che persero la vita). La seconda fu quando non cedette di fronte allo sciopero della fame indetto da alcuni detenuti dell'Ira (Esercito repubblicano irlandese), l'organizzazione militare clandestina che si batte per la liberazione dell'Irlanda del Nord dal dominio britannico. Il governo aveva abolito lo status di prigionieri politici agli attivisti dell'Ira incarcerati e accettò di ripristinarlo parzialmente soltanto sette mesi dopo. Ma nel frattempo dieci detenuti guidati da Bobby Sands, figura carismatica della resistenza nordirlandese, erano morti.

Un altro episodio in cui la Thatcher diede prova di tutta la sua determinazione fu la riconquista delle isole Falkland, una piccola colonia britannica nell'oceano Atlantico meridionale. Il 2 aprile 1982 reparti delle forze armate argentine, su mandato della giunta militare guidata dal generale Leopoldo Galtieri, occuparono le isole Malvinas (nome spagnolo delle Falkland), imponendo lo spagnolo come lingua ufficiale e annettendole a tutti gli effetti all'Argentina. L'operazione fu completata in poche ore, con una sola vittima (argentina) e qualche ferito. La comunità internazionale si schierò compatta con la Gran Bretagna, se non altro per non lasciar passare il principio che i conflitti diplomatici potessero essere risolti con azioni di forza. La Thatcher decise di andare a riprendersi le Falkland e inviò un poderoso corpo di spedizione cielo-mare-terra. In due mesi, tra il 19 aprile e il 20 giugno, le isole tornarono a far parte di quel che restava dell'impero britannico. L'unico episodio davvero tragico della guerra fu l'affondamento dell'incrociatore *General Belgrano* da parte di un sottomarino nucleare britannico, in cui morirono più di trecento militari argentini. Il successo bellico contro la dittatura argentina fu la molla principale del successo conservatore alle elezioni del 1983.

La storica vittoria contro i minatori

Per due volte i nemici della Thatcher cercarono di ucciderla. Soltanto nel 2011, dopo la desecretazione di documenti riservati di trent'anni prima, si scoprì che nel 1981 il Kgb voleva inviare in Inghilterra un commando per eliminarla. I terroristi dell'Ira ci andarono molto vicino tre anni dopo, durante il congresso del Partito conservatore di Brighton. Un'esplosione devastò la sua stanza al Grand Hotel provocando la morte di cinque persone, ma lei si salvò, perché era uscita poco prima.

In Gran Bretagna, all'inizio degli anni Settanta il potere dei sindacati, alimentato dai governi laburisti, era immenso. Nel 1974 il governo Heath aveva provato a ridimensionarlo, senza riuscirvi. Dieci anni dopo, la Thatcher varò una legge che dichiarava illegali tutti gli scioperi non approvati dalla maggioranza dei lavoratori con voto segreto. Una vera bomba, resa ancor più esplosiva dalla chiusura di molte miniere nell'ambito di un piano nazionale di razionalizzazione dell'industria estrattiva. Il potentissimo sindacato dei minatori, guidato dal mitico leader Arthur Scargill, proclamò uno sciopero a oltranza. Il braccio di ferro durò 51 settimane. Gli scontri provocarono due morti, 710 licenziamenti e l'avvio di diecimila procedimenti giudiziari. A poco a poco il fronte sindacale si sfaldò e, dopo un anno di tormenti, un congresso straordinario del sindacato dei minatori revocò lo sciopero, con 98 voti contro 91. (Durante gli undici anni di governo Thatcher gli iscritti ai sindacati scesero da 13 a 8 milioni.)

Dai documenti resi accessibili trent'anni dopo, si è saputo che la Thatcher aveva fatto allertare 2800 militari per impiegarli nella raccolta del carbone e 4500 conducenti per trasportarne 100.000 tonnellate al giorno alle centrali elettriche. Non era escluso l'uso delle armi, qualora i picchetti dei minatori avessero opposto resistenza.

Un fronte secondario, ma altamente simbolico, sul quale la Lady di Ferro intervenne con energia fu quello sportivo. Dopo la tragedia dell'Heysel di Bruxelles (29 maggio 1985), lo stadio in cui morirono 39 tifosi prima dell'inizio della finale di Coppa dei Campioni tra il Liverpool e la Juventus, per punire gli hooligan britannici sancì, oltre al processo per direttissima per gli autori di violenze negli stadi, il ritiro a tempo indeterminato delle squadre inglesi dalle competizioni internazionali. Il Public Order Act diede una prima forte stretta al controllo degli accessi allo stadio, che diventò addirittura ferrea dopo una nuova tragedia verificatasi a Sheffield il 15 aprile 1989, quando nella calca degli spettatori dell'incontro di calcio tra il Liverpool e il Nottingham Forest morirono schiacciati contro i cancelli 96 tifosi (le responsabilità della polizia furono accertate soltanto pochi anni fa, durante il primo governo Cameron). Da allora negli stadi inglesi nessuna barriera divide gli spalti dal terreno di gioco.

Inoltre, la Lady di Ferro avviò un colossale programma di privatizzazioni, che fruttarono all'erario britannico quasi 12 miliardi di sterline, circa 21 ai valori attuali. Furono privatizzate la compagnia di bandiera British Airways, la British Telecom, la British Gas e il colosso dell'acciaio British Steel. Nell'arco del suo decennio di governo, la spesa pubblica si ridusse dal 47 al 39 per cento del prodotto interno lordo, l'aliquota marginale sui redditi più alti scese dall'80 al 40 per cento e quella sui redditi più bassi dal 33 al 25. Il debito pubblico calò dal 44 al 27 per cento del Pil. Fu lei stessa a fare un bilancio a conclusione del suo mandato: «Abbiamo ridotto il deficit governativo e abbiamo ripagato il debito. Abbiamo fortemente tagliato la tassa sul reddito di base e anche le tasse più alte. E per far ciò abbiamo saldamente ridotto la spesa pubblica come percentuale del prodotto nazionale. Abbiamo riformato la legge sui sindacati e i regolamenti inutili. Abbiamo creato un circolo virtuoso: tirando indietro il governo abbiamo lasciato spazio al settore privato e così il settore privato ha generato più crescita, il che a sua volta ha permesso solide finanze e tasse basse». Il suo mantra era: la società non esiste, esistono gli uomini, le donne, le famiglie. Guai a chi diceva: «Ho un problema, ci deve pensare il governo».

L'aspetto storicamente più interessante è che le riforme della Thatcher le sopravvivono a quasi trent'anni dalla fine del suo mandato e, soprattutto, le sono sopravvissute durante il lungo regno di Tony Blair. Caprarica ricorda che quando Blair vinse le elezioni nel 1997, dopo quasi vent'anni di astinenza laburista dal potere, qualche sindacalista s'illuse invano che il nuovo governo avrebbe cambiato registro. Si è detto che il nuovo premier si fosse accordato con il più potente editore britannico, Rupert Murdoch, per scambiare l'appoggio elettorale dei suoi giornali con l'impegno a non restituire potere ai sindacati. Vero o no, le cose restarono come prima. «Blair aumentò la paga minima oraria e ripristinò la licenza di maternità,» conferma Caprarica «ma le Unions non furono mai più invitate al tavolo di Downing Street.» Peter Mandelson, stratega delle vittorie di Blair, ammise nel 2001: «Siamo tutti thatcheriani, ora». E Ferguson riconosce: «Per la mia generazione di frustrati, Margaret Thatcher ha significato mobilità sociale. Per questo dobbiamo essere sempre grati a questa vecchia punk».

Mitterrand: «Ha la bocca di Marilyn e gli occhi di Caligola»

Margaret Thatcher ha sempre detestato l'Europa. «L'intromissione di un sistema estraneo di legge comunitaria ci dà preoccupazione» diceva. «L'autorità viene sottratta alle nostre istituzioni nazionali democratiche e trasferita nelle mani di un'entità burocratica che parla sempre più frequentemente col tono di una potenza imperiale. Bisogna fermare questo processo. Anzi, invertirne il corso.» Nel 1984, quando al vertice europeo di Fontainebleau, in Francia, si discusse il bilancio, protestò vivacemente perché la Gran Bretagna spendeva troppo per sostenere l'agricoltura di altri paesi. «I want my money back!» strillò, rivoglio indietro i miei soldi. E in parte li riebbe.

Alla fine di giugno 1985, al Castello Sforzesco di Milano, Bettino Craxi, presidente di turno del Consiglio della Comunità europea (di cui facevano parte allora dieci nazioni), con il sostegno di Kohl e Mitterrand riuscì a battere l'opposizione della Thatcher (7 voti contro 3) alla conferenza intergovernativa, che avrebbe portato nel 1993 alla libera circolazione in Europa di persone, merci, capitali e servizi. Profetica la battuta liquidatoria della Lady di Ferro sull'euro pronunciata nel 1990 in risposta a un deputato liberale che le chiedeva se volesse continuare la sua battaglia contro la moneta unica: «L'euro farà finire la democrazia in Europa. La Germania troverà la sua naturale fobia dell'inflazione, mentre l'euro risulterà fatale per i paesi più poveri».

Nel 1992 la sterlina sarebbe uscita dal Sistema monetario europeo insieme alla lira, ma già nel 1989 – decimo anno di governo Thatcher – agganciare la moneta britannica al marco tedesco portò inflazione, alti tassi d'interesse e scontri tra la premier e il ministro delle Finanze Nigel Lawson, che rassegnò le dimissioni. Inoltre, una serie di riforme delle imposte locali accrebbe l'impopolarità dell'esecutivo. Nel novembre 1990 la Lady di Ferro fu messa in minoranza nel partito e nel governo. Non se l'aspettava. Designato John Major suo successore, il 28 novembre lasciò dopo undici anni e mezzo la sua residenza di Downing Street, accompagnata dal marito e con le lacrime agli occhi. La sua carriera politica era finita.

Travolta dal suo decisionismo, l'opinione pubblica ha dimenticato che Margaret Thatcher fu anche una donna, di cui molti s'innamorarono. «Che donna!» esclamò François Mitterrand. «Ha la bocca di Marilyn Monroe e gli occhi di Caligola.» Le corressero la voce e la postura. Ma nessuno osò discutere il suo taglio di capelli: andava dal parrucchiere ogni tre giorni e, durante un summit di cinque, lo tenne bloccato per tutto il tempo.

La sua borsetta era mitica, come quella di Elisabetta. Ma mentre la regina, a quanto pare, la tiene vuota, Margaret vi custodiva certamente due cose: il codice nucleare e un discorso di Abramo Lincoln. Eccone i passi salienti: «Non si produce la prosperità scoraggiando la parsimonia. Non si rafforzano i deboli indebolendo i forti. Non si aiutano i forti abbattendo i grandi. Non si aiutano i salariati schiacciando i datori di lavoro. Non si promuove la fratellanza degli uomini fomentando l'odio di classe. Non si aiutano i poveri distruggendo i ricchi. Non si può garantire una vera sicurezza con denaro preso in prestito. Non si risolvono i problemi spendendo più di quanto si guadagna. Non si fortifica il carattere e il coraggio togliendo agli uomini l'iniziativa e l'indipendenza. Non si aiutano gli uomini se si fa al loro posto ciò che potrebbero fare da soli».

ALLA GUIDA DEL MONDO

Donald Trump e la sua incredibile storia

L'uomo che usa le maiuscole

Ha il viso duro di un uomo molto sicuro di sé. La fronte coperta in parte dal ciuffo biondo bene ordinato, le sopracciglia mosse e cespugliose, il naso importante ma regolare, belle labbra, collo in linea con l'età, ma senza cedimenti rovinosi. Parla anche quando tace. Grida anche quando sussurra. Nessuno può immaginare che da quella bocca ben disegnata esca qualcosa che non sia un proclama o una minaccia. La parola che usa più spesso è «Io». «Io» è Donald J. Trump, quarantacinquesimo presidente degli Stati Uniti.

Trump ha alcuni primati. A 70 anni, è stato il presidente più anziano ad aver fatto il suo primo ingresso alla Casa Bianca. Ha battuto ogni record di velocità, passando in un baleno da miliardario senza alcuna esperienza politica (mai fatto un dibattito in vita sua, prima delle primarie repubblicane) a guida dello Stato più potente del mondo. Ha stravolto la comunicazione presidenziale, bombardando più volte al giorno il mondo con decine di tweet. Ha oltre 40 milioni di follower, cioè di persone che seguono regolarmente i suoi messaggi, e interviene su qualunque tema. Usa molto il carattere maiuscolo, i punti esclamativi e un linguaggio tranchant che ha dissolto in poche settimane secoli di prudenza e di reticenza diplomatica.

Nei primi dieci mesi di presidenza, Trump ha iniziato ad attuare una parte delle promesse elettorali. Ha avviato la costruzione di un muro per arginare l'invasione dei migranti dal Messico, ma ci vorranno molti anni e decine di miliardi di dollari per completarlo. Ha messo pesantemente in discussione l'accordo nucleare con l'Iran, seminando sconcerto e timori. Ha fallito l'attacco alla riforma sanitaria di Obama (il cosiddetto «Obamacare») rinviandone la piena attuazione, nonostante avesse intercettato il malcontento di tanta gente che aveva visto raddoppiare il costo delle proprie polizze di assicurazione per estendere l'assistenza sanitaria ai percettori di redditi minimi. Ha dichiarato guerra commerciale alla Cina, che, a suo giudizio, ha messo in serio pericolo la competitività economica degli Stati Uniti. Ha ammonito i partner europei della Nato a tirar fuori molti soldi in più perché l'America si è scocciata di pagare il conto per tutti. (Anche se, come vedremo, il presidente del Consiglio italiano Paolo Gentiloni dirà di averlo trovato molto più riflessivo, collaborativo e consapevole di quanto non faccia pensare la sua immagine.) Ha avviato la costruzione di importanti infrastrutture e ha appena messo mano a una grossa riforma fiscale. E, contro ogni previsione, Wall Street ha macinato record su record.

I momenti di maggiore difficoltà, Trump li ha avuti con quello che è stato chiamato il «Russiagate». Già nell'agosto 2016, tre mesi prima delle elezioni, il «New York Times» aveva rivelato che il capo della sua campagna elettorale, Paul Manafort, aveva ricevuto un finanziamento di 11 milioni di euro in nero da un partito ucraino filorusso. (Da parte sua, il «Wall Street Journal» aveva scritto che dall'Ucraina una decina di milioni erano arrivati anche a Hillary Clinton.) Manafort dovette dimettersi, come fece il generale a tre stelle Michael T. Flynn, capo della Defence Intelligence Agency nominato da Obama, consulente di Trump e accusato di contatti molto stretti con la Russia. Sotto tiro finirono anche il miliardario ebreo Jared Kushner, marito di Ivanka Trump, che ha avuto frequentissimi contatti con l'ambasciatore russo a Washington, e lo stesso presidente, accusato di aver rivelato informazioni riservate al ministro degli Esteri Sergej Lavrov.

Ma Trump si è difeso dicendo di aver condiviso con i russi soltanto notizie utili alla comune battaglia contro il terrorismo, salvo poi licenziare il capo dell'Fbi James Comey, accusato di impicciarsi troppo della faccenda. In ogni caso, nell'anno successivo alla vittoria elettorale le sue relazioni con Mosca sono peggiorate progressivamente, fino alle rappresaglie dell'autunno 2017 con la reciproca espulsione di diplomatici.

La Casa Bianca ha vissuto mesi turbolenti con il clamoroso allontanamento di quasi tutte le persone più vicine al presidente durante la campagna elettorale e il sostanziale accentramento del potere nelle mani di tre generali: il capo di gabinetto John Kelly, l'uomo delle «pulizie», il segretario alla Difesa James Mattis e il consigliere alla Sicurezza nazionale H.R. (Herbert Raymond) McMaster. Sono loro ad aver coperto Trump nella sua durissima presa di posizione sulla Siria (l'opposto di quella di Obama) e, soprattutto, nel confronto – si spera soltanto verbale – con il leader nordcoreano Kim Jong-un a colpi di reciproche minacce missilistiche. Il 23 ottobre 2017 Trump ha ordinato l'impiego istantaneo dei bombardieri B52 con missili nucleari nel caso la crisi con la Corea del Nord dovesse precipitare.

Il 19 settembre 2017, nel suo intervento d'esordio all'Onu, Trump ha tracciato per la prima volta dopo l'ingresso alla Casa Bianca un quadro organico della sua politica internazionale. Ha censurato l'organizzazione come un covo di burocrati che costano molto più di quanto valgano. Ha reinterpretato lo spirito fondativo delle Nazioni Unite sostenendo che gli Stati membri decisero di associarsi per difendere innanzitutto se stessi, prima della pace comune: «Gli eroi che offrirono il sacrificio della vita nella seconda guerra mondiale combattevano per difendere le nazioni che amavano». Sull'immigrazione, ha manifestato una posizione identica a quella di molti Stati europei, ma con un peso politico ed economico infinitamente maggiore: «Per il costo di accoglienza di un rifugiato qui negli Stati Uniti, possiamo salvarne dieci a casa loro. Questo, sì, è umanitario». Come ha osservato Federico Rampini sulla «Repubblica» del 20 settembre 2017, «la Dottrina Trump esplicita quel che pensano tanti cittadini delle liberaldemocrazie delusi dalla globalizzazione, spaventati dai flussi migratori: non saranno le tecnocrazie sovranazionali a proteggerci, visto che "questo mondo" lo hanno disegnato proprio loro». Si capisce allora perché, nonostante tante gaffe e stravaganze, oggi Donald Trump non abbia perso lo zoccolo duro che gli ha fatto vincere le elezioni. Come conferma lo stesso Rampini in un'inchiesta per «la Repubblica» il 27 ottobre 2017.

«Non sarete mai più dimenticati» ha detto nel suo discorso all'Onu alla classe media impoverita. Ma gli odiatori non demordono. «Newsweek», capofila di questo partito, ancora un anno dopo le elezioni alterna copertine in cui sostiene che Trump è un caso psichiatrico ad altre in cui il presidente licenzia Dio dopo avergli chiesto se crede in lui. Vale quindi la pena domandarsi come quest'uomo abbia potuto conquistare, contro tutto e contro tutti, la poltrona più importante del mondo.

Dal Queens alla conquista di Manhattan

Difficilmente la vita di un uomo di successo discende da quella dei familiari in modo così diretto come è accaduto a Donald Trump. Mattia Ferraresi, nel suo libro *La febbre di Trump*, sottolinea due caratteristiche dell'animo e della mentalità dei Trump. La prima è un'istintiva voracità, l'insaziabile desiderio di affermarsi, volto alla conquista di sempre nuove ricchezze e riconoscimenti. La seconda è la formidabile capacità di intercettare i desideri degli altri e di provvedere immediatamente a soddisfarli: «Friedrich offre ristoro e sfogo a un esercito di derelitti, Fred dà una casa a canone concordato al ceto medio che cerca l'affermazione sociale, Donald stende una patina d'oro sui desideri kitsch delle celebrità. Il genio dei Trump è segnato da questa particolare forma di empatia che coglie i desideri dell'interlocutore». Friedrich è il nonno. Fred il padre. Donald il penultimo di cinque figli, il secondo maschio, l'erede dell'impresa paterna, visto che il primogenito ha scelto di fare il pilota di linea ed è morto alcolizzato a 42 anni.

Friedrich Trumpf era tedesco e, a 16 anni, da un paese della Renania-Palatinato raggiunse la sorella a New York. Trasferitosi a Seattle, aprì un ristorante, poi lo vendette e costruì un alberghetto per cercatori d'oro a caccia di un giaciglio decente, di una bella bevuta e di un'allegra compagnia per la notte. Passo dopo passo, albergo dopo albergo, diventò abbastanza ricco, andò a prendersi la moglie in Germania, tornò a New York per aprire una barberia di lusso nel Queens e fece nuovi, importanti affari immobiliari.

Quando nel 1918 un'epidemia di spagnola se lo portò via ancora giovane, la moglie aveva 38 anni e il figlio Fred appena 13, ma si fece subito adulto e coltivò la sua passione di fare il carpentiere. Mostrò una tale abilità che, non essendo ancora maggiorenne, chiese alla madre di fare da prestanome alla società che aveva aperto. A 21 anni aveva già costruito diciannove abitazioni. Nel '29 si salvò dalla crisi inventandosi il primo supermercato alimentare del Queens: una fabbrica di soldi. Ma il suo pallino era costruire case e il suo passatempo la lettura maniacale degli avvisi di aste immobiliari. Si avvicinò al Partito democratico e ne ricevette la protezione. A 25 anni, Fred si fidanzò con Mary Anne MacLeod, scozzese, che sposò nel 1936, con una festa di matrimonio al Carlyle fatta senza badare a spese. Quello stesso anno ci fu la svolta negli affari. Ottenne un'autorizzazione statale a costruire 450 alloggi, le banche gli aprirono gli sportelli e lui diventò ricco affittando appartamenti prevalentemente alla comunità ebraica. Quando in Germania Hitler prese il potere, la «f» tedesca finale del cognome diventò imbarazzante e Fred decise di chiamarsi solo Trump.

Dopo dieci anni di matrimonio e tre figli, il 14 giugno 1946 nel quartiere di Queens nacque Donald. Nonostante la famiglia fosse ormai ricca, il ragazzo fu educato «a contare ogni centesimo, perché in men che non si dica i centesimi si trasformano in dollari», avrebbe detto in seguito, esprimendo gratitudine nei confronti del padre che gli insegnò «la durezza in un business molto duro». La famiglia Trump abitava in una villa molto spaziosa e di grande comfort, e i ragazzi frequentavano un istituto privato di Forest Hill. Nella sua freschissima biografia Gennaro Sangiuliano fa notare che l'attuale presidente fu educato in una buona scuola, ma non di primissima fascia, come quella riservata alla super-élite: «La famiglia di Donald è ricca, ma non appartiene al patriziato americano, come i Kennedy, i Bush, i Kerry, le famiglie anglosassoni che i giornali definiranno nobiltà del New England ... I Trump sono degli "arricchiti", ma non se ne fanno certo un problema».

Donald era un ragazzo più che vivace e il padre decise di mandarlo in un collegio militare, la New York Military Academy, frequentata esclusivamente da figli di ricchi da raddrizzare, che segnò una svolta nella sua vita. «L'accademia ha trasformato la mia aggressività in conquista» sarà il suo giudizio. Lì Donald sfogò le sue intemperanze nel pugilato e nel wrestling, di cui restò a lungo appassionato. Ma studiò anche con profitto, e dopo sei anni uscì con il grado di capitano. Proseguì con eccellenti studi universitari, prima alla Fordham University del Bronx, poi alla Wharton School di economia e finanza dell'università della Pennsylvania, una delle più prestigiose del mondo. Anche gli odiatori di Trump hanno dovuto riconoscere l'eccellenza dei suoi studi e dei suoi risultati, che si conclusero con un master in Business Administration.

I movimenti del '68 non lo sfiorarono nemmeno. Pur essendo contrario alla guerra in Vietnam, non si mescolò per un solo istante ai cortei contro il governo. Studiava e, nei momenti liberi, si esercitava nello storico passatempo di famiglia: compulsare l'elenco degli immobili pignorati alla ricerca di buoni affari. La fortuna volle che non fosse sorteggiato a prestare il servizio militare (che significava andare in guerra), anche se lui disse di essersi salvato per il difetto a un piede.

Nonostante potesse vantare un curriculum accademico di grande prestigio, Trump ha sempre affermato che la sua vera scuola è stata la pratica. Suo padre, d'altra parte, era diventato uno degli immobiliaristi più in vista di New York, costruendo decine di migliaia di appartamenti.

Avidi e intuitivi, i Trump erano stati, però, sempre prudenti. Non avevano mai avuto il coraggio di aggredire il cuore
della Grande Mela: Manhattan. E Donald capì che avrebbe
dovuto iniziare lì dove il padre si era fermato. Suo fratello era ormai fuori gioco, sua sorella Maryanne (la maggiore) era diventata un giudice prestigioso nel New Jersey, su
nomina di Bill Clinton (i Trump erano democratici). Adesso toccava a lui fare il grande passo.

Trump Tower, l'incoronazione

Nel 1971, a 25 anni, Donald Trump tastò il terreno andando ad abitare ai piani alti di un grattacielo di lusso in
una zona prestigiosa di New York, sulla Settantacinque-
sima Strada. Scriverà in *Trump. L'arte di fare affari*: «Ero un
ragazzo del Queens che lavorava a Brooklyn e improvvisamente avevo un appartamento nell'Upper East Side».
A 26 anni dimostrò di saperci fare vendendo un complesso immobiliare poco redditizio a Cincinnati e intascando
1 milione di dollari di utile. Ma il grande passo arrivò a
metà degli anni Settanta. La nomina di un governatore democratico nello Stato di New York, amico della famiglia,
favorì il suo ingresso nella commissione per la riqualificazione urbanistica della città. Donald era un topo caduto in
una colata di formaggio. La copertura politica gli garantì l'appoggio di uno dei gruppi alberghieri più importanti del mondo, l'Hyatt, nel partecipare a una grossa operazione di riqualificazione edilizia nell'area della Grand
Central Station, che aveva bisogno di un pesante maquil-
lage – abbattimento del vecchio albergo Commodore e costruzione di un nuovo Grand Hyatt –, e facilitò la trattativa per fargli ottenere forti incentivi fiscali. L'inaugurazione
avvenne nell'autunno del 1980. Donald aveva 34 anni e si
era guadagnato un posto in prima fila nel business edilizio di New York.

Da tre anni era sposato con una bella ragazza cecoslo-
vacca, Ivana Zelníčková, di due anni più giovane e con un
passato movimentato. Come molte ragazze dell'Est, ave-

va scelto lo sport (nel suo caso, lo sci) per superare la cortina di ferro e c'era riuscita sposando uno sciatore austriaco, che aveva poi mollato per raggiungere in Canada un amico d'infanzia che aveva aperto un negozio di sci a Montréal. Nel 1976 Ivana si trovava a New York con un gruppo di ragazze ingaggiate per promuovere le Olimpiadi in Canada, incontrò Donald, scoccò la scintilla, e i due andarono a vivere insieme in un magnifico appartamento sulla Quinta Strada. Per sposarsi, dovettero firmare un contratto prematrimoniale blindato scritto dagli avvocati del di lui padre, terrorizzato all'idea di veder sparire il patrimonio del figlio tra i baci della bella slava.

Ivana non si accontentò di fare la moglie premurosa. «Con un carattere ambizioso che a tratti sconfina nell'arroganza,» scrive Sangiuliano «chiede di poter collaborare col marito nelle molteplici attività economiche. Donald parzialmente l'accontenta. Ivana si presenta spesso in tacchi e pelliccia sui cantieri, pretende di dare ordini a esperti capomastri, creando non pochi problemi.» Trump riuscì a utilizzare questi episodi da un lato facendo il mediatore e prendendo le parti dei tecnici, dall'altro impedendo che i manager assumessero troppo potere.

Il nuovo status di Trump nel mondo immobiliare (e non solo) fu suggellato agli inizi degli anni Ottanta. Donald sognava di costruire un grattacielo da Goldfinger nel cuore pulsante di Manhattan, la Quinta Strada. L'impresa era molto complicata. Bisognava convincere i proprietari di un grande magazzino in crisi, Bonwit Teller, a cedergli la proprietà e, soprattutto, avere il permesso di tirare su un grattacielo sulla strada più prestigiosa del mondo al posto di un edificio di dimensioni assai più modeste. Il fuoco di sbarramento fu impressionante. I vicini più celebri, a cominciare dall'anchorman Walter Cronkite, usarono ogni mezzo mediatico e legale per impedirgli di andare avanti. Dissero che toglieva la vista a questo e a quello, che oscurava il quartier generale delle Nazioni Unite, che un tale esempio di volgarità urbanistica avrebbe guastato per sempre la zona. Spesero centinaia di migliaia di dollari, ma persero la causa, perché intanto Donald aveva stretto un accordo con altri vicini strategici.

Nacque così un colosso alto 202 metri, con 58 piani. Gli ultimi 10 furono concessi in cambio del libero accesso all'enorme atrio con ristoranti, bar e negozi. I tempi di realizzazione furono sbalorditivi: nel 1979 Trump concluse la pratica con i proprietari del grande magazzino e nel febbraio 1983, meno di quattro anni dopo, la Trump Tower poteva essere inaugurata. In Italia, nello stesso periodo di tempo, si costruisce a malapena una villetta. Ferraresi denuncia la scomparsa delle sculture art déco di Bonwit Teller, richieste invano dal Metropolitan Museum. Secondo lui, Trump le avrebbe fatte distruggere da una «brigata polacca» di operai clandestini per timore che la soprintendenza vincolasse l'area. Ma c'è da osservare che l'operazione aveva creato tanto di quel baccano che gli organi di tutela avrebbero avuto tutto il tempo di apporre il vincolo prima dell'inizio dei lavori. Secondo Sangiuliano, oltre agli appoggi politici Donald ebbe dalla sua il desiderio di New York di tornare a splendere dopo il buio degli anni Settanta.

L'incoronazione avvenne l'8 aprile 1984 con un ritratto molto benevolo pubblicato dal supplemento domenicale del «New York Times», la bibbia liberal della città. Donald diventava l'«uomo del momento». Certo, scriveva il giornale arricciando il naso, i portieri della Trump Tower sono vestiti come domatori di circhi equestri. Certo, il logo Trump è debordante e sulla scrivania di Donald potrebbero atterrare gli aerei da caccia, ma bisognava dar atto a «questo genio immobiliare di aver contribuito a portare la città fuori del buio della metà degli anni Settanta».

Esattamente un anno prima dell'incoronazione sociale, sullo stesso giornale era avvenuta anche quella urbanistica a firma di Paul Goldberger, esigente critico di architettura: «L'atrio della Trump Tower è una piacevole sorpresa». Quello che fin dalla gestazione era stato demonizzato come il trionfo della volgarità di un parvenu, veniva ammirato «per l'uso straordinario del marmo italiano di un colore assolutamente squisito, una mistura di rosa, pesca e arancio», per l'«ottone levigato», l'«acciaio senza macchia, capace di essere lucente e di scaldare allo stesso tempo». Insomma, il trionfo del buon gusto. In quattro mesi furono venduti quasi tutti i 263 appartamenti, star e grandi nomi del capitalismo si contesero ogni metro quadrato, i prezzi lievitarono giornalmente fino a raggiungere per l'ultimo attico i 15 milioni di dollari.

La carriera immobiliare di Trump proseguì senza un attimo di sosta. La Trump Tower di New York – punto di arrivo per qualunque imprenditore – non era ancora ultimata che «The Donald», come sarebbe stato chiamato più tardi, già sbarcava ad Atlantic City per costruire un Trump Plaza Hotel and Casino. Vetri neri e cemento per il più alto grattacielo della città. Si sa che il mondo del gioco è in larga parte controllato dalla criminalità organizzata e Trump fu accusato di essere sceso a patti con la mafia per aver potuto edificare senza penare più di tanto un casinò grande sei ettari: una vera e propria tenuta a disposizione dei giocatori d'azzardo. Trump si difese vantandosi, da un lato, di essersi speso per aiutare un procuratore a diventare governatore del New Jersey e, dall'altro, di aver minacciato il ritiro dell'investimento se le licenze non gli fossero state concesse al più presto.

Il Trump Plaza fu seguito subito dopo dal Trump Castle, un altro enorme casinò d'ispirazione medievale. Le due strutture incassavano 230.000 dollari al giorno e fecero diventare Trump un uomo davvero ricco, con una flottiglia aeronavale di tutto rispetto. In un luogo delizioso di New York, Columbus Circle, affacciato su Central Park, tirò su un altro grattacielo raffinato, il Trump International Hotel and Tower, dove da molti anni ha sede il Jean-Georges, uno dei più famosi ristoranti a tre stelle degli Stati Uniti.

Tra Ivana e Melania, l'irruzione in politica

Nel frattempo la vita sentimentale di Trump si era fatta piuttosto movimentata. Il miliardario aveva molte amanti. Si favoleggiò anche di una sua storia con Carla Bruni. Lei smentì risolutamente, lui raccontò a «Vanity Fair» che la rottura avvenne perché la modella italiana gli avrebbe assicurato la fine del suo legame con Mick Jagger a patto che lui avesse fatto lo stesso con Marla Ann Maples. Cosa che non avvenne.

Dalla fine degli anni Ottanta, Donald aveva una relazione sentimentale con Marla (1963), reginetta di bellezza e sua accompagnatrice agli eventi dei casinò prima di diventarne l'amante ufficiale, visto che in certi ambienti la clandestinità regge poco. Ivana, naturalmente, la prese malissimo e, quando la vide seduta al tavolo di un ristorante di Aspen, Colorado, cominciò a insultarla. Le due donne vennero alle mani, volarono piatti e bicchieri. Ma Trump aveva ormai fatto la sua scelta: le spese del divorzio andarono oltre quanto previsto dal contratto prematrimoniale, che pure parlava di 25 milioni di dollari. Ivana ne ebbe 15 in denaro e altrettanti in immobili, tra cui un favoloso appartamento di cinquanta stanze su tre piani nella Trump Tower di Manhattan. Inoltre, Donald le corrispondeva 650.000 dollari all'anno per il mantenimento dei tre figli, Donald jr, Ivanka ed Eric, che peraltro si sarebbero legati sempre più al padre (Ivanka, in particolare, ha per lui un'assoluta venerazione). Il divorzio, condito da ogni tipo di gossip, finì sui giornali di tutto il mondo. Trump sposò Marla nel 1993, poco dopo la nascita dell'unica figlia della coppia, Tiffany, e divorziò da lei sei anni dopo.

Intensi sul piano sentimentale, gli anni Novanta furono meno brillanti per Trump su quello finanziario. La sua spregiudicatezza provocò spesso il fallimento delle società di cui era titolare. Sangiuliano ne ha contati sei, cinque nel New Jersey e uno a New York, e sempre per non aver pagato i creditori. Grazie all'abilità dei suoi avvocati, però, è riuscito regolarmente a «ristrutturare» i debiti, ma non fu certo elegante quando, in un'intervista al settimanale «Newsweek» del 2011, ammise: «Ho sempre giocato con le bancarotte. Per me vanno molto bene». Nel 1999 ereditò la fortuna del padre e sistemò tutti i conti in sospeso. Ormai era pronto per l'attività politica e ne diede l'annuncio al «Larry King Show», uno dei più popolari d'America, la sera dell'8 ottobre 1999. Come se si trattasse dell'aspirazione più naturale del mondo, annunciò al conduttore che lo intervistava in bretelle: «Sto pensando se fare il presidente degli Stati Uniti».

Ci pensò davvero e si candidò alle primarie per le elezioni presidenziali del 2000. Diventato repubblicano, folgorato dall'esperienza di Ronald Reagan, s'illuse di far meglio sia di George W. Bush sia di Al Gore, che sarebbe stato il suo competitore democratico, e presentò il suo programma in un libro intitolato *The America We Deserve* (L'America che ci meritiamo). Fu stroncato dalla stampa, perché osò paragonarsi a Roosevelt, Truman e Reagan. Probabilmente ingannato dai primi sondaggi (peraltro alquanto approssimativi), che gli accreditavano una notorietà pressoché assoluta fra il pubblico americano, mostrò di essere molto vicino alle classi più disagiate puntando su due temi, di cui uno solo sarebbe stato ripreso nella campagna elettorale del 2016. Disse di credere nell'assistenza sanitaria universale, mentre sappiamo quanto avrebbe combattuto, da presidente, la riforma di Obama, che peraltro non la garantisce a tutti. E aggiunse: «I ricchi mi odiano e i lavoratori mi amano. Non sapete quanto mi faccia piacere passare il tempo con i miei operai nei cantieri». La vicinanza alla *working class* sarebbe stata decisiva per la vittoria alle elezioni del 2016, ma sedici anni prima i sondaggi (quelli veri) lo indussero a ritirarsi per tempo.

Durante quella sua breve campagna elettorale, Trump fu accompagnato qualche volta dalla nuova fiamma, Melania Knauss, nata in Slovenia nel 1970, modella di caratura internazionale. Si erano incontrati nel 1998 durante la settimana della moda di New York, dove Melania si era trasferita un paio d'anni prima dopo aver sfilato per le più importanti case di moda a Milano e a Parigi. Lei fu abilissima. Quando Donald le chiese il numero di telefono, glielo negò chiedendogli il suo. «Se gli avessi dato il mio numero,» avrebbe detto «sarei stata una delle tante. Capisci le intenzioni di un uomo dal tipo di numero che ti dà. Lui mi diede tutti i suoi numeri.» Lo richiamò soltanto dopo una settimana, ricevendone un invito a cena.

Si sono fidanzati nel 2004, sposati l'anno successivo e nel 2006 hanno avuto un figlio, Barron. Lei ha continuato la sua attività e, quando ha iniziato ad affiancare il marito in campagna elettorale, è stata – come prevedibile – vivisezionata da giornali e televisioni. Barbara Walters, la più famosa anchorwoman d'America, ha dovuto ammettere nel 2015: «Forse perché è così carina, non ci aspettavamo che fosse così intelligente».

Intanto la notorietà di Trump era diventata travolgente. Il colpo finale fu la coproduzione e la conduzione di un programma televisivo, «The Apprentice» (L'apprendista), un talent show nel mondo del business che esportò anche in Italia a beneficio di Flavio Briatore. La sua violenza verbale, la sentenza tonante «You are fired!» (Sei fuori!), dilagarono dagli studi della Nbc, una delle maggiori reti commerciali, in tutta l'America. Ora The Donald era davvero pronto per il salto in politica, anche se nessuno avrebbe scommesso un centesimo su di lui.

«America First», lo slogan vincente

Per capire quel che Donald Trump avrebbe fatto nel 2016, dobbiamo rileggere un libro scritto vent'anni prima dal sociologo americano Samuel Huntington, *Lo scontro delle civiltà e il nuovo ordine mondiale*: «L'élite americana ha troncato le sue radici, aggrappate al terreno anglosassone e protestante, per inseguire un ideale cosmopolita, transnazionale, perfettamente esportabile in ogni angolo del globo». Trump le chiama le «false sirene del globalismo». Il popolo, per converso, è legato a quel coacervo identitario che Huntington definisce il «"credo americano" al quale ... molti americani sono rimasti connessi in maniera viscerale e irriflessa». Le élite sfiorano il ridicolo trovando politicamente scorretto chiedere «Da dove vieni?», poniamo, a una persona dai tratti somatici squisitamente asiatici, perché questo in una società multiculturale verrebbe considerato una «microaggressione». «Mentre le élite si denazionalizzano» osserva Huntington «gli americani rimangono gli uomini più patriottici del mondo.»

Una certa parte del fascino di Trump, secondo Ferraresi, deriva dal suo voluttuoso spezzare le pastoie del linguaggio ipercorretto. Il candidato, insomma, «osa dire ciò che i suoi elettori si azzardano soltanto a pensare». La conseguenza è «America First», cioè «lo Stato-nazione che rimane il vero fondamento dell'armonia e della felicità». L'America deve guardare a se stessa, non impicciarsi degli affari altrui, a cominciare dal Medio Oriente, le cui tragedie, secondo Trump, «sono iniziate con l'idea pericolosa che avremmo potuto portare la democrazia occidentale in paesi che non avevano esperienza né interesse nella democrazia». Negli Stati Uniti le campagne elettorali cominciano un anno e mezzo prima del voto con il lungo rito delle primarie. I candidati quasi sempre hanno un background politico e/o amministrativo: in genere sono senatori o governatori di uno Stato. Trump aveva amministrato soltanto le sue aziende. Era un Berlusconi in grande e, come accadde al Cavaliere nel 1994, la sua aspirazione a guidare il paese sembrò irrilevante se non bizzarra.

Trump annunciò la candidatura il pomeriggio del 16 giugno 2015 nel grande atrio della sua Tower sulla Quinta Strada. Lo introdusse Ivanka, mentre Melania applaudiva tra la piccola folla in ascolto. In un discorso di pochi minuti, Trump solleticò la frustrazione dell'America. Perdita di prestigio nel mondo. Sconfitta commerciale con la Cina. Pericolo terrorismo islamico. Invasione di migranti dal Messico. In fondo, lo stimolo a «far tornare grande l'America»: *Make America Great Again*. La sua candidatura fu accolta da sentimenti oscillanti tra l'indifferenza e la derisione. Tutti i suoi undici competitori repubblicani avevano maggiori possibilità di lui di essere ammessi alla sfida finale. Sul fronte democratico, la scontata vittoria di Hillary Clinton alle primarie sembrava trasformare le elezioni in un rito dall'esito scontato. L'aspetto curioso è che, nonostante l'ammirazione per Reagan che l'avrebbe fatto traslocare nelle file repubblicane, Trump era stato un fervido sostenitore di Bill Clinton. Invitato regolarmente con Melania ai ricevimenti alla Casa Bianca, aveva perfino finanziato la campagna elettorale di Hillary al Senato. Mai Hillary avrebbe immaginato che il suo vecchio amico si candidasse per la Casa Bianca. Mai che avrebbe vinto le primarie repubblicane. E mai e poi mai che sarebbe diventato presidente degli Stati Uniti.

Trump partì subito con messaggi semplici e diretti. Spesso banali, sempre chiarissimi. Ferraresi cita ricercatori e giornalisti che analizzarono il linguaggio dei candidati trovando che quello di Trump era di gran lunga il peggiore. Parlava come un bambino di 12 anni, forse addirittura di 8. Ma quelli che per gli analisti erano limiti imbarazzanti, per l'opinione pubblica erano distillati di chiarezza. Nei 140 caratteri di Twitter, spesso conditi di punti esclamativi e di maiuscole, Trump racchiudeva messaggi comprensibili a tutti, mentre i suoi avversari si perdevano in disquisizioni assai più raffinate, ma anche più astruse.

La sua rozza semplicità si collocava nel solco delle tradizioni più profonde e più radicate nell'animo dell'americano medio. Ferraresi ricorda che Trump ammoniva a distinguere tra Partito repubblicano e Partito conservatore: il conservatorismo di Reagan e di Bush è diverso dalla tradizione repubblicana delle origini. Basti citare un punto chiave della politica ieri promessa e oggi attuata da Trump: il protezionismo. Quanti sanno che si rifaceva a una massima di Abramo Lincoln? «Dateci dazi protettivi e avremo la più grande nazione del mondo.» Vent'anni prima dell'arrivo di The Donald alla Casa Bianca un famoso editorialista, Samuel T. Francis, licenziato dal giornale conservatore «Washington Times» per le sue posizioni razziste, scrisse che «con le élite che cercano di trascinare il Paese nei conflitti e negli impegni globali, lavorano alla delegittimazione della nostra cultura, disprezzano i nostri interessi nazionali e la nostra sovranità, una reazione nazionalistica è quasi inevitabile e, quando arriverà, assumerà probabilmente una forma populista». Ha impiegato vent'anni, ma è arrivata.

Il trionfo dell'outsider

Che cosa ha promesso Trump agli americani per vincere le primarie e, poi, le elezioni? Ferraresi sintetizza così: «Soldi, potere, fama, vittorie, orgoglio, bistecche e champagne, stucchi d'oro, furore imprenditoriale, beato isolamento, pace perpetua, arretramento dello Stato federale, benessere diffuso, tutti finalmente a ricoltivare, nel fine settimana, il sogno americano del *backyard* mentre le costine si affumicano a fuoco lento. A un certo punto Trump è esploso nell'apocalittico: "Vi darò tutto". Obama nel 2008 prometteva un *change* sbilanciato verso il futuro. Trump offre, per converso, un nostalgico *again* (di nuovo), inneggiando al restauro dei vecchi tempi». Il grande capitalista minacciò il capitalismo finanziario accusandolo di non pagare tasse adeguate. Annunciò terribili rappresaglie contro le aziende che assumono a basso costo lavoratori stranieri lasciando per strada gli americani. Annunciò la creazione di un muro anti-immigrati ai confini con il Messico facendone pagare le spese ai messicani. Promise un gigantesco piano di infrastrutture degno di un Roosevelt. Nonostante negli Stati Uniti il tasso di disoccupazione sia ormai a livelli fisiologici, la crisi ha ridotto in povertà una parte cospicua del ceto medio, così Trump promise di esonerare dal pagamento delle tasse tutti i single con un reddito annuo inferiore ai 25.000 dollari e tutte le famiglie con un reddito inferiore ai 50.000. Aliquota massima per le persone fisiche, 25 per cento; aliquota massima per le aziende, 15 per cento.

Il 6 agosto 2015, al primo dibattito televisivo tra i candidati alla *nomination* repubblicana trasmesso dalla rete Fox, Trump – che non si era mai confrontato in pubblico con nessuno in vita sua – fu tirato per la giacca e finì per dominare lo show, ribattendo sull'immigrazione a Jeb Bush, figlio di George jr e tra i favoriti per la vittoria, e lasciandosi andare a giudizi grevi su una giornalista della stessa Fox che gli aveva fatto domande insistenti sul suo atteggiamento ruvido e volgare con le donne. Censurato da tutti, vide crescere inopinatamente la propria popolarità nei sondaggi, creando sconcerto tra i democratici e allarme tra gli stessi repubblicani, che non si sentivano rappresentati da un uomo sempre sopra le righe. Nel suo libro *Trump Talk. Donald Trump in His Own Words*, George Beahm osserva: «Più Trump la dice grossa, più l'establishment si scandalizza. Più l'establishment si scandalizza, più gli elettori vogliono Trump».

Alle primarie del Gop (Grand Old Party) parteciparono dodici candidati (altri sette si erano ritirati prima dell'inizio della competizione). Trump infilzò gli altri undici uno dopo l'altro, lasciando interdetti in primo luogo i compagni di partito. Dopo il secondo dibattito a undici (16 settembre 2015), stravinto da Trump, si ritirò Scott Walker, il governatore del Wisconsin, primo dei competitori. Sei mesi dopo, la lotta era ristretta a tre nomi: oltre a lui, erano davvero in lizza soltanto Ted Cruz, senatore del Texas, e Marco Rubio, senatore della Florida.

Il ritiro più clamoroso era stato quello di Jeb Bush, il candidato preferito dall'establishment moderato repubblicano, che aveva investito più di 100 milioni di dollari nella campagna elettorale. Una parte dei finanziatori dirottò i propri soldi su Rubio, il più moderato dei tre sopravvissuti, mentre Cruz contendeva a Trump l'elettorato più radicale. Rubio si ritirò il 15 marzo, Cruz il 3 maggio: aveva soltanto il 25 per cento dei voti contro il 45 di Trump (569 delegati contro 1537). A luglio, alla convenzione repubblicana di Cleveland, The Donald fu acclamato vincitore. Per lui non avevano votato soltanto i disperati dell'ex classe media, concentrati soprattutto negli Stati del Sud e chiamati con disprezzo dai radical-chic «white trash» (letteralmente «spazzatura bianca»). I suoi elettori alle primarie guadagnano in media 72.000 dollari all'anno, assai più dei 56.000 della media americana. Meno degli elettori di Hillary Clinton, ma non di quelli di Rubio e Cruz, che hanno conteso fino all'ultimo a Trump la vittoria.

L'incredibile vittoria contro Hillary

Nessuno nell'élite repubblicana né tantomeno in quella democratica metteva nel conto che il rumoroso, naïf, inelegante Donald Trump potesse vincere contro la Signora della politica americana: la raffinata, esperta, elegante Hillary Clinton. Lei non prese nemmeno per un istante in considerazione l'ipotesi di perdere. Aveva faticato più del previsto per battere il vecchio Bernie Sanders, un radical-chic più radical-chic di lei, che l'aveva resa debole agli occhi della sinistra. Ma aveva ormai un vantaggio di 12 punti su Trump e poteva contare sui giornali e sulle televisioni più importanti, oltre che sull'intero establishment europeo, che non vota ma ha il suo peso. Era sostenuta, inoltre, dallo star-system, compresi Madonna, che prometteva sesso orale agli uomini pro Hillary, e Robert De Niro, che riassumeva il suo giudizio su Trump dandogli del maiale e dell'idiota. Soltanto un monumento come Clint Eastwood ebbe il coraggio di schierarsi per Trump, ma era solo contro l'intero mondo di Hollywood.

Il vantaggio virtuale della Clinton su Trump si mantenne pressoché intatto per l'intera campagna elettorale. Nel primo dibattito televisivo lei fu più brava e lui non molto convincente nel rispondere alla domanda sulle ragioni per cui non rendeva pubbliche le sue denunce dei redditi. Rilanciò la palla in campo avverso dicendo che l'avrebbe fatto quando la sfidante avrebbe rese pubbliche le sue mail segrete sullo sciagurato intervento in Libia e sull'assassinio a Bengasi dell'ambasciatore americano. I grandi giornali e i grandi network televisivi andarono a spulciare ogni segmento del passato di Trump e, un mese prima delle elezioni, scovarono un video inedito in cui The Donald, parlando con un amico, diceva che le donne, quando sei famoso, ti lasciano fare quello che vuoi e che lui era abituato a «prenderle per la figa». Si scatenò l'inferno e gli stessi repubblicani «istituzionali» lo rinnegarono. Sembrava finita, anche se Trump si scusò dicendo che erano «chiacchiere da spogliatoio».

Gli ultimi due dibattiti lo mostrarono più sicuro che nel primo, ma la Clinton veniva data comunque sempre vincente. E invece, anche lei aveva i suoi motivi di preoccupazione. L'Fbi scoprì che, quando era segretario di Stato di Obama, aveva spedito e ricevuto decine di migliaia di mail ufficiali sul suo account privato, cosa vietata dalla legge per evidenti ragioni di sicurezza nazionale. Hillary fu tenuta a lungo sulla graticola, Obama dichiarò che si era trattato di un errore, non di un reato, e alla stessa conclusione giunse l'Fbi, limitando la censura a «grave leggerezza». Ma l'immagine della candidata democratica uscì maculata, soprattutto per la sterminata serie di «non ricordo» ripetuta durante gli interrogatori degli investigatori.

Dieci mesi dopo le elezioni, nel settembre 2017, la Clinton ha espresso nel libro *What Happened* (Che cosa è successo) la sua opinione sulla sconfitta. Innanzitutto ha ricordato che, dieci giorni prima del voto, il direttore dell'Fbi James Comey aveva riaperto l'inchiesta sulle mail, rilanciando la campagna di Trump su «Hillary corrotta». Lo staff del candidato repubblicano, scrive la Clinton, ha speso 17 milioni di dollari in spot pubblicitari su questo tema. Avrebbero pesato, inoltre, le interferenze russe in favore del suo avversario e la misoginia di fronte all'idea che una donna potesse andare per la prima volta alla Casa Bianca. Hillary lascia per ultima la ragione più importante. Analizzando la sconfitta negli Stati chiave (Pennsylvania, Michigan e Wisconsin), che considerava acquisiti, ammette di non aver saputo capire e condividere la rabbia delle regioni industriali del Nord, tradizionale appannaggio dei democratici. «Trump l'ha fatto.»

Ma questo è il senno del poi. All'inizio della serata elettorale dell'8 novembre 2016 Hillary era certa della vittoria. Vacillò quando perse la Pennsylvania, dove i repubblicani non vincevano dal 1988. Tracollò quando perse Michigan e Wisconsin, dove alla vigilia veniva accreditata di 6 punti di vantaggio. Alla fine, Hillary vinse con un buon margine nei voti popolari (65 milioni 853.000 contro 62 milioni 900.000, 48,2 per cento contro 46,1), ma nelle elezioni americane contano i voti elettorali, quelli che rappresentano gli Stati. E la notte dell'8 novembre la cartina degli Stati Uniti si colorò del rosso repubblicano, il colore della cravatta di Trump, che ottenne 306 voti contro 232, oltre alla maggioranza (determinante) alla Camera e al Senato. Mai nella storia degli Stati Uniti si era visto un candidato con le sue caratteristiche trionfare contro tutto e contro tutti. Hillary si fece forza e gli telefonò per congratularsi. Poi scoppiò in lacrime e sprofondò in una lunga crisi depressiva.

Putin, l'agente segreto
che ha fatto grande la Russia

L'incoronazione degli oligarchi

Dieci anni dopo la caduta del Muro di Berlino, otto dopo la fine dell'Unione Sovietica, la Russia era in mano agli oligarchi. Una ristrettissima cerchia di affaristi aveva approfittato delle privatizzazioni dell'immenso patrimonio sovietico per accumulare in un batter d'occhio ricchezze che nessun magnate del capitalismo occidentale era mai riuscito ad accumulare in così poco tempo. L'idea del Fondo monetario internazionale era intelligente e filantropica: che cosa c'è di meglio che distribuire ai comuni cittadini un piccolo pacchetto di azioni in modo da trasformare in «public company» le gigantesche aziende di Stato?

Racconta Emmanuel Carrère in *Limonov*: «Il primo settembre 1992 erano stati spediti per posta a ogni russo con più di un anno di età buoni per il valore di diecimila rubli, il che corrispondeva alla quota di ogni cittadino nell'economia del paese. Dopo settant'anni in cui in teoria nessuno aveva avuto il diritto di lavorare per sé ma soltanto per la collettività, l'idea era quella di stimolare l'interesse personale e favorire la nascita di imprese e proprietà private, insomma del mercato. Purtroppo, però, appena recapitati i buoni non valevano più niente. I beneficiari hanno scoperto che ci si poteva comprare tutt'al più una bottiglia di vodka. Così li hanno rivenduti in massa ad alcuni furbetti, che in cambio hanno offerto loro l'equivalente, diciamo, di una bottiglia e mezzo. Questi furbetti, nel giro di qualche mese, sono diventati i re del petrolio...». E con i profitti del petrolio hanno finanziato eserciti privati, comprato aerei, elicotteri, panfili lunghi come campi di calcio, e anche giornali e televisioni, diventando i padroni del paese.

Nel 1996, quando i nostalgici del Partito comunista stavano per riprendersi il potere, gli oligarchi finanziarono massicciamente la campagna elettorale di Boris Eltsin, della cui rielezione avevano un disperato bisogno (si parlò di un costo di 750 milioni di dollari). Eltsin era ormai un uomo debole e distrutto dall'alcol. Come ricorda Gennaro Sangiuliano in *Putin. Vita di uno zar*, il Cremlino era gestito da una «famiglia» allargata di cui, oltre all'invadente figlia Tatjana e a suo marito, facevano parte alcuni oligarchi tra cui il potentissimo Boris Berežovskij, che controllava il colosso petrolifero Sibneft insieme a Roman Abramovič. È stato proprio quest'ultimo a confermare che fu Berežovskij a proporre nel 1999 Vladimir Putin come primo ministro, con l'obiettivo di sostituire di lì a poco lo stesso Eltsin alla presidenza della Repubblica.

I due oligarchi – entrambi appartenenti a famiglie ebraiche che avevano particolarmente sofferto durante il regime staliniano – si vedevano ogni settimana. «Alla presidenza» disse un giorno Berežovskij «ci vuole uno di polso, uno che viene dal Kgb. Non proprio di quelli che dormono con una Mauser sotto il cuscino, ma uno di polso.» Abramovič trasecolò: «Con Putin non c'è il rischio che arrivino al Cremlino i vecchi, arroganti čekisti? Non è pericoloso?». «I vecchi čekisti» tagliò corto l'altro «sono una razza estinta da tempo. A Putin non interessa il potere per il potere, vuole il prestigio. Al potere devono esserci quelli che non lo vogliono, anzi lo temono. Putin è così. Con lui è solo necessario accordarsi come si deve...»

Eltsin obbedì all'indicazione degli oligarchi e, il 9 agosto 1999, promosse Putin vice primo ministro con l'interim della guida del governo. In un discorso televisivo andò oltre e lo designò come suo successore alla presidenza della Russia: «Ho deciso di nominare una persona che, a mio parere, è in grado di consolidare la società: Vladimir Vladimirovič Putin. Credo in lui e desidero che abbiano fiducia in lui tutti coloro che nel giugno 2000 andranno ai seggi per compiere la loro scelta. C'è tempo sufficiente perché egli possa dare dimostrazione delle sue capacità».

I ceceni gliene offrirono l'occasione prima del previsto. Il 16 agosto Putin fu nominato dalla Duma capo del governo. Tra il 4 e il 16 settembre i terroristi ceceni fecero saltare in aria quattro palazzi a Bujnaksk, nel Daghestan, a Mosca e a Volgodonsk, nella regione di Rostov, uccidendo 293 civili e ferendo un migliaio di persone. L'attentato di Mosca, con 118 morti di cui 13 bambini, fu quello che impressionò maggiormente l'opinione pubblica mondiale. Putin dichiarò: «È inutile che i terroristi si nascondano. Li inseguiremo ovunque vadano a nascondersi. Anche nel cesso. E li ammazzeremo anche nel cesso». Fu di parola, ma la rincorsa non fu brevissima. Gli attentati erano la goccia finale della guerra che, dalla caduta dell'Urss, opponeva la Federazione Russa alla Cecenia. Quest'ultima era sempre stata una regione inquieta, tanto da simpatizzare per Hitler all'inizio della seconda guerra mondiale. E Stalin aveva ripagato questa simpatia deportando mezzo milione di ceceni e schiacciando quel popolo sotto il tallone comunista per quarant'anni. Caduto il comunismo, i ceceni pensavano di rendersi autonomi una volta per sempre.

Il Caucaso, regione chiave per la sua posizione strategica e le sue enormi risorse energetiche, è abitato da una maggioranza islamica e il timore dei russi era di trovarsi in casa un califfato violento. Di qui una prima guerra che Eltsin aveva perduto, dovendo riconoscere nel 1996 l'indipendenza della Cecenia. Ma, anziché chetarsi, i ceceni avevano cominciato ad allargare il raggio della loro azione terroristica nelle repubbliche vicine, a cominciare dal Daghestan, e Putin – appena nominato primo ministro – intensificò attacchi di terra e bombardamenti aerei per riprendersi città e villaggi, temendo che, se non avesse soffocato le mire indipendentiste, la giovane Federazione Russa sarebbe diventata una Iugoslavia frammentata, debole e con molti focolai di guerra civile. «Lo scopo finale del terrorismo ceceno» disse «è quello di smembrare la Russia creando un grande Stato islamico tra il Caspio e il mar Nero, impadronendosi delle ricche risorse energetiche della regione.»

I pesantissimi bombardamenti russi fecero naturalmente anche molte vittime civili e, di fronte alle proteste internazionali, Putin reagì dicendo che si trattava di un'operazione di polizia che rientrava negli affari interni del paese. Il 6 febbraio 2000, cinque mesi dopo i quattro attentati terroristici, poteva annunciare alla nazione la caduta di Groznyj, capitale della Cecenia.

Dal 31 dicembre 1999 Putin era presidente ad interim della Russia in seguito alle dimissioni di Boris Eltsin. Quello stesso giorno era volato in Cecenia per festeggiare il nuovo millennio insieme alle truppe russe al fronte. Mancavano tre mesi alle elezioni del 26 marzo e Putin fece tre mosse molto popolari, oltre a quella decisiva di vincere la guerra del Caucaso: licenziò su due piedi la figlia di Eltsin e il marito, si avvicinò alla Chiesa ortodossa, aumentò del 20 per cento gli stipendi dei dipendenti pubblici. Per accreditarsi sul piano internazionale, inviò una delegazione ufficiale alla convention repubblicana americana che avrebbe incoronato George Bush jr.

Il 26 marzo 2000 vinse le elezioni al primo turno. Da allora guida ininterrottamente la Federazione Russa, dopo essersi alternato per necessità costituzionali e per soli quattro anni (2008-12) con il fedelissimo Dmitrij Medvedev.

«A Putin interessa il potere, non i soldi»

Vladimir Putin si è fatto da solo. È nato nel 1952 a San Pietroburgo, che all'epoca si chiamava ancora Leningrado e si stava leccando le ferite di uno dei più lunghi e sanguinosi assedi della storia. Visse i primi anni con i genitori (madre operaia, padre militare di marina che aveva lavorato anche per i servizi segreti) in una sola stanza di un appartamento condiviso con altre due famiglie. La morte prematura di due fratelli lo rese figlio unico. Era un bambino intelligente e aggressivo. «La vita di strada» ammise quando era ormai diventato celebre «mi ha insegnato che, se la rissa è inevitabile, meglio colpire per primo.» Per farlo in maniera efficace, diventò cintura nera di judo.

Studente brillante, si aggiudicò alla facoltà di giurisprudenza dell'università cittadina uno dei pochissimi posti disponibili per chi non fosse figlio della nomenklatura militare o di partito. S'innamorò di una bella studentessa di medicina, ma all'immediata vigilia delle nozze annullò il matrimonio, troppo prematuro per la carriera che il giovane e testardo Vladimir aveva in mente: entrare nel Kgb, il mitico e famigerato servizio segreto dell'Unione Sovietica. Lo fece sapere, lo chiamarono per cinque colloqui e alla fine lo assunsero. Aveva 23 anni e si era appena laureato. Putin non si smentì: lavorò sodo e fece carriera.

Nel 1984, a 32 anni, era maggiore e da un anno aveva sposato Ljudmila Aleksandrovna Škrebneva, una bella ragazza di Kaliningrad, l'antica Königsberg, una città che era stata prussiana e aveva dato i natali a Immanuel Kant. Aveva sognato di fare l'attrice, studiava lingue e letterature straniere, e lavorava come hostess in una compagnia aerea regionale. Per come la racconta Sangiuliano, anche questa storia sentimentale indica bene il carattere di Putin, abituato a imporre agli altri il proprio standard di vita e a non ammettere deragliamenti dal binario. I due si erano conosciuti a Leningrado. Lei sopportava i suoi interminabili e mai giustificati ritardi agli appuntamenti, eppure, una volta che la vide divertirsi troppo a un ballo, lui le disse secco: «La nostra storia non ha futuro». Disperata, Ljudmila se ne tornò a Kaliningrad, riprese il lavoro di hostess e non rispose più al telefono, finché non trovò sulla porta di casa un biglietto: «Sì, mia cara, sono proprio io». Seguiva il numero di telefono. Lui le trovò un lavoretto e un piccolo alloggio a Leningrado, dove lavorava. Era il 1980. Tre anni dopo, avrebbe raccontato lei, la scelta definitiva. «In teoria non sono un uomo molto facile» le disse. «Taciturno, a volte brusco, offensivo, un compagno di vita rischioso.» Ljudmila pensò che la stesse lasciando. Invece: «Ti sei chiarita le idee in questi tre anni e mezzo?» le chiese enigmatico. «Sì» rispose lei. «Be', in questo caso voglio dirti che ti amo e ti propongo di sposarci fra tre mesi.»

Si sposarono il 28 luglio 1983. Lui era già un uomo importante e la cerimonia fu celebrata soltanto per loro due, senza le ammucchiate di regola nel regime sovietico. Dopo aver frequentato l'accademia superiore del Kgb a Mosca ed essere stato assegnato alla divisione più importante (quella degli affari internazionali), Putin si trasferì con la moglie a Dresda, nella Germania orientale. Il suo lavoro era affiancare i colleghi della Stasi, gli unici agenti segreti dei paesi dell'Est che i russi consideravano al loro stesso livello. Li guidava Markus Wolf, l'ispiratore dei romanzi di John le Carré, l'uomo che il 13 ottobre 1998 intervistai in diretta a «Porta a porta» insieme a Michail Gorbačëv in occasione dei vent'anni di pontificato di Giovanni Paolo II, che intervenne telefonicamente in diretta in trasmissione. Quella sera Wolf riconobbe la vittoria storica del papa polacco sul comunismo, ma quando quindici anni prima aveva conosciuto Putin, il capo della Stasi era un mito assoluto, temuto da tutti.

Il 9 novembre 1989 la caduta del Muro di Berlino mise in crisi tutti gli apparati spionistici sovietici. Nel 2000 Putin raccontò a tre giornalisti russi: «Abbiamo distrutto tutto: tutti i rapporti, le liste dei nostri contatti e le informazioni sulla rete dei nostri agenti. Abbiamo bruciato tanta roba giorno e notte che alla fine la stufa è scoppiata» (*First person: An Astonishingly Frank Self-Portrait by Russia's President Vladimir Putin*). Il 3 dicembre, a Dresda, una folla minacciosa raggiunse la villetta dove il Kgb agiva sotto la copertura di un'improbabile Associazione per l'amicizia russo-tedesca. Il maggiore Putin scese ad affrontarla, disse di essere un interprete e ammise che la palazzina era sede di un'organizzazione militare sovietica. Prima che ai manifestanti venisse in mente di assaltarla, intervenne a disperderli un reparto di soldati sovietici. (Nella Repubblica democratica tedesca ne erano ancora presenti 400.000, che iniziarono ad andarsene soltanto l'anno successivo, dopo la riunificazione.)

Promosso tenente colonnello, Putin se ne tornò a Leningrado, incerto se fare il tassista o l'istruttore di judo, ma di
fatto ancora membro del Kgb, da cui si sarebbe dimesso soltanto il 20 agosto 1991 dopo essere diventato vicesindaco di
quella che ormai era tornata a chiamarsi San Pietroburgo.
Intanto era entrato in contatto con Anatolij Sobčak, giurista prestigioso e nuovo sindaco della città, il quale giurò
di averlo incontrato per caso in un corridoio dell'università, ma sono in pochi a credere che l'incontro non fosse stato favorito dal Kgb. È un fatto che l'uomo di Dresda gestì
abilmente la mediazione tra i vecchi membri del Kgb rimasti senza incarico e i nuovi democratici, che trovarono a tutti una sistemazione.

In un paese enorme e frammentato, San Pietroburgo era
una specie di repubblica autonoma. Alla fine del 1990 Putin
ebbe un colpo di genio. Aveva milioni di cittadini da sfama-
re e le casse vuote. Chiese a Mosca il permesso di scambiare
in proprio materie prime contro generi alimentari per quasi 100 milioni di dollari, ma prima che Mosca rispondesse
con i ritardi di una burocrazia ancora sovietica, aveva già
scelto in proprio i mediatori ai quali affidare la colossale
operazione. Qualcuno ne approfittò per arricchirsi, come
avvenne in tante altre occasioni in Russia. I suoi nemici lo
accusarono di aver favorito gli speculatori, ma la Procura
generale di San Pietroburgo non riscontrò illeciti – pur re-
gistrando la grande confusione che caratterizzò l'assegna-
zione degli incarichi – e non gli mosse alcun addebito. Sangiuliano riporta la testimonianza di Berežovskij, il quale
racconta che nel 1990 pregò Putin di dargli una mano per
ottenere l'autorizzazione a creare una rete di concessiona-
rie auto e di officine, e rimase sorpreso perché, per la prima volta, un burocrate non gli aveva chiesto la mazzetta.

Quando il sindaco di San Pietroburgo affidò a Putin la
gestione di lavori pubblici per un valore di centinaia di milioni di dollari, la sua vita fece solo un piccolo salto di qualità: dalla coabitazione con i genitori a un bilocale per sé e
la moglie. «A lui non interessano i soldi, ma il potere» dicevano i suoi amici.

La resa dei conti con gli oligarchi

Il 19 agosto 1991 alcuni membri del governo di Mosca di immutata fede comunista tentarono di rovesciare Gorbačëv. Boris Eltsin, che da due mesi era presidente della Repubblica socialista sovietica, affrontò e sconfisse i golpisti dalla Casa Bianca, sede del Parlamento russo, e grazie alle successive dimissioni di Gorbačëv, arrivato ormai a fine corsa, tra novembre e dicembre dichiarò sciolto il Pcus e la stessa Unione Sovietica. Nel 1993 ci fu un nuovo tentativo di golpe, questa volta contro Eltsin, il quale reagì ordinando una durissima azione militare: il gruppo delle «teste di cuoio» che diede la spallata decisiva era coordinato da Putin, a dimostrazione che dal Kgb non si esce mai, se non in posizione orizzontale.

Nel frattempo a San Pietroburgo l'amministrazione Sobčak, pur essendo legata a Eltsin, imboccò la strada di un lento declino. Mentre alle consultazioni supplementari del 1994 Putin ottenne un forte successo personale, nel 1996 il sindaco perse definitivamente le elezioni. Il successore di Sobčak gli propose di mantenere lo stesso incarico, ma lui rifiutò, con un gesto che favorì il suo trasferimento a Mosca, decisivo per la presa del potere.

Putin tornò così ufficialmente al suo vecchio mestiere: il 25 luglio 1998 Eltsin lo nominò direttore del Fsb, il nuovo servizio segreto russo. In questa nuova veste, riformò immediatamente il servizio diminuendo il numero di agenti, ma migliorandone la qualità. In un paese sterminato e ancora fragilissimo, assunse anche l'incarico di segretario generale del Consiglio di sicurezza della Federazione russa, presieduto da Eltsin. Pochi mesi dopo arrivò la nomina a primo ministro, favorita dagli oligarchi di cui abbiamo parlato all'inizio.

Come abbiamo detto, Putin affrontò la questione cecena con estrema decisione. Al punto che Berežosvkij, dopo la rottura con lui, lo accusò addirittura di aver ordinato ai servizi segreti di organizzare i disastrosi attentati di Bujnaksk, Mosca e Volgodonsk per avere mano libera nella spietata repressione. L'oligarca finanziò anche la pubblicazione del libro *Blowing up Russia. Terror from within* (Bombe in Russia.

Terrore dall'interno), apparso a Londra nel 2002 e curato da Aleksandr Litvinenko, un ex agente segreto russo fuggito in Gran Bretagna, diventato cittadino inglese e arruolato dai servizi segreti britannici. Il 23 novembre 2006 Litvinenko morì per un avvelenamento da polonio, forse ingerito progressivamente in due sushi bar di Londra per iniziativa di vecchi compagni dei servizi russi, e prima di morire accusò Putin di averlo fatto uccidere.

Il 7 ottobre dello stesso anno era stata assassinata nell'atrio della sua casa moscovita Anna Politkovskaja, una giornalista diventata militante per i diritti civili, autrice di una serie di corrispondenze in cui denunciava la loro continua violazione. Sergio Romano, in *Putin e la ricostruzione della grande Russia*, sostiene che forse non sapremo mai sino a che punto il presidente della Federazione Russa fosse personalmente coinvolto nelle due vicende.

La guerriglia ceceno-islamista antirussa è continuata negli anni in cui Putin è stato al potere. 2002: 168 morti nel teatro Dubrovka di Mosca, dove furono sequestrati 850 spettatori. 2004: 89 morti nell'esplosione in volo di due aerei e 333 morti (di cui 186 bambini) lo stesso anno durante il sequestro di 1200 persone in una scuola di Beslan, nell'Ossezia del Nord.

Nei primi anni al Cremlino, Putin ha combattuto e vinto un'altra guerra, meno sanguinosa ma non meno mortale: quella contro gli oligarchi. Per conservare l'enorme potere conquistato con le modalità che abbiamo illustrato, essi avevano costituito all'estero colossi finanziari eludendo il fisco russo e influenzavano la vita nazionale grazie al possesso di giornali e televisioni. Il primo punto strideva con la disastrosa situazione economica del paese; il secondo rischiava di condizionare pesantemente il potere di Putin. Il presidente convocò uno per uno i grandi oligarchi («I magnifici sette», come li chiamava la gente), chiedendo un ridimensionamento non tanto della loro ricchezza, quanto del loro potere.

Vladimir Gusinskij, magnate dei media ostili a Putin, fu arrestato per truffa finalizzata a una colossale evasione fiscale: una volta rilasciato, si rifugiò in Spagna dopo aver ceduto il controllo del suo impero editoriale. L'altro tycoon dei media, Boris Berežovskij, era convinto di poterlo controllare, avendone favorito l'ascesa. Non conosceva l'uomo. Putin gli chiese di vendere a prezzi di mercato il suo network televisivo. L'altro rifiutò e fuggì a Londra, da dove orchestrò una colossale campagna denigratoria contro di lui. Morì nella sua casa ad Ascot, ufficialmente suicidandosi e dopo aver scritto – secondo il Cremlino – una lettera di scuse a Putin in cui ammetteva di aver commesso numerosi errori.

Altri oligarchi, come Michail Chodorkovskij, approfittarono della loro sterminata ricchezza (petrolio, in questo caso) per fondare partiti personali e finanziare veri e propri gruppi parlamentari. Putin aveva cominciato a temerlo come possibile avversario politico. Nel 2003, a 40 anni, Chodorkovskij era uno degli uomini più ricchi del mondo. Durante uno scalo in Siberia, il suo aereo fu circondato da agenti dei servizi segreti che disarmarono la sua armatissima scorta e lo arrestarono con l'accusa di truffa. Condannato a sedici anni in due processi, dopo dieci di carcere in Siberia fu rilasciato per l'intervento dell'ex ministro degli Esteri tedesco Hans-Dietrich Genscher, conoscente di vecchia data di Putin. Durante la sua detenzione, le cause intentate dallo Stato russo al magnate fecero crollare il valore delle sue azioni in borsa. Oggi Chodorkovskij risiede in Svizzera.

Il più astuto e prudente degli oligarchi è stato Roman Abramovič, diventato anche lui multimiliardario con il petrolio. Nel 2002 vendette la propria compagnia al concessionario statale Gazprom per 13 miliardi di dollari. Poi se ne andò in Inghilterra, dove ha acquisito notorietà globale per aver comprato la squadra di calcio del Chelsea.

Questi metodi polizieschi adottati dal governo russo hanno spesso incontrato la disapprovazione dell'opinione pubblica internazionale, ma, come osserva Romano, i ricchissimi oligarchi non erano meno pericolosi di tutti i boiardi che hanno attraversato nei secoli la storia russa.

Per garantire al Cremlino il controllo effettivo del paese, Putin smantellò le autonomie locali approfittando dell'attentato di Beslan, che fece sentire i russi particolarmente insicuri. I boss locali avevano trasformato la loro provincia in un feudo personale e, con vari pretesti, trattenevano per sé il gettito delle imposte locali. Allora Putin varò una rapida riforma, che sostituì i governatori eletti con prefetti agli ordini del Cremlino.

È un fatto, comunque, che la decapitazione degli oligarchi – quelli finanziari e quelli politici – è stata molto gradita dall'opinione pubblica russa: alle elezioni per la Duma del 2007 il partito di Putin (Russia Unita) ha conquistato 315 seggi contro i 57 del Partito comunista. Nel 2011 è sceso a 238 seggi, contro i 92 del Partito comunista, per la presenza di altri due partiti, Russia Giusta (socialista, centrosinistra), che ha conquistato 64 seggi, e del Partito liberaldemocratico di Vladimir Žirinovskij, 54 seggi. Ma alle elezioni del 2016 Putin e Medvedev si sono presi la rivincita: 343 seggi contro i 42 comunisti e i 39 liberaldemocratici.

«*Protezione di Dio sulla Madre Russia*»

Oggi l'Occidente vede in Putin un potenziale pericolo per la propria sicurezza, ma dovrebbe ricercarne le cause nei propri errori in politica estera. Abbiamo visto che, fin dall'inizio del suo mandato, il leader russo ha cercato di costruire un rapporto amichevole con gli Stati Uniti. Nel 2001 incontrò George W. Bush, che disse di aver «guardato i suoi occhi e di aver visto la sua anima». Poi, nel 2002, il presidente del Consiglio italiano Silvio Berlusconi, amico di entrambi, li invitò nella base di Pratica di Mare, vicino a Roma. Fu decisa la costituzione di un consiglio Nato-Russia e si certificò di fatto la fine definitiva di quel che restava della vecchia guerra fredda.

Putin instaurò buoni rapporti anche con il cancelliere tedesco Gerhard Schroeder e il presidente francese Jacques Chirac. I tre s'incontrarono nel 2005 a Kaliningrad per celebrare i 750 anni della città, e nel 2008 Francia e Russia stipularono un gigantesco accordo di forniture militari.

Noi tutti ci illudemmo che, dinanzi ai nuovi pericoli del terrorismo islamista certificati dall'attentato alle Torri Gemelle e da quelli che seguirono e alle inquietudini permanenti del Medio Oriente, non avesse più senso un confronto muscolare tra la Nato e quel che restava dell'ormai disciolto Patto di Varsavia. Come dice Romano, immaginammo che la Nato si fosse ormai trasformata in un'organizzazione collettiva dell'intero continente europeo. Purtroppo non fu così. È comprensibile che Stati vissuti per più di sessant'anni sotto il tallone di un comunismo durissimo non aspettassero altro che rifugiarsi sotto l'ombrello protettivo dell'Occidente. Ma inglobare nei confini della Nato Estonia, Lettonia e Lituania, e piazzare missili e radar dalla Polonia alla Romania, non è stata una buona idea. La Storia ha visto l'Occidente vincere sul comunismo. Stravincere può essere rischioso.

L'annessione della Crimea alla Russia e la perdurante crisi ucraina nascono anche da qui. La Crimea è sempre stata russa ed è possibile che abbia ragione Putin a sostenere che, quando Chruščëv la regalò all'Ucraina, lo fece con una violazione costituzionale. Fra il 2013 e il 2014 l'Unione europea tentò di far associare l'Ucraina, con una mossa molto forzata sia sotto il profilo tecnico (vi abitano parecchi milioni di russi) sia sotto quello economico (il paese era in bancarotta ed era stato salvato due volte dal Fondo monetario internazionale) sia sotto quello politico (lo schiaffo alla Russia sarebbe stato fortissimo). Putin convinse il governo ucraino a non associarsi all'Europa acquistando titoli di Stato per 15 miliardi di dollari e praticando all'Ucraina uno sconto del 30 per cento sul prezzo del gas. La decisione del suo presidente Viktor Janukovič di abbandonare la trattativa europea provocò la sollevazione della popolazione europeista. Ci furono sette mesi di scontri, con molti morti.

All'inizio del 2014 Janukovič fuggì in Russia e i manifestanti entrarono nella sua residenza sostenendo di avervi riscontrato uno stile di vita frutto di corruzione. I rivoltosi filo-occidentali ebbero la meglio e instaurarono un nuovo governo, ma la maggioranza della popolazione della Crimea, di origini russe, non accettò il nuovo stato di fatto e chiese aiuto al Cremlino. Molto abilmente, Putin inviò un esercito senza bandiera che assunse il controllo della Crimea, santificato da un referendum che proclamò con oltre il 90 per cento dei voti l'autonomia della penisola dall'Ucraina e, poi, l'adesione alla Federazione Russa. L'Occidente ha risposto con una serie di sanzioni, tuttora in corso, che hanno ormai soltanto la conseguenza di fare un costoso dispetto alla Russia e di danneggiare le nostre esportazioni, visto che il destino geopolitico della Crimea è ormai irreversibile.

Putin si muove talvolta con eccessiva, pericolosa spregiudicatezza. Il bilancio delle forze armate russe è raddoppiato fra il 2010 e il 2014, e questa non è una buona notizia. Ma in questa partita Europa e Stati Uniti non hanno saputo fermarsi in tempo. La conseguenza è un incrociarsi di gigantesche esercitazioni militari ai confini ora della Nato ora della Russia, pur nella generale convinzione che nessuna delle due attaccherà mai per prima.

Un altro settore in cui Putin ha saputo muoversi con molta abilità è il Medio Oriente, dove ha approfittato intelligentemente della debolezza e delle oscillazioni di Barack Obama. L'Occidente vorrebbe che il dittatore siriano Bashar al-Assad facesse le valigie. Putin non lo consentirà mai, o comunque non rinuncerà mai al protettorato politico sulla Siria. Secondo Romano, il presidente russo ha tirato Obama fuori dei pasticci quando si è avuto il forte sospetto che Assad avesse fatto uso di armi chimiche contro i ribelli. Il presidente americano aveva dichiarato che non avrebbe tollerato niente del genere e sarebbe intervenuto. Al momento di farlo, però, si è tirato indietro e ha salvato la faccia solo grazie a Putin, il quale gli ha garantito che Assad si sarebbe comportato bene in futuro.

I rapporti di Putin con Trump passano con facilità dal sereno alla tempesta, e The Donald ha dovuto faticare parecchio per smentire le insistenti notizie di un intervento russo per mettere in difficoltà Hillary Clinton durante la campagna elettorale del 2016. Il primo incontro tra i due nel luglio 2017 non ha portato all'atteso ritiro delle sanzioni alla Russia. Trump è lunatico ed effervescente quanto Putin è freddo e calcolatore. Ma entrambi hanno capito che, con un

Medio Oriente sempre in ebollizione e una Corea del Nord nelle mani di un uomo pronto a tutto, l'ultima cosa di cui il mondo ha bisogno è una crisi Est-Ovest.

Putin passerà alla storia come la figura russa più importante dell'ultimo secolo, insieme a Stalin e Gorbačëv, con un potere che il secondo non ha mai avuto. Pur venendo dal Partito comunista e dal principale strumento di potere dello stalinismo, il Kgb, egli sta ricostruendo la Grande Madre Russia cristiana degli zar, senza tuttavia rinnegare quasi niente del passato, Stalin compreso, a cui riconosce il merito di aver condotto alla vittoria l'Unione Sovietica nel secondo conflitto mondiale combattendo una «grande guerra patriottica». Nel 2015, per celebrarne il settantesimo anniversario, il leader russo si è mescolato alla folla mostrando la foto del padre soldato.

Subito dopo aver preso il potere nel 2000, Putin commissionò una revisione dell'inno nazionale: stessa bellissima musica, ma parole radicalmente mutate, con il richiamo alla Russia eterna e alla protezione di Dio. I suoi rapporti con la Chiesa ortodossa sono eccellenti e non è un mistero che sarebbe stato favorevole alle visite in Russia di Giovanni Paolo II e di Benedetto XVI, oltre che naturalmente di Francesco.

Nei suoi primi otto anni di presidenza, il prodotto interno lordo russo è aumentato del 70 per cento e il livello di povertà si è dimezzato. Gli investimenti stranieri si sono moltiplicati e la qualità media della vita è più che dignitosa, nonostante il peso delle sanzioni. La Russia di Putin non è certamente una democrazia compiuta secondo i canoni occidentali. Le limitazioni alla libertà di stampa sono molto forti, le manifestazioni di dissenso vengono represse con durezza, ma bisogna tener conto degli sforzi di chi ha dovuto e deve ricomporre il puzzle di un impero disgregatosi in un baleno con la caduta del comunismo.

Se ne avvide bene Aleksandr Solženicyn, che nel 2000 giunse ad affermare: «Quando dicono che da noi è minacciata la libertà di stampa, io manifesto tutto il mio dissenso». Per giudicare la Russia di oggi, occorre non dimenticare mai quella di ieri.

Angela Merkel,
il lento declino della padrona d'Europa

La fiducia usurata

«C'è della magia in ogni inizio.» Il 15 maggio 2017 Angela Merkel attinse a Hermann Hesse per salutare il nuovo presidente francese Emmanuel Macron che, all'indomani dell'insediamento all'Eliseo, si era precipitato a Berlino per salutare la padrona d'Europa. «Ma la magia» aggiunse «dura soltanto se ci sono risultati.»

La Merkel era così convinta dei risultati da lei ottenuti che il 24 settembre ha chiesto ai tedeschi il suo quarto mandato presentandosi nei manifesti con la sua sola immagine e la scritta «Successo per la Germania». Come fosse la campagna pubblicitaria di un prodotto ben conosciuto e apprezzato dai consumatori per la sua affidabilità. Una nuova Mercedes o Volkswagen o Audi o Bmw. Meccanica tedesca, indiscutibile. Ma come la fortissima immagine commerciale delle auto tedesche ha dovuto subire l'umiliazione di un diesel difettoso, gli 8,6 punti persi dal partito della Merkel rispetto alle elezioni del 2013, la disfatta dell'alleato socialdemocratico, il poderoso ritorno in Parlamento dell'esigente alleato liberale e l'irruzione in massa dell'estrema destra hanno dimostrato che la fiducia nei risultati dell'ultimo quadriennio di governo della *Kanzlerin* ha manifestato i primi segni di usura.

Per la verità, un grave errore (almeno sotto il profilo economico) fu commesso dalla cancelliera già nel marzo 2011 quando, dopo il disastro nucleare giapponese di Fukushima, annullò il prolungamento dell'attività degli impianti nucleari. Ecologicamente vincente, la decisione peserà sulle bollette elettriche dei cittadini, e soprattutto delle imprese, in una misura largamente superiore alle attese, fino a raggiungere, secondo alcuni calcoli, oltre 500 miliardi di euro entro il 2025. Ma questo peccato non ebbe conseguenze alle trionfali elezioni del 2013 ed è molto probabile che non ne abbia avute nemmeno in quelle del 2017. Come non ha avuto conseguenze il gravissimo coinvolgimento del suo governo nello scandalo della manipolazione dei dati sull'inquinamento prodotto dalle emissioni delle automobili tedesche. Una grossa «bugia di Stato» motivata dal colossale impatto dell'industria automobilistica sull'economia nazionale: 870.000 dipendenti (il gruppo Fiat ne ha 300.000, di cui l'80 per cento all'estero), il 13 per cento del Pil e il 18 per cento delle esportazioni.

L'errore che ha sconvolto il panorama politico tedesco è stato commesso, invece, il 4 settembre 2015. Quel giorno «Mutti» (Mamma) decise di accogliere gradualmente circa 1 milione di immigrati, arrivati nell'Europa dell'Est attraverso la rotta balcanica, che entravano in Germania dal confine austriaco. Secondo lo scrittore Peter Schneider («L'Espresso», 27 agosto 2017), all'inizio dell'ondata la Merkel aveva deciso di chiudere i confini, chiedendo tuttavia alle forze di polizia di evitare «brutte scene» alla frontiera. Nessuno, ovviamente, si sentì di garantirle che quell'enorme massa di disperati sarebbe tornata indietro con le buone e la cancelliera avrebbe ceduto pronunciando la storica frase «Wir schaffen das», ce la faremo. Da quel momento fu incoronata dalla stampa mondiale come la vera paladina dell'accoglienza, come simbolo vivente della civiltà occidentale.

Non sappiamo se siano corretti i calcoli apocalittici che prevedono nel prossimo decennio un costo dell'accoglienza valutato in un migliaio di miliardi di euro, ma è certo che il vento dell'immigrazione ha gonfiato oltre il previsto le vele del partito dell'estrema destra Alternative für Deutschland (Afd) e dello stesso Partito liberale antieuropeista (Fdp). In Italia, nel 1972, il Msi raddoppiò i voti grazie agli scontenti delle prime aperture a sinistra e Giulio Andreotti fu incaricato di recuperare i «voti in libera uscita» a destra.

Fin dall'indomani delle elezioni del 2017 la Merkel, senza battere ciglio, si è proposta di recuperare a destra il consenso che aveva perso con una scelta giudicata «di sinistra». «Mutti» ha un decisivo punto di contatto con l'eterno Giulio: l'assenza di schemi ideologici e la grande capacità di adattamento alle situazioni più diverse. Governo con i socialisti europeisti? Con i liberali antieuro? La cancelliera non ha alzato un sopracciglio, così come accadde ad Andreotti indotto dalle circostanze ad allearsi, nell'arco di vent'anni, con i liberali di Malagodi, i socialisti di Craxi e i comunisti di Berlinguer. «Persino uno come me, che per una vita ha votato Spd» ha scritto Schneider alla vigilia delle elezioni del 2017 «oggi non sa perché non dovrebbe votare Cdu [*il partito della Merkel*].» E ne spiega le ragioni: «Come una giardiniera senza scrupoli [*la Merkel*] ha trapiantato ogni piantina, cresciuta nel campo della Spd o dei Verdi, dentro vasetti su cui ha posto l'etichetta della Cdu. "Salario minimo" e "svolta energetica", "lotta al precariato" e "giustizia sociale": tutti i temi un tempo rilevanti per i Verdi o la Spd sono ora affari personali della cancelliera». Risultato? I socialisti sono al minimo storico perché rimasti col vasetto vuoto, i Verdi (e sinistra radicale) fermi ai risultati del 2013 e la Cdu della Merkel (insieme al partito gemello della Csu bavarese) dissanguata da un'involontaria trasfusione a destra.

«Merkel è un cancelliere di teflon. Ogni cosa le scivola addosso» si è sfogato un dirigente della Spd con Alberto Nardelli e Tobias Schmutzler («Il Foglio», 22 settembre 2017). «Merkel è un fenomeno» ha detto agli stessi giornalisti un funzionario europeo. «Riduce ogni problema in piccole parti. Così riesce a risolvere alcune questioni e a rimandarne altre al futuro. È come un algoritmo. Una volta che sei nel processo, è fatta. Infine, non perde mai la calma.» E un altro funzionario aggiunge: «Conosce ogni dossier nei dettagli. È l'unico leader ai vertici internazionali che può scrivere un comunicato da solo. Può cambiare le parole di un documento perché conosce ogni sottigliezza. Sta seduta lì con la penna in mano, toglie una frase, cambia un paragrafo, aggiunge e toglie parole». Anche in questo assomiglia ad Andreotti, che preferiva parlare con il prete, mentre De Gasperi parlava con Dio. «Durante i nostri incontri» racconta un altro funzionario europeo «molti altri leader preferiscono avere discussioni politiche di alto livello. La Merkel si concentra sulle conclusioni tecniche e sugli obiettivi.»

«I suoi detrattori» ha scritto Veronica De Romanis su «Io Donna» (16 settembre 2017) «l'accusano di prendere tempo solo per decidere in base all'orientamento prevalente dell'opinione pubblica e per questo hanno coniato un nuovo verbo, *merkeln*, sinonimo di indugiare, rimandare. La cancelliera si difende spiegando che la caduta del Muro le ha fatto capire che i grandi cambiamenti richiedono tempo e strategia.» Nel suo libro *Angela Merkel. L'ovni politique* (Angela Merkel. L'Ufo politico), Marion Van Renterghem riporta un brano di una conversazione della cancelliera tedesca con Nicolas Sarkozy rivelatore del suo carattere. «Tu mi rimproveri di essere troppo lenta» dice la Merkel. «Io non ho la stessa relazione con il tempo che hai tu. Sono entrata tardi in politica. Ero nella Germania Est e pensavo di rimanerci fino alla pensione. La caduta del Muro è stata un enorme sconvolgimento. Io sono una persona che dà tempo al tempo perché ho visto che nella lentezza c'è speranza.» (L'immagine del Muro è tornata nella svolta sull'immigrazione. «Sono cresciuta con un Muro davanti alla mia faccia. Non voglio che ne vengano costruiti altri finché sono viva» dichiarò quando l'Ungheria si attrezzò per alzarne uno.)

I vantaggi di scegliere all'ultimo istante

Aspettare l'ultimo istante utile prima di decidere è sempre stato un elemento distintivo del carattere di Angela Merkel. Da ragazza, a un saggio di nuoto di fine corso, doveva buttarsi dal trampolino, ma esitava nel timore di una brutta figura. Per tuffarsi aspettò che suonasse la campanella del tempo scaduto. L'ha fatto regolarmente anche da capo del governo tedesco. Nel 2012, quando per la prima volta la crisi greca (ma anche la spagnola e l'italiana) rischiava di travolgere l'euro. E nell'estate del 2015, quando ha resistito alle pressioni del suo ministro delle Finanze Wolfgang Schäuble, che voleva espellere temporaneamente la Grecia dalla moneta unica, e lei, perché non lo facesse, all'ultimo istante ha accettato la resa senza condizioni di Alexis Tsipras.

Non sempre, però, quella di attendere è una decisione saggia. La cancelliera avrebbe potuto prevenire lo scandalo delle emissioni Volkswagen senza attendere gli Stati Uniti. E prevenire già nel 2010 la crisi greca, anziché proclamare: «I tedeschi non sprecheranno un centesimo per i greci». Invece volle aspettare le elezioni della Renania settentrionale Vestfalia, e fu tardi. «Allora ce la saremmo cavata con una trentina di miliardi» mi disse nel 2012 Romano Prodi, ricordando il tardivo intervento tedesco dopo la notte elettorale. Così, soltanto l'Italia ha speso 36 miliardi e l'intera Unione europea 354. L'abilità della Merkel e di François Hollande ha fatto sì che i nostri soldi abbiano apparentemente salvato le banche greche, mentre in realtà hanno salvato banche tedesche e francesi imbottite di titoli greci ormai inesigibili. Per salvare 68 banche a rischio default la Germania ha speso 197 miliardi di euro a fondo perduto (il 7 per cento del Pil), che diventano 465 se si aggiungono i soldi dati in garanzia. (Fino al 2016, l'Italia è stato l'unico paese europeo a non spendere un euro per salvare le proprie banche, salvo un prestito di 4 miliardi al Monte dei Paschi di Siena, regolarmente rimborsati. Quando si sono aperte le cateratte, la diga europea non c'era più e il salvataggio delle banche italiane in crisi è costato allo Stato 20 miliardi, oltre a quelli pagati dai risparmiatori.)

Oggi «l'esitazione dominante e minacciosa di una Germania predatoria e crudele al centro di uno scenario di crisi dell'euro e del suo sistema è solo un ricordo» si compiace Giuliano Ferrara sul «Foglio» (27 agosto 2017), mentre la Merkel è salita sugli scudi per aver contrastato Trump quando gli Stati Uniti hanno rinnegato gli accordi di Parigi sul clima e sulla stessa politica dei rifugiati, definita dal presidente americano «un errore catastrofico». Ma Trump aveva ragione quando ha twittato furioso alla fine di maggio 2017: «Noi abbiamo un forte deficit commerciale con la

Germania e loro pagano molto meno di quanto dovrebbero per la Nato e per il settore militare. Molto male per gli Stati Uniti. Si dovrà cambiare».

La rivista «Foreign Affairs» è venuta in possesso di un rapporto del capo della commissione Difesa del Parlamento tedesco in cui la situazione militare del paese è descritta in modo impietoso: 45 settimane per avere un'uniforme, solo un terzo dei 123 caccia Typhoon e solo 5 sui 60 elicotteri da trasporto Sikorsky realmente disponibili. Il documento parla dell'addestramento militare con «improvvisazioni da far ridere», e via dicendo.

La Germania è il paese al mondo che esporta di più: il 46 per cento di quanto produce (3500 miliardi, più del doppio dell'Italia), ma «Foreign Affairs» si aggiunge ai molti osservatori che trovano questa dipendenza dall'estero squilibrata e pericolosa, e raccomandano di potenziare investimenti interni che sono carenti, soprattutto in educazione e infrastrutture.

È vero che la Germania è un successo, come ha scritto la Merkel nel suo slogan elettorale. Ed è vero che ha raggiunto quasi la piena occupazione (il tasso di disoccupazione è appena del 3,9 per cento). Ma c'è lavoro e lavoro: 1 lavoratore su 5 è precario, altri sono sottopagati, altri ancora guadagnano sempre meno, e 1 milione di pensionati è costretto a dover arrotondare il proprio reddito. La Germania Est è rimasta molto più povera dell'Ovest e non è un caso se nella schizofrenia della protesta alcune regioni siano passate nell'autunno del 2017 dal voto per l'estrema sinistra della Linke al voto per l'estrema destra di Afd. Impeccabile nelle sue giacche tutte uguali, la cancelliera dovrà faticare perché il suo quarto mandato lasci intatta la sua leggenda.

La *Kanzlerin* abita in un palazzo sobrio ed elegante nell'«Isola dei musei», un quartiere nel cuore di Berlino. Due poliziotti sorvegliano l'ingresso del condominio dove vive con Joachim Sauer, già eminente professore di chimica quantistica all'Accademia delle Scienze berlinese, che ha cinque anni più di lei. Entrambi con un precedente matrimonio alle spalle, non hanno avuto figli insieme (lui ne ha due nati dalle prime nozze).

Inspiegabilmente, Angela ha conservato il cognome del primo marito, Ulrich Merkel, sposato nel 1977, quando erano ancora studenti di fisica, e dal quale divorziò cinque anni dopo. («Mi sposai perché si sposavano tutti. Non affrontai il matrimonio con la necessaria maturità» confessò anni dopo a un giornalista.) All'epoca la coppia si era dovuta dar da fare per trovare casa, perché il regime tedesco orientale assegnava le abitazioni (statali) solo a chi aveva un lavoro, e loro erano disoccupati. Da divorziata, Angela poi abitò in case occupate abusivamente e, per mantenersi, fece anche la cameriera. Infine, l'incontro con Sauer, sposato nel 1998 dopo una lunghissima convivenza.

I due coniugi hanno il culto della privacy, cosicché nessuno può confermare la perfida diceria secondo cui a tavola parlerebbero solo di fisica e di chimica. Le prime notizie sulle abitudini private della Merkel risalgono al 2000, quando divenne leader della Cdu. Allora rivelò che sceglieva la sera prima l'abito da indossare il giorno dopo (da alcuni anni, una serie infinita di giacche tutte uguali, ma di colore diverso), di usare appena un velo di ombretto (il rossetto solo nelle occasioni speciali), di cucinare volentieri (zuppa di patate e oca alle prugne, le sue specialità) e di lasciare alla domestica le altre faccende di casa. E al domenicale della «Bild» (aprile 2000) confessò: «Accetto il mio aspetto esteriore così com'è. Ho fatto la pace con me stessa. Ma se potessi cambiare qualcosa, mi piacerebbe avere capelli folti, forti e poco docili».

La cancelliera adora Wagner e ama le persone pacate come lei (come, per esempio, la tennista Steffi Graf), di un uomo le piacciono «gli occhi belli e la voce profonda», ammira Marie Curie e Henry Kissinger, ed è tifosa di calcio (Hansa Rostock e Bayern Monaco). La prima cosa che fa quando rientra a casa? «M'infilo le pantofole. Le mie risalgono ai tempi della Repubblica democratica tedesca [*al momento dell'intervista avevano undici anni*], con una suola di cuoio molto robusta. Non giro mai scalza, perché ho paura dei piedi freddi».

Una sauna nella notte fatale

Nonostante sul certificato anagrafico di Angela Merkel sia registrato come luogo di nascita Amburgo, quando aveva solo tre settimane i genitori la portarono nella Germania Est, prima a Quitzow (un paesino nel Brandeburgo) e poi a Templin, nell'Uckermark, dove restò fino al trasferimento a Lipsia per l'università. (A Templin vive ancora sua madre che, a 89 anni, insegna inglese alle scuole serali.)

Suo padre, Horst Kasner, era un pastore protestante. In un articolo del 26 giugno 2005 Luke Harding, corrispondente da Berlino del «Guardian», si chiese come mai Kasner nel 1954, negli anni bui dello stalinismo e quando Angela aveva pochi mesi, avesse scelto di lasciare Amburgo e andare a vivere in Germania Est, mentre tutti quelli che vi abitavano tentavano con ogni mezzo di compiere il percorso opposto (solo in quell'anno il loro numero fu 180.000). Nella sua biografia della cancelliera, uscita nel 2005, Gerd Langguth, professore di scienze politiche all'università di Bonn, racconta che il padre di Angela era chiamato «Kasner il rosso» ed era leader di una confraternita pastorale controllata dalla polizia politica. D'altra parte, come rileva nello stesso libro Winifred Engelhardt, un vecchio esponente della Cdu, non era possibile che la famiglia di un pastore cristiano disponesse di due automobili e si muovesse liberamente tra le due Germanie e all'estero, Italia compresa, senza l'aiuto di «qualcuno».

Il percorso scolastico di Angela fu perlomeno singolare: pur essendo intelligente, brava e generosa con le compagne (che a volte lasciava copiare), non emergeva dall'anonimato. Anche da studentessa universitaria, nessuno dei suoi compagni o docenti avrebbe mai scommesso sulle sue doti di leadership, scrive Langguth, che però le riconosce il merito di essersi aggiudicata ruoli di rilievo nell'organizzazione giovanile comunista. Una circostanza che l'interessata ha seccamente smentito, sostenendo di aver allestito tutt'al più qualche evento sociale o procurato ai compagni i biglietti per il teatro. Tuttavia, in *La prima vita di Angela M.*, pubblicato nel 2013, anche i giornalisti Ralf Georg Reuth e

Günther Lachmann scrivono che la Merkel «era più vicina al regime di quello che si sapeva». Era responsabile del settore «agitazione e propaganda» del movimento giovanile comunista e auspicava un «socialismo democratico in una Germania Est indipendente». Dunque, non desiderava la riunificazione tedesca né ci credeva.

Nel frattempo Angela imparò il russo così bene da vincere un concorso scolastico nazionale, si laureò in fisica a 24 anni e, dopo il dottorato, intraprese l'attività di ricercatrice in chimica quantistica a Berlino. Fino alla caduta del Muro non si ha notizia di suoi atti di opposizione al regime comunista, benché lei affermi di aver tentato di tenere segreto il voto alle elezioni, cosa del tutto riprovevole in una «democrazia popolare» com'era la Germania Est. Già, perché il 9 novembre 1989, tra quelli che picconavano il Muro, Angela non c'era. E non per una dimenticanza.

«L'atmosfera era tesa da giorni e io pensavo che qualcosa stesse per accadere» raccontò la Merkel a Kate Connolly del «Guardian» il 5 novembre 2009. «Avevo sentito alla televisione che erano state aperte le frontiere con la Germania Ovest. Ma era giovedì, e il giovedì era il mio giorno di sauna. Andai, quindi, con un'amica nello stesso grattacielo comunista dove eravamo sempre andate.» Soltanto la notte furono travolte dalla folla in festa. «È stato il giorno più bello della mia vita» dirà nel 2009 ai capi di Stato e di governo convenuti a Berlino per i festeggiamenti del ventennale. Ma quella sera, certo, non lo dimostrò.

La sauna fatta nel momento in cui tutta Berlino impazziva di gioia per la caduta del Muro provocò in Angela Merkel una mutazione genetica. La ligia ricercatrice universitaria, che amava il basso profilo, nel giro di pochi giorni si buttò in politica. Dopo un rapido sguardo al Partito socialdemocratico (la Spd), aderì a un partitino trasversale (Risveglio democratico) che, insieme alla Cdu, avrebbe poi dato vita all'Alleanza per la Germania. Un suo biografo, Alexander Osang, sostiene che scelse la Cdu con la stessa cura con cui si scelgono i gusti del gelato. Ma Angela è una persona troppo calcolatrice per non essersi accorta che la Cdu era più adatta dell'Spd come trampolino di lancio per fare carriera.

Dopo essere stata portavoce, nel dicembre 1990, dell'ultimo governo tedesco orientale, fu subito eletta al Bundestag e, quando il suo partito entrò nella Cdu, diventò prima ministro per le Donne e i giovani e poi dell'Ambiente nel governo Kohl, che la prese sotto la sua ala protettrice: in quanto ministro più giovane, ben presto venne ribattezzata «das Mädchen», la Ragazza. Lothar de Maizière, ultimo primo ministro della Germania Est, ha raccontato che, dopo le prime elezioni del paese riunificato, Helmut Kohl gli disse di voler dare un incarico a una donna dell'Est, ma che fosse «misurata, orientale». «La dottoressa Merkel è intelligente» suggerì de Maizière. «Be', allora la prendo» concluse il cancelliere.

L'altra faccia di Angela

Dopo la sconfitta elettorale di Kohl nel 1998, Angela Merkel diventò segretario generale della Cdu e, alle elezioni locali dell'anno seguente, il suo partito sconfisse la coalizione Spd-Verdi e conquistò la maggioranza alla Camera dei Länder. Proprio il 1999 fu l'anno decisivo. Si scoprì, infatti, che Kohl non aveva denunciato una donazione al partito di 2 milioni di marchi per onorare l'impegno preso con il donatore di non rivelarne l'identità. (Nello scandalo, sia pure marginalmente, fu coinvolto anche l'allora suo braccio destro Wolfgang Schäuble, il potentissimo ministro delle Finanze nell'ultimo governo di Grande Coalizione della Merkel, poi passato alla guida del Bundestag.) Con un articolo sulla «Frankfurter Allgemeine Zeitung» del 22 dicembre 1999, la Merkel scaricò definitivamente il suo mentore, giungendo a una rottura sia personale sia politica, e nel 2000 rilevò Schäuble nella carica di presidente della Cdu, un ruolo chiave per la leadership: per la prima volta un protestante assumeva la guida di un partito dalla forte connotazione cattolica.

La rottura con Kohl non si è mai sanata ed è riesplosa nel modo più fragoroso il 16 giugno 2017 alla morte – a 87 anni –

dell'ex cancelliere. La vedova di Kohl, Maike Richter, di 34 anni più giovane di lui, ha cercato in ogni modo di impedire che alla cerimonia commemorativa a Strasburgo parlasse la Merkel. Naturalmente non c'è riuscita, e il 1° luglio, dinanzi al Parlamento europeo, la cancelliera ha detto: «Senza Kohl la vita di milioni di persone che fino al 1990 sono vissute al di là del Muro sarebbe stata diversa, anche la mia. Oggi non avrei potuto essere qui». E poi, rivolta allo scomparso: «Grazie dell'opportunità che lei mi ha dato. Sta a noi conservare la sua eredità».

Nel 2005, al suo debutto come candidato premier, la Merkel la spuntò di misura su Gerhard Schroeder e diventò il primo cancelliere donna della storia tedesca, confermandosi nel 2009, nel 2013 e – ancorché più indebolita – nel 2017, eguagliando così il record di Kohl (1982-98), ma non ancora quello del barone Otto von Bismarck (1871-90).

I suoi biografi attribuiscono il merito della sua rapidissima ascesa, apparentemente inspiegabile vista la sua vita precedente, alla tenacia e alla brama di potere, due caratteristiche peraltro comuni a quasi ogni leader politico. Nel 2004, d'altronde, fu lei stessa a spiegarlo in un'intervista alla «Berliner Zeitung»: «Prima volevo il potere sulle molecole. È quello che sto facendo adesso in un altro campo. Il punto centrale, per me, è lasciare un'impronta sulle cose». Langguth la definisce schiava della «droga politica»: «Politica sette giorni su sette e ventiquattr'ore al giorno. Questa è la sua vita, presumibilmente solitaria». Ma ai giornalisti Klaus Brinkbäumer e René Pfister, che pochi giorni prima delle elezioni del 2017 le hanno chiesto se avesse sviluppato questa dipendenza, ha risposto con fermezza: «Spero di no. Decisamente no». E quando le hanno agitato il fantasma di Kohl, che non volle ritirarsi al momento giusto, ha replicato: «Ho ancora la forza necessaria per fare politica, provo ancora curiosità per la gente, per i cambiamenti in corso nella vita e nel paese, e per le sfide che la politica presenta».

Poco lusinghiero è il ritratto della cancelliera che emerge dal libro *Die Patin*, ovvero «La Padrina», uscito nell'agosto 2012 e dalla copertina molto suggestiva: titolo in rosso sul profilo della Merkel in nero. L'autrice, Gertrud Höhler, un'elegante signora di 76 anni, l'accusa addirittura di aver «abbandonato il sentiero della democrazia» e di «voler instaurare un regime autoritario in cui al centro della scena resti soltanto lei, regina d'Europa». Insomma, «un lupo Alfa travestito da agnello arrivato dalle cupe quinte dell'Est». La cancelliera viene accusta di essere totalmente insensibile ai valori quando si tratta di raggiungere un obiettivo, come avrebbe dimostrato anche nella lunga e tormentata vicenda dell'euro, facendo strame, secondo la Höhler, della stessa Costituzione tedesca. Un giudizio eccessivamente severo e di sicuro in parte condizionato dal rancore personale, dato che l'autrice era assistente del leader della Cdu quando la Merkel lo scaricò senza tanti complimenti. Anche se è vero che la cancelliera ha infranto il sogno di Kohl e materializzato l'incubo della Thatcher: anziché una Germania europea ha costruito un'Europa tedesca. («Angela sta rovinando la mia Europa» sbottò Kohl nel 2011.)

La Merkel interpreta senza dubbio i sentimenti prevalenti tra i suoi concittadini, ma la sua attenzione è attratta più dalle scadenze elettorali che dal futuro dell'Europa, anche se le elezioni del 24 settembre 2017 le hanno fatto pagare parecchi errori. Se fosse stata al posto di Adenauer, il Mercato comune europeo non avrebbe mai visto la luce. Se fosse stata al posto di Kohl, il suo maestro, non ci sarebbero stati né l'unificazione tedesca né il cambio del marco dell'Est alla pari con quello dell'Ovest, né tantomeno l'euro. Senza questi due padri della patria tedesca ed europea, Angela Merkel sarebbe rimasta un'onesta e meticolosa ricercatrice di chimica quantistica in un prestigioso ateneo di Berlino.

Xi Jinping,
il nuovo Mao che vuole dominare il mondo

Come si diventa «presidente di tutto»

L'estate del 2017 non ha fatto eccezione. Come ogni anno, da molti decenni, gli uomini che dirigono la Cina si riuniscono nelle prime due settimane di agosto a Beidaihe, una località marittima a meno di 300 chilometri da Pechino, per mettersi d'accordo sul futuro del paese. Qui, nel 1958, Mao Tse-tung ha lanciato il Grande balzo in avanti (un disastro economico con 40 milioni di morti per fame). Qui, trent'anni dopo, Deng Xiaoping criticò le politiche riformiste del premier Zhao Ziyang che portarono poi alla repressione di piazza Tienanmen.

Nel 2017, ricorda Cecilia Attanasio Ghezzi nell'articolo *Xi Jinping pronto al secondo mandato: un uomo solo al comando* («Lettera43», 26 agosto 2017), il clima era piuttosto teso perché in luglio, pochi giorni prima delle vacanze, era stato arrestato Sun Zhengcai, il segretario del partito a Chongqing, la cui provincia conta da sola la metà degli abitanti dell'Italia. Sun era uno dei 25 membri del Politburo, l'ufficio di vertice del Pcc, ed era considerato il più accreditato successore di Xi Jinping alla guida del partito e dello Stato nel 2022.

Nello stesso mese, Xi è stato il solo leader a sfilare nella grande parata commemorativa dei 90 anni dell'Esercito popolare di liberazione, che ebbe in Mao il suo primo condottiero. Non c'è voluto molto a capire che il successore di Xi sarebbe stato Xi.

Il XIX congresso del partito, svoltosi tra il 18 e il 25 ottobre 2017, ha deciso con voto unanime che «il pensiero di Xi Jinping sul socialismo con caratteristiche cinesi per una nuova era» fa parte della Costituzione del Partito comunista cinese dal giorno conclusivo del congresso stesso. I soli nomi presenti in Costituzione sono quelli di Marx, Mao e Deng Xiaoping, peraltro aggiunto dopo la morte. La decisione di quest'ultimo di porre fine alla guida monocratica del partito, per non far nascere nuovi Mao, è dunque fallita. E nel nuovo Politburo, Xi ha inserito solo persone non giovani e quindi non in grado di sostituirlo nel 2022. Si annuncia, pertanto, una presidenza potenzialmente a vita. Come quella di Mao, appunto.

C'era un tempo in cui a noi occidentali i cinesi sembravano tutti uguali. Non solo perché insaccati nell'uniforme alla Mao, che non capivi mai se fosse civile o militare. Ma ci sembravano uguali anche in viso. Xi Jinping, con i suoi abiti di buon taglio occidentale e la sua espressione simpatica, aperta, gioviale, è il ritratto della nuova Cina postcomunista, pur essendo rigidissimamente comunista. È nato a Pechino nel 1953 ed è nato bene, anzi benissimo, per gli standard del suo paese. Fa parte, infatti, dei «principi rossi», l'aristocrazia rivoluzionaria, che discendono da chi, come suo padre Xi Zhongxun, ha combattuto la guerra civile accanto a Mao e ha vissuto con lui la liberazione del 1949.

Nel 1969 Xi, appena sedicenne, incappò nella Rivoluzione culturale. Suo padre finì in prigione, lui fu mandato a rieducarsi nello Shanxi, in un gruppo di produzione. «Un ragazzo istruito» gli dissero «ha bisogno di rieducazione da parte dei contadini più poveri.» Furono anni di forti privazioni, ma lui ne ha fatto un punto di forza della sua carriera. «Mi ritrovai ogni giorno a fare diversi chilometri a piedi in montagna, trasportando sulle spalle 50 chili di peso in equilibrio sul bastone dei portatori.»

Quando, a metà degli anni Settanta, la Rivoluzione culturale finì, Xi si laureò in ingegneria chimica e divenne funzionario di partito. Nel 2002, alla vigilia dei 50 anni, la prima svolta: diventò membro del comitato centrale del partito e, come governatore, fece dello Zhejiang una delle province più avanzate. Fu allora che iniziò la lotta alla corruzione, che ha sempre caratterizzato la sua politica.

Da quindici anni era sposato con Peng Liyuan, una militante comunista (è stata anche membro dell'Esercito popolare di liberazione) che era, soprattutto, una cantante di successo. Nel 1983 era diventata popolarissima perché era stata la star della notte del Capodanno lunare, ruolo che avrebbe svolto anche negli anni successivi. Nei primi anni di matrimonio, insomma, Xi veniva chiamato «il marito di Peng Liyuan». La coppia ha avuto una figlia, Xi Mingze, che ha studiato a Harvard sotto pseudonimo per evidenti ragioni di sicurezza e di privacy. Nel 2007 i ruoli si ribaltarono, quando lui diventò segretario del partito di Shanghai, fu eletto membro dell'ufficio politico del Pcc e segretario del comitato centrale: una posizione di potere strategica.

Uomo di fiducia del presidente Hu Jintao, diventò suo vice nel 2008, viaggiando spesso all'estero e facendosi conoscere da molti statisti stranieri. Diede le prime dimostrazioni del suo celebrato pragmatismo durante un viaggio in Messico nel 2009, nel pieno della crisi finanziaria internazionale. Difendendo l'impegno del suo paese per combatterla, Xi andò per le spicce con un gruppo di garbati contestatori: «Primo, la Cina non esporta la rivoluzione. Secondo, la Cina non esporta fame e povertà. Terzo, la Cina non esporta seccature. Che altro c'è da dire?».

Il 15 novembre 2012 il congresso del Pcc lo nominò segretario generale del partito, carica alla quale – secondo tradizione – seguì quattro mesi dopo quella di presidente della Repubblica. Da allora, il suo potere si è consolidato come non accadeva dai tempi di Mao. Guido Santevecchi, corrispondente da Pechino del «Corriere della Sera», gli ha contato dodici titoli: 1) segretario generale del partito; 2) presidente della Repubblica popolare cinese; 3) presidente della Commissione militare centrale; 4) leader del Gruppo guida per gli Affari di Taiwan; 5) stesso incarico per quello degli Esteri; 6) leader del Gruppo che si occupa di Riforme;

7) leader del Gruppo guida centrale per gli Affari economici e finanziari (abitualmente questi due incarichi sono
in capo al primo ministro, ma Xi ha ritenuto di farli propri); 8) leader del Gruppo guida centrale di Internet e della
informatizzazione del paese (posto chiave per il controllo
del web); 9) leader del Gruppo guida della Riforma militare; 10) presidente della Commissione centrale di sicurezza
nazionale; 11) comandante in capo del Comando centrale
congiunto dell'Esercito popolare di liberazione. Xi coman-
derebbe su tutto già con le cariche di segretario del Pcc e di
presidente della Repubblica, ma ha voluto il controllo diretto su ogni settore chiave diventandone il capo operativo.

Il dodicesimo titolo è quello simbolicamente più importante. Xi è lo «Hexin», il cuore, il nucleo centrale del partito. Dai tempi di Mao nessuno aveva assunto tale ruolo.

Per questo cumulo di cariche, Xi viene definito «il presidente di tutto». Ha demolito la teoria di Deng su una leadership distribuita tra uguali, proprio per evitare l'uomo solo
al comando. E lo ha fatto adottando una celebre massima di
Mao: «Il partito e il governo, i militari, i civili e la cultura;
il nord, il sud, l'est, l'ovest e il centro. Tutto è sotto la guida del Partito». Xi è il Partito. Lo Stato. E anche l'Impresa,
perché nelle sue mani c'è il futuro economico della Cina.

L'uomo più potente dopo Mao Tse-tung

Oggi Xi Jinping è l'uomo più potente e carismatico della storia cinese dell'ultimo secolo, dopo Mao. In un saggio
pubblicato su «Limes» (gennaio 2017), Pei Minxin, docente
del Claremont McKenna College e severo critico del regime
cinese, sostiene che chi ha nominato Xi nel 2012 si attende-
va la guida di un «primus inter pares», in continuità con il
passato. In realtà, il suo più forte avversario potenziale, Bo
Xilai, membro del Politburo, era stato arrestato poco prima
per corruzione. Due ex leader come il presidente uscente
Hu Jintao e il suo predecessore Jiang Zemin, oltre a essere
ormai anziani, si odiavano tra loro molto più di quanto te-
messero Xi, e si sono neutralizzati a vicenda.

Il nuovo segretario-presidente ha avuto, perciò, mano libera nel procedere alla severa epurazione che nessuno pensava attuasse. Ha fatto subito fuori il capo della sicurezza interna, Zhou Yongkang, ignorando l'accordo sulla tutela reciproca secondo cui nessun alto dirigente avrebbe subìto processi politici. La caduta di Zhou ha provocato, con un implacabile gioco di domino, il crollo di tutta la sua rete di sostenitori. Stessa sorte è accaduta a Ling Jihua, capo dello strategico ufficio generale del comitato centrale, processato per corruzione e condannato all'ergastolo. Al contrario di quanto era accaduto in precedenza, negli ultimi anni anche i parenti più prossimi dei funzionari arrestati per corruzione sono stati spesso imprigionati. Infine, ha smantellato tutti i vertici delle forze armate, sostituendoli con persone a lui molto vicine.

Fin dal suo insediamento alla vetta del partito nel 2012, Xi ha dichiarato guerra alle «tigri», gli alti gradi della burocrazia corrotta, e alle «mosche», i piccoli funzionari che prendono tangenti. Un solo esempio: è stato arrestato il segretario di partito di una cittadina che aveva speso l'equivalente di 24.000 euro per la festa nuziale della figlia e accettato regali di nozze per 120.000 euro. Questo ex segretario è stato una delle 1600 «mosche» cadute sotto i colpi di Xi, oltre alle 190 «tigri», dotate almeno di un incarico di viceministro, vicegovernatore provinciale o generale superiore. Nell'estate del 2017 ha fatto scalpore il processo celebrato a Xi'an, antica capitale della Cina, contro 122 funzionari accusati di aver preso tangenti che hanno reso le opere pubbliche meno sicure o di qualità mediocre.

Il presidente cinese ha ridotto al minimo il numero di collaboratori fidati. L'uomo chiave è Wang Qishan, capo dell'anticorruzione, l'implacabile Andrej Vyšinskij di Xi. I due sono diventati amici quando da giovani erano stati «rieducati» durante la Rivoluzione culturale. Wang ha un passato di grande finanziere: ha fondato e guidato la prima banca d'investimento cinese, ha collaborato con Morgan Stanley, ha finanziato la scalata di Chen Feng per acquisire e potenziare la compagnia aerea Hainan Airlines, prima che vi entrasse George Soros e che l'ex ufficiale di aviazione cinese, ormai miliardario, fosse costretto a fuggire negli Stati Uniti inseguito da accuse di corruzione. Diventato potentissimo nel 2012 con l'arrivo di Xi al potere, Wang ha raggiunto l'età della pensione, ma il 25 ottobre non risulta confermato nella sua carica di potentissimo capo della Commissione di disciplina. Probabilmente Xi è ormai troppo potente per aver bisogno degli aiuti del passato.

A Wang si aggiungono solo due figure strategiche nella cerchia ristretta di Xi: Li Zhanshu, capo del suo staff, e Chen Wenqing, capo della sicurezza dello Stato. Gli avversari del regime, come Pei Minxin, sostengono che il potere assoluto passa per un controllo sempre più rigido sui media, sulla libertà di espressione, per non parlare della repressione dei dissidenti che, di fatto, non sono previsti.

Pei Minxin, autore di un libro sulla «putrefazione del regime», mette in guardia dai pericoli della lotta indiscriminata alla corruzione. «Per milioni di funzionari e burocrati che muovono la macchina del partito unico, le idee di Xi sulla disciplina, sull'austerità, sulla purezza ideologica non sono solo irragionevolmente aspre, ma anche ripugnanti sotto il profilo economico ... Il funzionario medio in Cina riceve una paga ufficiale minima: solo l'opportunità di guadagno fornita dalla corruzione rende appetibile il lavoro per il Partito-Stato. Senza la cooperazione di questi funzionari, è difficile immaginarsi come sotto Xi si possano materializzare autentici miglioramenti nella performance economica e nella gestione dello Stato.»

Si è detto che nell'era di Mao si lottava per la sopravvivenza. (Lui ha dato il potere al popolo, affermano i cinesi.) Nell'era di Deng Xiaoping si lottava per lo sviluppo. In quella di Xi la lotta è per la dignità e per battere la diseguaglianza sociale. La dignità di centinaia di milioni di poveri in un paese che ha ormai milioni di ricchi. E la dignità della Cina come superpotenza mondiale.

Lo sviluppo della nazione negli ultimi decenni è stato portentoso. Negli anni Ottanta il 99 per cento dei cinesi viveva con 3 dollari al giorno. Oggi, soltanto il 27 per cento della popolazione si trova nelle stesse condizioni, soprattutto nei villaggi rurali, lontanissimi dal tenore di vita delle grandi città. Il reddito pro capite è passato dai 940 dollari del 2002 ai 1755 del 2005 e ai 4478 del 2010. La distribuzione del reddito, naturalmente, è molto variabile: è oscillata nel 2015 tra i 2500 dollari delle aree più povere e i 7000 di Shanghai, che ha superato Pechino per benessere.

Il proposito di Xi è di cancellare la povertà entro il 2020. Con quali mezzi? Con quale politica? Secondo Sergio Romano («Corriere della Sera», 12 luglio 2016), il comunismo in Cina è morto da tempo. C'è sempre un partito comunista al potere e sulle monete viene ancora impressa l'immagine di Mao. Ma i testi di Marx e di Lenin hanno ceduto da tempo il posto a quanto disse Deng Xiaoping il 18 gennaio 1992 a Shenzhen, nei pressi di Hong Kong: «Arricchitevi!», riprendendo il famoso invito di François Guizot ai francesi di Luigi Filippo. I cinesi lo presero in parola, anche se oggi la strada verso la prosperità è più complicata di quando l'economia cresceva a due cifre. Siamo comunque ancora intorno a valori appena inferiori al 7 per cento, che l'Italia non raggiunse nemmeno negli anni d'oro del «miracolo economico». Ma in Cina c'è un miliardo e mezzo di persone che chiedono aumenti salariali e villaggi in subbuglio per la severa politica della terra e la corruzione endemica a qualsiasi livello.

Con il nazionalismo alla conquista del mondo

Qual è la strategia del «presidente di tutto»? Nel gennaio 2017 Xi Jinping è diventato un beniamino dell'Occidente pronunciando un forte discorso di apertura al vertice del capitalismo mondiale che si tiene ogni anno a Davos, in Svizzera. «Perseguire il protezionismo» ha detto «è come chiudersi in una stanza scura. Il vento e la pioggia restano fuori, ma anche l'aria e la luce. La Cina terrà le porte aperte e non le chiuderà. E speriamo che anche altri paesi ci seguano.» Xi si è collocato così esattamente agli antipodi di Donald Trump e del suo slogan «America First».

«La Cina è pronta a prendere il posto degli Stati Uniti alla guida della globalizzazione» ha notato Angelo Aquaro, corrispondente della «Repubblica» da Pechino. Xi è il nuovo Gran Khan raccontato da Marco Polo nel *Milione*. Ha stanziato 650 miliardi di dollari in cinque anni prima in una sessantina di nazioni e poi in 112 (Italia compresa) per unire la Cina al resto del mondo. I romantici hanno chiamato questo piano «La Nuova Via della Seta». I pragmatici «One Belt, One Road», una cintura, una via. Ma il significato è lo stesso: acquisire sul campo la leadership mondiale.

I cinque progetti più grandi prevedono il collegamento ferroviario da Xian a Londra via Rotterdam, attraversando tutta l'Europa. (Ma intanto, il 29 marzo 2014, il presidente in persona ha voluto salutare a Duisburg, in Germania, l'arrivo del primo treno merci da Chongqing, una città di 8 milioni di abitanti nella Cina centromeridionale: 11.000 chilometri percorsi in 16 giorni.) Poi, il corridoio pachistano con il porto di Gwadar, nel mare Arabico, per aggirare lo stretto di Malacca e accorciare di oltre 10.000 chilometri la distanza dai grandi giacimenti petroliferi del Golfo. L'oleodotto dell'Asia centrale. Il centro di smistamento di Khorgos, ai confini del Kazakistan. La ferrovia che collega Cina e Iran. Nel complesso, un mastodontico e virtuoso imperialismo economico destinato a far impallidire il protezionismo americano, se davvero Trump dovesse perseguirlo fino in fondo.

Certamente la Cina di Xi ha preso la guida del Brics (Brasile, Russia, India, Cina, Sudafrica), paesi un tempo «emergenti» e oggi «emersi» con la spettacolare esuberanza di una balena che balza in superficie. Attenzione però, ammonisce il «Financial Times», la verve globalizzatrice di Pechino è molto diversa da quella cresciuta sotto l'ombrello della Pax Americana dopo la seconda guerra mondiale.

Un libro del più importante ideologo del momento, Li Junru, *The Chinese Path and the Chinese Dream* (La via cinese e il sogno cinese), fa piazza pulita di quel sentimento di «umiliazione» che i cinesi sentono di aver subìto da parte del mondo occidentale. Il «secolo dell'umiliazione» è quello finito con la rivoluzione di Mao e la vittoria del 1949. Ma da allora i cinesi hanno avuto per troppo tempo il complesso dell'Occidente. Per Wang Xiaodong, autore del «Manifesto del nazionalismo cinese» e del libro *Cina infelice*, il nazionalismo è la reazione all'autodenigrazione e al culto per l'Occidente cui «i cinesi avrebbero ceduto per troppo tempo, ostentando un intollerabile complesso di inferiorità». E Sergio Romano sostiene che il nazionalismo è diventato il surrogato del comunismo, il solo collante che possa tenere insieme questo sterminato paese.

Le carte geografiche, nelle scuole cinesi, rappresentano l'impero nel punto di massimo sviluppo. I libri di testo ricordano le guerre dell'oppio scatenate dall'Inghilterra contro la debole Cina, i massacri giapponesi di Nanchino nel 1937, le concessioni con cui le potenze europee si appropriarono dei porti più importanti. (Non è il caso dell'Italia che, dal 1901 al 1943, ha avuto una piccolissima concessione nell'area di Tientsin, ricca di saline, dove si sono alternati dieci governatori e che ha emesso regolarmente francobolli coloniali.) Così si spiega anche il massiccio e regolare pattugliamento che la marina militare fa del mar Cinese meridionale per presidiare le isole Spratly, peraltro negatele dal Tribunale dell'Aia.

Il «ringiovanimento» della politica, il nuovo corso che Xi sta imprimendo al suo gigantesco paese, non segue il modello occidentale di sviluppo, ma si propone di raggiungere in altro modo la leadership mondiale. Il presidente ha fatto suo il tema del libro *Sogno cinese*, scritto nel 2010 dal colonnello Liu Mingfu, il cui sottotitolo è molto più di un programma di governo: «Considerazioni da grande potenza. Come fissare una strategia per l'era postamericana», con l'obiettivo di «controllare una quota maggiore delle risorse mondiali perché l'America si è dimostrata incapace di farlo». La Cina ha adottato questa strategia dopo la crisi finanziaria iniziata nel 2008, ma la strada verso la leadership mondiale non dovrebbe raggiungere il traguardo prima della metà di questo secolo. Per ora sta contendendo all'America il presidio dell'Asia e sta rafforzando qualitativamente il suo potenziale militare: ha quasi il doppio dei soldati americani, ma un quarto degli aerei militari, un settimo degli elicotteri d'attacco, la metà degli incrociatori e 2 sole portaerei contro le 19 degli Stati Uniti. Pur appesantita da un debito pubblico gigantesco (il 260 per cento del prodotto interno lordo), la Cina ha un'arma fatale: detiene oltre 1000 miliardi di buoni del Tesoro Usa. Se li convertisse in euro, Trump non sorriderebbe.

Preparandosi a un altro lunghissimo periodo di potere, Xi Jinping si gode il culto della personalità. Il suo libro *Governare la Cina*, tradotto in 23 lingue, è diffuso in tutto il mondo in 6,5 milioni di copie. E poiché ogni uomo solo al comando ha certamente un glorioso punto di partenza, il nuovo best seller *Sette anni da zhiqing* (lo *zhiqing* è il «giovane istruito» rieducato durante la Rivoluzione culturale) ne esalta la pazienza e la tenacia già da ragazzo, quando dormiva in una grotta su un letto di terra e non sapeva che sapore avesse un pezzetto di carne: «Non importa quanto il cibo fosse cattivo, Xi aveva sempre un buon appetito. Non importa quanto una persona fosse povera, Xi non l'avrebbe mai disprezzata».

Sta al presidente-segretario più longevo e potente dopo Mao smentire le preoccupazioni occidentali di cui si fa portavoce il «Financial Times», bibbia del capitalismo liberale: «Se davvero resterà tanto a lungo al potere, una gestione sclerotica all'interno e inflessibile all'estero può costituire davvero un grosso rischio». Ma Xi non può permettersi una *perestrojka* come Michail Gorbačëv: ha il terrore che anche la Cina abbia poi il suo 1989 e il suo 1991, l'anno che segnò la fine dell'Unione Sovietica.

AGOSTO 1945 : 72 ANNI DA HIROSHIMA

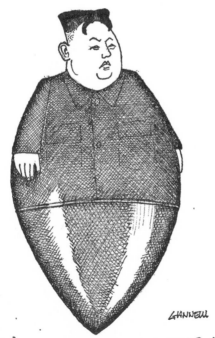

...E C'È ANCORA UN KIM JONG-IL

Kim Jong-un,
l'amico di Razzi che fa tremare il mondo

Le simpatie italiane del «Grande Maresciallo»

Chiedo a Trump? O è meglio a Putin? No, credo sia più utile fare una telefonata a Xi Jinping, confermato imperatore della Cina. Ma no, che sciocco... Chi conosce meglio Kim Jong-un è il mio conterraneo Antonio Razzi, nato a Giuliano Teatino (Chieti) il 22 febbraio 1948, emigrato a 17 anni in Svizzera per fare l'operaio tessile, senatore eletto nelle liste degli italiani all'estero nel 2006 per Italia dei Valori, confermato nel 2008 ed eroicamente passato con Berlusconi nel 2010, quando Fini voleva fargli la festa. Oggi Razzi è in Forza Italia e pronto a «buttarsi letteralmente sotto il treno» (*sic*) se glielo chiede il Cavaliere. È stato reso celebre da Maurizio Crozza nell'imitazione televisiva del parlamentare con le scarpe grosse e il cervello fino, approdato a palazzo Madama solo per farsi gli affari suoi.

Che c'entra Razzi con Kim Jong-un? Il senatore abruzzese è presidente dell'Unione interparlamentare Italia - Corea del Nord. Dal 2007, va ogni anno a Pyongyang ed è diventato amico personale di molti dirigenti nordcoreani. «La prima volta, il 15 gennaio 2007, c'erano 30 gradi sotto zero e due ore al giorno di elettricità. Ho rivisto le candele dei paesi abruzzesi degli anni Cinquanta. Oggi la capitale sembra New York.»

Per la paura costante di essere ucciso, Kim non incontra quasi nessuno. Il 12 aprile 2017, per l'inaugurazione di un grande museo sulla storia della Corea, erano presenti 156 delegazioni. Il «Grande Maresciallo», come viene chiamato, ha incontrato soltanto quella italiana e ha parlato qualche minuto in tedesco con Razzi. Kim ha imparato la lingua quando, da giovanissimo, ha frequentato sotto falso nome, con la sorella, una scuola in Svizzera. Razzi conosce il tedesco da emigrante. Kim, appassionato di calcio, andava di nascosto a vedere le partite a San Siro. Il mondo scoprì il calcio nordcoreano il 19 luglio 1966, quando un gol di Pak Doo-ik ci eliminò dai Campionati mondiali d'Inghilterra. Kim ha fatto chiedere a Razzi dove potrebbero allenarsi i suoi calciatori in Italia e lui li ha mandati al Centro federale di Solomeo di Corciano (Perugia). Nel breve colloquio del 2017 Kim, molto amante del nostro paese, si è detto soddisfatto della scelta. Ha poi mandato, attraverso Razzi, un invito ufficiale ai cantanti del Volo per un concerto a Pyongyang e fatto recapitare a fine estate 2017 al senatore una lettera piena d'insulti per Donald Trump.

Non sappiamo se la simpatia del leader nordcoreano per Razzi sia ispirata dal suo cognome. Il Grande Maresciallo ha infatti una particolare predilezione per i razzi, quelli veri, i missili balistici che gli consentirebbero di distruggere Seul in un nanosecondo, di fare molto male al Giappone e di raggiungere, con qualche piccolo accorgimento tecnologico, le coste americane.

Il 3 settembre 2017 la Corea del Nord ha annunciato di aver testato la bomba H. Non era una bufala, perché è stato registrato un terremoto di magnitudo 6.3 della scala Richter che ha fatto calcolare una potenza cinque volte superiore a quella che nel 1945 distrusse Nagasaki. Il mondo ha tremato davvero e sta cercando di capire che cosa voglia realmente il giovane dittatore.

La leggendaria crudeltà del «Grande Successore»

Kim Jong-un è il leader supremo della Corea del Nord. Significa che sta ampiamente al di sopra di tutte le cariche ordinarie, compresa quella di presidente della Repubblica attribuita a Kim Yong-nam, un signore venuto a titolo privato in Italia dove ha incontrato anche Razzi senza che nessuno se lo filasse.

Il capo di questa dinastia è Kim Il Sung, leader nordcoreano per una quarantina d'anni, dal 1945 alla morte, avvenuta per un infarto nel 1994.

La Corea ha una storia tormentata. Il Giappone se la annesse nel 1910, sopprimendo l'impero coreano, e il regime autoritario degli anni Trenta tentò di cancellare ogni forma di civiltà. Dopo la sconfitta giapponese nella seconda guerra mondiale, l'illusione di una Corea unificata cadde subito e il paese fu diviso all'altezza del 38° parallelo tra il Nord, dominato dall'Unione Sovietica, e il Sud, controllato dagli Stati Uniti. Nel 1950 il Nord invase il Sud e se lo sarebbe preso, se gli americani non fossero intervenuti con la copertura dell'Onu. Le truppe del generale Douglas MacArthur sarebbero arrivate a loro volta a Pyongyang se non fossero intervenuti russi e cinesi a ricacciarli indietro, e la situazione tornò come prima. Bilancio: 2 milioni di morti e un armistizio mai seguito dalla pace.

Kim Il Sung fu il protagonista nordcoreano di questi anni. Si era formato nella lotta di resistenza ai giapponesi, continuò nella resistenza all'Occidente, da cui si isolò completamente dopo la caduta del Muro di Berlino. Bernardo Valli, che seguì Enrico Berlinguer in una visita a Pyongyang nella primavera del 1980, ha scritto sull'«Espresso» (16 luglio 2017): «L'italiano, il più aristocratico dei leader marxisti di allora, e Kim Il Sung, immerso in un culto della personalità senza limiti, avevano qualcosa in comune: l'insofferenza nei confronti delle prepotenti, grandi capitali comuniste. Da qui una strana, senz'altro contenuta, imbarazzata simpatia tra le romane Botteghe Oscure e Pyongyang».

Il sostegno cinese, che sostituì in parte quello sovietico, non impedì negli anni Novanta una carestia impressionante. Kim fece impallidire il culto della personalità di Mao, collocandosi in una posizione semidivina. Oggi, a ventitré anni dalla sua morte, ricopre la carica di «Presidente Eterno». Il suo compleanno viene fatto coincidere con il

Natale occidentale, che ovviamente nella Corea del Nord non esiste. La Corea sta così vivendo l'anno 106: il calendario parte dal 1912, data di nascita di Kim Il Sung, proclamato «anno zero» dell'era rivoluzionaria. Il fiore nazionale si chiama – guarda caso – Kimilsungia, sempre presente in grandi mazzi ai piedi della gigantesca statua alta 35 metri che domina la capitale (in tutto il paese ce ne sono 400 di vario formato).

Suo figlio Kim Jong-il – detto «il Caro Leader» o «Leader Supremo» – ha regnato dal 1994 al 2011. Anche lui ha condotto una vita sotto tono: fece dire che la sua nascita fu salutata da un doppio arcobaleno, da una rondine e dall'accendersi di una nuova stella in firmamento. Amante del lusso, collezionava auto costosissime e pellicole celebrative: una volta sequestrò un famoso regista e una star sudcoreani perché gli confezionassero un film di propaganda. Essendo piuttosto basso, indossava scarpe con i tacchi e gli piaceva la pettinatura rigonfia; a tavola eccedeva, amava il buon vino e ne beveva fino a dieci bicchieri consecutivi nei brindisi importanti. Il terrore dell'aereo lo portò a viaggiare sempre in treno, dove sarebbe morto d'infarto. Al figlio Kim Jong-un lasciò in eredità la bomba atomica, che aveva approntato nel 2006.

Kim era il terzo figlio in linea di successione, ma i due fratelli maggiori erano troppo amanti dell'Occidente e il padre aveva fatto fin dal 2009 la scelta di privilegiare il minore, che alla sua morte, a 27 anni saliva al rango di «Grande Successore» e diventava il capo dello Stato più giovane del mondo.

Kim Jong-un ha studiato alla Scuola inglese internazionale di Berna (come abbiamo detto, sotto pseudonimo) e scienze informatiche in Corea del Nord. Ha una laurea in fisica e una in scienze militari. Generale a 26 anni, è stato promosso maresciallo dopo aver raggiunto il vertice dello Stato. Anche di lui si dice che ami la buona tavola e gli eccessi delle cose piacevoli. È certamente molto appassionato di videogiochi e di pallacanestro. Nel 2012 ha sposato Ri Sol-ju, cantante e ballerina. La sua crudeltà è leggendaria.

L'impossibile «hamburger nucleare» con Trump

Kim Jong-un aveva uno zio impiccione, Jang Song-thaek, che s'illudeva di controllarlo, vista la sua giovane età. Era comunque il numero due del regime. Il nipote l'ha fatto arrestare nel 2013 per alto tradimento e l'ha fatto sbranare dai cani insieme ai suoi più stretti collaboratori. (All'arresto dello zio, ha collaborato un fratello di Kim, Kim Jong-chul, di tre anni più vecchio, escluso a suo tempo dalla linea di successione perché troppo effeminato.) Il 30 aprile 2015 il ministro della Difesa, distratto o infedele, è stato giustiziato a cannonate. Il 14 febbraio 2017, all'aeroporto di Kuala Lumpur, il giovane dittatore ha fatto uccidere il suo fratellastro Kim Jong-nam con un colpo da spy-story: due donne, spie della Corea del Nord, hanno avvicinato la vittima, gli hanno afferrato la testa da dietro e gli hanno coperto il volto con un panno avvelenato, fuggendo poi in taxi. Temeva che il congiunto potesse soppiantarlo in caso di complotto internazionale.

Fin dal 2013 Kim Jong-un ha lanciato agli Stati Uniti minacce tremende. Americani e occidentali hanno risposto con proteste e sanzioni sempre più dure, ma lui non si è lasciato certo intimidire. Uno con il carattere di Trump è andato a nozze. Se Kim lo chiama «rimbambito», lui ricambia con «pazzo». Se il primo dice che colpirà i paesi vicini con l'atomica, il secondo annuncia che «sarà fuoco e fiamme come il mondo non ha mai visto».

È una situazione surreale. I turisti che vanno in Corea del Nord vengono ospitati in alberghi con piscina, sauna, bagno turco, Jacuzzi. Le stazioni sciistiche sono di stampo occidentale e, se volete l'attrezzatura a noleggio, è delle migliori marche italiane. È vero che si vedono in giro più automobili degli anni scorsi, che uomini d'affari nordcoreani legati al regime fanno investimenti per migliorare la qualità della vita della popolazione e che nel 2016 il Pil è aumentato di quasi il 4 per cento. Dopodiché, la Corea del Nord resta un paese con 24 milioni di abitanti e un reddito medio di 1700 dollari, inferiore alla media di Haiti e del Sud Sudan, e confina con la Corea del Sud, che ha 50 milioni di abitanti e un reddito medio di 36.500 dollari, il 30 per cento più degli italiani. Il sistema economico comunista e le sanzioni soffocano l'economia nordcoreana, ma, come ha detto Putin, i sudditi di Kim sono «disposti a mangiare erba pur di portare avanti il loro programma nucleare». E infatti il 16 per cento del prodotto interno lordo è destinato alle spese militari (in America è il 4,3 per cento, in Italia l'1,20).

In genere i dittatori la sparano grossa sulle loro disponibilità militari. Non è il caso di Kim Jong-un, che realizza puntualmente quel che annuncia. Finora le autorità nordcoreane hanno mostrato 56 missili balistici di dieci tipi differenti che possono montare testate nucleari. L'obiettivo è sviluppare un ordigno miniaturizzato che raggiunga gli Stati Uniti, e c'è da giurare che ci riusciranno. Alla domanda che cosa voglia davvero Kim Jong-un, la risposta è una: il riconoscimento come potenza nucleare a salvaguardia della propria sopravvivenza. E per questo è disposto a tutto. Trump, che è un curioso, ha avuto la tentazione di andare a vedere le carte, ipotizzando di «mangiare un hamburger» con il dittatore. Ma, allo stato delle cose, un tale riconoscimento è impensabile.

Gli Stati Uniti studiano costantemente le opzioni per eliminare il dittatore nordcoreano. L'assassinio è complicato perché Kim non esce di casa, dove si dice sia protetto da uomini dei servizi russi inviati da Putin. (A questo proposito, rispondendo il 20 ottobre 2017 alla domanda su una possibile morte improvvisa di Kim in un incidente, il capo della Cia, Mike Pompeo, ha detto: «Vista la storia della Cia, qualcuno potrebbe pensare a una coincidenza».)

L'invasione via terra sarebbe possibile, violando l'armistizio del 1953, ma un minuto dopo il Grande Maresciallo schiaccerebbe il bottone nucleare. Una scelta difensiva sarebbe lo scudo antimissile, una offensiva il «colpo chirurgico» per distruggere gli impianti nucleari nordcoreani, allo studio fin dai tempi di Clinton. Ma il minimo errore scatenerebbe la guerra nucleare, con milioni di morti. L'ideale sarebbe un cambio di regime, ma anche qui occhio alle controindicazioni e al ruolo della Cina. L'attivismo minaccioso di Kim dà fastidio all'imperatore Xi. La Cina può tagliargli il petrolio e altri beni, ma non può consentire in alcun modo l'unificazione coreana sotto il controllo degli Stati Uniti, perché si troverebbe l'America nel cortile di casa. Meglio dunque sopportare, in attesa di un negoziato, di cui non si ha traccia, e sperando che nessuno schiacci un bottone in grado di provocare un genocidio in pochi secondi.

L'Italia è stata la prima nazione del G7 ad avviare relazioni diplomatiche con la Corea del Nord nel 2000, ed è presente a Pyongyang con alcune istituzioni, ma non con un ambasciatore. Il 1° ottobre 2017 il ministro degli Esteri Angelino Alfano ha espulso l'ambasciatore nordcoreano, già a Roma in attesa di accreditamento, «per una strategia irresponsabile» mi dice «già condannata dall'Onu. L'Italia, presente nel 2017 nel Consiglio di sicurezza delle Nazioni Unite, ne presiede il comitato sanzioni e abbiamo deciso di mantenere alta la pressione sulla Corea del Nord».

Chiedo al ministro qual è il criterio per decidere chi abbia diritto a essere considerato potenza nucleare. «Non esiste un modo minaccioso e arrogante con cui un paese ottenga di essere riconosciuto come potenza nucleare. Guardi all'accordo con l'Iran: la proliferazione nucleare iraniana è stata posta sotto il controllo della comunità scientifica internazionale sulla base di una precisa risoluzione delle Nazioni Unite.»

Non è un terreno scivoloso? «Kim Jong-un è uscito oggettivamente dalla legalità internazionale quando ha fatto il primo test nucleare dopo molti anni che non ne avvenivano. Il mondo non può sentirsi messo sotto scacco da un solo signore protervo.»

A proposito di uomini soli al comando, Alfano riflette sui guai che accadono quando costoro escono di scena nei paesi non abituati a un ordinato passaggio di poteri. «Si pensi a Gheddafi. Aveva sigillato le frontiere verso l'Italia. La sua scomparsa ci ha portato al più lungo periodo di instabilità ai confini dalla seconda guerra mondiale. Si è creato uno squilibrio complessivo che stiamo riparando solo oggi dopo anni di accordi faticosi.»

Negli ultimi anni, Gheddafi aveva messo la testa a posto. Lo farà anche Kim?

I GIGANTI ITALIANI

Alcide De Gasperi,
l'uomo che restituì l'onore all'Italia

«Lasciateci l'integrità nazionale, lasciateci l'onore»

Il 10 agosto 1946 Alcide De Gasperi era l'uomo solo al comando di una nazione sconfitta. Sostenuto unicamente dalla propria dignità personale, raggiunse il podio della Conferenza di Parigi e parlò con una voce che suonò fermissima, perfino autoritaria, nelle cuffie dei delegati delle nazioni vincitrici della seconda guerra mondiale. «Sento che tutto, tranne la vostra personale cortesia, è contro di me: è soprattutto la mia qualifica di ex nemico che mi fa considerare come imputato, e l'essere arrivato qui dopo che i più influenti di voi hanno già formulato le loro conclusioni in una lunga e faticosa elaborazione ... Lasciateci l'onore ... lasciateci la nostra integrità nazionale che è congiunta con l'onore.»

Alla fine dell'intervento, anche la «personale cortesia» degli Alleati era scomparsa. Intorno a quell'uomo, intorno all'Italia che egli rappresentava, si era creato un muro di ghiaccio. Racconta il segretario di Stato americano James Byrnes nelle sue memorie (*Carte in tavola*): «Quando [*De Gasperi*] lasciò il rostro per tornare al posto assegnatogli nell'ultima fila, scese la navata centrale della sala silenziosa passando accanto a molte persone che lo conoscevano. Nessuno gli parlò. La cosa mi fece impressione; mi sembrava inutilmente crudele ... Così quando arrivò davanti alla nostra delegazione, mi alzai e gli tesi la mano. Volevo fare coraggio a quest'uomo che aveva sofferto personalmente nelle mani di Mussolini e ora stava soffrendo nelle mani delle Nazioni Alleate».

De Gasperi doveva combattere su due fronti: quello alleato e quello interno. Sul primo, i nostri peggiori nemici erano i francesi. L'Italia pagava la «pugnalata alla schiena» inferta alla Francia nella fase iniziale della guerra e l'occupazione militare della sua fascia sudorientale e della Corsica fino al 1943. In realtà, quando il 14 giugno 1940 Hitler conquistò Parigi (quattro giorni dopo l'entrata in guerra dell'Italia), la Francia era divisa apparentemente in due. La parte settentrionale era sotto l'occupazione militare tedesca, mentre la parte centromeridionale era «libera»: libera per modo di dire, dato che il governo collaborazionista di Pétain era sotto il diretto controllo nazista. E la posizione filotedesca di Vichy, condivisa da metà della popolazione francese, era durata quattro anni, uno in più della guerra fascista italiana. Per giunta, dall'8 settembre 1943 – comunque si giudichi l'armistizio – il nuovo governo italiano era dalla parte degli Alleati. La Francia, però, aveva avuto un De Gaulle che, pur rappresentando all'inizio poco più che se stesso e pur essendo detestato dagli americani per la sua arroganza e inviso allo stesso Churchill, adesso, grazie al suo carisma, pontificava dal banco dei vincitori, chiedendo che l'Italia sconfitta diventasse l'Italia umiliata.

A essere in gioco erano il nostro confine orientale, conquistato con la prima guerra mondiale, e la sorte di 600.000 italiani. Stalin voleva che andassero tutti a Tito, sostenuto in larga misura da Palmiro Togliatti – e questo era il secondo fronte su cui era impegnato De Gasperi –, che patteggiò in segreto con il dittatore iugoslavo la cessione di Trieste all'Italia in cambio di Gorizia e di tutto il resto della Venezia Giulia. Ad americani e inglesi bastava che 50-60.000 italiani di quell'area passassero sotto il comando di Tito, per De Gaulle dovevano essere 125.000. Nonostante gli sforzi di De Gasperi, il nostro paese pagò un prezzo durissimo: la Venezia Giulia restò italiana (Trieste ci fu restituita, però, soltanto nel 1954), ma dovemmo cedere regioni italianissime come l'Istria, con Pola, e la Dalmazia, con Fiume e

Zara, il che provocò lo spaventoso esodo di 300.000 italiani (che rientrarono in patria dopo aver perso tutto e furono trattati dalla sinistra come fascisti) e la tragedia delle foibe.

Quando fu nominato presidente del Consiglio, nel luglio 1946, Alcide De Gasperi aveva 65 anni e una lunga carriera politica alle spalle. Il suo fisico era diventato con il tempo più fragile, ma lui riuscì a tenerlo sempre in piedi con il fil di ferro di una dignità e di un carattere fuori del comune. La sua aria era sofferente, ma giusto solo l'aria. Il corpo era un pezzo di ghiaccio, per nulla disposto a sciogliersi e nemmeno a gocciolare.

«Sempre meno capisco» scrisse Indro Montanelli nei suoi *Incontri* «come faccia a governare gl'italiani quest'uomo vestito di grigio, con la sua grigia oratoria senza pennacchi, coi suoi occhi grigi così poco cesarei, col suo volto di pietra, grigia anch'essa.» «Ha il complesso del martirio» gli fece eco Giovanni Artieri (*Tre ritratti politici e quattro attentati*). Ma era solo apparenza. Quando vedeva sui muri manifesti che raffiguravano la sua impiccagione, ne prendeva nota senza battere ciglio. Se lo insultavano durante i comizi, s'interrompeva per rispondere a tono. Per ogni evenienza, teneva sotto il vetro della scrivania un foglietto con due versi: il primo di Orazio: «Ricordati di serbare nei gravi frangenti la mente serena»; il secondo di Ovidio: «Sopporta e persevera, cose molto più gravi sopportasti».

Prima al governo con Mussolini, poi in carcere

Alcide De Gasperi (1881) è vissuto sotto tre bandiere: l'austroungarica, la sabauda e la repubblicana. Forse quella che lo fece soffrire di meno fu la prima. Trentino di Pieve Tesino, era figlio di un modesto impiegato della gendarmeria austriaca e frequentò il ginnasio vescovile di Trento grazie a una borsa di studio. Si laureò in filologia a 24 anni, dopo aver perso un semestre: fu infatti incarcerato insieme a molti compagni per aver reagito all'aggressione di studenti pangermanisti che manifestavano contro l'istituzione di una cattedra di giurisprudenza per italiani a Innsbruck.

Nel 1911, all'età di 30 anni, era già parlamentare a Vienna. E lì cominciò a camminare sul filo dell'equilibrismo. Quando nel 1914 scoppiò la prima guerra mondiale, si tenne ben distinto dagli irredentisti alla Cesare Battisti. E allorché gli austriaci lo accusarono ugualmente di irredentismo, prese le distanze dai nazionalisti italiani: «Se questo è irredentismo, noi ne siamo immuni». Per lui si trattava solo di un «sentimento di appartenenza culturale alla nazione italiana». Culturale, si badi, non politica. Non a caso i fascisti lo avrebbero bollato subito come «austriacante».

Quando nel 1915 l'Italia entrò in guerra, De Gasperi tenne un atteggiamento ambiguo. Il fratello Augusto si guadagnò una medaglia d'oro combattendo eroicamente contro gli italiani e salvando il proprio reparto, mentre lui osservò con dolore il brutale comportamento degli austriaci nei confronti dei trentini: ne spedirono 40.000 a combattere sul terribile fronte russo e perseguitarono gli altri con confische e deportazioni. Ad Alcide premeva sì l'unione all'Italia, ma a patto che fosse mantenuta l'autonomia garantita dagli austriaci ai trentini e che il Regno d'Italia non voleva affatto rispettare, poiché non capiva (con qualche ragione) per quale motivo una terra che sembrava non desiderare altro che unirsi alla madrepatria dovesse avere poi un regime diverso (e molto più vantaggioso) dal resto del territorio nazionale. Fu questa la ragione per cui non fu indetto alcun plebiscito per l'annessione: l'esito sarebbe stato incerto. A Cortina d'Ampezzo, che fin dal Cinquecento era stata annessa all'Austria, l'ingresso delle truppe italiane fu accolto nel gelo assoluto. Provvide un atto del governo a sancire l'unione, frutto di quella che fu vissuta assai più come una conquista che come una liberazione.

Il notevole contributo di De Gasperi alla battaglia per l'autonomia del Trentino Alto Adige, infine riconosciuta dallo Stato italiano, lo portò nel 1921 al Parlamento di Roma con un enorme bagaglio di voti e di speranze. Non poteva immaginare che, di lì a poco, il fascismo avrebbe spazzato via l'autonomia della regione e che sarebbe toccato a lui, nel 1946, ristabilirla da presidente del Consiglio, firmando un accordo con il collega austriaco Karl Gruber.

Nel giugno 1922, a 41 anni compiuti, De Gasperi decise di mettere su famiglia. Francesca Romani, figlia di un ricco commerciante di Borgo Valsugana (Trento), aveva 27 anni e un'eccellente educazione: aveva frequentato il liceo francese di Trento, imparato il tedesco a Monaco di Baviera, dove si era diplomata anche in pianoforte, e l'inglese a Brighton. Il fidanzamento fu breve, ma vissuto intensamente. Sei mesi prima delle nozze Alcide le scrisse: «È l'amore che ci domina, ci unisce, ci fonde in uno. Io ho un grande temperamento fisico e un grande temperamento spirituale. Del primo tu senti la stretta quando le mie braccia si chiudono attorno al tuo bel corpo, del secondo tu hai la sensazione quando ti guardo e quando ti parlo. Ma come t'abbandoni sicura al mio abbraccio, così sento che tu liberamente, da pari a pari, corrispondi al mio impulso spirituale e lo ricambi della tua bontà» (*Cara Francesca*).

Fecero un magnifico viaggio di nozze, perché De Gasperi era presidente onorario della Compagnia italiana dei grandi alberghi, e fu felice di corrispondere ai capricci della moglie. A Napoli, per esempio: «Dopo aver messo sotto sopra sette negozi, mi trovo finalmente sulla gran via col portafoglio alleggerito e due gran pacchi sotto le braccia». Chissà se il peso della fatica fu maggiore di quello della spesa: lui era austero anche nei consumi. La coppia fu unitissima per tutta la vita. Manco a dirlo, sulla sua monogamia nessuno ebbe mai il minimo dubbio. Racconta Giulio Andreotti in *De Gasperi visto da vicino*: «Se fosse tornato improvvisamente Gesù Cristo e avesse autorizzato chi era senza peccato a scagliare contro l'adultera la prima pietra, De Gasperi sicuramente avrebbe guadagnato il brevetto di tiratore scelto».

Quando, alla fine del 1922, Benito Mussolini diventò capo del governo, De Gasperi era presidente del gruppo parlamentare del Partito popolare, il cui segretario, il sacerdote siciliano Luigi Sturzo, diede – sia pur a malincuore – il beneplacito ai suoi perché sostenessero quello che non era ancora il Duce. Nelle memorie di De Gasperi, trascritte dalla figlia Maria Romana (*De Gasperi uomo solo*), si parla di un colloquio con Mussolini avvenuto il 21 dicembre 1922: «Intendo trovare un accordo con i popolari» diceva il capo del governo, dichiarandosi favorevole al sistema elettorale proporzionale caro a De Gasperi. «La maggioranza potrà essere formata anche da due o tre gruppi. Quello che voglio evitare è lo spezzettamento e la dosatura di gruppi numerosi che tolgono al governo ogni forza e ogni omogeneità.» (A quasi un secolo di distanza, il problema si ripropone intatto. Il «sistema tedesco», abortito nel 2017 dopo l'accordo tra Renzi, Berlusconi, Salvini e Grillo, mirava proprio a evitare questi rischi, in parte tamponati dalla nuova legge elettorale approvata nell'autunno successivo.)

L'accordo ci fu: Mussolini, eletto in Parlamento con soli 35 deputati, ottenne la fiducia con 306 voti favorevoli e 116 contrari. Una delegazione popolare entrò nel governo. Tuttavia, il regime s'indurì subito. Nel 1923 una scissione del Partito popolare, avvenuta contro il parere di De Gasperi, favorì l'approvazione della legge elettorale Acerbo (maggioranza assoluta a chi si aggiudicava il 25 per cento dei voti). Il fascismo non ne approfittò: alle elezioni del 1924 il listone guidato da Mussolini stravinse con il 66 per cento dei voti. Tuttavia, da quel momento i cattolici persero peso, anche perché all'inizio del suo pontificato Pio XI cercò un accordo con il regime che avrebbe portato al Concordato del 1929.

Sturzo fu liquidato con l'esilio, De Gasperi e sua moglie furono arrestati nel 1927. Francesca restò in carcere undici giorni, in compagnia di donne di malaffare: non si tolse mai la pelliccia di dosso per ragioni igieniche e udì un linguaggio che le era sconosciuto. Alcide fu «ristretto» per sedici mesi e trascorse gli ultimi in infermeria. Senza perdere un certo buonumore. Segnalò alla moglie un paio di interessanti annunci economici apparsi sul «Corriere della Sera». Il primo era perfetto per lui: «Importante ditta di Monza cerca corrispondente concetto inglese, francese e tedesco». Il secondo per lei: «Rinascente cerca mannequin taglia 44...».

La vittoria del 1948. Non solo Madonne pellegrine...

Poiché la Chiesa non poteva sciogliere il Partito popolare, ancorché clandestino, a De Gasperi fu trovato un impiego come archivista in Vaticano. Ci restò sotto copertura quindici anni, dal 1928 alla caduta del fascismo nel 1943, quando l'occupazione tedesca di Roma lo costrinse a rifugiarsi con la famiglia in Laterano fino alla liberazione della città, nel giugno 1944.

Nell'immediato dopoguerra, la situazione del paese era disperata. Nel 1945 il potere d'acquisto di un operaio era ridotto della metà rispetto al 1938 e si sarebbe dovuto aspettare il 1948 per tornare a un rapporto più equilibrato tra prezzi e salari, ma con una disoccupazione spaventosa. Nel 1946 il referendum istituzionale fu favorevole alla Repubblica: formalmente per quasi 2 milioni di voti, in realtà, in base a nuovi calcoli fatti trent'anni dopo, soltanto per 250.000 (i brogli denunciati dai monarchici non sono mai stati documentati in modo da risultare decisivi). Lasciò perplessi il bruciante recupero dei repubblicani nelle ultime ore dello spoglio, al punto che De Gasperi, presidente del Consiglio pro tempore, nei colloqui con il ministro della Real Casa Falcone Lucifero si mostrò fino alla fine convinto che avesse vinto la monarchia.

Si è detto che De Gasperi avesse votato per la permanenza del re, cioè di Umberto, che stimava, a differenza di suo padre Vittorio Emanuele III di cui aveva una pessima opinione. Andreotti mi confidò di essere convinto invece della fede repubblicana del segretario della Dc, mentre ammise di aver votato lui per la monarchia, seguendo forse i suggerimenti di Pio XII che della repubblica aveva il concetto popolare di sinonimo di confusione.

Alle elezioni per la Costituente del 1946 la Dc prese il 35,2 per cento dei voti contro il 20,7 del Psi di Nenni, che superò il Pci di Togliatti (19 per cento). Mentre quest'ultimo si consultava con Stalin sull'ipotesi di una rivoluzione (che il Piccolo Padre sconsigliò, con grande sollievo del Migliore), Pietro Nenni – ministro degli Esteri – attaccava con particolare perfidia De Gasperi, che un giorno lo affrontò davanti all'ascensore del Viminale, allora sede della presidenza del Consiglio: «Nessun governo può stare insieme con il disfattismo che c'è qui fra noi» gli disse seccamente. «Ne nasce lo sfasciarsi dell'autorità statale. Qui andiamo oltre quanto succedeva nel 1919 e nel 1920 [*il cosiddetto «biennio rosso», che favorì l'avvento del fascismo*]».

In compenso, De Gasperi poteva contare sul trasparente aiuto degli americani. Umiliato alla Conferenza di Parigi dell'estate 1946, sei mesi dopo godeva del trionfo alla *parade* di Broadway e di una cena di gala al Waldorf Astoria, in cui l'unico incidente fu il crepitio dei bottoni del suo sparato troppo stretto. Invitato a un convegno dall'editore di «Time» Henry Luce, marito di Clare Boothe, che di lì a poco sarebbe diventata ambasciatore degli Stati Uniti a Roma, il presidente del Consiglio italiano – fortemente sostenuto dal segretario di Stato Byrnes – ottenne sostanziosi finanziamenti da un governo molto preoccupato che i comunisti, arrivati con Tito alle porte di casa nostra, vi entrassero di prepotenza. (Byrnes aveva invitato anche Nenni che, per timore delle reazioni di Togliatti, preferì rinunciare.) L'Italia ottenne un certificato di credito di 100 milioni di dollari, oltre a 220.000 tonnellate di grano e 700.000 di carbone al mese.

La visita di De Gasperi in America avvenne nel gennaio 1947. In giugno il nuovo segretario di Stato americano George Marshall offrì a tutti i governi europei – dell'Ovest e dell'Est, a eccezione della Spagna franchista – un gigantesco finanziamento che, già nel primo anno, fruttò ai paesi che vi aderirono qualcosa come 200 miliardi di dollari al valore di oggi. La generosità degli Stati Uniti era naturalmente finalizzata a estendere la propria egemonia in Europa, ed è per questo che tutti i paesi dell'Est ai quali Marshall avanzò l'offerta (Iugoslavia, Polonia, Cecoslovacchia, Ungheria, Romania, Bulgaria) rifiutarono, sia pur a denti stretti: avevano un disperato bisogno di soldi, ma la fedeltà a Stalin non consentiva di soddisfarlo.

In Italia i comunisti erano appena usciti dal governo, ma rimasero nella Costituente, dove ebbero un ruolo determinante. Quando oggi si rimpiange la caratura della classe politica dell'epoca, basti ricordare che nella Commissione dei 75 incaricata di stendere materialmente il testo della Carta i cattolici erano rappresentati da Amintore Fanfani, Giuseppe Dossetti, Giorgio La Pira, Aldo Moro e Paolo Emilio Taviani, che allora era un comprimario e nella Seconda Repubblica sarebbe stato da molti considerato un gigante. Tra i comunisti c'erano Palmiro Togliatti, Umberto Terracini, Giorgio Amendola e Giuseppe Di Vittorio; tra i socialisti, Sandro Pertini e Lelio Basso; tra gli azionisti, Piero Calamandrei. S'insultavano nelle piazze, ma lavoravano gomito a gomito per scrivere insieme una Costituzione redatta – si disse alludendo all'influenza sul testo di cattolici e marxisti – per metà in latino e per metà in russo.

Tuttavia, il maggior successo di De Gasperi furono le elezioni politiche del 1948. Pio XII, che non si fidava delle capacità del leader democristiano di trascinare le folle alla vittoria in una circostanza così cruciale, accettò con entusiasmo la proposta di un illustre genetista cattolico, Luigi Gedda, di mobilitare 300.000 attivisti nei Comitati civici e ordinò a Giovanni Battista Montini, sostituto della segreteria di Stato e futuro papa, di mettergli a disposizione una gran quantità di denaro. I parroci e i conventi maschili e femminili furono mobilitati come in periodo di guerra. Le processioni della Madonna pellegrina e le prediche del padre gesuita Riccardo Lombardi lasciarono il segno.

Gli americani, da parte loro, temevano una vittoria del Fronte popolare (la coalizione di comunisti e socialisti) perché per la prima volta, come notò Walter Lippmann sull'«Herald Tribune» di New York, il comunismo poteva dimostrare di saper vincere anche nelle urne: esempio pericoloso per tutti gli altri paesi europei. Il dipartimento di Stato americano chiarì che, in caso di vittoria delle sinistre, ci avrebbe tagliato i fondi, ma non fu questa la ragione della strepitosa vittoria democristiana del 18 aprile: 13 milioni di voti (48,5 per cento del 92 per cento di votanti) contro gli 8 milioni (31 per cento) dei socialcomunisti. I socialdemocratici di Giuseppe Saragat, che si erano scissi dal Psi nel

1947, ottennero il 7 per cento. Liberali, repubblicani, Uomo Qualunque di Guglielmo Giannini e monarchici arrivarono complessivamente al 10. Il Movimento sociale italiano, nato dalle ceneri di Salò, prese il 2 per cento.

«Nell'affresco elettorale democristiano» hanno scritto Indro Montanelli e Mario Cervi in *L'Italia del Novecento* «spiccavano le tonache dei preti, i bigotti, le pinzochere, i baschi blu, i baschi verdi, le Madonne pellegrine. Ma dietro queste figure appariscenti, la vera forza stava nello sfondo. Era la forza di chi voterà Dc – svuotando gli altri partiti moderati o centristi – per salvaguardarsi da una sorte, politica ed economica, tipo repubblica popolare dell'Est.» Il Fronte attribuì poi la vittoria ai voti delle beghine analfabete, ma fra i 13 milioni di voti democristiani c'era uno spaccato d'Italia che andava dagli industriali del Nord ai contadini iscritti alla Coldiretti, dai professionisti agli impiegati. Quell'elettorato trasversale che sarebbe stato sempre decisivo nelle elezioni dell'Italia democratica.

L'«operazione Sturzo» e la rottura con Pio XII

Francesca De Gasperi cercò sempre di tutelare la serenità del marito e delle quattro figlie, che avvertirono tardi il peso degli incarichi del padre. Quando erano piccole, frequentavano istituti privati per non essere costrette alle adunate del «sabato fascista». Questo non impedì che imparassero *Giovinezza*, anche se in casa la madre inventava ogni pretesto perché non la cantassero. Tuttavia, dopo l'8 settembre 1943 capirono che il padre aveva idee pericolose perché dovettero riparare in Laterano, con la famiglia Nenni e tanti altri antifascisti. Durante e dopo il Ventennio abitarono in una casa d'affitto nei pressi del Vaticano, priva di ogni sfarzo, proprio come lo era la casa dove Alcide era nato in Valsugana e dove trascorreva le vacanze verniciando qualunque pezzo di legno gli capitasse sotto mano. Quando la Dc gli regalò per i suoi settant'anni un villino a Castel Gandolfo (finito negli anni scorsi nelle mani della criminalità organizzata romana e poi sequestrato), De Gasperi ne fu felice perché era il primo immobile di sua esclusiva proprietà.

Anche se a noi posteri sembra impossibile che lui si facesse delle gran risate, la figlia Maria Romana mi raccontò per *L'amore e il potere* che lei e le sorelle sentivano provenire dalla camera da letto dei genitori molta allegria.

Nel 1946 la carica di presidente del Consiglio rendeva ingombrante quella di segretario della Dc, che De Gasperi aveva ereditato da Sturzo nel 1923 (ingombro che peraltro non fu rilevato né da Fanfani né da De Mita, e nemmeno da Craxi e Spadolini), e quindi si candidò a quella di presidente del partito. Nella votazione ci furono parecchi «franchi tiratori». Un amico gli consegnò un foglietto con la lista, ma Francesca glielo strappò di mano e lo gettò nel caminetto: non voleva che il marito conservasse rancori. Del resto cercò sempre di attenuargli le molte amarezze inevitabili nella vita di un uomo politico di successo, al quale soprattutto il suo partito doveva ogni gratitudine.

First lady perfetta nei viaggi all'estero, grazie anche alla conoscenza di tre lingue straniere, Francesca ebbe un ruolo di rilievo nel forte contrasto che oppose il marito a Pio XII alla vigilia delle elezioni per il comune di Roma del 1952. Il papa, nel suo inguaribile terrore dei comunisti, non poteva accettare che, nella città di san Pietro, sventolasse sul Campidoglio la bandiera rossa. Come nel 1948, non si fidava di De Gasperi e, con l'aiuto di Sturzo, rientrato dall'esilio, e del predicatore Lombardi, imbastì un'operazione (chiamata con il nome del sacerdote) che prevedeva l'alleanza della Dc con i monarchici e con il Movimento sociale italiano. (Nel 1952 il Msi era ancora una diretta emanazione della Repubblica di Salò e tutti i suoi militanti erano fascisti non pentiti.) De Gasperi, naturalmente, non ne voleva sapere, ma al tempo stesso non voleva una rottura con il pontefice. Disse alla figlia Maria Romana: «Se il papa comanda, io obbedisco ... Spezzerò la mia vita e la mia opera politica, ma non potrò non chinare il capo». Tradotto: obbedisco e mi dimetto.

Conoscendo l'influenza di Francesca sul marito, padre Lombardi andò a trovarla nel villino di Castel Gandolfo, come ricostruisce nei dettagli Andrea Riccardi in *Pio XII e De Gasperi. Una storia segreta*. Ne nacque una discussione molto animata raccontata dallo stesso gesuita nei suoi diari. «In caso di sconfitta» minacciò Lombardi «diremo: se ne vada De Gasperi, non ne vogliamo più sapere. Siamo noi che lo abbiamo mandato al potere...» «Andate al fascismo!» replicò Francesca. E il gesuita: «Meglio il fascismo del comunismo. Gli americani non vogliono il comunismo e preferiscono il fascismo». «Ma lo hanno preferito loro il comunismo al fascismo...» ribatté la signora De Gasperi, alludendo all'alleanza tra Stalin e Roosevelt nella seconda guerra mondiale.

La grana fu risolta da Andreotti. Scrisse al papa, il quale lo considerava un figlioccio, che l'alleanza con il Msi avrebbe procurato la caduta del governo, perché i partiti laici non l'avrebbero mai accettata. Pio XII si rassegnò, la Dc vinse le elezioni, ma il pontefice – uomo di pessimo carattere – fece pagare a De Gasperi l'insubordinazione con uno sgarbo enorme per un presidente del Consiglio cattolico che aveva salvato, lui sì!, l'Italia dal comunismo: si rifiutò di ricevere in udienza Alcide e Francesca per il trentesimo anniversario di matrimonio. De Gasperi la prese malissimo: «Come cristiano accetto l'umiliazione, benché non sappia come giustificarla; come presidente del Consiglio italiano e ministro degli Esteri, la dignità e l'autorità che rappresento e della quale non mi posso spogliare anche nei rapporti privati, m'impone di esprimere lo stupore per un rifiuto così eccezionale e di riservarmi di provocare dalla Segreteria di Stato un chiarimento». Il chiarimento non ci fu.

A De Gasperi si attaglia perfettamente il titolo di questo libro: era davvero un uomo solo al comando. Nel senso di potere, ma anche di solitudine. Socialdemocratici, repubblicani e liberali – che lui fin dall'inizio aveva voluto associare all'azione del governo per renderlo più rappresentativo, nonostante l'enorme divario di forze – lo consideravano con fastidio un baciapile, nonostante la sua conduzione laica del paese. Il papa non gli perdonava di aver inserito nell'«arco costituzionale» tutti i partiti anticlericali e perfino i comunisti, tenendone fuori monarchici e missini, che invece erano vicini alla Santa Sede. E il presidente del Consiglio, come scrive Piero Craveri nella sua biografia del leader democristiano, confidò a Mario Scelba di temere seriamente la nascita di un secondo partito cattolico a destra della Dc, con la piena benedizione pontificia. «Si crede che la democrazia sia troppo debole per resistere all'estrema [*sinistra*]. Se non riusciamo a imprimere una direttiva più concretamente epurativa e resistente contro il comunismo, ogni azione contro il fascismo verrà considerata un errore e un pericolo.»

Nel 1952 Scelba aveva firmato come ministro dell'Interno la legge che vietava la ricostituzione del Partito fascista e la stessa apologia del fascismo. Oggi, la parola «epurativa» usata da De Gasperi nei confronti dei comunisti può essere fraintesa. Egli intendeva semplicemente rafforzare il sistema democratico con una legge elettorale che garantisse un'effettiva stabilità alla coalizione vincente, come accade da sempre in tutti i paesi moderni. Nacque così una legge che prevedeva di assegnare un forte premio di maggioranza (due terzi dei seggi) alla coalizione che avesse conquistato la maggioranza assoluta dei voti. Le opposizioni parlarono di «legge truffa» e i comunisti attaccarono fisicamente i democristiani alla Camera lanciando pezzi di legno divelti dai banchi (Andreotti mi raccontò di essersi protetto indossando come elmetto un cestino per la carta) e soprattutto al Senato, costringendo alle dimissioni il presidente Giuseppe Paratore, che democristiano non era, e portando sulla soglia dell'infarto il successore Meuccio Ruini: i commessi impedirono a stento al comunista Velio Spano di scagliargli addosso una poltrona.

Approvata dalle Camere, alle elezioni del 7 giugno 1953 la legge non scattò per 57.000 voti: la Dc e i suoi alleati raggiunsero il 49,8 per cento dei voti. In realtà ci furono dei brogli o, comunque, errori nei conteggi. L'ex segretario generale della Camera Vincenzo Longi, controllando le quasi 800.000 schede elettorali considerate nulle, accertò che moltissime erano valide. De Gasperi e Scelba ne ebbero subito sentore. Avrebbero potuto chiedere e ottenere che le schede fossero ricontate, ma non lo fecero temendo di scatenare la piazza. Così l'Italia perse l'opportunità di diventare un paese politicamente normale. Da notare che la «legge truffa» era più garantista sia del «Porcellum», approvato dal centrodestra, sia dell'«Italicum», ipotizzato da Matteo Renzi.

L'ultima sconfitta, le ultime amarezze

Gli ultimi mesi di vita di De Gasperi furono amari. All'aggravarsi delle condizioni di salute (era affetto da sclerosi renale) si affiancò una netta sconfitta politica. Nell'Italia repubblicana è stato alla guida di sette governi in sette anni. Una sorta di record, ma allora usava così: il presidente (e leader del partito di maggioranza) aveva sempre lo stetoscopio attaccato all'orecchio. Auscultava continuamente i battiti di «amici» e «alleati» e procedeva per aggiustamenti successivi: una pillola oggi, uno sciroppo domani. La stabilità era garantita dalla continuità delle alleanze. Le elezioni del 1953 avevano sfiancato De Gasperi. Poiché non controllava più la sua maggioranza, chiese al presidente della Repubblica Luigi Einaudi le elezioni anticipate, ma lui gliele negò, costringendolo a un'ineccepibile umiliazione parlamentare: il voto contrario delle Camere. Al suo posto andò Giuseppe Pella, che con un gesto molto apprezzato dalla pubblica opinione e meno da De Gasperi inviò l'esercito al confine orientale quando Tito minacciò di prendersi Trieste.

Nel settembre 1953, ormai libero da impegni di governo, De Gasperi si ricandidò alla segreteria della Dc. Ma la sinistra del suo partito (quella sindacale di Giulio Pastore e quella politica di Giuseppe Dossetti) gli giocò un brutto scherzo: su 71 votanti al Consiglio nazionale, ebbe soltanto 49 voti, con 20 schede bianche e 2 nulle. All'esito dello spoglio, il suo pallore fu visibile a tutti. Come dice Craveri, la sconfitta politica di De Gasperi fu patrocinata dai Poteri Forti della destra economica, scontenti della riforma agraria, del massiccio intervento dello Stato nell'economia e perfino dei rischi dell'integrazione europea, di cui le grandi imprese, viziate dal protezionismo, non avevano saputo cogliere le enormi opportunità per l'Italia.

Vera Zamagni ha ricordato in una *lectio* del 2012 alla Fondazione De Gasperi che nella politica economica dello statista democristiano si trovano le fondamenta del miracolo economico italiano degli anni Cinquanta e Sessanta. Lui stesso ne indicò le tre fasi, a testimonianza del lungo percorso compiuto in pochissimo tempo: la lotta alla fame e alla paralisi nazionale, la battaglia per salvare la moneta e ottenere una certa stabilità dei prezzi, il tentativo (riuscito) di dare all'economia uno sviluppo ampio e duraturo. Questo ha significato massima produttività all'interno e cooperazione con gli altri paesi, rifiutando ogni forma di autarchia. La riforma agraria del 1950 espropriò 760.000 ettari di terre scarsamente produttive (60 per cento nel Mezzogiorno), che furono redistribuite a 113.000 famiglie contadine. I risultati migliori si ebbero in Maremma e nel Delta padano, dove la riforma fu integrata da infrastrutture importanti. Nel Mezzogiorno i risultati furono modesti, ma la riforma servì se non altro a svegliare i grandi latifondisti e ad abolire una volta per tutte sistemi di gestione semifeudali.

De Gasperi mantenne e sviluppò le geniali intuizioni che durante il fascismo avevano portato Alberto Beneduce a fondare l'Iri e una fitta selva di organismi economici destinati a una lunga vita. Creò l'Eni e la Finmeccanica, ma la sua iniziativa più fortunata fu l'istituzione della Cassa per il Mezzogiorno. Mi avrebbe raccontato Andreotti che fu De Gasperi in persona a volerla chiamare Cassa: «È il nome giusto e rassicurante: dà l'immagine di un ente che paga e che ha i soldi. Il Sud è stato preso in giro troppe volte. Adesso bisogna convincerlo che vogliamo spendere i soldi nel Mezzogiorno e vogliamo spenderli bene». La dotazione iniziale di 1280 miliardi di lire era enorme. Due terzi andarono alle opere di bonifica (in trent'anni la superficie irrigata del Mezzogiorno si sarebbe più che triplicata), il resto fu investito in acquedotti, fognature, strade, ferrovie, iniziative turistiche in otto regioni, dall'Abruzzo in giù. Agricoltura e infrastrutture si giovarono notevolmente dei finanziamenti, mentre i risultati nell'industria furono meno brillanti. Fu potenziato il centro siderurgico di Taranto e furono costruiti grossi impianti petroliferi in Sicilia, ma prosperarono ovunque le cosiddette «cattedrali nel deserto», cioè impianti industriali senza indotto e senza futuro. Purtroppo molti imprenditori del Nord scesero nel Mezzogiorno, intascarono i soldi delle provvidenze a fondo perduto e poi scapparono. In ogni caso, sul piano politico e clientelare la Dc trasse un enorme beneficio dalla Cassa.

Poiché la gratitudine non è un sentimento che alligna nel mondo politico, anche se De Gasperi fosse sopravvissuto, difficilmente sarebbe stato eletto presidente della Repubblica nel 1955. Già con due anni di anticipo, lui udiva il fischio delle pallottole dei «franchi tiratori» del suo partito. Perciò si teneva alla larga da ogni manovra. «Non voleva sentirne parlare» mi ha raccontato Maria Romana. «Lui era uomo di battaglia e quella prospettiva non gli faceva piacere. La voce di una sua candidatura girava, ma lui diceva: non voglio andarci...»

De Gasperi morì nella sua casa di Sella di Valsugana il 19 agosto 1954, all'età di 73 anni. Si spense serenamente e Maria Romana lo sentì invocare il nome di Gesù. I riconoscimenti che alla fine gli mancarono tra i suoi amici di partito gli vennero dagli italiani. Nel lungo viaggio in treno verso Roma, il feretro fu salutato a ogni stazione da folle mute e imponenti. E imponente fu quella che lo salutò alla cerimonia funebre nella basilica di San Lorenzo accanto al Verano, dove la salma venne tumulata.

Palmiro Togliatti: fu davvero il «Migliore»?

E Stalin disse a Togliatti: «Niente rivoluzione»

«Compagno, tu sei molto povero?» Nel 1948 il giornalista Mario Spinella lavorava nella redazione di «Rinascita», il mensile ideologico del Pci fondato quattro anni prima da Palmiro Togliatti, ed era solito indossare una divisa partigiana. Quando Togliatti gli rivolse quella domanda, restò interdetto: «Non particolarmente» rispose. «Certo non sono ricco.» «Volevo dirti» lo incalzò il segretario «che se hai bisogno di un vestito, il partito te lo acquista...»

Togliatti ha sempre indossato il doppiopetto, nell'abito e nell'animo. E l'episodio di Spinella, raccontato da Giorgio Bocca nella biografia del leader comunista, dimostra la sua maniacale attenzione a evitare ogni gesto, ogni simbolo, anche quello apparentemente più insignificante, che potesse dare all'opinione pubblica l'idea che il Pci si preparasse alla rivoluzione o, comunque, a continuare la Resistenza finita con la Liberazione del 1945. Spaventato dagli eccessi propagandistici, Togliatti – che aveva le stigmate di Stalin ed era quindi il capo indiscusso del partito – arrivò a scrivere una circolare per criticare severamente «la tendenza assai diffusa a disturbare i comizi convocati da altri partiti ... l'abuso di altoparlanti che assordano la popolazione per intiere giornate ... l'impiego in massa di autotrasporti e il loro superfluo scorrazzare sovraccarichi di compagni e di bandiere rosse ... certe espressioni di volgarità anticlericale ... segni evidenti e deplorevoli di deviazioni dalla linea politica del partito ... certi canti con parole di cattivo gusto ed esprimenti una posizione politica diversa da quella del partito...».

Alla vigilia delle elezioni del 1948, le più importanti nella storia della Repubblica, il Partito comunista era profondamente diviso e Togliatti ne incarnava la «doppiezza». Come sostengono Indro Montanelli e Mario Cervi nel loro *L'Italia del Novecento*, da un lato teneva dritta la barra della legalità, dall'altro «lasciava ... la possibilità d'una risolutiva lotta armata». Molti partigiani non si erano rassegnati a una vittoria del fronte moderato. Alcuni erano entrati a rinforzare un corpo di polizia debole e delegittimato dopo Salò e garantirono l'ordine nei processi contro le Brigate nere. Altri alternavano azioni terroristiche e rivoluzionarie, come la famigerata Volante rossa che spadroneggiava a Milano. Nel 1947, per impedire che il prefetto-partigiano Ettore Troilo fosse sostituito da un funzionario civile, la Volante rossa occupò la prefettura milanese. Giancarlo Pajetta comunicò trionfante la notizia a Togliatti. E il segretario, gelido come soltanto lui sapeva essere, gli rispose: «E adesso che ve ne fate?».

In *La seconda guerra mondiale e la Repubblica* Simona Colarizi pubblica i rapporti di questori e prefetti di città dell'Italia settentrionale che documentano un'attività sovversiva organizzata da forze rivoluzionarie in qualche modo riconducibili al Pci. Il 9 novembre 1947 il questore di Novara segnalò che a Modena avrebbe avuto «sede una specie di stato maggiore sovietico» al quale rispondevano in tutta Italia «113 brigate comuniste, forti di 500 uomini l'una, armate e comandate in parte da elementi iugoslavi». Secondo il rapporto, la direzione del Pci era all'oscuro dell'esistenza di questo piccolo esercito, mentre i servizi segreti (Sis), nel confermare il contenuto del rapporto estendendone la portata, sostenevano che il Pci nazionale fosse perfettamente al corrente dell'iniziativa.

Nel gruppo dirigente comunista, l'ala rivoluzionaria era guidata da Pietro Secchia, mentre la linea politica di Togliatti era più realista. Entrambi, separatamente, mantenevano stretti contatti con l'ambasciatore sovietico a Roma, Michail Kostylev, come confermano i documenti raccolti da Elena Aga Rossi e Victor Zaslavsky in *Togliatti e Stalin*. Che cosa sarebbe successo se il 18 aprile 1948 avesse vinto il Fronte popolare (la lista unica Pci-Psi)? Secondo Secchia, «i lavoratori armati riusciranno a prendere nelle loro mani quasi tutto il territorio dell'Italia del Nord e del Centro, mentre le forze reazionarie manterranno Roma e il territorio a sud di Roma». Secchia temeva, tuttavia, un intervento americano, «che probabilmente sfocerà in uno scontro internazionale».

Un mese prima delle elezioni, il 23 marzo, Togliatti incontrò in segreto l'ambasciatore sovietico in un bosco nei dintorni di Roma. Gli comunicò che la direzione del partito stava preparando i suoi militanti a un'insurrezione armata, ma lo avvertiva che dallo scontro sarebbe potuta scoppiare una nuova guerra mondiale. (Il Pci aveva appena ribadito la sua totale subalternità al Cremlino, come dimostrava un documento firmato per l'Italia da Luigi Longo al termine di una riunione segreta tenuta in Polonia per battezzare la rinascita della Terza internazionale comunista o Comintern, morta nel 1943, come Cominform.) Togliatti, dunque, voleva sapere da Stalin come comportarsi. Dopo l'incontro, Kostylev scrisse: «In maniera pacata ed equilibrata Togliatti mi chiede di passare agli amici di Mosca questa domanda: se si deve, in caso di provocazione da parte dei democristiani e di altri reazionari, iniziare l'insurrezione armata delle forze del Fronte democratico popolare per prendere il potere».

La risposta del Cremlino arrivò tre giorni dopo. Il 26 marzo Molotov telegrafò all'ambasciatore a nome del comitato centrale del Pcus: «Per quanto riguarda la presa del potere attraverso un'insurrezione armata, consideriamo che il Pci in questo momento non può attuarla in nessun modo». Solo in caso di attacco armato alle sedi del partito, la reazione sarebbe dovuta avvenire con gli stessi mezzi.

«I prigionieri italiani dell'Armir? Muoiano pure...»

A parte gli anni giovanili, la vita politica di Palmiro Togliatti può essere divisa in due ventenni. Il primo, dal 1926 al 1944, è il periodo di permanenza pressoché costante in Unione Sovietica, dopo la breve parentesi iniziale in

Francia dove costituì il centro estero del Partito comunista d'Italia. Il secondo – dal rientro in patria nel 1944 fino alla morte avvenuta nel 1964, per un destino beffardo, proprio in Unione Sovietica, a Jalta – è il ventennio italiano, che lo ha visto ininterrottamente alla guida del Pci.

Togliatti, in gioventù, avrebbe voluto fare il filosofo, o comunque l'intellettuale esentato da una vita professionale vera e propria. Il padre, amministratore dei Convitti nazionali e uomo più pratico, lo voleva avvocato, o almeno laureato in legge. Laurea che Palmiro (chiamato così perché nato a Genova nella Domenica delle Palme del 1893) conseguì brillantemente all'università di Torino, dopo aver vinto nel 1911 una borsa di studio, proprio come fece Antonio Gramsci nello stesso anno e per lo stesso collegio. La sua formazione culturale richiama i nomi di Benedetto Croce, Giuseppe Prezzolini e Gaetano Salvemini, ma fu Antonio Labriola ad avvicinarlo al socialismo.

Partito per il fronte come volontario interventista «democratico», restò in divisa fino al 1918, quando sentì forte il richiamo della politica durante il «biennio rosso» (1919-20), mentre l'ala socialista rivoluzionaria occupava le fabbriche e le squadre di Mussolini cominciavano a bastonare gli avversari. Segretario del Partito socialista a Torino dove era caporedattore dell'«Ordine Nuovo» fondato insieme a Gramsci, non partecipò nel 1921 al congresso di Livorno in cui nacque il Partito comunista d'Italia. E quando nel febbraio 1923 migliaia di attivisti comunisti vennero arrestati (e poi rilasciati), non lo furono né lui né Umberto Terracini, senza che se ne conosca la ragione. Nominato al congresso di Lione del 1926 rappresentante del PcdI presso il Comintern, si trasferì a Mosca, ma, dopo l'arresto di Gramsci (8 novembre 1926), rientrò in Francia e assunse la guida del partito. Alla morte di Lenin (1924), Togliatti sembrò preferire la linea politica di Nikolaj Bucharin a quella di Stalin, ma, dopo la completa vittoria del secondo (Bucharin sarà fucilato nel 1938), tornò ad allinearsi immediatamente al Piccolo Padre.

Nel 1929 Togliatti abbandonò politicamente Gramsci perché si adattò alla nuova direttiva del Comintern, che imponeva ai partiti comunisti di separarsi dalle altre forze antifasciste per preparare da soli una nuova quanto improbabile rivoluzione socialista. Più saggiamente, Gramsci avrebbe voluto una lotta unitaria condotta dall'intero schieramento di opposizione al regime fascista, come avvenne quindici anni dopo durante la Resistenza. Ma il suo isolamento fu totale, al punto che il suo nome scomparve persino dalla stampa di partito. Quando nel 1933 lasciò il carcere di Turi per essere trasferito nella clinica Cusumano di Formia, i fascisti gli consentirono di portare con sé tutti i manoscritti (le bellissime *Lettere* e i *Quaderni del carcere*). Documenti di cui nel 1937, alla morte di Gramsci, s'impossessò Togliatti, che li pubblicò con grande solennità, badando bene però a purgarli delle molte pagine scomode per la vita del Pci. Si dovette aspettare il 1990 e il libro di Aldo Natoli *Antigone e il prigioniero* per scoprire, per esempio, che la moglie di Gramsci, Giulia Schucht, era stata inquadrata nei servizi segreti sovietici. Soltanto all'inizio degli anni Duemila, quarant'anni dopo la morte di Togliatti, è stato squarciato il velo che nascondeva la verità sulle pene, l'isolamento e la fine del grande rivoluzionario italiano.

Quando si trasferì a Mosca nel 1926, Togliatti era sposato da due anni con Rita Montagnana e aveva un figlio, Aldo, che avrebbe avuto un destino tristissimo. (Il soggiorno in Russia fu per lui traumatico. E soltanto nel 1993 si scoprì che era rinchiuso da decenni sotto falso nome in una clinica per malattie mentali di Modena, dove sarebbe morto nel 2011.) Palmiro e Rita rappresentavano la tipica coppia di comunisti uniti prima nell'idea e nell'azione rivoluzionaria, e poi nella vita. Lei, ebrea piemontese, nata nel 1895, a 14 anni aveva cominciato a lavorare in fabbrica come apprendista sarta e si era subito infiammata per le lotte del proletariato torinese. A 22 anni, già impiegata alla Banca commerciale italiana, era dirigente del comitato femminile regionale socialista e fu allora che conobbe Gramsci e Terracini. A 26 anni, diventata comunista, fu delegata del partito al III congresso della Terza internazionale a Mosca. A 29 sposò Togliatti, che aveva conosciuto nella redazione dell'«Ordine Nuovo».

Attiva nella lotta antifascista clandestina, seguì con il figlio il marito a Mosca, dove lavorò nell'apparato del Comintern. Non fu un compito facile. I comunisti stranieri alloggiavano nel famigerato albergo Lux e negli anni Trenta, durante il Terrore staliniano, ogni tanto alcuni residenti scoprivano, svegliandosi la mattina, che i compagni della stanza accanto non c'erano più. Per salvarsi, Togliatti dovette scendere a terribili compromessi.

Nel 1938, mentre si trovava in Spagna dove, durante la guerra civile, era il rappresentante del Comintern nello Stato maggiore repubblicano, fu richiamato d'urgenza a Mosca da Stalin per firmare il decreto di scioglimento del Partito comunista polacco. Il dittatore sovietico stava per stringere con Hitler il patto per la spartizione della Polonia e prevedeva la fiera opposizione dei comunisti polacchi. Di qui la necessità di eliminarli, con la costruzione di false accuse a opera dei servizi segreti e con il pieno avallo del gruppo dirigente del Comintern e del leader comunista italiano.

In *Togliatti 1937*, Renato Mieli, già suo strettissimo collaboratore, citando la testimonianza di Giuseppe Berti, rappresentante del partito nella Terza internazionale, ammise che negli anni del Terrore il Comintern fu di fatto assorbito dai servizi segreti di Stalin e diede loro una copertura senza riserve. Secondo Mieli, Togliatti era perfettamente a conoscenza anche dell'assassinio dei gruppi dirigenti dei partiti comunisti tedesco e ungherese, benché non ci siano prove su un suo diretto coinvolgimento nella loro eliminazione. È invece accertato che in Spagna «dovette collaborare alla politica di repressione di massa»: «Quando [*a Mosca*] si trovò a dover scegliere tra la complicità o il rischioso rifiuto di prestare la propria collaborazione a un'azione criminale,» scrive Mieli «Togliatti si adagiò sulla prima pur con tutte le precauzioni e le attenuazioni possibili». Il libro di Mieli uscì nel 1964, quando il segretario del Pci era ancora vivo, e lui non smentì una sola parola di quanto vi era scritto.

Un altro capitolo tragico che lo vede coinvolto è la sorte dell'Armir, il corpo di spedizione che la follia di Mussolini inviò in Russia in una missione sbagliata e con equipaggiamenti del tutto inadeguati. Nel 1943 Vincenzo Bianco, delegato italiano al Comintern, scrisse a Togliatti «di porre il problema affinché non abbia a registrarsi il caso che [*i soldati italiani*] muoiano in massa come è già avvenuto». Agghiacciante la sua risposta: «La nostra posizione di principio rispetto agli eserciti che hanno invaso l'Unione Sovietica è stata definita da Stalin e non vi è più niente da dire. Non ci trovo niente da dire se un buon numero di prigionieri morirà … Il fatto che per migliaia e migliaia di famiglie la guerra di Mussolini, e soprattutto la spedizione contro la Russia, si concludano con una tragedia, con un lutto personale … è il più efficace degli antidoti».

La lettera fu pubblicata il 9 febbraio 1992 sul settimanale «Panorama». Ne era entrato in possesso lo storico Franco Andreucci, che ha curato l'edizione dell'opera omnia di Togliatti. Riportandola nel mio libro *Vincitori e vinti*, chiesi a Giuseppe Vacca, allora direttore dell'Istituto Gramsci, un giudizio sul cinismo del Migliore: «Togliatti si trovava in un momento molto delicato» mi rispose. «Nel 1941 era stato messo sotto accusa e fu poi reintegrato nell'incarico di vicesegretario del Comintern solo quando l'Unione Sovietica fu invasa [*nel 1942*]. Ma era debole e doveva muoversi con grande prudenza, anche perché Bianco rispondeva al Kgb.» Una trappola per Togliatti?

Il ritorno in Italia e la «svolta di Salerno»

«Quando nel luglio 1943 cadde il fascismo» mi raccontò Vacca «Togliatti dovette scongiurare il segretario del Comintern, Georgi Dimitrov, di far rientrare in Italia lui e non Bianco. Fu così che concordò con Stalin quella che sarebbe passata alla storia come la "svolta di Salerno".» Dopo la caduta del fascismo, Togliatti aveva elaborato una teoria che richiamava in qualche modo quella per la quale proprio lui aveva sconfessato Gramsci, cioè l'alleanza delle forze antifasciste per sconfiggere il nazismo (e, naturalmente, la Repubblica di Salò). Propose di accantonare temporaneamente la questione istituzionale, da risolvere con un referendum e con la successiva convocazione di un'assemblea costituente, e scoprì che Stalin aveva deciso di riconoscere il governo Badoglio nella notte fra il 3 e il 4 marzo 1944. L'11 aprile era già a Napoli a illustrare la svolta del Pci. Dopo la liberazione di Roma, in giugno, Togliatti entrò nei tre governi di unità nazionale, cioè in quelli presieduti da Ivanoe Bonomi, e nel 1945, come ministro della Giustizia, in quello di Ferruccio Parri.

Anche in questi anni è visibile la sua «doppiezza». Con la mano sinistra rivendicò l'uccisione di 50.000 fascisti dopo la fine della guerra, come disse all'ambasciatore russo Kostylev, anche se, secondo Aga Rossi e Zaslavsky, lo fece solo per impressionare l'interlocutore (in realtà, come precisò nel 1981 Parri al giornalista del «Corriere della Sera» Silvio Bertoldi, il dato più attendibile è 30.000), e l'assassinio del filosofo Giovanni Gentile, cosa che indignò lo stesso mondo antifascista. Con la mano destra fu un ministro della Giustizia lungimirante. Firmò, infatti, l'amnistia approvata dal Consiglio dei ministri il 22 giugno 1946, per onorare l'avvento della Repubblica, con la motivazione di voler incoraggiare «il reinserimento nella vita nazionale di giovani, travolti da passione politica o ingannati da propaganda menzognera, resi incapaci di distinguere il bene dal male». L'amnistia per i fascisti si estese anche a chi aveva partecipato alla «marcia su Roma», come Giuseppe Bottai, e addirittura a chi si era macchiato di torture, purché non «efferate», mi ricordò Andreotti con una certa ironia.

Secondo il governo, i fascisti condonati furono 7000, ma la stragrande maggioranza dell'opinione pubblica ignora la parte dell'amnistia di cui beneficiarono i partigiani. Tutti i reati connessi all'attività partigiana erano già stati cancellati con un decreto legge del 25 giugno 1944, che Togliatti inserì nel provvedimento di amnistia. Tuttavia, poiché per divergenze interpretative erano stati comunque arrestati partigiani responsabili di omicidi in danno di persone incolpevoli, il Guardasigilli fece approvare il 6 settembre 1946 un decreto legge di poche righe che chiudeva definitivamente la questione. L'amnistia scagionava, in pratica,

chiunque avesse ucciso persone a qualunque titolo riconducibili allo stato di «fascista», indipendentemente dal fatto che le vittime si fossero macchiate di altre colpe fuorché
quella di aver indossato la camicia nera.

L'amnistia contribuì ad allentare molte tensioni perché,
quando nei giorni immediatamente precedenti il Natale
1945 Alcide De Gasperi diventò per la prima volta presidente del Consiglio, lo Stato non c'era. Non esisteva più il
vecchio, non c'era l'ombra del nuovo. Il fantasma di un'altra guerra civile aleggiava ovunque, senza che si avesse il
coraggio di esorcizzarlo. Il rischio maggiore consisteva nei
depositi clandestini di armi che gli ex partigiani comunisti
si rifiutavano di consegnare. Lo stesso De Gasperi ammonì
pubblicamente Togliatti: «In certe zone i conflitti si evitano perché funzionari e carabinieri alle otto di sera si tap-
pano in casa, ossia capitolano e lasciano libero il campo ...
Ho troppo vivo nella memoria l'altro dopoguerra, ove io, la
mia famiglia, i miei colleghi, i miei compagni di lavoro pa-
gammo di persona; ma allora la fase critica si iniziò quando i carabinieri incominciarono ad aver paura, a scansar-
si per lasciare passare i violenti, a uscire con la cartuccera
vuota» («Il Popolo», 10 luglio 1945).

Togliatti era uscito dalla guerra molto più vincitore di
De Gasperi. Grazie alla sua straordinaria abilità politica, il
«Migliore» – come lo chiamavano i compagni – riuscì a con-
trassegnare per un cinquantennio la Resistenza con il marchio
comunista e a garantirne al Pci l'egemonia. Il Comitato di liberazione nazionale Alta Italia (Clnai) era diretto da quattro
uomini: Ferruccio Parri, Giancarlo Pajetta, Alfredo Pizzoni,
capo del Comitato antifascista del Nord, e Edgardo Sogno,
medaglia d'oro della Resistenza. Ebbene, fino all'inizio degli anni Novanta i nomi di Pizzoni e Sogno sono scomparsi
da tutta la più importante letteratura resistenziale.

Ancorché separati da contrasti fortissimi, De Gasperi e
Togliatti collaborarono per tutto il 1947 nell'Assemblea costituente, nonostante lo storico viaggio del presidente del
Consiglio negli Stati Uniti in gennaio e nonostante il Pci
fosse uscito dal governo in maggio. Due mesi prima, nella

notte tra il 25 e il 26 marzo, Togliatti aveva dato un contributo decisivo alla nuova Costituzione votando a sorpresa l'articolo 7 per il quale «i rapporti tra Stato e Chiesa sono regolati dai Patti Lateranensi». Il testo era stato proposto dalla Dc e fino a poco prima del voto i comunisti, insieme a tutti i partiti laici, erano orientati a usare la formula meno impegnativa «i rapporti tra Stato e Chiesa sono regolati in termini concordatari», senza un esplicito richiamo al Concordato fascista del 1929. Togliatti disse di aver fatto questa scelta per garantire «l'unità delle masse e la pace religiosa», ma le ragioni della svolta non sono mai state chiarite fino in fondo.

«È Nilde Iotti, viene da Reggio Emilia»

Il 25 giugno 1946 – giorno d'inizio dei lavori dell'Assemblea costituente – alla buvette di Montecitorio il segretario del Pci chiese al cronista parlamentare Emmanuele Rocco chi fosse la giovane deputata, solo un po' robusta ma molto carina, che stava passando. «È Nilde Iotti, viene da Reggio Emilia» gli rispose il giornalista, che gliela presentò. In *Amori e furori* Laura Laurenzi racconta che qualche tempo dopo, alla fine di una riunione del gruppo parlamentare comunista, Togliatti invitò i compagni a presentarsi a Montecitorio vestiti in modo corretto. E additò a esempio proprio la Iotti: «Ecco, la giovane compagna di Reggio Emilia ha un vestito adeguato». Nilde indossava un abito al cui modello sarebbe rimasta affezionata a lungo: lino blu ornato di un pizzo bianco. Lei arrossì vistosamente, lui la invitò a cena. «Accettai» racconterà in una rara intervista all'«Unità» (21 agosto 1996) sulla sua vita privata. «Cominciò quella fase gioiosa e terribile che vivono tutti gli innamorati, ma con tante complicazioni in più: il moralismo dell'Italia di allora, il legame ufficiale ma ormai consunto con Rita Montagnana, il divorzio che non c'era.»

Togliatti non era un uomo facile. Il suo carattere era dipinto sull'espressione severa e scostante del viso. Il colorito era uguale a quello di De Gasperi: grigio, come gli abiti. Colto e intellettualmente raffinato, teneva a distanza tut-

ti gli interlocutori, a maggior ragione i compagni di partito ai quali si sentiva infinitamente superiore. Ricambiava
spesso con il «voi» il «tu» che si permetteva di dargli chi
lo considerava il primo dei compagni, ma pur sempre un
compagno. Si può dunque immaginare lo sdilinquimento
di una ragazza anche austera come Nilde dinanzi all'invito a cena del suo segretario, che per corteggiarla le avrebbe letto perfino i versi d'amore dell'Ariosto.

Le origini della Iotti erano modeste: padre ferroviere, madre per metà casalinga e per metà lavandaia. Ma la sua era
una di quelle famiglie operaie di un tempo, che la sera leg-
gevano insieme *I promessi sposi, Guerra e pace, I miserabili*.
Nilde fu formata al cattolicesimo e studiò in istituti religio-
si. Il padre, socialista seguace di Camillo Prampolini, era
solito dire: «Meglio i preti che le camicie nere». Diplomata al liceo con ottimi voti e in difficoltà economiche dopo
la morte del genitore, s'iscrisse all'Università Cattolica di
Milano grazie a una provvidenziale borsa di studio. Lau-
reatasi a pieni voti in lettere nel 1943, ebbe un ruolo marginale nella Resistenza, pur avendo maturato un'ormai profonda convinzione antifascista.

La Liberazione la trovò affascinata dall'idea comunista,
anche grazie alla forte influenza che ebbe su di lei il cugino
Valdo Magnani, comunista della prima ora e poi emargi-
nato dal partito. Nilde aveva intanto guadagnato una cattedra e uno stipendio ormai sicuro, quando le fu offerto
di entrare nell'Unione donne italiane, dove si fece apprezzare al punto che nel 1946 il segretario della Federazione
comunista di Reggio Emilia le propose di candidarsi prima per le elezioni amministrative di marzo, poi per quelle
dell'Assemblea costituente di giugno. Allora era una «indipendente di sinistra», ma se fu messa in lista e poi eletta
lo deve paradossalmente proprio al suo essere un'«ester-
na». Nella sua biografia, Gianni Corbi osserva che la Iotti
fu aiutata dalla necessità del partito di annacquare una lista troppo «dura» e di affiancare a tante persone di modesta levatura culturale una brillante laureata, che nell'Udi
aveva dimostrato di essere anche un'ottima organizzatrice.

Eccola, dunque, Nilde approdare alla Camera ed entrare addirittura nel gotha del Parlamento: quella «Commissione dei 75» incaricata di stendere materialmente la Carta costituzione e dalla quale la Montagnana, malgrado il suo impareggiabile curriculum, era stata esclusa.

Questo fu il commento, un po' acido, di Teresa Noce, moglie di Luigi Longo: «Rita era un'ebrea, una proletaria, una funzionaria di partito, quindi della casa se ne infischiava. Nilde Iotti invece è una piccolo-borghese, cattolica. Allora evidentemente lei curava la casa, aveva la donna di servizio, aveva le cose ben tenute. A una certa età questo poteva far piacere a Togliatti».

In un'intervista a Oriana Fallaci, la Iotti confessa i suoi gusti borghesi, con la predilezione per i foulard di Hermès. Censura il modello sessuale di Brigitte Bardot («le vamp esprimono qualcosa di profondamente negativo»), e alla domanda se, qualora diventasse ricca, si terrebbe i soldi, risponde candidamente: «Certo che me li terrei. Che dovrei farne? Buttarli via? E perché? Cosa risolverei…? Le sorti del mondo?».

Togliatti lamentava che la direzione del Pci, con un voto di maggioranza, gli avesse imposto riservatezza in pubblico. «La dilazione senza fine della mia sistemazione personale» scrisse a Eugenio Reale, segretario amministrativo del Pci, «sta creandomi una situazione non più solo difficile, ma intollerabile, dalla quale temo venga fuori non un argine a eventuali chiacchiere, ma un dilagare di esse.»

Nilde ricorderà questi disagi con maggiore romanticismo: «Andavamo in trattorie fuori mano. Ci incontravamo tra una riunione e una votazione. Parlavamo e parlavamo. Non mi stancavo mai di ascoltarlo. Cercavamo di seminare Armandino [*Armando Rosati*], il compagno che vigilava su Togliatti. Ci infilavamo in negozi con doppie uscite, caffè che davano su strade diverse. Quando finalmente lo perdevamo, eravamo contenti come ragazzi».

Togliatti condusse questa «doppia vita» per soli tre mesi. All'inizio dell'autunno lasciò la bella casa accanto a piazza del Popolo, dalla quale ovviamente Rita Montagnana non volle muoversi, e si trasferì nel piccolo e scomodis-

simo «nido» del Bottegone: un abbaino di due stanze con
il soffitto incatramato che alla fine dell'estate del 1947 era
ancora un forno e sarebbe diventato un frigorifero nell'inverno seguente. Pochissimi erano informati della cosa: tra
questi, Massimo Caprara, il suo segretario, che la mattina,
con un gioco di prestigio, lo faceva «comparire» in ufficio.
Purtroppo, del «nido» non era informata nemmeno la vigilanza. Così una notte, insospettito per certi rumori, un sorvegliante sparò contro l'uscio della precaria abitazione tre
colpi di rivoltella, per fortuna andati a vuoto.

Occorre dire, però, che da molto tempo il matrimonio tra
Togliatti e la Montagnana era poco più che formale. Nel lungo periodo di permanenza a Mosca, fra il 1934 e il 1944, Palmiro aveva avuto più di un'avventura. Corbi ricorda quella
con Elena Lebedeva, una bella ragazza russa che faceva l'interprete all'Internazionale giovanile comunista. Rita, sfiancata pure dal peggioramento delle condizioni fisiche e psichiche del figlio Aldo, si era dedicata anima e corpo al partito,
ma certo non apprezzò il distacco, anche fisico, del marito.
Lavorare alla Camera nello stesso gruppo parlamentare con
la rivale era fonte di grandi imbarazzi, che Togliatti cercò di
evitare candidando nel 1948 la moglie al Senato e poi, dal
1953, escludendola di fatto dalla vita di partito.

Nilde gridò: «Assassino!»

La relazione con Togliatti costò alla Iotti parecchie umiliazioni. Nonostante il buon lavoro fatto alla Costituente, la
base del Pci non voleva ricandidarla alle elezioni del 1948.
«È comodo abbandonare le vecchie compagne per pigliare
delle giovani!» gridava Cesare Campioli, sindaco comunista
di Reggio Emilia e capofila di quanti non gradivano la sua
concittadina. Per due ragioni: era l'amante del segretario,
e questo avrebbe nuociuto al partito; non aveva fatto la Resistenza, come la Montagnana, e aveva quindi un pedigree
sospetto. Alla fine ci si rimise alle decisioni di Secchia, capo
dell'organizzazione del Pci: Nilde fu messa in lista ed eletta con un buon numero di voti.

In quel periodo la Iotti rimase incinta, ma perse il bambino. Fu un'interruzione spontanea di gravidanza o un aborto? La Noce raccontò che nel partito era proibito accennare all'argomento. L'ipotesi dell'aborto nasce anche da un'inchiesta condotta alla fine degli anni Settanta da Daniela Pasti e da lei raccontata in *I comunisti e l'amore*. La giornalista riferisce che alcune testimonianze, molto reticenti, avrebbero avallato la tesi dell'interruzione volontaria della gravidanza e che, addirittura, la decisione fosse stata presa in una riunione della segreteria del partito. Della delicata faccenda si occupò Mario Spallone, il medico personale di Togliatti. «Dovetti partire di corsa per Reggio Emilia» mi raccontò nel 2007 per *L'amore e il potere* «e portai Nilde a Roma nella clinica Fioretti, dove c'era il dottor Donadio, zio di Giulio Andreotti.»

Tenuta nascosta alla bell'e meglio per un paio d'anni, la relazione fra Togliatti e la Iotti diventò in qualche modo ufficiale il 14 luglio 1948. Alle 11.20 Palmiro e Nilde si allontanarono dalla Camera da una porta secondaria, dopo aver assicurato all'inseparabile Armando che il segretario sarebbe uscito dall'ingresso principale non prima delle 13. «Andiamo a prendere un gelato qui vicino, al bar Giolitti» dissero a Ugo La Malfa. Appena in strada, vennero affrontati da un giovanotto con la pelle olivastra, camicia bianca, abito gessato. Il siciliano Antonio Pallante, anticomunista viscerale e lettore delle opere di Hitler, senza collegamenti con alcun partito, sparò quattro colpi di rivoltella contro Togliatti. Dopo il terzo colpo (il più grave, che perforò un polmone) la Iotti si gettò addosso al suo uomo per proteggerlo, impedendo così all'attentatore di mettere a segno il quarto, forse mortale, che ferì solo di striscio il segretario del Pci. Nilde gridò «Assassino!» all'indirizzo dell'aggressore e urlò ai passanti di fermarlo.

Un deputato democristiano, il medico palermitano Raimondo Borsellino, prestò i soccorsi d'urgenza, mentre il medico della Camera chiamò l'ambulanza, che corse al Policlinico dove il più illustre chirurgo del tempo, Pietro Valdoni, era già pronto in sala operatoria. Togliatti sopravvisse e si preoccupò subito di lanciare ai compagni un appello alla calma: la periferia rossa era, come si può immaginare, in ebollizione e sarebbe bastata una scintilla incontrollata a far esplodere la situazione. Dopo l'attentato, la coppia non tornò nell'abbaino del Bottegone. Il partito aveva comprato una casa nel quartiere di Monte Sacro, e Togliatti mandò la Iotti da Secchia per proporgli di condividere la palazzina con loro.

Come racconta Miriam Mafai in *Botteghe Oscure, addio*, il Pci usava mettere a disposizione dei propri dirigenti appartamenti in stabili di sua proprietà. L'intero palazzo era abitato, dunque, da funzionari comunisti. E comunisti erano, naturalmente, anche i portieri e le donne delle pulizie: la sorveglianza era così assicurata, secondo un costume mutuato dall'Unione Sovietica dove è rimasto in vigore, almeno per gli stranieri residenti, fino alla caduta del Muro. Nilde cercò di arredare la casa in modo che assomigliasse a quella di una normale coppia borghese. Non ci fu mai la televisione, tanto è vero che parecchi anni dopo il trasloco, quando cominciarono le trasmissioni politiche, scendevano a vederle in casa del portiere. C'erano, in compenso, molti libri e un cane, un molosso napoletano chiamato Birbone: mordeva gli ospiti che non gli erano simpatici (una volta toccò al malcapitato Aldo Natoli).

Mancava un bambino. L'occasione perché arrivasse fu tragica. Il 9 gennaio 1950, a Modena, sei operai furono uccisi dalla polizia durante violentissimi scontri seguiti a una manifestazione sindacale. Uno di essi, Arturo Malagoli, lasciava otto fratelli in condizioni economiche disagiate. Fu allora che Togliatti si offrì di ospitare a Roma per gli studi una delle sorelle, Marisa, di 7 anni, che fu poi adottata e amatissima.

«Il fascismo va schiacciato nell'uovo»

Iosif Stalin morì nel 1953. Togliatti sapeva bene di essere un sopravvissuto, ma commemorò il Piccolo Padre alla Camera con parole struggenti: «Un gigante del pensiero e un gigante dell'azione. Ha portato il suo paese al benessere economico e all'unità interna. La sua causa trionferà in tutto il mondo». Fosse stato per lui, il mondo non avrebbe mai saputo nulla dei crimini di Stalin. Per fortuna ci pensarono prima Nikita Chruščëv e poi Michail Gorbačëv. Bocca racconta che la sera del 17 febbraio 1956, poco dopo l'apertura del XX congresso del Pcus, due ufficiali sovietici entrarono nella camera d'albergo di Togliatti, posarono sul tavolo una scatola metallica, l'aprirono, ne trassero un volume e vigilarono che nessuno entrasse nella stanza prima che il segretario del Pci l'avesse sfogliato fino in fondo. Era il famoso «Rapporto Chruščëv», che sarebbe rimasto segreto fino alla pubblicazione sul «New York Times» il 4 giugno 1956.

In *Le passioni di un decennio. 1946-1956* Paolo Spriano, il maggiore storico comunista, racconta: «C'era in primis l'elenco dei delitti. Quel 70 per cento dei membri del comitato centrale del Pcus eletti al XVII congresso (1934) e poi spariti, cioè arrestati e fucilati ... e la catena di repressioni di massa che avevano avviato alla deportazione popoli interi ... Stalin si intestardiva a dare ordini assurdi in guerra che costavano la vita a centinaia di migliaia di soldati». Quando il rapporto fu reso pubblico, lo stesso mondo comunista ne restò sconvolto. Ma Togliatti rimise subito tutti in riga con un saggio pubblicato dalla rivista del partito «Nuovi argomenti»: guardandosi bene dall'infangare la memoria del «gigante del pensiero e dell'azione», si disse convinto che del «rapporto di fiducia e solidarietà con l'Unione Sovietica e i suoi dirigenti non vi è nessuno di noi che abbia a pentirsi». Di questa fiducia e solidarietà con il Cremlino, Togliatti e il Pci diedero prova di lì a qualche mese.

Il 23 ottobre 1956, 30.000 soldati sovietici invasero Budapest e le principali città ungheresi incontrando un'eroica resistenza da parte degli insorti. Il popolo ungherese aveva frainteso la «destalinizzazione» di Chruščëv, immaginando che avrebbe portato a qualche apertura democratica. Pietro Ingrao fu testimone della soddisfazione di Togliatti quando seppe dell'invasione sovietica. La elogiò sull'«Unità» dicendo che «il fascismo va schiacciato nell'uovo», come ricorda Aldo Agosti nella sua biografia del Migliore. Ma la reazione dei giovani e le testimonianze degli inviati di tutto il mondo (memorabili quelle di Indro

Montanelli sul «Corriere della Sera») sull'eroismo dei rivoltosi procurarono lo sconcerto del Partito comunista ungherese e perfino di alcuni settori del Cremlino.

Consultando i documenti messi a disposizione del governo ungherese da Boris Eltsin nel 1992, Victor Zaslavsky ha scritto in *Lo stalinismo e la sinistra italiana* che il 30 ottobre, una settimana dopo l'invasione, il presidium del Soviet supremo aveva deciso all'unanimità il ritiro delle truppe. Quando lo seppe, quello stesso 30 ottobre, Togliatti inviò una lettera disperata a Chruščëv pregandolo di non farlo per non aprire il campo alla reazione. L'indomani Chruščëv revocò la decisione e fece arrestare Imre Nagy, segretario del Partito comunista ungherese, che sarebbe stato fucilato due anni dopo.

Alcuni intellettuali comunisti italiani (Luciano Cafagna, Vezio Crisafulli, Renzo De Felice, Antonio Maccanico, Piero Melograni) lasciarono il Pci. Fu accompagnato alla porta anche Antonio Giolitti, mentre sul fronte della sinistra radicale Togliatti emarginava Secchia, suo storico avversario. Secchia era stato indebolito dalla fuga del suo strettissimo collaboratore Giulio Seniga, «scappato con la cassa» (pare mezzo milione di dollari) e con molti documenti segreti sui rapporti tra il Pci e Mosca. In questo modo, si disse, voleva ricattare e mantenere su posizioni ortodosse Togliatti, che cercava con sempre maggior forza di sostenere le ragioni di una «via italiana al socialismo».

Come ha ricordato lo scrittore Francesco Piccolo su «la Lettura» del «Corriere della Sera» (17 febbraio 2014), «Palmiro Togliatti era definito il Migliore, da amici e nemici. E anche questo è un marchio profetico per la sinistra italiana, che ancora oggi non riesce a togliersi di dosso il mantello della superiorità». Piccolo ricorda che Togliatti fece chiudere la rivista «Il Politecnico» perché Elio Vittorini affermava che l'intellettuale «non deve suonare il piffero della rivoluzione». Che Italo Calvino, per un suo apologo sulla politica, fu bollato da Togliatti come «un intellettuale che ha scritto la novelletta per buttar fango...». Che Calvino stava valutando l'opportunità di diventare funzionario del Pci, ma Enrico Berlinguer – che Togliatti considerava il suo delfino – lo avvertì che non avrebbe più potuto scrivere romanzi. E che Romano Bilenchi disse di essere disposto come comunista a seguire le idee di Lenin e di Togliatti, ma che come scrittore se ne sarebbe vergognato.

Il Migliore morì il 21 agosto 1964 a Jalta, sul Mar Nero, in Crimea, nel corso di uno strano viaggio. Mosca aveva litigato con Pechino, e il segretario del Pci si era offerto come mediatore, ma non era chiaro quanto questa iniziativa fosse gradita al Cremlino. E poi voleva capire se Chruščëv, il successore di Stalin, avesse realmente il controllo della situazione. Questi gli fece un grosso sgarbo non andando a riceverlo all'aeroporto. Mandò Leonid Brežnev, l'uomo che l'avrebbe pensionato. A Jalta, in attesa dell'annunciata visita di Chruščëv, Togliatti si affaticò molto scrivendo il famoso «Memoriale» in cui cercava di chiarire le incomprensioni con il segretario del Pcus, che detestava, del tutto ricambiato.

Il 13 agosto Togliatti ebbe un'emorragia cerebrale. Fu operato da un'équipe russa. «Ero accanto al suo letto» racconterà la Iotti. «Gli tenevo la mano in silenzio. Sapevo, sapevamo che non c'era più nulla da fare. Eppure lui, in stato di seminscoscienza, cercò l'anello che avevo al dito e che testimoniava il nostro matrimonio inesistente.»

I telegrammi di cordoglio furono diretti a Nilde come moglie. Ai memorabili funerali del leader comunista italiano, che partirono da via delle Botteghe Oscure per snodarsi lungo i Fori imperiali, la Iotti seguì il feretro accanto a Longo, davanti a tutti gli altri dirigenti del partito. Quelli che mai l'amarono e che aspettarono diciotto anni prima di cederle il passo.

Bettino Craxi,
lo statista simbolo del male

Una riabilitazione tardiva

Nell'autunno del 1999 invitai Giulio Andreotti, Achille Occhetto e Bettino Craxi alla presentazione del mio libro *Dieci anni che hanno sconvolto l'Italia. 1989-2000*. Tutti e tre accettarono. Andreotti sarebbe stato con me a Roma, Occhetto si sarebbe collegato dalla Germania e Craxi da Hammamet. Ma il 25 ottobre Craxi ebbe una crisi.

Bettino morì il pomeriggio del 19 gennaio 2000. «Vuoi un caffè?» gli aveva chiesto la figlia Stefania. Quando era risalita in camera per portarglielo, lui se n'era già andato. Non aveva ancora 66 anni, ma è stato, con Filippo Turati e Pietro Nenni, la figura più importante nella storia del socialismo italiano. Anzi, rispetto a loro, non è mai stato subordinato a forze politiche alla sua sinistra ed è stato il primo socialista nella storia della Repubblica a guidare un governo. «Il più vigoroso leader dopo De Gasperi» lo definì lo storico Denis Mack Smith, che pure lo accusò di «nepotismo arrogante e corrotto». E se per statista s'intende un uomo che guarda oltre il proprio orizzonte immediato, è vero che Craxi fa parte della ristrettissima costellazione la cui stella più luminosa è De Gasperi.

Craxi ha liberato il Partito socialista italiano da quella che Ernesto Galli della Loggia chiama «l'irrilevanza suicida del Psi». Ha avuto il coraggio di trattare il Pci da pari a pari, ricevendone odio e un tentativo costante di delegittimazione. Avrebbe voluto cambiare le fondamenta di uno Stato ipertrofico, lento e antiquato, disegnando la Grande Riforma di cui ha bisogno un paese moderno. Ma non ha mai avuto la forza politica necessaria. L'«onda lunga» da lui vagheggiata e tanto attesa non è mai arrivata.

Ma Craxi è stato anche il simbolo del male nella politica italiana, perché alla fine lo ha tradito il delirio di onnipotenza, che ha travolto il suo partito e quasi l'intera classe politica della Prima Repubblica. E la miopia su un sistema di corruzione endemica che non sarebbe potuto continuare all'infinito. Tuttavia, lui ha pagato più degli altri. E la Storia, sottovoce, gliene ha dato – sia pur tardivamente – atto.

La riabilitazione è avvenuta nel 2010, nel decennale della morte, con un messaggio alla famiglia del presidente della Repubblica Giorgio Napolitano, esponente di quel Pci che, assolvendosi dalle proprie colpe, aveva armato per primo il plotone d'esecuzione giustizialista. «La figura del latitante degno della galera e quella del politico degno dei funerali di Stato [*che gli offrì Massimo D'Alema, presidente del Consiglio, e che furono ovviamente rifiutati dalla famiglia*] si confondono e si sovrappongono nella nostra memoria come nella storia del nostro paese» ha scritto Miriam Mafai sulla «Repubblica» del 14 gennaio 2010.

Nessuno, quando nel 1968 Craxi arrivò a Roma con il primo incarico parlamentare, avrebbe scommesso un centesimo sul futuro politico di un uomo che sembrava destinato a una dignitosa seconda fila. Nato a Milano nel 1934 da un avvocato siciliano che aveva fatto la Resistenza e da una donna bellissima («popolana, intelligente e astuta» la definirà Bettino), sposò nel 1960 la coetanea Anna Moncini. Lui studente di giurisprudenza, lei diplomata maestra e segretaria in un'azienda di impermeabilizzazioni. Un amore a prima vista, poi sei anni di convivenza: lui si presentò alla cerimonia nuziale come a un appuntamento qualsiasi, con le tasche della giacca rigonfie di giornali.

Craxi prese la tessera del Partito socialista a 17 anni e a 22, nel 1956, diede una prima prova di «autonomismo» contestando l'invasione sovietica dell'Ungheria. (Una parte del Psi, i cosiddetti «carristi», era invece favorevole.) Segretario del Psi milanese nel 1963, nel 1969 fu traumatizzato dal fallimento dell'unificazione socialista, al punto che ebbe la tentazione di andarsene con i socialdemocratici di Saragat. Ma poi restò per rispetto di Nenni e nel 1970 diventò vicesegretario del partito in rappresentanza della minoranza autonomista. Si guadagnò così il soprannome di Nennino Craxi.

Incaricato di tenere i rapporti internazionali e diventato vicepresidente dell'Internazionale socialista, ne approfittò per finanziare i partiti socialisti in difficoltà (spagnolo, greco, cileno, in virtù dell'amicizia personale con Salvador Allende), ma anche per consolidare le relazioni con personaggi carismatici come Willy Brandt. Che ne parlò con gli americani i quali, preoccupati per l'andamento ondivago del Psi in politica estera, trovarono in Craxi un punto di riferimento, come raccontò Giovanni Mosca a Italo Pietra per il libro *E adesso Craxi*.

La conquista del potere

La svolta nella vita di Craxi, del Psi e della stessa politica italiana avvenne nel 1976. Prima delle elezioni, il segretario del Psi, Francesco De Martino, autorevole professore di diritto romano, disse che non avrebbe continuato la collaborazione con la Dc se non fosse stata allargata al Pci. Dovendo scegliere tra l'originale e l'imitazione, molti elettori di sinistra scelsero l'originale, cioè il Pci di Enrico Berlinguer, che superò il 34 per cento (massimo storico alle elezioni politiche) e fece sprofondare il Psi al 9,6 (minimo storico). Nonostante un risultato così disastroso, De Martino non voleva dimettersi. Furono gli allievi a scavargli la fossa, benedetti da un altro «vecchio» del partito, Giacomo Mancini, che sentenziò: «È venuto il momento di seppellire un cadavere ingombrante». I becchini furono tre: Enrico Manca, già fedelissimo del segretario socialista, e due giovani seguaci di Riccardo Lombardi, Claudio Signorile e Fabrizio Cicchitto.

La «rivolta dei quarantenni» puntava su Antonio Giolitti, figura di indubbio prestigio, che però, come scrive Antonio Ghirelli in *Effetto Craxi*, non era uomo d'apparato e non piaceva ai quadri intermedi. Non sentendosela di fare il Bruto in prima persona, Manca decise con Signorile di incoronare un «re travicello», quel Bettino Craxi che poteva contare appena sul 10 per cento dei voti congressuali, perché tanti ne spettavano a Nenni (nel giro di sei anni quei voti si sarebbero moltiplicati per sette). Gli esperti dissero in coro che Craxi era un semplice ostaggio di Mancini e che avrebbe dovuto obbedire agli ordini di Manca e Signorile, i suoi elettori.

Andò diversamente. Craxi fece come quei vecchi e malfermi cardinali che, eletti in conclave come papi di transizione, una volta messo il triregno gettano il bastone e impugnano lo scettro. Nel primo triennio di mandato rafforzò la sua posizione nel partito e cominciò a insidiare le due corazzate comunista e democristiana nei tre anni del «compromesso storico» (1976-79).

Il primo colpo fu inferto al Pci nel 1977, quando Carlo Ripa di Meana, presidente socialista della Biennale di Venezia, annunciò che quell'edizione era dedicata al «dissenso» nei paesi comunisti. Gianluca Falanga, nel suo *Spie dell'Est*, ha rivelato che l'iniziativa gettò nel panico il governo di Mosca e quelli dei «paesi fratelli». Il Kgb diede mandato agli altri servizi segreti comunisti di attivarsi per boicottare l'iniziativa, e lo stesso ambasciatore sovietico a Roma intervenne presso Tonino Tatò, braccio destro di Berlinguer, perché gli intellettuali comunisti non vi partecipassero. L'appello fu raccolto, i direttori comunisti di alcune sezioni della Biennale si dimisero e perfino un repubblicano come Bruno Visentini, un cattolico come Feliciano Benvenuti e un socialista come Paolo Grassi, fondatore del Piccolo Teatro di Milano e allora presidente della Rai, negarono all'iniziativa i locali di loro pertinenza. «Tanto per avvalorare l'opinione di chi in seguito avrebbe sostenuto che non era mai esistita alcuna egemonia del Pci sul mondo culturale italiano» ironizza Ernesto Galli della Loggia nel suo *Credere, tradire, vivere*.

Il secondo colpo al Pci fu dato nella primavera del 1978 durante il sequestro Moro. Craxi fu, con Amintore Fanfani, il solo leader politico a sostenere la linea della trattativa, contraria a quella della «fermezza» adottata dal Pci e dal gruppo dirigente della Dc. Questo fece esplodere il risentimento comunista contro di lui. In una delle lettere al segretario del Pci, contenute nel libro *Caro Berlinguer*, Tatò dipinge Craxi come «quel socialdemocratico di destra con venature fascistiche», «un avventuriero, anzi un avventurista, uno spregiudicato calcolatore del proprio esclusivo tornaconto, un abile maneggiatore e ricattatore, un figuro moralmente miserevole e squallido, del tutto estraneo alla classe operaia, ai lavoratori, ai loro profondi e reali interessi, ideali e aspirazioni».

Alla fine dell'agosto 1978, Craxi assestò al Pci il terzo colpo di maglio. Nel 1977 Berlinguer aveva sancito ufficialmente la nascita dell'«eurocomunismo» insieme ai colleghi francese, Georges Marchais, e spagnolo, Santiago Carrillo. Stava cercando una «terza via» tra socialismo reale e socialdemocrazia, ma riteneva ancora «del tutto vivente e valida la lezione che Lenin ci ha dato». Pubblicando un anno dopo sull'«Espresso» il cosiddetto «saggio su Proudhon», Craxi riesumò un riformista (e anarchico) francese di metà Ottocento – sconosciuto alla gran parte degli stessi intellettuali italiani – per unirlo con un tratto di penna ai fratelli Rosselli, tracciando così la nuova linea del socialismo anticomunista europeo.

Nel ricordare questi episodi, Galli della Loggia osserva che «l'elenco delle malefatte e degli addebiti pesantissimi imputati al craxismo era già pronto ben prima che nella società italiana se ne iniziassero a vedere gli effetti, cattivi o cattivissimi che essi siano stati». Inoltre, nel 1978 Craxi era riuscito a far eleggere per la prima volta un socialista al Quirinale: forse avrebbe preferito Antonio Giolitti, o ancor meglio Giuliano Vassalli, ma pur con qualche riserva fu il primo a fare il nome di Sandro Pertini che, mostrando eccezionale abilità, riuscì a farsi eleggere con un consenso assai vasto.

L'arrivo a palazzo Chigi e la crisi di Sigonella

Le elezioni anticipate del 1979 concessero al Psi solo qualche decimale rispetto ai voti ottenuti in quelle di tre anni prima, ma segnarono la disfatta del Pci, che perse 4 punti percentuali alle politiche e scese sotto il 30 per cento alle europee. Il trionfo di Craxi avvenne quattro anni dopo, alle elezioni del 1983. Non tanto per il risultato numerico (il Psi passò dal 9,8 all'11,4 per cento), quanto per quello politico. Il segretario socialista riuscì, infatti, a sottoscrivere un accordo con la Dc di Ciriaco De Mita, uscita indebolita dalle urne, che lo portò alla presidenza del Consiglio, dove sarebbe rimasto quasi quattro anni (con due diversi gabinetti), un arco di tempo impensabile per i riti della Prima Repubblica. Cominciava così l'era del craxismo vero e proprio, che sarebbe durata fino alla crisi del 1992.

Nel frattempo il controllo di Craxi sul partito era diventato così assoluto che al congresso di Verona del 1984 il segretario-presidente, che nel 1981 aveva riportato il 72 per cento dei voti, fu riconfermato addirittura per acclamazione. A Verona Enrico Berlinguer, che sarebbe morto meno di un mese dopo, fu salutato da una bordata di fischi al grido di «Venduto! Buffone!». In *Corone e maschere* Enzo Bettiza, un liberale innamorato del laburismo craxiano, sui primi tre anni di mandato di Craxi ha scritto: «1058 giorni di gloria, di tensioni, di scontri violenti e risolutivi. Il presidente socialista della coalizione pentapartito firma la revisione del Concordato con la Santa Sede, vince il referendum sulla scala mobile contro la feroce opposizione del Pci, affronta e sbanca gli americani nella crisi di Sigonella, abbatte l'inflazione, fa volare la Borsa, fa inghiottire addirittura alla Thatcher l'allargamento della Comunità europea. Gli anni Ottanta mutano l'Italia. La fanno uscire dal terrorismo e dal consociativismo, la rendono più libera e rispettata nel mondo, la mettono all'avanguardia dei costumi, della moda e dei fatturati d'impresa».

La crisi di Sigonella è del 1985, come il referendum sulla scala mobile. Il 7 ottobre, quattro terroristi palestinesi imbarcati sull'*Achille Lauro*, in crociera nel Mediterraneo e diretta a Porto Said, dirottarono la nave verso il porto siriano di Tartus, reclamando la liberazione di cinquanta detenuti e minacciando, se la loro richiesta non fosse stata accolta, di fare una strage. Gli americani bloccarono ogni trattativa e i terroristi risposero ammazzando e gettando in mare con la sedia a rotelle un ebreo americano invalido, Leon Klinghoffer, in vacanza con la moglie.

La notte del 10 ottobre Craxi fu avvertito dalla Casa Bianca che aerei da caccia statunitensi avevano intercettato e dirottato sull'aeroporto Nato di Sigonella un velivolo a bordo del quale, oltre ai quattro terroristi, c'era Abu Abbas, considerato dal leader dell'Olp Yasser Arafat (e da Craxi) un mediatore inviato per sistemare le cose e dagli americani, invece, il capo effettivo del commando. (Abbas, si scoprirà più tardi, lo era stato in passato.) L'Italia rivendicava (giustamente) la nostra giurisdizione su quanto accaduto (nave italiana dirottata in acque internazionali). Gli americani volevano i terroristi e Abu Abbas. I carabinieri circondarono l'aereo e furono a loro volta circondati dagli uomini della Delta Force. Si sfiorò lo scontro armato. Alla fine la spuntò il nostro governo, che autorizzò l'imbarco di Abu Abbas su un volo iugoslavo e ne favorì in tal modo la fuga. «Se non lo avessimo fatto» mi confidò anni dopo Andreotti, all'epoca ministro degli Esteri, «l'Egitto non avrebbe autorizzato l'*Achille Lauro* a muoversi.» (Abu Abbas, ospite in Iraq di Saddam Hussein, è morto nel 2004. Due dirottatori furono estradati in Italia e condannati all'ergastolo.)

Un libro curato dalla Fondazione Craxi, *La notte di Sigonella*, che riporta il contenuto dei documenti declassificati dopo trent'anni dagli americani, sostiene che Abu Abbas era davvero un mediatore e non l'organizzatore del sequestro, e rivela che Craxi non mollò la presa se non dopo aver ricevuto l'assicurazione di un colloquio personale con Ronald Reagan. L'incontro fu preceduto da una cordialissima lettera del presidente americano («Dear Bettino...») e dal chiarimento degli aspetti equivoci della vicenda, tanto che il 24 ottobre Craxi fu accolto con grande calore a Washington.

In Italia la sua popolarità raggiunse l'apice: il presidente del Consiglio aveva difeso la dignità nazionale contro l'arroganza colonialista degli Stati Uniti. Ma la nostra politica filoaraba si spinse probabilmente oltre il dovuto. E qualcuno sostiene che gli americani se ne siano ricordati durante Tangentopoli.

Ghino di Tacco diventò il Cinghialone

Naturalmente, più il craxismo estendeva il suo dominio, più ne aumentavano i chiaroscuri. Assolutorio il giudizio di Bettiza: «C'è anche la corruzione, inseparabile dalla complessa vitalità democratica, come dimostrano tanti fatti giudiziari già occorsi nella terra di Saint-Just e in quella di Lutero. Ma c'è, al tempo stesso, il traguardo raggiunto di una stabilità politica e di una espansione economica che a quell'epoca avvicina l'Italia alle maggiori nazioni dell'Europa occidentale». È vero che fra il 1983 e il 1988 l'Italia continuò a crescere a ritmi frenetici (3,2 per cento all'anno) e che, quando nel 1987 nei conti internazionali si cominciò a valutare anche l'economia sommersa, superò la Gran Bretagna, diventando la sesta potenza industriale del mondo dopo Stati Uniti, Unione Sovietica, Giappone, Germania e Francia.

Erano gli anni della «Milano da bere», celebrati da Francesco Alberoni sulla prima pagina del «Corriere della Sera»: «C'è il gusto del successo sociale, dell'eleganza, il gusto di piacere. Sono tornate le feste, i ricevimenti, le buone maniere... l'amore per le macchine veloci, le potenti fuoristrada ... il gusto per i cibi squisiti, i vini pregiati». Vivevamo alla grande, a spese delle generazioni future. Nel 1961, anno clou del «miracolo economico», il rapporto tra debito pubblico e prodotto interno lordo era del 30 per cento. Dieci anni dopo era del 40. Ma nel 1979 (e qui Craxi non c'entra) sfiorava il 60 per cento, a causa di una spesa pensionistica folle e di finanziarie doppie per pagare le due anime del «compromesso storico». Nel 1988, con i governi Craxi, era esploso fino al 93 per cento, per poi andare fuori controllo all'inizio degli anni Novanta (125 per cento).

Alla fine del 1984, sulla «Repubblica» Eugenio Scalfari, nemico dichiarato di Craxi, denunciava «l'immane sopruso che il fisco va consumando da anni a danno di alcune categorie e a vantaggio di altre ... Queste categorie [*tutte quelle del lavoro autonomo*], consapevoli di godere di un privilegio, hanno tollerato una classe dirigente corrotta, alla quale non conveniva chiedere conto della corruzione». Più del giudizio di chi ha combattuto Craxi sempre e comunque vale quello di chi, come Galli della Loggia, ne ha invece difeso la qualità e la riscossa alla subordinazione al Pci: «Craxi e tutto il gruppo intorno a lui, resi quasi ciechi e sordi dal proprio potere e dal solito consenso adulatorio di troppi seguaci, non riuscirono a percepire l'avversione che montava contro di loro da parte di settori sempre più numerosi dell'opinione pubblica: forse scioccamente giudicandola passeggera o ininfluente. Non si resero conto della portata che verso la fine degli anni Ottanta stava assumendo, negli ambienti più diversi, la sacrosanta irritazione per la degenerazione partitocratica della quale erano anch'essi parte. Non sembrarono accorgersi che anche per l'efficace propaganda degli avversari tale irritazione sempre più s'indirizzava proprio verso il bersaglio socialista». Scalfari aveva definito Craxi Ghino di Tacco (nobile bandito della Val d'Orcia che nel XIII secolo, dalla rocca di Radicofani, taglieggiava i viaggiatori). Da Ghino di Tacco adesso il leader socialista si tramutava nel Cinghialone, esemplare perfetto per la caccia grossa.

Nel 1986 De Mita ottenne che il secondo incarico ministeriale affidato a Craxi fosse vincolato a un «patto della staffetta» che, di lì a un anno, avrebbe dovuto consentire allo stesso segretario della Dc di diventare presidente del Consiglio fino alla fine della legislatura. Nel 1987 Craxi smentì quel patto e la Dc gli tolse la fiducia, e a Palazzo Chigi andarono prima Giovanni Goria e poi De Mita. Il segretario del Psi stabilì allora un legame con l'ala moderata della Dc, divenuta maggioritaria alla caduta di De Mita, che portò Arnaldo Forlani alla segreteria del partito e Giulio

Andreotti a palazzo Chigi. Era nato il Caf, celebre acronimo di Craxi-Andreotti-Forlani.

Nel 1989 la caduta del Muro di Berlino provocò una crisi profonda nel Pci, che avrebbe portato al cambio del nome in Partito democratico della sinistra (Pds). Il 22 marzo 1990 Craxi trionfava nel tempio progettato da Filippo Panseca alla conferenza programmatica del Psi a Rimini. Massimo D'Alema e Valter Veltroni andarono a trovarlo e, secondo quanto mi disse D'Alema, lui «promise che non ci avrebbe colpito nel momento di passaggio e rispettò l'impegno». Craxi, in prospettiva, guardava a un governo di sinistra egemonizzato dal Psi, com'era accaduto in Francia con François Mitterrand.

Le elezioni amministrative del 1990 portarono il Psi al 15,3 per cento, facendo precipitare il Pci al 24: 10 punti in meno della Dc. Il presidente della Repubblica, Francesco Cossiga, avrebbe sciolto volentieri le Camere per consentire le elezioni anticipate nel 1991, e il Pci ne sarebbe uscito distrutto. Lo stesso D'Alema ammise l'esistenza di una frangia del suo partito «che aveva maggiore propensione politico-culturale verso il socialismo democratico», pur non nascondendo «una forte separazione sul piano etico». Ma Andreotti si mise di traverso, sperando di diventare presidente della Repubblica con l'appoggio dei comunisti, e Craxi, quando gli chiesi perché non aveva fatto sciogliere le Camere, mi rispose: «Non posso essere sempre il Giamburrasca del sistema politico italiano». E aggiunse: «Il superamento delle divisioni storiche era naturale. Poi tutto si irrigidì. I comunisti del Pds cavalcarono la falsa rivoluzione e concorsero tra i primi alla distruzione del Psi e alla persecuzione dei socialisti».

Craxi mi disse queste cose in uno dei nostri incontri a Hammamet, dove si trovava politicamente esule e giuridicamente latitante. Aveva concordato con la Dc lo scambio fra il Quirinale per Forlani e il proprio ritorno a palazzo Chigi nel 1992. Se nel 1991 ci fossero state le elezioni anticipate, l'inchiesta «Mani pulite» avrebbe avuto un andamento diverso. Mi avrebbe spiegato nel 1999 Gerardo D'Ambrosio,

capo del Pool di Milano: «Quando capimmo che il quadri-
partito non avrebbe raggiunto la maggioranza in Parlamento
dopo le elezioni del '92, intuimmo che era il momento di
dare un'accelerazione all'inchiesta: gli imprenditori si sarebbero sentiti scoperti, senza protezione, e avrebbero collaborato alle indagini. L'intuizione si rivelò ottima». In realtà, a
giudicare dai seggi, forse la maggioranza teoricamente c'e-
ra, eccome. Il Pci-Pds scese al suo minimo storico (16,1 per
cento, perdendo 4 milioni di voti rispetto alle elezioni precedenti). La Dc sfiorò il 30 per cento e il Psi arrivò al 13,6.
Ma D'Ambrosio aveva ragione in riferimento alle condizioni politiche. Il 17 febbraio 1992, poche settimane prima delle elezioni, era stato arrestato Mario Chiesa, presidente del
Pio Albergo Trivulzio, una prestigiosa istituzione benefica
milanese, e finanziatore della campagna elettorale di Bobo
Craxi, figlio di Bettino, per il consiglio comunale. Fu sorpreso mentre intascava una mazzetta di 7 milioni di lire, la metà
di una tangente di 14 per una fornitura all'istituto. Lo scandalo fu enorme, ma prima del voto i magistrati si fermarono. Subito dopo, però, indagarono due uomini simbolo del
Psi milanese, gli ex sindaci Carlo Tognoli e Paolo Pillitteri.

La campagna di stampa contro il leader socialista gli impedì di andare a palazzo Chigi. Claudio Martelli, il suo delfino, salì al Quirinale a candidarsi al suo posto (anche se lui
lo ha smentito) e Craxi fece dare l'incarico a Giuliano Amato,
che avrebbe condotto a sepoltura la Prima Repubblica.

E in Parlamento nessuno si alzò per smentire

Craxi era timido, antipatico, arrogante. Come diversi
leader, assai poco tollerante con le opinioni diverse dalle
sue. Quando nel 1990 diventai direttore del Tg1, ebbi con
lui scontri formidabili. Non mi amava. Mi aveva attaccato personalmente sull'«Avanti!», con il celebre pseudonimo di Ghino di Tacco. Avevo replicato attraverso l'Ansa,
accusandolo di avere una concezione «bulgara» dell'informazione, come dimostrava il Tg2 che aveva il Psi come esigente «editore di riferimento».

Il 3 giugno 1992 il nome di Craxi entrò nell'inchiesta milanese su Tangentopoli. Il leader socialista aveva definito Chiesa «un mariuolo» e lui si era sentito libero da vincoli di fedeltà. Eravamo in possesso della fotocopia parziale dell'interrogatorio di Chiesa dal quale emergeva chiaramente il coinvolgimento del leader socialista nella vicenda. Anche gli altri telegiornali, che andavano in onda prima del nostro, avevano la notizia. Pure l'Ansa l'aveva. Ma nessuno la trasmise. Nemmeno la mitica Telekabul di Sandro Curzi, roccaforte comunista nella Rai. E questo la dice lunga sul timore che Craxi incuteva ancora in tutti. Lo chiamai attraverso il centralino riservato del governo. Non gli avevo mai parlato al telefono, e mai a quattr'occhi. Gli dissi di Chiesa, lui rispose che le accuse erano una mascalzonata, ma non smentì il fatto. Questo mi convinse a trasmettere la notizia. L'Ansa la rilanciò, citando il Tg1 come fonte. Se avessi sbagliato, ci avrei rimesso il posto. Non sbagliai, ma in Rai ricevetti scarsi riconoscimenti per aver fatto il mio mestiere.

Eppure, il 30 aprile 1993 Craxi concesse a me la prima intervista televisiva in cui raccontò la sua versione sui soldi che un importante architetto milanese, Silvano Larini, depositava regolarmente nel suo studio a Milano. Uscii dall'hotel Raphaël pochi minuti prima che lo facesse lui: fu sommerso da una pioggia di monetine e di sputi lanciati da alcuni militanti del Pds che manifestavano nella vicina piazza Navona.

Quello fu il primo di una serie di incontri che proseguirono a Hammamet, dove Craxi fuggì il 5 maggio 1994, pochi giorni dopo la vittoria elettorale di Silvio Berlusconi. Non era più coperto dall'immunità parlamentare e temeva ragionevolmente di essere arrestato. Hammamet non era da tempo l'oasi dorata dove negli anni Venti del Novecento grandi artisti avevano trovato rifugio e ispirazione. Negli anni Sessanta, il leader socialista si era innamorato di questa zona e si era fatto costruire una villa tutt'altro che sontuosa in collina e senza vista sul mare. «Ho cercato rifugio qui per difendere la mia libertà e con essa la mia vita» mi disse. Temeva di essere assassinato in carcere, come Michele

Sindona. Mi ripeté questa frase in tutti i nostri colloqui avvenuti tra il 1995 e il 1999, sei mesi prima della morte.

Nell'estate del 1999 mi raccontò: «L'attacco fu portato in una sola direzione, non in altre. A Milano il Pci, forte di una burocrazia di gran lunga superiore a quella degli altri partiti, non viveva certo con il ricavato della vendita delle salamelle alle feste dell'Unità». Come scrissi in *Il cuore e la spada*, Craxi capì che le inchieste giudiziarie sui «contributi ai costi della politica» non sarebbero state imparziali. Perciò il 3 luglio 1992 – un mese dopo che Chiesa lo aveva coinvolto nell'inchiesta – tenne alla Camera uno dei discorsi più drammatici della storia parlamentare. Dopo aver ammesso l'esistenza di «aree infette» di corruzione e concussione personale, dichiarò: «Tutti sanno che buona parte del finanziamento politico è irregolare o illegale. Se gran parte di questa materia deve essere considerata materia puramente criminale, allora gran parte del sistema sarebbe criminale. Non credo ci sia nessuno in quest'aula, responsabile politico di organizzazioni importanti, che possa alzarsi e pronunciare un giuramento in senso contrario a quanto affermo: presto o tardi, i fatti si incaricherebbero di dichiararlo spergiuro». Mi avrebbe detto in seguito: «Parlai di fronte all'assemblea riunita al completo. Quando invitai i miei colleghi ad alzarsi per smentirmi, nessuno si alzò. Nessuno parlò. Un silenzio impressionante. Fu uno storico momento di verità. Per la gran parte di loro fu il solo».

Il 15 dicembre 1992 Craxi ricevette il primo avviso di garanzia per concorso in corruzione in diciassette vicende diverse, che avrebbero fatto intascare al Psi 65 miliardi di lire. Il 7 febbraio 1993, alla frontiera di Ventimiglia l'architetto Larini, latitante da nove mesi e imputato per la distribuzione di 21 miliardi di mazzette, si consegnò ad Antonio Di Pietro e si definì «fattorino delle tangenti» della Metropolitana milanese che venivano distribuite tra Dc, Pci-Pds e Psi. Rivelò che fra il 1987 e il 1991 aveva depositato 7 o 8 miliardi in contanti nella stanza antistante lo studio privato di Craxi, in piazza Duomo 19, a Milano. Di Pietro, che aveva ricevuto da imprenditori molti favori senza rilevanza penale, chiese a sorpresa una soluzione politica per Tangentopoli («Non se ne può più. Occorre trovare una soluzione. Io non faccio la guerra al sistema»).

Il governo approvò subito provvedimenti che distinguevano il finanziamento ai partiti dalla corruzione, impegnando i percettori del primo a salvarsi pagando il triplo della tangente. Il Pool insorse, il presidente della Repubblica Oscar Luigi Scalfaro si rifiutò di firmare i decreti, Giuliano Amato dovette dimettersi dopo che lo avevano fatto sei ministri raggiunti da avviso di garanzia, e a palazzo Chigi salì il governatore della Banca d'Italia Carlo Azeglio Ciampi, che formò un governo aperto per la prima volta a ministri del Pds. Nel luglio 1993 si uccisero in carcere il presidente dell'Eni Gabriele Cagliari e, a casa sua, Raul Gardini, *dominus* della chimica italiana. I loro suicidi seguirono quelli di due esponenti socialisti, Sergio Moroni e Mario Majocchi, e del costruttore Renato Amorese, avvenuti nell'estate del 1992. Il 2 novembre dello stesso anno era stato stroncato da un infarto Vincenzo Balzamo, segretario amministrativo del Psi, depositario di ogni segreto sui finanziamenti al partito.

Patrizia Caselli, l'amore di Hammamet

Nei nostri colloqui a Hammamet, Craxi mi fece un quadro della situazione patrimoniale personale e di quella del partito. Guadagnava 400 milioni di lire all'anno, regolarmente denunciati al fisco, una somma costituita per metà dalla pensione di deputato e per metà dai diritti d'autore dei libri pubblicati e dai ricavi della vendita delle sue litografie. Aveva una villa nel Comasco, affittata per pagare le spese di manutenzione. Viveva in una casa in affitto a Milano e gratis in albergo a Roma, grazie alla storica amicizia con il proprietario. Sfidò chiunque a trovare all'estero un conto riconducibile a lui, e in effetti, a quasi diciotto anni dalla morte, non è stato scoperto alcun «tesoro di Craxi». (In compenso, qualcuno dei reali depositari dei conti del partito all'estero ne ha beneficiato largamente.) E poi mi spiegò che, prima di ogni campagna elettorale, Balzamo andava da lui con una lista di aziende alle quali chiedere un contributo straordinario. C'erano Fiat, Fininvest, Olivetti, anche se una volta Craxi non volle che si chiedessero soldi a Carlo De Benedetti, suo avversario dichiarato. Il bilancio annuale del Psi era di 85 miliardi, di cui una cinquantina frutto di «entrate illegali».

Parlò anche di enormi omissioni nelle indagini sul Pci e sulle «cooperative rosse»: «L'insieme delle lobby che contano e che hanno patrocinato la falsa rivoluzione hanno considerato il Pds un elemento necessario in questa fase politica». Accusò i grandi giornali (e in particolare il «Corriere della Sera») di aver fiancheggiato oltre il dovuto la Procura di Milano.

Il suo ragionamento sugli avvenimenti del 1992 era il seguente: non essendo in grado di imporre le riforme economiche e istituzionali necessarie per la modernizzazione del paese, per garantirsi la sopravvivenza elettorale i partiti di governo erano costretti a pagare al Pci una sorta di «pizzo politico». Ma questo, oltre a non dare grandi risultati politici, aumentava la spesa pubblica. Al tempo stesso, lo Stato controllava gran parte dell'economia nazionale con l'Eni, l'Iri, l'Enel, la Sip-Telecom e altre galassie di aziende pubbliche minori. L'annientamento della classe dirigente di governo provocato da Tangentopoli e la decapitazione dei grandi enti statali e parastatali (ne vennero arrestati o inquisiti presidenti e amministratori) erano naturalmente visti con favore dai grossi gruppi privati, stanchi dell'inefficienza e dell'ingordigia dei politici – con i quali, pure, avevano fatto affari enormi – e bramosi di acquisire quote rilevanti delle aziende controllate dai «boiardi di Stato». Fin qui Craxi. Giudicando quanto è avvenuto negli ultimi venticinque anni, è difficile dargli torto.

Pur essendo un Cinghialone braccato e ferito, l'ex segretario del Psi mi colpì per la cautela del linguaggio, per la totale mancanza di personalizzazione. Non usò mai espressioni dure né nei confronti dei magistrati di Milano, né dei suoi avversari politici e nemmeno di quei Poteri Forti che, pure, considerava il motore della «falsa rivoluzione», come la chiamava. Ebbi l'impressione che, in cuor suo, immaginasse un possibile rientro in patria (che gli fu negato) per consentirgli di curarsi a Milano. Avrebbe potuto tornare piantonato dai carabinieri, ma non accettò. Resta da chiedersi perché non gli fu concesso il differimento della pena, accordato invece a Severino Citaristi – l'onestissimo cassiere della Dc – che, pur essendo stato condannato a decenni di carcere, era affetto da un grave tumore e poté restare in libertà fino alla morte, avvenuta nel 2006.

Craxi fu operato a Tunisi da un'équipe italo-araba in condizioni tecniche e igieniche drammatiche. Mi raccontò la figlia Stefania: «Il letto era arrugginito, un infermiere illuminava il campo operatorio reggendo una lampada da cui pioveva polvere». Al gravissimo diabete si era aggiunto un tumore e la metastasi non era più arginabile.

I funerali furono celebrati a Tunisi in un clima di grande tensione. L'arcivescovo chiamò Craxi «re Bettino». Francesco Cossiga si spinse pallidissimo fin sull'altare. Tra la folla venuta dall'Italia c'erano Silvio e Veronica Berlusconi, di cui Bettino era stato testimone di nozze. Il governo era rappresentato da Lamberto Dini, ministro degli Esteri, e dal sottosegretario alla presidenza del Consiglio, Marco Minniti. Innocenti entrambi, si videro restituire la pioggia di monetine lanciate addosso a Craxi nel 1993.

Alle esequie non partecipò invece Patrizia Caselli, la donna rimasta accanto a Bettino per nove anni, dal 1991 alla morte. Un anno di potere, otto di «esilio». Soltanto gli intimi conoscevano la loro storia, finché lei non accettò di raccontarmela nel 2007 per *L'amore e il potere*. Anna e i figli, mi disse, erano al corrente della loro relazione perché Bettino ne aveva parlato con Stefania e Bobo: «Ci sono persone che nella mia vita mi sono entrate nel cuore. C'è vostra madre, innanzitutto. Ci siete voi. E c'è un'altra persona… Sapete chi è, come si chiama e sapete che vive qui». (Oltre a storie con Moana Pozzi e Sandra Milo, Craxi aveva avuto un altro grande amore, Ania Pieroni, con la quale visse il decennio del massimo successo, dal 1980 al 1991. «Non ero la preferita. Ero l'unica» mi disse Ania, raccontandomi anche lei per la prima volta la sua relazione. La Pieroni lavorava a

Raidue, ma lui la preferiva fuori della Rai, così le «regalò» un'importante televisione privata romana, Gbr, il cui deficit, con l'esplosione di Tangentopoli, sollevò molte polemiche.

La storia con la Caselli, anche per le circostanze drammatiche in cui fu vissuta, è la più romantica. Alla fine del 1993, mi raccontò Patrizia, andarono insieme a Parigi. Craxi chiese asilo politico a Mitterrand, che lo aveva dato a decine di terroristi assassini italiani, ma lui gli rispose che non poteva. «Quando andavamo per strada,» ricordava Patrizia «camminava davanti a me e vedevo il disagio di un uomo ormai abituato da tanti anni alle auto di servizio, alle scorte, alla lontananza dal mondo comune ... Scoprii che non sapeva usare le cabine telefoniche, gli insegnavo a infilare la tessera dal lato giusto. Lui usciva frustrato: "Ho passato anni in cui si preoccupavano perfino del posto dove potessi sputare" mi diceva. "Ma dobbiamo andare avanti."»

A Hammamet, Patrizia cambiò otto case in sei anni. Non poteva muoversi liberamente. Craxi andava da lei a pranzo o a cena, ma la sera tornava sempre in famiglia. «Quando Anna si recava a Parigi,» mi confidò la Caselli «Bettino e io facevamo brevi viaggi attraverso la Tunisia, ma i momenti più belli erano certe sere a Hammamet. Camminavamo sulla battigia, che è morbida e non faceva soffrire Bettino [*aveva un piede devastato dal diabete*]. Ogni tanto si fermava, guardava in direzione dell'Italia e diceva: "Lasciamo perdere tutto quello che mi è successo, ma se fossi rimasto là, giornate come queste, momenti come questi, me li sarei sognati. Sarei crepato senza aver mai visto questi tramonti, questi colori, questi momenti struggenti".»

Craxi la chiamò a Roma la mattina del 19 gennaio 2000, il giorno in cui morì, ma il suo cellulare non aveva campo. Quando provò a richiamarlo, il telefonino squillò a vuoto, poi fu staccato. Allora Patrizia chiamò Nicola, l'autista di sempre, che le gridò: «Il presidente non c'è più!». Partì per Tunisi a bordo di un aereo pieno di giornalisti, che non la riconobbero. Forzò il posto di blocco dell'ospedale dicendo di essere la figlia di Bettino. Quando scoprirono chi era, fu protetta dalla scorta che il presidente tunisino Ben Alì aveva assegnato a Craxi. L'accompagnarono in obitorio, dove la lasciarono sola con il suo uomo. «Allungai la mano, come per impossessarmi di quel corpo.» Patrizia concluse il suo racconto in lacrime. Anch'io ero commosso. L'abbracciai e poi me ne andai in silenzio. (Patrizia si è sposata con un medico. Anna Craxi vive a Hammamet.)

Sul libro di pietra adagiato sulla tomba di Craxi nel cimitero di Hammamet è scolpita la frase: «La mia libertà è la mia vita».

Enrico Berlinguer, l'ultimo comunista

«E che è? 'n interrogatorio?»

Enrico Berlinguer mi scrutò con garbo, con gli occhi piccoli e gentili. Lesse il foglietto delle domande che gli aveva allungato il suo segretario Tonino Tatò e non batté ciglio. Tatò non era stato altrettanto cortese. «Ahò, e che è? 'n interrogatorio?» aveva sbottato, ma poi non aveva toccato nulla. E il segretario rispose senza obiettare a ogni quesito, anche a quelli non scritti, suggeriti dalla conversazione. Parlava con chiarezza e aveva un perfetto controllo della lingua, anche se rifiutava accuratamente le interviste in diretta. («Non mi gioco quarant'anni di carriera per un aggettivo sbagliato» disse a Villy de Luca, ultimo direttore del telegiornale unico.)

Era il 3 aprile 1979 e Berlinguer aveva appena concluso la replica al XV congresso del partito. Un congresso chiave, in un anno chiave. Il «compromesso storico» con la Democrazia cristiana stava esaurendosi dopo tre anni tormentati e lui aveva iniziato a elaborare, già dal 1975, una «terza via» tra «socialismo reale» (quello del Cremlino) e la socialdemocrazia, che lo aveva portato a inaugurare la breve stagione dell'eurocomunismo insieme all'antipatico segretario comunista francese Georges Marchais e al simpatico segretario comunista spagnolo Santiago Carrillo. (Alla caduta di Franco, i giornalisti italiani se ne erano innamorati. Gli facevano interviste interminabili, anche in televisione, per poi montare due minuti. Abituato a girare quanto strettamente necessario, non mi trovai in difficoltà quando mi chiese: «Quanto va in onda? Sa, perché se bisogna tagliare, preferisco farlo io...».) Il mio «interrogatorio» a Berlinguer verteva in larga misura sui nodi irrisolti di questa difficile transizione.

Enrico Berlinguer è stato l'ultimo grande segretario comunista italiano. Il più grande dopo Gramsci e Togliatti. Nonostante alla fine detestasse i sovietici, non si era mai distaccato davvero dall'ortodossia marxista-leninista. Anche se ha ideato il «compromesso storico» con i cattolici. Anche se ha dichiarato di sentirsi più tranquillo con l'ombrello della Nato sulla testa anziché senza. Anche se ha inventato l'eurocomunismo. Ma ancora nel 1980 sarebbe stato pronto a sostenere l'occupazione della Fiat e nel 1984 non ha capito che la spirale perversa della scala mobile stava portando il paese al disastro. Infine, chissà se nel 1989 – alla caduta del Muro di Berlino – avrebbe avuto il coraggio di Achille Occhetto nel cambiare nome al Pci... Quel giorno di aprile 1979, nel salottino al palazzo dei congressi di Roma, mi cadde l'occhio su un libro, *Lenin e la scuola*, che confermava quanto fosse ancora stretto il suo legame con il padre ideologico.

Al contrario dei leader democristiani, Berlinguer era inavvicinabile dai giornalisti senza appuntamenti concordati. Dopo la riforma della Rai del 1976, che aveva aperto la concorrenza tra Tg1 e Tg2 (il Tg3 sarebbe nato, nella struttura attuale, soltanto nel 1987), noi cronisti televisivi sembravamo pellerossa scatenati a caccia dell'uomo bianco. Le assise della Dc, come quelle dei socialisti, erano da sempre fin troppo aperte ed era facile per noi scagliare il microfono contundente addosso agli Andreotti, ai Piccoli, ai Bisaglia, perfino ai Fanfani e ai Moro, come fosse un *tomahawk*. Perciò quando vide quello scempio, Tonino Tatò corse ai ripari. Il protocollo comunista era rigidissimo, e per i cronisti era impossibile infilarsi tra i delegati.

Una sera dei primi anni Settanta mi fu concesso di accedere per la prima volta con le telecamere del Tg, ancora unico, nel palazzone di via delle Botteghe Oscure. Berlinguer, eletto nel 1972, era da poco sul trono rosso. Mi piazzarono da solo in un corridoio grigio, solenne e deserto. Ero emozionato quasi come quando mi chiusi dentro la Cappella Sistina per guardarmela in pace, ancora prima dei restauri giapponesi. Trovai pronte per me una piccola scrivania, una risma di carta e alcune matite e penne biro. Chiesi una macchina per scrivere e me la portarono. Alle 8 di sera mi piantai davanti a una porta altissima e dissi: «Dietro questa porta è in corso il comitato centrale del Partito comunista italiano». Accidenti. Era come se avessi detto che lì dentro Berlinguer era in udienza da Marx, Lenin, Stalin e Trockij, riuniti per l'occasione. Ogni tanto arrivava Tatò e mi chiedeva: «Quanto devi dare di Pajetta?». «Trenta secondi.» «Te li porto io.» «Come me li porti tu? Dammi il testo del discorso e ci penso io.» Figurarsi. Arrivava una mezza paginetta da cui ricavare le cinque righe necessarie.

Al congresso del 1979, il primo dopo la riforma della Rai, per evitare che facessimo strame dei delegati, rinchiusero tutti noi cronisti in un recinto. Chiedevi di Pajetta e ti portavano Ingrao, volevi una battuta da Amendola e arrivava Bufalini.

A proposito di Giorgio Amendola, era l'unico che ignorava il rituale del partito anche fuori dei congressi. Avevo con lui un ottimo rapporto personale, lo chiamavo direttamente e andavo a intervistarlo la mattina presto. Un giorno Tatò m'incrociò all'uscita del Bottegone con tutta la troupe. «Dove sei stato?» mi chiese, sbiancando come se mi avesse sorpreso mentre sfogliavo il librone dei finanziamenti segreti del Pci. «Da Amendola» risposi beffardo. Né con Berlinguer né con nessun altro della nomenklatura comunista sarebbe stato possibile.

Custode severo della moralità comunista

In contrasto con la sua immagine posata e riflessiva, Enrico Berlinguer è stato un «ragazzo terribile». «All'età di tredici, quattordici anni non riconoscevo alcuna autorità» disse a Peter Nichols, storico corrispondente del «Times» da Roma. «La religione, lo Stato, le convenzioni sociali, tutte le concezioni che avevo imparato erano state a quell'età respinte e in seguito sottoposte a una critica spietata e imparziale.»

Nato nel 1922 a Sassari da una famiglia colta e illuminata, cominciò idealmente a distaccarsene frequentando il bar dei fratelli Rubattu, dove faceva notte giocando a carte. Bravissimo al liceo classico in storia e filosofia, era un disastro nelle materie scientifiche e in greco. Si diplomò comunque nel 1940, senza aver sostenuto gli esami perché era scoppiata la guerra. S'iscrisse a giurisprudenza, ma lasciò prestissimo l'università. Suo padre Mario, influente avvocato massone, era stato deputato di scuola liberaldemocratica prima del fascismo e nel secondo dopoguerra sarebbe tornato in Parlamento con i socialisti. Al contrario del fratello Giovanni, Enrico non collaborò al periodico antifascista «Sardegna libera» fondato dal padre. Esonerato dal servizio militare per un lieve difetto fisico, non fece né la guerra né la Resistenza. Per aver partecipato a una manifestazione contro il carovita, fu arrestato, incarcerato e rilasciato dopo tre mesi, si disse per intervento dell'autorevole genitore.

Nel 1943 s'iscrisse al Partito comunista e, quando la sua famiglia si trasferì a Roma nel 1944, diventò subito funzionario. La sua carriera all'inizio fu bruciante. Togliatti lo notò e lo spedì in Lombardia per convincere i giovani partigiani comunisti a rinunciare alla lotta armata. Nel 1949 Berlinguer diventò segretario della Federazione giovanile comunista, incarico che cumulò con quello prestigioso di presidente della Federazione mondiale della gioventù democratica (comunista), con sede a Budapest, dove passò molto tempo. Colpisce una foto scattata nel 1951 a Berlino Est in cui, secondo le tradizioni comuniste del culto della personalità dei leader, la sua immagine viene portata in processione insieme a quella di Togliatti. Mantenne la carica di segretario della Fgci fino al 1956, quando fu relegato a un ruolo di secondo piano pagando la forte riduzione del numero degli iscritti.

Forte di carattere, Berlinguer era molto timido sul piano sentimentale. Gli incarichi di dirigente delle organizzazioni givanili lo misero in stretto contatto con la componente femminile del partito. Una volta, ha raccontato Chiara Valentini nel suo *Il compagno Berlinguer*, invaghitosi in un campeggio estivo di una parrucchiera ligure sedicenne non ebbe il coraggio di dichiararsi. Tornato a Roma, pregò un dirigente che si stava recando in Liguria di rintracciarla e di consegnarle il seguente biglietto: «Enrico ti manda a chiedere: posso sperare?». La ragazza, chiamata fuori dal negozio, pregò il messaggero di riferire al mittente che ammirava e stimava enormemente il compagno Berlinguer, ma amava il suo fidanzato, che peraltro era il segretario della sua cellula, con il quale aveva deciso di sposarsi.

I comunisti erano molto conservatori sul piano del costume – almeno in apparenza – e Berlinguer era il più conservatore di tutti. A questo proposito, in *I comunisti e l'amore* Daniela Pasti ha raccontato un episodio gustoso. Luciana Castellina, bellissima e spregiudicata, partecipò nel 1947, a 18 anni, al congresso internazionale degli studenti che si svolgeva a Praga, e dormiva ora qua, ora là. Un giorno, per lavare la propria biancheria, chiese ospitalità a Bubi Campos, compagno di stanza di Berlinguer, il quale rientrando restò basito nel vedere la camera attraversata da un filo al quale erano appesi reggiseno e mutandine dell'avvenente compagna.

Proprio Berlinguer, pochi giorni prima, alla conferenza nazionale giovanile del Pci, aveva invitato le compagne a ispirarsi «alla moralità e allo spirito di sacrificio di cui sono così ricche le tradizioni italiane, da Irma Bandiera a Maria Goretti». Ora, se ci sta il paragone con un'eroina della Resistenza fucilata dai fascisti, è davvero clamoroso – per un dirigente comunista – il riferimento alla bimba uccisa a 12 anni per aver rifiutato le avance di un ragazzo, santificata nel 1950 da Pio XII e diventata per i cattolici l'emblema della purezza. Al confronto con i comunisti più liberi, che in quel periodo volantinavano lo slogan di Lenin: «Nella società comunista soddisfare i propri istinti sessuali ... è tanto semplice e tanto insignificante come bere un bicchiere d'acqua», il futuro segretario del Pci sembrava uscito da un gruppo di preghiera dell'Azione cattolica.

In ogni caso, Berlinguer non fu il solo custode della «moralità comunista». Racconta la Valentini che un giorno, negli anni Cinquanta, sfogliando la rivista giovanile del partito «Pattuglia», Togliatti rimase esterrefatto di fronte a una vignetta che raffigurava una procace ragazza stretta in un costume da bagno tutto sbrindellato e un ragazzo che commentava: «Signorina, ha un buco nel sedere?». Berlinguer si vide recapitare un biglietto con la sigla T.: «Non credi che sarebbe meglio sopprimere il giornale che pubblicare queste sconcezze?». Lui non soppresse il giornale, ma sostituì il direttore Gillo Pontecorvo con Ugo Pecchioli, uno dei dirigenti più duri della tradizione comunista. (Sarebbe stato il «ministro dell'Interno» ombra del Pci anche durante il sequestro Moro.)

Letizia, la moglie mai comunista

Nel 1957 Berlinguer sposò Letizia Laurenti, figlia di un funzionario del Senato e più giovane di lui di sei anni. Si erano conosciuti nel 1948 in casa dei cugini di Enrico, la potente famiglia Siglienti, e s'innamorarono durante una vacanza in Valle d'Aosta. «Anche se così diversi, avevano trovato quasi subito un'intimità tutta loro, un mondo comune in cui non c'era posto per gli altri» dirà la cugina Lina Siglienti. Letizia era una ragazza allegra e molto attraente: occhi neri, capelli castani, bellissime gambe. Amava il ballo, che a Enrico non piaceva. Li accomunava, però, il carattere ribelle: anche Letizia aveva abbandonato gli studi, dopo essere arrivata alla terza liceo del Mamiani.

Quando si sposarono, lui aveva 35 anni, lei 29. Lo sposo era in blu, la sposa in grigio chiaro. Due anni dopo, nel 1959, nacque Bianca, che sarebbe stata a lungo direttrice del Tg3 e oggi conduce la trasmissione televisiva «Cartabianca». Seguirono Maria, Marco e, nel 1970, Laura. «A casa sua Berlinguer era un'altra persona» raccontò a Chiara Valentini

(*Berlinguer il segretario*) Livio Labor, al tempo presidente delle Acli e poi fondatore di un movimento di cattolici vicini al Pci. «Mentre aspettavamo che sua moglie Letizia finisse di preparare la cena, si era alzato più volte per vedere i compiti dei figli. A tavola parlammo di musica, di libri e di pittura. Non si accennò neanche per un attimo alla politica.»

Quando Enrico fece carriera, la famiglia si trasferì in un esclusivo complesso residenziale nel quartiere borghese di Vigna Clara, a Roma Nord. Le vacanze di regola si facevano a Stintino, splendida località sarda vicina all'isola dell'Asinara. Nel 1977, l'anno dell'eurocomunismo e della massima popolarità di Berlinguer, per depistare i giornalisti fu scelta, invece, una tranquilla baia dell'Elba. Un giorno Enrico, il fratello Giovanni e la figlia Bianca uscirono in barca a vela e furono sorpresi da un gran vento e dal mare grosso. Si assicurarono con la cima a uno scoglio, ma siccome trascorsero molte ore senza loro notizie, si pensò a un naufragio. Fu avvertito il ministro dell'Interno Francesco Cossiga, cugino dei Berlinguer, e scattarono imponenti ricerche. Finché i tre presunti naufraghi, ignari di tutto quel trambusto, non approdarono a Portoferraio, trainati da un peschereccio.

Letizia Berlinguer, morta nel giugno 2017, non fu mai comunista. Anzi, secondo la Valentini, «fino all'ultimo polemizzerà con Enrico, anche di fronte agli amici … Non mette mai piede a un comizio o a una manifestazione. E quando parla di politica, dice spesso "voi comunisti" guardando Enrico un po' ironica». E s'irritò molto quando scoprì che la loro secondogenita si era iscritta alla Federazione giovanile comunista a soli 14 anni e senza dirglielo. Bianca, Maria e Marco frequentavano lo stesso liceo e gli stessi «collettivi studenteschi». Enrico, che pure li aveva avvicinati alla politica, ci restò male quando Maria lo contestò apertamente per la prima volta e addirittura basito quando scoprì che Marco, appena uscito dalle medie, aveva partecipato a un corteo di protesta sfilato sotto la sede della direzione nazionale comunista alle Botteghe Oscure.

I dissapori con Mosca

Nel 1964 Berlinguer ebbe il primo ruvido approccio con i sovietici. Dopo la morte di Togliatti, avvenuta quell'anno a Jalta, Nikita Chruščëv fu destituito in quattro e quattr'otto e rimpiazzato da Leonid Brežnev, rispetto al quale il dittatore deposto era un bonaccione. Una ristretta delegazione del Pci, guidata da Berlinguer, si recò a Mosca per chiedere chiarimenti sulla brutale deposizione di Chruščëv e, alla fine dell'incontro, fu concordato un faticoso comunicato stampa contenente un rispettoso disappunto per quanto era accaduto.

Andò peggio nel 1968. Il 20 agosto i carri armati sovietici avevano soffocato in Cecoslovacchia la Primavera di Praga di Alexander Dubček, che non aveva mai cessato di essere comunista ma aveva la colpa di voler addolcire il volto del regime. (Mandato a fare il giardiniere per vent'anni, Dubček fu riesumato dopo la caduta del Muro nel 1989. Un anno dopo lo intervistai in diretta sulla pista dell'aeroporto di Bratislava mentre, da nuovo presidente del Parlamento, aspettava impettito l'arrivo di Giovanni Paolo II. Mi sentii come la comparsa di un film di fantascienza.) La sera di quel tragico 20 agosto 1968 un agitatissimo Nikita Rižov, ambasciatore sovietico a Roma, lesse in anteprima ad Armando Cossutta e Maurizio Ferrara, direttore dell'«Unità», un dispaccio in cui il Cremlino annunciava l'ingresso a Praga di truppe del Patto di Varsavia per difendere il regime socialista «dall'attacco della controrivoluzione interna e internazionale». Per la prima volta il Pci espresse il suo «grave dissenso» per quanto accaduto: dissenso che non c'era stato nel 1956 per la repressione sanguinosa della rivoluzione ungherese.

Tre mesi dopo, toccò di nuovo a Berlinguer guidare una delegazione del Pci a Mosca. I colloqui non furono facili, ma al ritorno disse: «Coloro i quali pretenderebbero da noi l'abbandono del nostro internazionalismo, l'assunzione di posizioni di rottura nei confronti dell'Unione Sovietica, dei paesi socialisti, del movimento operaio e comunista internazionale, sono sempre stati e saranno disillusi».

Berlinguer segretario e la tormentata vicenda
dei finanziamenti al Pci

Colpito da un ictus nell'autunno del 1968, negli anni successivi Luigi Longo restò solo formalmente alla guida del Pci. Il timone era da tempo nelle mani di Enrico Berlinguer che, disse Giancarlo Pajetta con la sua velenosa ironia, «si è iscritto giovanissimo alla direzione del Pci», e ne diventò segretario nel 1972. Giorgio Amendola e Pietro Ingrao, la «destra» e la «sinistra» del partito, si elidevano a vicenda. Pajetta era un centravanti fantasioso, ma nessun compagno lo avrebbe nominato allenatore, e a Giorgio Napolitano, il più vicino ad Amendola, non veniva accreditata l'energia necessaria al ruolo. Fu così che lo stesso Amendola finì per caldeggiare la nomina di Berlinguer, visto come elemento di unità del partito.

Nel settembre 1973 Berlinguer rimase molto turbato dal golpe con cui, in Cile, il generale Augusto Pinochet aveva rovesciato il governo di Salvador Allende, democraticamente eletto. Preoccupato che anche in Italia potesse avvenire una svolta autoritaria, scrisse subito un lungo saggio suddiviso in tre parti per «Rinascita», il settimanale ideologico del partito, dal titolo *Riflessione sull'Italia dopo i fatti del Cile*. «La gravità dei problemi del paese, le minacce sempre incombenti di avventure reazionarie e la necessità di aprire finalmente alla nazione una sicura via di sviluppo economico, di rinnovamento sociale e di progresso democratico» puntualizzava il segretario del Pci «rendono sempre più urgente e maturo che si giunga a quello che può essere definito il nuovo grande "compromesso storico" tra le forze che raccolgono e che rappresentano la grande maggioranza del popolo italiano.»

Convinto che le forze di sinistra non avrebbero mai raggiunto il 51 per cento, Berlinguer svoltava in favore di un'«alternativa democratica» che portasse al governo due partiti tradizionalmente agli antipodi, come la Dc e il Pci. I tre articoli provocarono un forte terremoto politico. Restò spiazzata la Dc, lo restò ancor di più il Psi di Craxi, e anche all'interno del Pci i consensi furono ben pochi. Ma

Berlinguer tirò dritto e nel 1975 raccolse i frutti della lunga semina. Alle elezioni amministrative superò di slancio il 33 per cento, portandosi a soli 2 punti percentuali dalla Dc, scesa al 35. «L'elemento decisivo» mi spiegò successivamente Andreotti «fu lo sdoganamento dei comunisti presso la borghesia italiana in seguito alla campagna del 1974 per l'abrogazione della legge sul divorzio. Vedere sullo stesso palco i più alti dirigenti comunisti accanto a laici moderati come il liberale Malagodi fece una certa impressione.»

Il 22 ottobre 1975 il Pci fu scosso da uno scandalo edilizio a Parma che lo coinvolse direttamente, con l'arresto di amministratori pubblici insieme ad alcuni costruttori. C'era stato un importante giro di tangenti e in direzione Berlinguer commentò l'episodio con una frase diventata famosa: «Occorre ammettere che ci distinguiamo dagli altri non perché non siamo ricorsi a finanziamenti deprecabili, ma perché nel farlo il disinteresse dei nostri è stato assoluto». Nel 1979 il buco nelle casse del Pci era di 17 miliardi di lire. «Dire la verità al partito?» commentò il segretario in direzione. «Non possiamo mettere tutte le cifre in piazza.» Nel luglio 1984, poche settimane dopo la morte di Berlinguer, Emanuele Macaluso, direttore dell'«Unità», comunicò che la situazione debitoria del giornale era di 75 miliardi di lire. «Non l'abbiamo mai rivelata» disse in direzione «perché questo avrebbe portato a richieste di fallimento.»

I verbali delle riunioni del Pci sono stati pubblicati nel 2016 da Ugo Finetti, ex dirigente socialista lombardo, nel libro *Botteghe Oscure. Il Pci di Berlinguer & Napolitano*, che gli è valso l'apprezzamento dell'ex presidente della Repubblica. Finetti, craxiano non pentito, ha sempre sostenuto che i costi dell'apparato comunista erano enormemente superiori a quelli dell'apparato socialista e della stessa organizzazione della Dc. Nel 1999 Gerardo D'Ambrosio, coordinatore del Pool Mani pulite alla Procura di Milano, mi disse: «Non è un segreto che una parte rilevante dei finanziamenti al Pci venisse dal monopolio del commercio con l'estero [*paesi dell'Est europeo*] affidato alle sue società di intermediazione». Dal canto suo Valerio Riva, in *Oro da Mosca*, riportando dati Istat rilevò che, tra il 1950 e il 1987, il valore complessivo delle esportazioni italiane verso l'Unione Sovietica equivaleva a prezzi rivalutati a 400.000 miliardi di lire. E poiché la provvigione media sugli affari delle ditte legate al Pci era dell'1,5 per cento, ecco spuntar fuori 6000 miliardi. Altri 889 miliardi di lire rivalutati – secondo quanto accertato dai magistrati russi dopo la fine dell'Urss – sarebbero giunti al Pci tra il 1950 e il 1991 da un cosiddetto «Fondo di assistenza internazionale ai partiti e alle organizzazioni operaie». (Ai tempi di Tangentopoli, Marco Fredda, responsabile immobiliare del Pci, parlò di un patrimonio di 1000 miliardi di lire. Parte di quel patrimonio è stato messo al sicuro in 56 fondazioni da Ugo Sposetti, storico tesoriere dei Democratici di sinistra, prima della nascita del Pd.)

«Mi sento più sicuro stando di qua...»

Aldo Moro, presidente della Dc, aprì al compromesso storico con un drammatico discorso alla direzione democristiana, mentre Andreotti gestì la fase operativa con incontri segreti nella casa di Tatò. «Io gli chiesi di impegnarsi a riconoscere il Patto Atlantico e la Comunità europea come punti di riferimento fondamentali della politica estera italiana e nel novembre 1977 Berlinguer mantenne la promessa» mi avrebbe raccontato Andreotti per *Storia d'Italia da Mussolini a Berlusconi*. «Lui volle la garanzia che mi sarei dimesso nel momento in cui il Pci mi avesse tolto la fiducia: lo feci all'inizio del 1979.» Nacque così, nel 1976, il governo della «non sfiducia», con l'appoggio esterno dei comunisti.

Il riconoscimento della Nato da parte comunista era avvenuto in realtà prima delle elezioni politiche del 1976 con un'intervista di Berlinguer a Giampaolo Pansa per il «Corriere della Sera» (15 giugno 1976). Si sente più tranquillo perché si trova nel campo occidentale?, gli chiese il giornalista alludendo alla brutta fine di Dubček durante la Primavera di Praga del 1968. Berlinguer la prese alla larga. Tranquillizzò innanzitutto la propria base: «Io penso che non appartenendo l'Italia al Patto di Varsavia, da questo punto di vista c'è l'assoluta certezza che possiamo procedere lungo la via italiana al socialismo senza alcun condizionamento». Poi la frase chiave: «Io voglio che l'Italia non esca dal Patto Atlantico anche per questo motivo e non solo perché la nostra uscita sconvolgerebbe l'equilibrio internazionale. Mi sento più sicuro stando di qua». Il dado era tratto, anche se le ultime parole erano di nuovo rivolte alla base comunista: «Ma vedo che anche di qua ci sono seri tentativi per limitare la nostra autonomia».

Il testo dell'intervista fu oggetto di una sfibrante rilettura, limatura, riflessione, analisi, parola per parola. Ma l'effetto politico fu enorme e contribuì al successo del Pci alle elezioni politiche del 1976, anche se non avvenne il sorpasso sperato da alcuni e temuto da altri. Per la prima volta, la Rai fece uso delle proiezioni dei risultati elettorali. La divisione tra Tg1 e Tg2, affidatisi a due diversi istituti demoscopici, creò un'attesa febbrile. Mario Pastore, che conduceva la diretta su Raidue, annunciò il sorpasso del Pci sulla Dc sulla base dei dati forniti da Demoskopea. Io conducevo la trasmissione su Raiuno e fummo più fortunati: la Doxa centrò i risultati. La Dc ottenne il 38,66 per cento, quasi identico a quello del 1972. Il Pci guadagnò ben 7 punti, ma dovette fermarsi al 34,37, 4 punti in meno della Dc.

Malgrado le aperture di Berlinguer, la base comunista restava fortemente filosovietica. E il vertice ne risentiva. Il 14 ottobre 1977, nel corso di uno speciale del Tg1 per il sessantesimo anniversario della Rivoluzione d'Ottobre, domandai a Paolo Bufalini, uno dei massimi dirigenti comunisti, se in Urss ci fosse un regime totalitario. La sua risposta fu negativa: «È un paese in cui vi sono numerosi tratti di autoritarismo», che peraltro giustificò sul piano storico. E anche per quanto riguardava l'economia italiana, le sue posizioni non erano propriamente liberali: «In Italia dobbiamo andare a una seria programmazione dell'economia, in cui vi sia un settore pubblico diretto dallo Stato e un settore di iniziativa privata che tenga conto delle indicazioni e degli

orientamenti che vengono dati da un potere democratico».
Pianificazione centralizzata, insomma.

Nello stesso programma, trasmettemmo un'inchiesta
condotta dalla Doxa tra l'elettorato comunista. Ebbene, il
48 per cento degli intervistati riteneva che in Unione Sovietica si vivesse meglio che in Italia, il 65 giudicava indispensabile, o comunque preferibile, che il Pci controllasse
gli organi statali, e il 72 che lo Stato fosse proprietario dei
mezzi di produzione. Il Pci era, dunque, un partito ancora ideologicamente contiguo al «socialismo reale», quello
che Berlinguer aveva avvicinato alla «stanza dei bottoni».

Sia la Dc sia il Pci arrivarono stremati alla fine del triennio del «compromesso storico». Le ore di sciopero erano ovviamente diminuite grazie a un governo «amico» dei sindacati, la bilancia commerciale era in attivo, ma l'inflazione,
pure scesa di 2 punti (dal 16,5 al 14,5), era comunque sempre altissima e il rapporto tra debito e Pil era salito di 5 punti in tre anni (dal 56 al 61 per cento), seguendo l'incremento della spesa pubblica. Inoltre, il terrorismo toccava le sue
punte più alte. In *Vita di Enrico Berlinguer* Giuseppe Fiori
ha addebitato al terrorismo rosso nel primo semestre del
1979, prima che la caduta di Andreotti portasse alle elezioni anticipate, 12 omicidi e 19 ferimenti. La base comunista
non ne poteva più dell'alleanza con democristiani e socialisti, e la base democristiana considerava contronatura l'alleanza con i comunisti.

Il costo politico del «compromesso storico»

Era fatale che Berlinguer pagasse il conto più salato. Alle
elezioni politiche del 1979 il Pci perse 4 punti secchi, 1,5 milioni di voti (l'equivalente di quelli ottenuti da un piccolo partito, annotò Fiori). La distanza dalla Dc, stabile oltre
il 38 per cento, era tornata ormai a 8 punti percentuali. In
una lettera al segretario, pubblicata nel libro *Caro Berlinguer*,
Tatò provò a spiegare così la sconfitta: «Il voto del 1979 ci
critica, e pesantemente, per un motivo centrale ... perché
non abbiamo saputo avviare una politica di reale rinnova-

mento. Che cosa abbiamo fatto, in ultima analisi, dal giugno 1975 al gennaio 1979? Nella sostanza, abbiamo cooperato a mantenere le condizioni minime (economiche, finanziarie, democratiche) per la sussistenza del sistema esistente e abbiamo identificato, esclusivizzato e ridotto a *questa* opera e a *questo* scopo la funzione nazionale della classe operaia, il ruolo dirigente e di governo del Partito comunista ... Siamo apparsi, ai giovani e alle ragazze, come un partito preoccupato di trovare un accredito in Occidente, nell'Occidente com'è, piuttosto che un partito che sa aprire nei fatti, con le opere, una prospettiva di socialismo nell'Occidente e che sa far questo senza buttare a mare, pezzo a pezzo, il Vietnam, Cuba, l'Unione Sovietica, come troppi nostri compagni hanno fatto, instaurando quasi una gara tra loro nello zelo critico verso le realtà del socialismo esistenti nel mondo che costituiscono pur sempre il retroterra ideale e politico e un punto di forza di una battaglia anticapitalistica e antimperialistica che era stata uno dei connotati più trascinanti della nostra linea: dov'è finita la "generazione del Vietnam"?».

Il distacco da Mosca diventava intanto sempre più forte. Due episodi misero in forte difficoltà il Pci. Il primo fu l'invasione sovietica dell'Afghanistan nel dicembre 1979. Il Partito comunista italiano chiese il ritiro delle truppe russe perché la guerra assomigliava troppo a quella degli americani in Vietnam, ma l'occupazione sarebbe durata quasi dieci anni e finì in modo disastroso per i sovietici.

Il secondo episodio avvenne nel 1981. L'elezione nell'ottobre 1978 di un pontefice polacco aveva messo in crisi il comunismo internazionale, compreso ovviamente quello italiano. In Polonia i primi sentimenti libertari avevano portato alla nascita di Solidarność, il sindacato guidato da un elettricista cattolico di Danzica, Lech Wałesa. La notte sul 12 dicembre 1981 il capo delle forze armate polacche, generale Jaruzelski, sospese i diritti costituzionali, fece arrestare i dirigenti di Solidarność e proclamò lo stato d'assedio. Era un colpo di Stato bello e buono, seppure motivato dal desiderio di impedire un nuovo arrivo dei carri armati sovietici per ristabilire l'ordine. Fu allora che, approfittando di una tribuna politica televisiva, Berlinguer affermò che «la capacità propulsiva di rinnovamento delle società (o almeno di alcune società) che si sono create nell'Est europeo è andata esaurendosi». I sovietici definirono «sacrilega» questa posizione, che all'interno del Pci fu attaccata peraltro solo da Armando Cossutta nel libro *Lo strappo*.

I rapporti tra il Cremlino e Berlinguer s'interruppero soltanto con la sua morte nel 1984. Il 13 febbraio di quell'anno il segretario del Pci andò a Mosca ai funerali di Jurij Andropov, segretario del Pcus, insieme a Sandro Pertini, che sperava di ingraziarsi i comunisti per essere confermato al Quirinale. Nel pamphlet *A Mosca l'ultima volta*, Massimo D'Alema – che faceva parte della delegazione – ricorda che Berlinguer si rifiutò di uscire dalla camera d'albergo prima che gli fosse recapitata la valigia: voleva assolutamente indossare il suo cappello tirolese per evitare che i sovietici gli ficcassero in testa un colbacco.

L'ultimo Berlinguer incassò due pesanti sconfitte politiche sui licenziamenti alla Fiat e sul referendum sui tagli alla scala mobile. Nel 1980 la crisi economica e il terrorismo avevano messo in ginocchio la Fiat, che l'8 maggio annunciò la decisione della cassa integrazione per 78.000 dipendenti. Sui piazzali c'erano 30.000 auto invendute e l'azienda era indebitata per 6800 miliardi di lire, una somma pari al fatturato e doppia rispetto al patrimonio. Al tempo stesso licenziò 61 operai, accusandoli di violenze in fabbrica e fiancheggiamento al terrorismo. In quegli anni Mirafiori era completamente sottratta al controllo aziendale: dalle mense parallele all'esercizio della prostituzione, tutto era consentito da guardiani terrorizzati dalle minacce brigatiste.

Ma l'annuncio più clamoroso fu quello del licenziamento di 14.000 dipendenti, ritirato dopo le dimissioni del governo Cossiga, mentre fu resa effettiva la messa in cassa integrazione nominativa di 24.000 dipendenti. «Fu allora che decidemmo il blocco dei cancelli» mi raccontò Fausto Bertinotti, all'epoca dirigente sindacale della Cgil. Il presidio durò 35 giorni. Berlinguer fu accompagnato ai cancelli e disse a un sindacalista che un'eventuale occupazione della fabbrica, decisa dall'assemblea dei lavoratori, avrebbe trovato «l'impegno politico, organizzativo e anche di idee e di esperienza del Partito comunista».

Il 14 ottobre fu promossa a Torino una grande manifestazione per rivendicare il diritto al lavoro, visto che Mirafiori era resa inaccessibile dai picchetti degli scioperanti. Il principale promotore fu Luigi Arisio, uno dei capireparto della Fiat. Erano attese 3000 persone, ne sfilarono più di 30.000. L'adunata passò alla storia come «marcia dei quarantamila». La «maggioranza silenziosa» aveva vinto. Nella notte i leader sindacali firmarono l'accordo con la Fiat: 23.000 lavoratori venivano messi in cassa integrazione a zero ore per due anni, con l'impegno aziendale di riassumerli o ricollocarli (cinque anni dopo ne erano rientrati soltanto 4000). Al momento della firma, Luciano Lama, leader carismatico della Cgil, disse a Cesare Romiti, amministratore delegato dell'azienda torinese e sostenitore della linea dura: «Scriva lei, io firmerò». Qualche giorno dopo, Gianni Agnelli mi concesse un'intervista televisiva in cui attaccò frontalmente Berlinguer e la Fiat la fece diffondere ovunque all'estero.

Il referendum sulla scala mobile fu promosso dal Pci dopo che, nel febbraio 1984, il governo Craxi aveva varato un decreto per sterilizzare 4 punti dell'aumento del costo della vita ed evitare che l'inflazione si autoalimentasse. Berlinguer poté condurre la battaglia soltanto per i quattro mesi che precedettero la sua morte. Ma il referendum celebrato nel giugno 1985 promosse la decisione di Craxi e si rivelò una cocente sconfitta politica per il Pci.

La morte sul palco

La sera del 7 giugno 1984 Enrico Berlinguer stava attaccando duramente proprio il decreto Craxi sulla scala mobile quando ebbe il malore fatale. Parlava in piazza delle Erbe a Padova, nella fase conclusiva della campagna elettorale per le elezioni europee. Dapprima la pronuncia cominciò a incepparsi, poi il filo logico del discorso si fece incerto: «Siamo di fronte a un momento pieno di insidie per le istituzioni della Repubblica. Ma è certo che...». E qui s'interruppe. Chiese un bicchier d'acqua, fu colto da conati di vomito. Tatò gli chiese di concludere. «Taci!» lui gli intimò secco. Ma dovette smettere poco dopo. «Deve avermi fatto male la cena di ieri sera a Genova» disse mentre lo accompagnavano in albergo. Accorse Giuliano Lenci, un amico medico, e capì subito che era stato colpito da un ictus. L'inutile intervento chirurgico avvenne nella notte, mentre si riuniva lo Stato maggiore del partito e la moglie Letizia partiva in treno per Padova insieme ai figli. L'agonia durò novanta ore.

Nei quattro giorni di coma accorsero in ospedale le più importanti personalità politiche, a cominciare dal presidente della Repubblica Sandro Pertini, che fu accolto con calore e che avrebbe portato con sé la salma a Roma. Il fratello Giovanni chiese ai militanti di trattare tutti con rispetto. Per questo Bettino Craxi non fu fischiato. Ma né la moglie né i figli vollero incontrarlo. Sergio Siglienti, cugino di Berlinguer, ha raccontato a Chiara Valentini: «Letizia si dimostrò molto forte. La mattina del 10 giugno, domenica, raccolse intorno a sé i quattro ragazzi per dire che ormai non c'era più speranza: "Vostro padre dovrà certamente morire". Lauretta cominciò a piangere e non riuscimmo a farla smettere».

Enrico Berlinguer morì alle 9.30 dell'11 giugno. Aveva 62 anni e pagava, come affermò il suo medico personale Francesco Ingrao, «la stanchezza di una vita logorante». Letizia Berlinguer comunicò ai dirigenti del partito che il marito non sarebbe stato sepolto al cimitero monumentale del Verano, accanto a Togliatti, ma nel cimitero periferico di Roma Nord, Prima Porta, accanto al padre.

I funerali si svolsero due giorni dopo in piazza San Giovanni, luogo storico delle adunate del Pci. Fu un evento memorabile: un milione di persone, più di quante avevano partecipato ai funerali di Togliatti. Per la prima volta nella storia della televisione italiana fu usato un elicottero per riprendere le immagini dall'alto: non era mai avvenuto perché la prudenza politica suggeriva di non misurare il peso dei partiti attraverso le manifestazioni di folla.

Toccò a me fare la telecronaca diretta: registrai una gigantesca emozione tra la gente e momenti di storia (la presenza dei segretari comunisti francese Marchais e spagnolo Carrillo, protagonisti con Berlinguer dell'eurocomunismo) alternati a momenti di cronaca (Pertini applaudito, Craxi fischiato). Quattro giorni dopo, alle elezioni europee, il Pci superò di qualche decimale la Dc (33,3 contro 33). Fu la prima e ultima volta.

MAI SOLI AL COMANDO

Aldo Moro,
la Dc e il mistero delle Br

«Corri! Hanno rapito Moro...»

«Corri! Hanno rapito Moro...» La voce concitata di Dante Alimenti, redattore capo del Tg1, mi raggiunse a casa poco dopo le 9.30 di giovedì 16 marzo 1978. «Rapito?!» chiesi. Rapito. Solo l'annuncio delle dimissioni di Benedetto XVI, trentacinque anni dopo, mi avrebbe lasciato ugualmente interdetto. Moro mi sembrava intangibile, come le mani fragili e immateriali di certi pianisti. L'idea che qualcuno lo avesse scaraventato dentro un'automobile era surreale. E invece quel «qualcuno» esisteva: era Mario Moretti.

L'agguato avvenne in via Mario Fani, nel quartiere elegante della Camilluccia, a Roma Nord. La vettura sulla quale viaggiava il presidente della Dc fu tamponata da due automobili, che poi risulteranno rubate, davanti a un bar. Dalla siepe che divideva il bar dal marciapiede sbucarono quattro brigatisti in divisa da pilota (Prospero Gallinari, Valerio Morucci, Raffaele Fiore e Franco Bonisoli) e massacrarono i cinque uomini della scorta: i due che viaggiavano con lui e i tre che seguivano su un'altra automobile. Le auto non erano blindate, nonostante il presidente ne avesse fatto richiesta. E i militari non avevano le armi a portata di mano.

Moro era appena uscito da messa, come faceva ogni giorno prima di andare in ufficio. Stesse abitudini, stesso percorso. Pedinarlo era stato facile, come lo fu per Andreotti, altro obiettivo dei terroristi, che andava a messa tutti i giorni a piedi vicino a casa e rischiò di scontrarsi con Alberto Franceschini, il brigatista che lo seguiva.

Nell'autunno del 2017 la commissione parlamentare d'inchiesta sul caso Moro, presieduta da Giuseppe Fioroni, ha accertato che il presidente della Dc avrebbe dovuto essere rapito all'uscita dalla chiesa, ma poi era stato scelto il bar Olivetti di via Fani, chiuso per fallimento. I servizi sospettarono un fallimento pilotato per favorire il piano logistico delle Br, tesi peraltro mai dimostrata in modo inconfutabile. Gli investigatori avrebbero accertato però, riferisce Fioroni, che il suo titolare, Tullio Olivetti, sarebbe stato un estremista di destra legato a mafia e 'ndrangheta, e che il locale sarebbe stato luogo di traffico d'armi a beneficio della criminalità organizzata. Furono arrestate tutte le persone coinvolte, ma non Olivetti, che era un informatore. Nacquero così le voci secondo cui Tommaso Buscetta (mafia) e Raffaele Cutolo (camorra), disponibili a muovere i loro uomini per collaborare alle indagini, furono fermati. Se è vero, da chi? Le persone tratte in arresto furono comunque rilasciate perché il traffico era di armi giocattolo (che la criminalità era poi bravissima nel modificare), secondo la perizia del famoso criminologo Aldo Semerari, vicino all'estrema destra, ucciso e decapitato dalla camorra nel 1982.

Moretti dichiarò che le Br volevano attaccare la Dc e Moro ne era il presidente. («Aldo aveva un'importanza politica e un peso che io non avevo» mi disse nel 2004 Andreotti per *Storia d'Italia da Mussolini a Berlusconi*, aggiungendo di aver temuto il 16 marzo che un'insurrezione armata scoppiasse simultaneamente in diverse città italiane.) Quella mattina Moro avrebbe voluto portare con sé il nipotino Luca di 2 anni. La figlia Maria Fida mi raccontò di averlo impedito per un presentimento. Alla notizia la moglie, Noretta, corse in via Fani e disse: «È colpa mia. Dovevo impedirgli di fare politica». Lui le aveva promesso che si sarebbe limitato a fare il presidente della commissione Giustizia, ma cambiò idea alla nascita di Luca: «Devo ritardare la catastrofe che incombe su questi bambini». Era il 1975. Moro non credeva più nella Dc e, forse, nemmeno nell'Italia.

Andreotti, uomo di ghiaccio, quando seppe del rapimento fu preso da un violento attacco di vomito. Dovette tornare a casa a cambiarsi d'abito prima di presentarsi in Parlamento per il voto di fiducia. E mi rivelò che trovò sua moglie semisvenuta («Stette malissimo per parecchio tempo con una forma di esaurimento nervoso molto forte», dal quale non si sarebbe più ripresa).

Poco dopo la telefonata di Alimenti, corsi in via Teulada ascoltando alla radio le prime notizie trasmesse da Franco Bucarelli. Lasciai in mezzo alla strada la mia 500 e mi precipitai in studio con due righe d'agenzia che parlavano di Moro ferito e ricoverato al Gemelli. La tragica verità emerse però subito. Restai in onda fino alle 2 del mattino successivo, con la sola pausa dei telegiornali. Prima che i sindacati proclamassero lo sciopero generale, gli operai erano usciti dalle fabbriche e gli impiegati da molti uffici. Ci sarebbe stato riconosciuto il merito di aver tenuto unito il paese, mentre Almirante e perfino Ugo La Malfa chiedevano la pena di morte.

Il mistero di Casimirri e di via Gradoli

A quarant'anni da quella tragica vicenda, molti punti restano ancora oscuri. Francesco Cossiga, allora ministro dell'Interno, mi ha confermato nel 2009, un anno prima di morire, la convinzione che all'attentato abbiano partecipato almeno due brigatisti in motocicletta mai identificati. Nell'ottobre 2017 la commissione d'inchiesta sul caso Moro ha scoperto che uno dei membri del commando brigatista, Alessio Casimirri, mai arrestato e latitante in Nicaragua dal 1983, era stato fermato il 4 maggio 1982 e poi rilasciato forse perché informatore dei carabinieri. La storia è inquietante. Nel foglio dattiloscopico compilato dopo il fermo non c'è la foto segnaletica, ma una fototessera sequestrata durante una perquisizione fatta in casa sua nell'aprile 1978 mentre Moro era prigioniero delle Br. «La copia del foglio dattiloscopico che avrebbe dovuto essere consegnata all'ufficio centrale non ci è mai arrivata» mi dice Fioroni. «E la nostra convinzione è che se lo sia portato via lui dopo l'inspiegabile rilascio per accreditarsi nella sua peregrinazione tra Russia, Cuba e Nicaragua. È incredibile come gli fosse stata accordata la licenza di vendere armi da caccia, nonostante fosse noto come estremista violento. È una storia ancora da scrivere. Abbiamo chiesto l'estradizione, ma il Nicaragua non collabora.»

Non si sa nemmeno con certezza dove sia stato detenuto Moro. Subito dopo il rapimento furono perquisiti migliaia di appartamenti, soprattutto nella zona nord di Roma. La commissione Fioroni ha in realtà accertato che il primo nascondiglio di Moro fu in un condominio di via Licinio Calvo, poco distante dal luogo del sequestro. Lo stabile, di proprietà vaticana dello Ior, era affittato a famiglie alto-borghesi con almeno un figlio vicino all'area di Autonomia operaia. La posizione del palazzo è strategica, perché si accede al garage da via della Balduina, vicinissima a via Fani.

La polizia bussò anche a un alloggio di via Gradoli, affittato da una coppia che si celava dietro il nome di un fantomatico ingegnere genovese, Mario Borghi. Si trattava, in realtà, dei brigatisti Mario Moretti e Barbara Balzerani. Ma poiché nessuno rispose, i poliziotti se ne andarono. Un mese dopo, il 18 aprile, i vigili del fuoco entrarono nell'appartamento chiamati da un vicino per una perdita d'acqua e trovarono un covo brigatista che gli occupanti dovevano aver appena lasciato, ma dove Moro forse non fu mai detenuto.

Il nome «Gradoli» era venuto fuori durante una seduta spiritica nella casa di campagna, nei pressi di Bologna, di Alberto Clò, un economista molto amico di Romano Prodi, anch'egli presente alla riunione. («Furono evocati gli spiriti di Luigi Sturzo e di Giorgio La Pira» mi ha raccontato Cossiga «e il piattino segnò sulla carta geografica il paese di Gradoli.») Il paesino romano di Gradoli fu messo inutilmente a soqquadro.

Quando chiesi ad Andreotti come mai non si pensò alla romana via Gradoli, mi confermò che l'indicazione era di Gradoli paese, con tanto di cartine stradali e di chilometraggi. E la seduta spiritica? «Era ovviamente un pretesto» mi ha detto Cossiga. «Credo che un allievo di Clò, militante di

Autonomia operaia, avesse sentito da qualche parte il nome di Gradoli e avesse voluto trasmetterlo senza scoprirsi.»

Secondo Moretti, invece, il presidente della Dc restò sempre prigioniero in un altro covo, in via Montalcini, anche se sono in molti a dubitarne. La sostanza è che nei 55 giorni del sequestro la «prigione» non fu mai trovata.

In quei due terribili mesi corsero parallele due vicende drammatiche: la decisione se cedere o non cedere alle richieste dei brigatisti e le lettere di Aldo Moro. Sul primo punto, è nota la divisione tra il «partito della trattativa» e il «partito della fermezza», largamente maggioritario. Andreotti, che insieme a Berlinguer ne fu il pilastro fondamentale, mi ha sempre ripetuto che furono due i motivi alla base della sua scelta: la difesa del «comunismo evolutivo», che aveva portato il Pci a collaborare con la Democrazia cristiana e che, perciò, lo aveva esposto agli attacchi dei brigatisti, e l'impossibilità di cedere per la salvezza di un uomo politico quando sotto il piombo brigatista erano caduti tanti più umili servitori dello Stato.

Nei nostri colloqui Cossiga aggiunse che alcuni brigatisti facevano parte dell'«album di famiglia del Pci», e questo non consentiva al partito di dargli un riconoscimento. «Che torni vivo o morto, per noi Moro è politicamente morto» disse Ugo Pecchioli, il ministro dell'Interno ombra del Pci. Le Br commisero in realtà un colossale errore a non liberare il loro prigioniero, perché il suo rilascio avrebbe distrutto la Dc e inferto un colpo durissimo anche al Pci.

Beppe Pisanu, altro fedelissimo di Moro, mi raccontò che la ragione che rendeva improponibile la trattativa con i brigatisti era la loro pretesa di applicare ai detenuti il trattamento dei prigionieri di guerra previsto dalla convenzione di Ginevra. Quando il 21 aprile Paolo VI inviò la sua lettera aperta agli «uomini delle Brigate rosse», chiedendo il rilascio del prigioniero «senza condizioni», i familiari di Moro ci videro lo zampino di Andreotti, che lo negò asserendo di aver chiarito al segretario di Stato vaticano Agostino Casaroli l'impossibilità di scendere a patti con i brigatisti prima che il papa scrivesse.

Al partito della fermezza va iscritto anche Benigno Zaccagnini, l'uomo politico più vicino a Moro, di cui fu amico e allievo. Cossiga sosteneva che alla sua posizione non fu estranea la formazione partigiana: questo, almeno, pensavano i dirigenti del Pci. («A me il caso Moro procurò una forte depressione,» mi confessò il presidente emerito «ma la gente non sa che la persona più irremovibile fu proprio Zaccagnini, che vi si procurò un infarto.»)

Il segretario della Dc fu, con Andreotti, la persona alla quale Moro si rivolse con maggiore ostilità nelle sue lettere dal carcere. «Ed eccomi qui, sul punto di morire, per averti detto sì e aver detto di sì alla Dc»; per questo gli addebitava «una responsabilità personalissima ... Se mi togli alla famiglia, l'hai voluto due volte. Questo peso non te lo scrollerai di dosso più». Implacabile la testimonianza di Mario Moretti, rapitore, carceriere e indicato come uno dei suoi possibili assassini, contenuta in *Brigate rosse. Una storia italiana*: «Penso che in quei giorni Moro scopre di aver fatto segretario della Dc un uomo così debole da permettere a lui di essere presidente e il vero segretario, e ora che è prigioniero, la Dc non ha più né presidente né segretario».

Cossiga ha sempre sostenuto che la «linea della fermezza» era l'unica praticabile. «Capisco che oggi sia più difficile accettarlo» mi ha ripetuto ancora nel 2009. «Ma in quegli anni la situazione reale dell'Italia era tale che cedere ai brigatisti avrebbe portato alla resa dello Stato.» Andreotti era dello stesso avviso: «Con la mente ritorno spesso a quei giorni. Ma il tanto tempo trascorso non ha portato elementi tali da farmi cambiare opinione».

Favorevoli alla trattativa furono soltanto Bettino Craxi e Amintore Fanfani, il quale mi confermò di aver chiesto la convocazione del consiglio nazionale del partito per una decisione definitiva. E Cossiga mi riferì che la direzione del partito, che avrebbe accettato la proposta di Fanfani, interruppe la propria riunione quando arrivò la notizia della morte di Moro.

Le lettere dal carcere

Il 29 marzo i brigatisti decisero di pubblicare la prima lettera di Moro indirizzata al ministro dell'Interno Cossiga. «Caro Francesco, io mi trovo sotto un dominio pieno e incontrollato...» «Il Popolo» scrisse, su suggerimento di Cossiga, che la lettera non era «moralmente ascrivibile» all'amico Aldo. La famiglia s'infuriò e Noretta dichiarò al processo: «Tutto in quelle lettere apparteneva a mio marito... Le lettere erano scritte da lui, pensate da lui, esprimevano il suo modo di vedere e di valutare le cose». Lo stesso Cossiga mi disse anni dopo di aver mutato parere rispetto ai tempi del sequestro. «Rileggendo le sue opere giovanili, constatai che lui – da cattolico sociale e non liberale – considerava lo Stato una sovrastruttura. Quando chiedeva il rilascio perché la sua famiglia aveva bisogno di lui, considerava davvero molto più importanti le cure al nipotino Luca che la dignità dello Stato.»

Le missive di Aldo Moro sono state analizzate da Miguel Gotor in uno splendido volume da lui curato e pubblicato a trent'anni dalla tragedia, *Lettere dalla prigionia*. Gotor annota che nei 55 giorni di prigionia, lo statista scrisse almeno 97 testi: 78 lettere, 7 testamenti, 1 promemoria, 5 biglietti e 6 versioni diverse di cinque missive. Soltanto 8 di quei testi furono pubblicati dai giornali durante il sequestro, di cui 4 diffusi per volontà brigatista. Dall'analisi della grafia, lo storico formula anche qualche dubbio sul luogo in cui lo statista fu realmente detenuto. Anna Laura Braghetti, Gallinari e Moretti hanno sostenuto che il prigioniero sarebbe stato sempre custodito in via Montalcini, in un cunicolo lungo tre metri e largo meno di uno, provvisto soltanto di una branda, un water fisiologico e un condizionatore, e completamente insonorizzato. Moro, dunque, poteva scrivere da seduto o sdraiato sul letto. Bene, il presidente della Dc era noto per avere una grafia indecifrabile, mentre – osserva ancora Gotor – nelle sue lettere dalla prigionia «la grafia è il più delle volte rotonda, regolare, simmetricamente distribuita sui fogli, tratti da un bloc notes a quadretti in formato A4». Il che lascerebbe presumere una comodità di postura che i brigatisti hanno invece sempre negato.

Ancora. Moro era solito passeggiare ogni giorno per un paio d'ore dalle parti dello Stadio dei Marmi, vicino al ministero degli Esteri. Come mai, dopo due mesi di sostanziale immobilità (la cella gli consentiva non più di un paio di passi), l'autopsia non ha riscontrato segni di atrofia muscolare? E se poteva lavarsi solo di rado e in un catino, come si spiega il riscontro sulla salma di «una buona igiene personale», con le unghie di mani e piedi tagliate con cura? È dunque possibile, se non addirittura verosimile, che le condizioni di reclusione del presidente della Dc fossero meno precarie di quanto ci è stato raccontato. Questo, ovviamente, nulla toglie all'aberrante crudeltà della sua detenzione, ma aggiunge semmai un nuovo mistero ai tanti che restano irrisolti a quarant'anni da quei tragici avvenimenti. «Io ho incontrato tutti i brigatisti che hanno ammesso di aver partecipato al sequestro,» mi ha detto Cossiga «compresa Anna Laura Braghetti, la sua "badante". Credo che lo abbiano trattato molto bene e lo abbiano rispettato moltissimo.»

Moro fu ucciso la mattina del 9 maggio 1978. I brigatisti gli chiesero di togliersi la tuta che aveva indossato nei 55 giorni del sequestro e di indossare il doppiopetto con cui era vestito quando fu rapito. Dopo avergli comunicato che lo avrebbero liberato, lo invitarono ad accucciarsi nel portabagagli di una Renault rossa dove fu finito a colpi di mitraglietta. Ma anche questa ricostruzione è stata messa in dubbio.

Le sentenze processuali affermano che a ucciderlo fu Prospero Gallinari, il quale invece iniziò a tremare e cedette l'arma a Germano Maccari o a Mario Moretti, che in aula si assunse la responsabilità dell'omicidio.

La famiglia negò il corpo del congiunto per il funerale di Stato, di cui feci la telecronaca diretta: il momento più drammatico fu la lacerante protesta del papa gridata al Signore che non gli aveva salvato l'amico. Ai funerali pri-

vati furono ammessi soltanto Craxi e Fanfani, gli unici favorevoli alla trattativa. Trent'anni dopo chiesi a Cossiga,
che si era dimesso da ministro dell'Interno il giorno stesso dell'omicidio, se avesse nulla da rimproverarsi. Mi rispose di no. Durante i giorni del sequestro la sua pelle
era stata divorata dalla vitiligine e i capelli erano diventati bianchissimi.

Un goccetto di cognac per ritemprarsi

Nato nel 1916 a Maglie, nella parte meridionale della
Puglia stretta tra i due mari di Otranto e Gallipoli, Aldo
Moro era figlio di un ispettore scolastico e di una maestra. Bravissimo e generoso a scuola, sarebbe stato invece severo come giovane docente all'università di Bari
dove si era trasferito nel 1934 (lasciava parlare gli allievi
senza interromperli, salvo poi trafiggerli con il voto). Da
studente universitario fu molto attivo nei Littoriali della Cultura, specializzandosi in dottrina del fascismo. Nel
1939, a 23 anni, scrisse *La capacità giuridica penale*, un libro
rimasto a lungo testo di riferimento in materia, e fu nominato presidente della Fuci, la federazione degli universitari cattolici, per intervento di padre Agostino Gemelli,
amato pochissimo dagli antifascisti, come mi avrebbe detto Andreotti.

Nel 1945 sposò Eleonora Chiavarelli, figlia di un medico
marchigiano. Maria Fida mi ha raccontato come si erano conosciuti nove anni prima: «Papà stava facendo un discorso
interminabile. La mamma salì su una sedia e gli fece segno
di tagliare». In questo modo la figlia ha dipinto il carattere
dei genitori: la madre pratica fino alla durezza, il padre le-
vantino fino allo spasimo.

Non si sa come Moro abbia votato al referendum istituzionale del 1946. Nei discorsi metteva in luce pregi e difetti di monarchia e repubblica, senza sbilanciarsi. Il suo per-
fido conterraneo socialista Rino Formica ricorda che, nella
campagna elettorale per la Costituente, in alcune occasioni lo statista era circondato da striscioni savoiardi e da ban-

de che suonavano la *Marcia reale*. De Gasperi non lo amò mai, perché sospettava che in gioventù avesse avuto simpatie fasciste. Per allontanare questo dubbio, durante i lavori della Costituente Moro si guadagnò l'apprezzamento di Togliatti proprio perché si sforzò di marcare il carattere antifascista del testo. («Una costituzione basata sul compromesso cattolico-marxista» scrisse Italo Pietra nella sua biografia del dirigente democristiano.)

Diventato ministro per la prima volta a 39 anni (alla Giustizia, nel governo Segni), aveva fatto infuriare De Gasperi anche per la sua posizione contro la Nato. Ideologo raffinatissimo e abile uomo di partito, non seppe ottenere gli stessi risultati come uomo di governo. Pietra, che non lo amava affatto, gli contesta «mancanza di mordente e di spirito pratico ... Giurista insigne, governa come scrive. Si perde nei particolari; va per le lunghe; complica le cose semplici; è ampolloso, pignolo, circospetto, come i più grigi burocrati».

Moro si radeva due volte al giorno con il rasoio elettrico. Usava una stilografica a serbatoio e, poiché nei lunghi viaggi in treno dimenticava di portare con sé la boccetta dell'inchiostro, nelle fermate intermedie i suoi collaboratori dovevano precipitarsi nell'ufficio del capostazione per ricaricargli la penna. Preferiva la radio alla televisione, adorava il cinema e Totò, che imitava gagliardamente, come imitava i suoi colleghi politici, da Nenni a Fanfani, a Flaminio Piccoli, il suo cavallo di battaglia. Erano momenti di gran divertimento familiare. I figli giurano che Moro sia stato sempre fedelissimo alla moglie («Aveva un amore totalizzante per lei»). Una leggenda metropolitana, sempre smentita, gli attribuì invece un innamoramento per la cantante pugliese Rosanna Fratello. Maria Fida mi ha anche raccontato che quando Moro era studente, molte compagne erano innamorate di lui. E da politico, riceveva 150 lettere d'amore al mese: giovani donne che lo seguivano in televisione e si erano invaghite dei suoi occhi tristi e della sua ciocca bianca. Gli mandavano foto, indirizzi e itinerari per incontri clandestini.

Noretta si occupava del marito anche nelle vesti di paramedico. Avrebbe voluto studiare medicina, ma il padre non glielo aveva consentito. Questo non le impedì di imparare le nozioni necessarie per misurare regolarmente la pressione al marito e fornirgli qualche sommaria prescrizione farmacologica. E provvedeva personalmente a infilargli le pillole ricostituenti in una tasca del panciotto e quelle tranquillanti in un'altra. Ma una volta lui si sbagliò, con conseguenze imbarazzanti: durante un'importante riunione si addormentò. La costante sorveglianza sanitaria a cui era sottoposto in famiglia, mi ha detto Maria Fida, era frutto del timore di moglie e figli che qualcuno potesse tentare di avvelenarlo.

Durante i giri politici ed elettorali, Moro teneva sempre nel cruscotto dell'auto di servizio una fiaschetta di cognac per ritemprarsi. A questo proposito, è impagabile il ritratto che ne fece Indro Montanelli durante il memorabile congresso di Napoli del 1962, in cui lo statista pronunciò un discorso fluviale: «Lo guardavo mentre parlava e cercavo di seguirlo nel tortuoso labirinto delle sue frasi involute, gremite di termini come "ipotizzato", "finalizzato", "strutturato" eccetera. Aveva davanti a sé un bicchiere di cognac, di dimensioni proporzionate alla lunghezza del discorso, e ogni poco vi tuffava le labbra grosse e violacee. Gli serve per dilatare le coronarie nei momenti di tensione come questo, ma non capisco come faccia ad arrivare in fondo (del discorso e del bicchiere) con la testa lucida».

Se Livia Andreotti non ha mai messo becco nella vita politica del marito, Noretta Moro, che pure non è mai entrata negli uffici di Aldo, ha invece influito sulle sue scelte. «Lui le raccontava gli scenari» mi ha rivelato Maria Fida «e mamma sosteneva con maggiore convinzione alcune scelte piuttosto che altre. Raramente ho visto coppie così unite.»

Moro minacciato dagli americani?

Quando nel 1959 Fanfani cadde, i maggiorenti del partito pensarono di affidare la segreteria politica della Dc a Moro. Qualcuno immaginò una reggenza di transizione, ma sottovalutò l'uomo, proprio come era stato sottovalutàto Andreotti alla morte di De Gasperi. Lo stesso Fanfani, che alla fine patrocinò l'operazione, cadde nella trappola del Moro «debole». «Sulle prime, Moro bisogna pregarlo. Si arma di gravità e di gentile ritrosia ... dalla sua bocca scendono frasi che sembrano ispirate al *Domine, non sum dignus*. Esorta gli amici ad allontanare dalle sue labbra l'amaro calice; dichiara con edificante modestia che la croce della segreteria non si addice alle sue spalle. Infine, fatto il sacrificio di accettare la parte di Cireneo, dà subito a capire che non si contenta di essere un segretario qualsiasi, che ha qualcosa da dire, che è qualcuno, che sente altamente di sé.» Difficilmente il ritratto di un alto dirigente democristiano – in questo caso di Moro – potrebbe essere dipinto con pennellate migliori di queste di Italo Pietra. La differenza tra Fanfani e Moro è invece illustrata efficacemente da Giorgio Campanini nella sua biografia dello statista pugliese: il primo pensava al partito come strumento per operare una profonda trasformazione del paese, il secondo come luogo di mediazione e di riflessione. Poco più di un centro studi, insomma.

Al congresso democristiano di Firenze del 1959 Moro tenne una relazione sterminata, difendendo la scelta centrista del governo Segni e sfidando Nenni e i socialisti a tagliare i ponti con il Pci. La vera svolta avvenne, però, al congresso di Napoli del gennaio 1962. Nel famoso discorso di sei ore, lo statista indicò per la prima volta la strada dell'apertura a sinistra. Disse che il rapporto con il Psi «tocca l'essenza e le grandi linee di sviluppo della democrazia italiana». Vista oggi, la sua iniziativa appare del tutto naturale. Ma, allora, fu fonte di forti contrasti. L'autorevole storico tedesco del nazismo George Mosse, nella sua introduzione al volume di discorsi di Moro *L'intelligenza e gli avvenimenti*, sostiene che il segretario della Dc fosse convinto di rafforzare in questo modo la tenuta stessa delle istituzioni. Montanelli, che non lo ha mai amato, lo liquidò al contrario come un generale che «sfiduciato del proprio esercito, credeva che l'unico modo di combattere il nemico fosse quello di abbracciarlo». E questo giudizio sarebbe valso, a maggior ragione, quindici anni dopo, al momento dell'apertura al Pci.

Nel 1963 toccò a Moro presiedere il primo governo «organico» di centrosinistra con l'ingresso dei socialisti. Non volle con sé i centristi di Mario Scelba, che gli avrebbero negato la fiducia se non fosse intervenuto il Vaticano per impedirlo. Per far digerire la svolta ai moderati, Moro patrocinò l'elezione di uno di loro, Mario Segni, alla presidenza della Repubblica. Cinque anni dopo, nel 1968, fu tra i primi a capire che stava spirando un'aria nuova: «Bisogna aprire le finestre di questo castello in cui siamo arroccati per farvi entrare il vento che soffia nella vita, intorno a noi».

Dall'estate del 1969 all'autunno del 1974, fu ministro degli Esteri in sei governi di ogni formula, compreso quello centrista di Andreotti. Pur non amando i viaggi in aereo, era sempre in giro per il mondo. Parlava poco e male il francese, non conosceva l'inglese, e dunque si trovava a disagio nei rapporti diretti. Pietra assicura che i suoi collaboratori alla Farnesina erano ammirati dallo scrupolo professionale con cui esaminava i dossier, ma al tempo stesso si dice convinto che, per Moro, quel mestiere fosse una sofferenza. Forse lo faceva per guadagnarsi la strada del Quirinale, che gli fu negata da repubblicani, socialdemocratici e da una parte della Dc. Quel che è certo è che gli procurò parecchi crucci.

Si è molto favoleggiato sulla manifesta antipatia che gli riservava Henry Kissinger. A preoccupare e irritare gli americani non era tanto e solo la fatale rassegnazione all'incontro che, prima o poi, i democristiani avrebbero dovuto fissare con i comunisti per tirare avanti la baracca. Certi sentimenti nascono da incompatibilità di pelle. Gli americani hanno un linguaggio franco e secco. Immaginate le acrobazie che dovettero fare i traduttori simultanei per rendere decentemente comprensibili in inglese gli arabeschi linguistici del ministro. Che cosa voleva dire davvero quell'italiano? Perciò, Kissinger fu notato in un'assise internazionale mentre si strappava dalle orecchie la cuffia rinunciando a capirlo e arrivando ad assopirsi in alcuni incontri bilaterali.

C'è un momento chiave rivelatore di questi stati d'animo e va collocato nel 1974, quando Moro accompagnò negli Stati Uniti il presidente della Repubblica Giovanni Leone. Si disse che in quell'occasione Kissinger avrebbe fatto giungere al ministro degli Esteri italiano velate minacce se avesse insistito nel suo atteggiamento di apertura verso il Pci. Nelle sue memorie, l'ambasciatore Roberto Ducci, che accompagnò la delegazione italiana, non trova credibile l'episodio: i due politici non potevano parlarsi direttamente, non conoscendo una lingua comune, e sarebbe davvero curioso che una frase così impegnativa fosse stata affidata alla mediazione di un interprete. Tuttavia, su un punto – forse – Ducci sbaglia: quando sostiene che Moro non aveva ancora rivelato la sua volontà di apertura ai comunisti. In realtà, è poco probabile che i rapporti dell'ambasciatore americano a Roma John Volpe non avessero comunicato alla segreteria di Stato come in Moro stesse maturando quella «strategia dell'attenzione» verso il Pci che, di lì a due anni, avrebbe portato a una collaborazione politica tra i due partiti. L'inquietudine al dipartimento di Stato era, dunque, fortissima: non abbiamo la prova che Kissinger avesse minacciato Moro, ma la sua avversione per il leader italiano era assoluta.

Qualcosa di strano e di grave deve essere comunque accaduto durante quel viaggio. Pietra riporta un'angosciata testimonianza di Noretta Moro: rientrando dagli Stati Uniti, il marito le avrebbe confidato una frase minacciosa di cui sarebbe stato il destinatario, senza però rivelarle la fonte. La frase è la seguente: «Onorevole, lei deve smettere di perseguire il suo piano politico di portare tutte le forze del paese a collaborare direttamente. Qui, o lei la smette di fare questa cosa o lei la pagherà cara. Veda lei come la vuole intendere».

Moro era inviso agli americani anche per il suo patto con i palestinesi: niente attentati in cambio di una certa libertà di manovra. Interrogato dalla commissione Fioroni il 26 giugno 2017, il dirigente palestinese Bassam Abu Sharif ha promesso che avrebbe messo a disposizione un verbale di Moro con i termini dell'accordo, ma alla fine di ottobre 2017 non l'aveva ancora fatto.

La sfiducia nella Dc e il testamento politico

Come abbiamo detto, un intervento diretto di Kissinger di questo tono, e per di più affidato a un interprete, è difficilmente credibile. Ma se non fu lui, chi è stato? Si favoleggia della presenza di Licio Gelli fra le trecento persone invitate al ricevimento di Washington. Sei anni più tardi, nel 1980, il capo della loggia massonica P2 raccontò di aver incontrato Moro ministro degli Esteri e di averne ricevuto questa definizione della democrazia: «È come una pentola di fagioli: devono cuocere piano, piano, piano». Lui lo avrebbe interrotto: «Stia attento, signor ministro, che i fagioli non restino senz'acqua perché correrebbero il rischio di bruciarsi». Giovanni Moro, figlio di Aldo, ha trovato poco credibile l'episodio, ma ricorda nitidamente che, dopo quel viaggio in America, il padre restò a letto per tanti giorni, molto turbato. Il suo medico personale, Mario Giacovazzo, disse che a Washington il ministro aveva avuto uno svenimento e che, perciò, aveva dovuto anticipare il suo rientro in Italia.

Moro diede la stura al suo profondo pessimismo nei confronti della capacità di tenuta del proprio partito con un'amarissima relazione al consiglio nazionale della Dc il 20 luglio 1975, un mese dopo le elezioni amministrative che avevano segnato una fortissima avanzata del Pci. Parlò per la prima volta di una «terza fase» nella storia della Dc, dopo quelle del centrismo e del centrosinistra. E alluse all'abbraccio fatale con il Pci, pur senza nominarlo. Colpisce una frase di quel suo lontano discorso: «Per quanto sia difficile la situazione, c'è spazio anche per noi». Non parlava il leader di un partito del 2 o 3 per cento che confidava di trovare un angolino del tavolo per desinare accanto a ospiti molto più importanti, parlava il leader della Democrazia cristiana, che rappresentava oltre un terzo dell'elettorato ed era ancora il più grande e più forte partito italiano.

L'apertura al Pci fu esplicita, invece, nel discorso pronunciato da presidente del Consiglio il 12 settembre 1975 alla Fiera del Levante di Bari, la sua città: «Tocca alle forze politiche pronunciarsi su un qualche modo di associazione del Partito comunista alla maggioranza ... Nessuno può ... pensare di sottrarsi a un confronto serio, non superficiale né formale, con la massima forza di opposizione».

L'apertura ai comunisti avvenne dopo le elezioni politiche del 1976, in cui pure la Dc era riuscita a evitare il sorpasso del Pci, tenendolo a qualche distanza. L'appoggio dei comunisti era «esterno», ma Pietro Ingrao ottenne la presidenza della Camera (al Senato c'era Fanfani) e altri dirigenti comunisti ebbero la presidenza di commissioni chiave del Parlamento. Alla fine del 1977 la situazione tuttavia non reggeva. Il Pci voleva entrare direttamente nel governo, la Dc non lo voleva, ma al tempo stesso lo chiamava a pieno titolo nella maggioranza. Il segretario comunista Enrico Berlinguer aveva promesso ad Andreotti il riconoscimento della Nato ed era stato di parola. Per favorire la nascita del nuovo governo, Andreotti si dimise l'11 gennaio 1978. La crisi durò due mesi e fu gestita da Moro con molta abilità. I liberali si chiamarono subito fuori, ovviamente contrari a dare al Pci un ruolo maggiore di quello che aveva avuto nel «governo delle astensioni».

Il 28 febbraio Moro sciolse gli ultimi nodi pronunciando dinanzi all'assemblea congiunta dei deputati e dei senatori dc il suo ultimo discorso, che fu definito anche il suo testamento politico. Come scrisse Andreotti nel suo diario raccontando la riunione, «concesse ai contrari all'accordo tutte le ragioni possibili». Ammise l'impossibilità di introdurre al governo il Pci «in piena eguaglianza, in piena solidarietà politica con altri partiti». E spaventò e convinse i più riottosi con questa frase: «Ma immaginate voi, cari amici, che cosa accadrebbe in Italia, in questo momento storico ... se questo paese dalla passionalità continua e dalle strutture fragili fosse messo ogni giorno alla prova di un'opposizione condotta fino in fondo?». («Un discorso capolavoro, alla maniera di Menenio Agrippa» annota Pietra.)

Il nuovo monocolore di Andreotti, appoggiato dal Pci, fu formato l'11 marzo 1978 e si presentò alla Camera il 16. Ma quella mattina Moro era sull'automobile delle Brigate rosse.

Amintore Fanfani,
il «Rieccolo» che diede la casa agli italiani

L'altro «cavallo di razza» della Dc

Si disse che Amintore Fanfani si schierò – unico democristiano di grido – con chi voleva salvare Aldo Moro per fare un dispetto a Giulio Andreotti. Conoscendo la vecchia, reciproca antipatia fra i due, è possibile. Ma è anche possibile che Fanfani non accettasse che l'altro «cavallo di razza» della Dc fosse eliminato violentemente dalla competizione politica per mano di un corpo estraneo e non riconosciuto come le Brigate rosse. In tutti i paesi democratici, i politici si combattono senza esclusione di colpi. Ma il duello privato, aperto o occulto che sia, avviene nel campo dell'arena pubblica. Altri sfidanti non sono ammessi: meno che mai un gruppo terroristico figlio della sinistra, e in parte anche del cattolicesimo, che si arrogava il diritto di mettere in ginocchio lo Stato, usando le armi al posto del voto.

All'interno del sistema democratico, Moro e Fanfani sono davvero protagonisti di due vite parallele, pur avendo il secondo otto anni più del primo. Entrambi sono stati per decenni i principali strateghi della linea politica della Dc. Hanno condotto il partito ora a sinistra (il primo, quando il secondo era a destra), ora a destra (sempre il primo, quando il secondo stava a sinistra). Entrambi hanno cercato di salire al Quirinale e non ci sono riusciti per la maledizione democristiana di mandarvi soltanto figure eminenti ma, al tempo stesso, politicamente di secondo piano: Giovanni

Gronchi, Antonio Segni, Giovanni Leone, Francesco Cossiga e Oscar Luigi Scalfaro, i cinque presidenti dc, non erano leader di partito. Eppure si comprende come, dopo trent'anni di duelli, i 55 giorni del sequestro Moro abbiano riunito i due «cavalli di razza» della Dc.

Fanfani era un fenomeno. «In qualunque campo abbia gettato il suo attivismo, là è sempre diventato il primo» scrisse di lui un grande giornalista laico, Nicola Adelfi, sulla «Stampa» del 4 febbraio 1959. «Lo fu nelle scuole elementari, al liceo scientifico, all'università ... Appena finito il servizio militare, gli bastarono cinque anni per farsi nominare assistente universitario, libero docente, incaricato e professore ordinario.» L'attivismo lo portò a una sorta di bulimia del potere: una volta arrivò a essere contemporaneamente presidente del Consiglio, ministro degli Esteri e segretario della Dc. Più saliva in alto, più le cadute erano rovinose. Richiesto di un giudizio su Fanfani, Guido Gonella – uno dei padri della Dc che non lo amava per esserne stato rottamato – rispose citando il filosofo Bacone: «Gli uomini investiti di un grande potere sono estranei a loro stessi ... Sono gli ultimi a capire i propri torti».

Dopo ogni caduta, Fanfani si rialzava più forte di prima, così da guadagnarsi da Indro Montanelli il soprannome di «Rieccolo». È stato, infatti, tre volte presidente del Senato, sei presidente del Consiglio, due segretario della Dc, presidente del partito, ministro degli Esteri, dell'Interno, del Bilancio e della Programmazione. E persino, unico italiano, presidente dell'Assemblea generale dell'Onu. Nemmeno Andreotti è riuscito a batterlo. Ed è tutto dire.

La sua famiglia era povera e numerosa. Nato nel 1908 a Pieve Santo Stefano, nell'Aretino, brillantissimo negli studi, Amintore frequentò subito i movimenti cattolici e la Fuci, e all'Università Cattolica di Milano entrò nelle grazie di padre Agostino Gemelli. Laureato in economia e commercio a 22 anni, a 28 ebbe già la cattedra di Storia delle dottrine economiche. Fu un fascista a tutto tondo e convinto sostenitore del corporativismo. Il suo libro *Cattolicesimo e protestantesimo nella formazione storica del capitalismo*, scritto a

26 anni nel 1934 in antitesi con *L'etica protestante e lo spirito del capitalismo* di Max Weber, suscitò nel dopoguerra l'entusiasmo di John F. Kennedy. Il suo antifascismo tardivo lo costrinse a scappare in Svizzera, dove organizzò corsi universitari per rifugiati italiani. Amico di Giuseppe Dossetti e di quella che allora era la sinistra cattolica riunita nella comunità del Porcellino, fece parte della Commissione dei 75 che scrisse materialmente la Costituzione. Gli si attribuisce la paternità dell'articolo 1 della Carta: «L'Italia è una Repubblica democratica, fondata sul lavoro».

Nell'immediato dopoguerra, Fanfani era un mostro di efficienza. Diffuse in tutta Italia la pratica dei giornali murali con l'affissione quotidiana del «Popolo», inventò le «bibliotechine circolanti», ordinò di fare propaganda nelle scuole e in tutti i luoghi di lavoro per contrastare il formidabile potere organizzativo del Pci e della Cgil. Secondo Andreotti, furono lui e Dossetti a inventare il sistema delle correnti interne. «Tentammo di impedirlo presentando in consiglio nazionale un ordine del giorno che le proibisse» mi disse il senatore per *Storia d'Italia da Mussolini a Berlusconi*. «Ma quando vedemmo che lo firmavano anche Dossetti e Fanfani, capimmo che non c'era niente da fare.» (Alcide De Gasperi era molto preoccupato: «Io ho vinto le elezioni del '48 con cinquanta funzionari» lamentava. «Adesso quanti miliardi serviranno per tenerle in piedi?»)

Dossetti si dimise dalla direzione della Dc nel 1951 e abbandonò l'attività politica, mentre Fanfani continuò la sua. Ebbe subito importanti incarichi ministeriali, ma insieme agli altri del Porcellino voleva rottamare gli esponenti della classe politica prefascista, che chiamavano ironicamente i «Ritornati». Nel 1953, in seguito alla sconfitta democristiana alle elezioni, De Gasperi dovette lasciare dopo la bocciatura del suo ottavo governo. Il presidente della Repubblica Luigi Einaudi avrebbe dato l'incarico ad Attilio Piccioni, che però era stato azzoppato dall'«affare Montesi». (L'11 aprile 1953 Wilma Montesi, una bella ragazza romana, era stata trovata morta sulla spiaggia di Torvajanica. Nell'inchiesta fu coinvolto il figlio di Piccioni, Piero, un giovane musicista che era l'amante dell'attrice Alida Valli. Fu arrestato e scagionato quando ormai le aspirazioni politiche del padre erano state stroncate dallo scandalo.) Fanfani era ministro dell'Interno e fu accusato di aver mosso l'inchiesta in modo da colpire Piccioni. Andreotti mi disse di non crederci, ma è un fatto che la carriera politica di un pericoloso concorrente era distrutta.

Nel 1954 Fanfani diventò segretario della Dc e tenne l'incarico per cinque anni, una durata considerevole per le abitudini del partito. La sua segreteria, la prima andata a un uomo della sinistra interna, segnò anche nel governo la fine del lungo periodo centrista aperto da De Gasperi.

Il «piano Fanfani», una casa per 350.000 famiglie

Al consiglio nazionale di Vallombrosa, nel 1957, Fanfani diede la sterzata a sinistra, ma fu ben attento a non allarmare l'elettorato moderato. Come riferisce Francesco Malgeri nella sua *Storia della Democrazia cristiana*, era preoccupato che un'eventuale unificazione dei partiti di Nenni e di Saragat potesse costituire un'alternativa alla Dc, anche perché in Belgio, in Francia e in Baviera i democristiani erano stati appena esclusi dal governo. Questa circostanza rafforzò la posizione di Fanfani nella campagna elettorale del 1958. In un comizio a Milano invitò gli elettori a ridare forza al partito, indebolito dalle elezioni del 1953, «accrescendo la possibilità per la Dc di distanziare il complesso socialcomunista e quindi liberare i socialdemocratici dagli adescamenti di Nenni, e i liberali dai condizionamenti elettoralistici delle destre».

L'appello fu accolto. Alle elezioni del 25 maggio 1958, la Dc crebbe dal 40,1 al 42,3 per cento dei voti, distaccando di 20 punti il Pci. Dando l'incarico a Fanfani di formare il nuovo governo, il presidente Gronchi inaugurò un criterio che, dal 1994 in poi, avrebbe regolato le designazioni nella Seconda Repubblica. La Dc, disse in sostanza il capo dello Stato, è il partito che ha ottenuto il maggior numero di voti, dunque Fanfani, che ne è il segretario, è la persona che ha le maggiori possibilità di ottenere la fiducia delle Camere. In realtà, Gronchi, cattolico di sinistra, vedeva con piacere il primo tentativo di rottura della linea degasperiana di far veleggiare il partito verso un approdo saldamente centrista, equidistante dalle due estreme. Per la prima volta, Fanfani fece deliberatamente a meno dell'ala destra, i liberali, mentre i repubblicani si astennero. Nacque così un bicolore Dc-Psdi in cui lui tenne per sé anche il ministero degli Esteri, oltre a restare segretario della Dc: cosa mai consentita a nessuno, se non a De Gasperi nel momento chiave del 1948. Una parte dell'ala destra del partito (Pella, Scelba, Gava, Taviani) venne esclusa dal governo. Andreotti, che si risolse a entrare (ebbe il Tesoro), raccomandò al presidente del Consiglio di smentire le voci (comuniste) secondo cui il nuovo governo sarebbe nato su posizioni più neutralistiche e, comunque, meno filoatlantiche.

In ogni caso, il suo eccessivo potere non garbava a nessuno dei maggiorenti democristiani, che nel 1959, dopo 209 giorni di governo, gli fecero la festa. Sia Moro sia, soprattutto, Andreotti contribuirono a segare il ramo dell'albero sul quale stava seduto il «mezzo toscano», come Fanfani veniva chiamato per via della sua modesta statura fisica. Andreotti non lo sopportava. Moro, rampollo amato dai vecchi soci della dossettiana comunità del Porcellino, aveva partecipato da protagonista alla scissione (da destra) del correntone fanfaniano, consumata nel 1959 al Gianicolo nel convento di Santa Dorotea dove Taviani, Gaspari e Cossiga, appoggiati da Moro, Zaccagnini, Colombo, Rumor, Gui e Salizzoni, fondarono la corrente «dorotea». Nasceva così il corpaccione moderato e centrale della Dc, che ne avrebbe condizionato a lungo la storia e dal quale, tuttavia, Moro si sarebbe a un certo punto distinto con una nuova scissione, questa volta a sinistra (mentre Fanfani passerà a destra).

Quando nel 1959 cadde, i maggiorenti del partito pensarono di affidare a Moro la segreteria politica. Il 1960 fu l'anno di Fernando Tambroni, ma un governo sostenuto dalla destra non poteva reggere. E «Rieccolo» tornò a palazzo Chigi: allora i monocolore erano come serenate sotto la casa di una ragazza ancora non conquistata. Stavolta la serenata era dedicata al Psi di Pietro Nenni, che avrebbe ceduto dopo il memorabile congresso democristiano di Napoli in cui Moro, anestetizzando i delegati con il famoso discorso di sei ore, ottenne il permesso di aprire al Psi. Quello stesso anno i socialisti diedero l'appoggio esterno a un nuovo governo Fanfani senza i liberali. (L'appoggio esterno in politica è come il petting nei rapporti sessuali: si ottiene un certo risultato anche senza andare fino in fondo.)

Nel 1963 si concluse il piano Ina-Casa, detto anche «piano Fanfani» perché ne fu lui l'ideatore nel 1949 da ministro del Lavoro (e non dei Lavori pubblici), aiutato dal suo sottosegretario Giorgio La Pira. Un anno dopo l'approvazione, in tutta Italia erano già aperti 414 cantieri che diventarono subito dopo 650. Con le lentezze burocratiche di oggi, si stenta a credere che con l'impegno di un terzo dei 17.000 ingegneri e architetti italiani, e con decine di migliaia di muratori, ogni settimana furono costruiti 2800 vani e consegnati 560 alloggi. I migliori urbanisti italiani costruirono quartieri modello che diedero la casa a 350.000 famiglie fino ad allora ristrette in grotte, alloggi malsani, coabitazioni pesanti. L'impresa fu finanziata trattenendo dalle buste paga dei lavoratori lo 0,60 per cento del salario e prelevando l'1,20 per cento dai datori di lavoro, oltre che con un cospicuo intervento pubblico. Un altro miracolo italiano, da allora mai più ripetuto.

Il 1963 è, tuttavia, anche l'anno in cui Fanfani dovette nuovamente dimettersi dal governo. Il Grande Alchimista democristiano, Aldo Moro, per farsi perdonare l'annunciata apertura a sinistra aveva imposto nel 1962 l'elezione al Quirinale di un moderato come Antonio Segni. Ma l'elettorato non se ne sentì sufficientemente rassicurato e alle elezioni politiche dell'anno successivo punì severamente la Dc, togliendole 4 punti (dal 42 al 38 per cento), che andarono tutti ai liberali, schizzati al 7 per cento (record storico): entrati alle urne con 17 seggi ne uscirono con 39. E il conto lo pagò, appunto, Fanfani, il cui destino è sempre stato assai poco democristiano. In un partito specializzato in veleni, lui ha sempre usato il pugnale. In un ambiente di moderazione ostentata, anche quando era simulata, lui è stato l'uomo degli eccessi, tanto a sinistra quanto a destra; o sull'altare o nella polvere, mai disciplinatamente seduto dietro un banco di chiesa, come i suoi «amici». Eppure fu uomo politico tra i più acuti, dinamici e socialmente sensibili che abbia avuto il nostro paese. Un vero «cavallo di razza».

Nel 1964, quando un ictus costrinse Segni a dimettersi da presidente della Repubblica, la maggior parte della Dc voleva sostituirlo con un altro moderato, come il presidente della Camera Giovanni Leone. Fanfani, che stava a sinistra, lo silurò cercando di prenderne il posto. E lo fece con tale irruenza che i maggiorenti minacciarono di sospenderlo dal partito. Cosa inaudita da quelle parti. Così i litigi democristiani portarono sul Colle il socialdemocratico Giuseppe Saragat.

I due matrimoni e il Quirinale negato

La vita privata di Fanfani fu sempre riservatissima. In casa, mi ha raccontato Giorgio, uno dei sette figli, «papà parlava sempre pochissimo. Domandava molto e ascoltava». «Però» aggiunse la figlia Anna Maria «leggeva sempre alla mamma i suoi discorsi, che si è sempre scritto rigorosamente da solo. E, insieme alla mamma, talvolta chiamava le cameriere Anna e Natalina: "Venite qui a sentire, perché, se capite voi quel che voglio dire, allora lo capiranno tutti".»

Amintore aveva conosciuto Biancarosa Provasoli nella sala di lettura di una biblioteca milanese. Era una donna di prim'ordine: due lauree, suonava il pianoforte, era campionessa di nuoto, aveva guidato motoscafi e auto sportive, sparato al tiro a volo. Quando si sposarono nel 1939, lui, giovane professore di economia, aveva 31 anni, lei 25. Biancarosa era molto interessata all'attività politica del marito. Più d'uno, tra gli avversari di Fanfani, l'accusò di interferenze e addirittura di essere la responsabile di oscuri intrighi.

La cronaca si limitò a registrare una sua gaffe, che costrinse il marito a dimettersi da ministro degli Esteri. «Era la fine del 1965» mi raccontò Giorgio «e mio padre era stato eletto da poco presidente della 20ª sessione dell'Assemblea generale dell'Onu, pur mantenendo l'incarico ministeriale. In questa veste, il 4 ottobre aveva dato la parola a Paolo VI nella sua memorabile visita alle Nazioni Unite. In quel periodo papà e il suo carissimo amico e collaboratore Giorgio La Pira svolgevano un delicato lavoro di mediazione per creare occasioni d'incontro e di pace durante la guerra del Vietnam. Per incarico di mio padre, La Pira era andato a Hanoi e aveva incontrato il leader nordvietnamita Ho Chi Minh, consegnandogli messaggi riservati e ricevendone a sua volta. Mio padre si era mosso a titolo personale, senza coinvolgere il governo, ma aveva informato di tutto mia madre, visto che fra l'altro La Pira frequentava abitualmente casa nostra. Gianna Preda, notissima giornalista del "Borghese" [*fondato da Leo Longanesi, il settimanale si era spostato su posizioni di estrema destra*], approfittò delle attività umanitarie di mia madre per agganciarla. Mamma andava, ogni anno, due volte a Lourdes come crocerossina e aiutava gli ammalati a fare le immersioni nelle piscine attigue alla Grotta. La Preda la adescò chiedendole informazioni su questa sua attività umanitaria e riuscì a entrare in casa nostra, dove mia madre aveva invitato anche La Pira. Vuoi vedere che riusciamo a convertirla?, aveva detto ingenuamente. Purtroppo, la Preda era venuta con tutt'altro spirito e aveva registrato di nascosto l'intera conversazione. Quando "Il Borghese" pubblicò tutte le indiscrezioni sulla missione di La Pira, di cui il governo non sapeva nulla, mio padre dovette dimettersi. Andò in televisione e spiegò la decisione parlando di "improvvida uscita di un mio familiare". La mamma si disperò, ma ormai la frittata era fatta.»

Biancarosa Fanfani morì per un'emorragia cerebrale a 54 anni, all'alba del 26 settembre 1968. Un contributo rilevante alla sua scomparsa lo diede uno spaventoso incidente stradale accadutole in gennaio sull'autostrada Roma-Napoli, quando l'auto uscì di strada rovinosamente per un colpo di sonno dell'autista.

Nel 1971 Fanfani, da tre anni presidente del Senato, era convinto di poter conquistare il Quirinale, riuscendo a essere il candidato ufficiale della Dc. E, al di là di quanto si è detto, sarebbe stato un buon presidente della Repubblica. Ma era di personalità troppo forte per poter essere accettato dai suoi. Andreotti, all'epoca presidente dei deputati dc, mi raccontò di esserlo andato a trovare a Santa Marinella con Arnaldo Forlani, fanfaniano e segretario del partito. «"Stavolta i voti del nostro gruppo li avrai tutti" gli dissi "anche perché non ci sei tu a organizzare i franchi tiratori. Ma sappi che comunisti e socialisti non ti voteranno mai."» Fanfani si piccò: «Tu occupati dei nostri» rispose. «Al resto penso io.» Si era illuso – mi spiegò Andreotti – perché l'ambasciatore sovietico era andato a fargli gli auguri. Dopo due settimane drammatiche, la vigilia di Natale fu eletto Leone.

Fanfani tornò segretario della Dc nel 1973 e l'anno successivo guidò, su richiesta dal Vaticano, un'intensa ma sfortunata campagna in favore del referendum per l'abolizione della legge sul divorzio, che perse in modo rovinoso. L'anno successivo, il 15 giugno 1975, la Dc subì una pesante sconfitta alle elezioni amministrative: ci fu una clamorosa avanzata del Pci, che conquistò i comuni più importanti. E Fanfani dovette dimettersi.

Il 31 luglio, rientrando a casa, vi trovò Mariapia Vecchi, una brillante signora milanese rimasta vedova da due anni. Le chiese: «Che fa lei qui?». «Sono venuta per farmi sposare» rispose asciutta la signora. «Bene» disse lui. «Ci sposiamo il 3 agosto.» In realtà, Fanfani aveva fatto preparare i documenti due mesi prima, anche se nel massimo segreto. Amintore e Mariapia si erano incontrati nel 1972 e lei, nonostante fosse ancora sposata, aveva cominciato a fantasticare sulla loro storia. Fanfani, che dipingeva con successo da anni, le fece un bel ritratto che uscì sulla «Tribuna illustrata» sotto il titolo: *La bella signora che piace a Fanfani*. È fortissimo il sospetto che sia stata lei a farlo avere al giornale, anche se Mariapia me lo negò, raccontandomi la storia per *L'amore e il potere*. Successe un putiferio e i due dovettero vedersi di nascosto.

Quando, all'immediata vigilia del matrimonio, Fanfani comunicò ai figli la decisione di sposarsi, gli risposero di essere risolutamente contrari («Non è la donna adatta a te») e solo un paio di loro – molto più tardi – normalizzarono i rapporti con la seconda moglie del padre, arrivata oggi a 95 anni.

Le nozze furono celebrate nel più assoluto riserbo nel primo pomeriggio di quella domenica d'estate: presenti soltanto due testimoni, il figlio di Mariapia nato dal matrimonio Vecchi, una guardia del corpo di Fanfani e un'amica di lei, che fece le fotografie. La sposa indossava un abito di Mila Schön: tailleur corto bianco a disegni geometrici verdi e neri. Amintore aveva 67 anni, Mariapia 53.

Dopo la cerimonia, gli sposi salirono sulla 600 di proprietà dell'autista di Fanfani e raggiunsero una villetta alla periferia nord di Roma, La Storta, che il senatore aveva comprato da un paio d'anni. A ora di cena, Mariapia si presentò in abito da sera. Lui la guardò basito e le chiese: «Chi cucina?». E lei: «Io no di certo: non ho mai cotto un uovo in vita mia». Allora Amintore, che era un bravo cuoco, indossò un grembiule e, aiutato da un agente della scorta, preparò cannelloni al pomodoro, piccata di vitello e un dolce che la moglie mi descrisse come «fantastico».

Andarono ad abitare a casa Fanfani in via Platone, che i figli avevano sgomberato. I figli seppero del matrimonio dai giornali. Negli anni successivi andarono a far visita alla coppia soltanto tre volte l'anno: vigilia di Natale, Pasqua e il giorno del compleanno del padre. E non andarono mai oltre il «buongiorno, signora».

Anche in età avanzata, Fanfani non rallentò la propria attività politica: fu ancora per due volte un ottimo presidente del Senato per complessivi sette anni, interrotti da una breve esperienza di governo tra la fine del 1982 e l'estate del 1983, e poi di nuovo nel 1987, con il suo sesto gabinetto, alla soglia degli 80 anni. Morì a quasi 92 anni nel 1999. Mi raccontò il figlio Giorgio: «Dopo la morte di papà, facendo il bilancio dei 25 anni del suo secondo matrimonio, ho apprezzato ancora di più il ruolo di Mariapia, che lo ha assistito e curato come poche donne avrebbero fatto».

Giulio Andreotti, l'Arcitaliano

L'Alberto Sordi della politica italiana

Nel 2004 Giulio Andreotti aveva 85 anni. Per qualche mese andai a trovarlo una volta alla settimana per raccoglierne le memorie destinate a *Storia d'Italia da Mussolini a Berlusconi*. Era di una lucidità spaventosa, che avrebbe mantenuto fino alla morte, sopraggiunta nel 2013, a 94 anni. Aprivo il computer, domandavo e lui rispondeva. Saltava da un decennio all'altro con naturalezza assoluta. Per lui, De Gasperi e Berlusconi erano contemporanei. Ricordava tutto e tutti. Solo dopo qualche incontro mi chiese il menu dei temi che avremmo trattato la volta successiva, in modo da attingere qualche episodio in più dal suo sterminato e temutissimo archivio. Ne venne fuori un libro che, grazie alle sue testimonianze, potrà essere piuttosto utile ai futuri storici.

Andreotti è stato per cinquant'anni l'incarnazione del potere democristiano, al punto che una magistratura profondamente ideologizzata ha ritenuto – nel volume collettaneo *La vera storia d'Italia* – di identificare in lui il capomafia che ha regolato la vita italiana in un'ottica sostanzialmente criminale. Vedremo più avanti che la sua storia processuale ha detto tutt'altro. Il senatore è stato l'ultimo testimone vivente della rinascita dell'Italia nel dopoguerra e il protagonista dei momenti più felici e più tragici della storia repubblicana.

Parlamentare per 67 anni, 7 volte presidente del Consiglio, 25 volte ministro, se Aldo Moro recitava il *de profundis* alla Dc ben prima del tempo, se Amintore Fanfani faceva del

partito una testa d'ariete, Andreotti sapeva incarnare meglio di ogni altro l'anima nazionalpopolare, conoscendo-
ne bene i valori e i difetti. Nessuno rappresenta la Prima
Repubblica (1946-92) meglio di lui, perché nessuno ha saputo cavalcarla come lui. È stato protagonista delle quattro stagioni decisive di quel mezzo secolo: il centrismo con
De Gasperi (1946-53), il centrodestra con Malagodi (1972),
il compromesso storico con Berlinguer, che dava tanto fastidio a Craxi (1976-79), e infine il Caf, che dal 1989 al 1992
l'avrebbe unito a Forlani e al segretario socialista.

La cosa straordinaria di cui quest'ultimo e tanti altri
non riuscivano a capacitarsi è che, negli sconvolgimenti
che hanno determinato le diverse stagioni politiche italiane, Andreotti non è mai cambiato. È stato sempre la destra
della sinistra, la sinistra della destra e il centro del centro.
Mai Malagodi avrebbe potuto fare un governo con un uomo
della destra democristiana, e mai Berlinguer sarebbe stato
sdoganato da un uomo della sinistra dc. E mai la Dc avrebbe avuto dalla Chiesa la copertura e il sostegno che ha avuto se la Santa Sede e cinque papi non avessero avuto al governo del paese quello che Francesco Cossiga chiamava «il
segretario di Stato vaticano permanente».

Blandito e dileggiato dalle stesse persone a seconda che
fosse l'alleato degli uni o degli altri, Andreotti è stato l'Alberto
Sordi della politica nazionale, come Alberto Sordi è stato
l'Andreotti del cinema nazionale. Rappresenta cioè l'Italiano, con il suo senso pratico e la saggia lungimiranza, un po'
d'ipocrisia e di cinismo, e un magistrale cerchiobottismo. E
rappresenta anche quella classe politica che oggi qualcuno
rimpiange e che, pur gravata dei difetti che l'hanno perduta,
si riconosceva in un famoso slogan della Dc: «Progresso senza avventure». Quella classe politica che ha portato l'Italia
dalla miseria al benessere, ma che, per accontentare tutti,
negli ultimi quindici anni della Prima Repubblica l'ha indebitata oltremisura e, in parte, paralizzata.

Abilissimo nel negoziato politico, ha inaugurato la
«politica dei due forni», riservandosi di comprare il pane
dal migliore offerente tra la panetteria di Bettino Craxi e

quella di Enrico Berlinguer. Vicinissimo alla Chiesa, è stato nel cuore di tutti i papi, da Pio XII a Giovanni Paolo II. Non fu mai uomo di partito, la sua corrente è nata tardi, e qui Andreotti ha peccato, badando poco a selezionare le amicizie e, spesso, anche la qualità delle persone. Non ha avuto l'ottica dello statista, perché trovava la gestione del presente troppo complicata per occuparsi del futuro. Ma Cossiga lo considerava un grande uomo di governo.

Andreotti è stato, insomma, l'Arcitaliano per eccellenza, con i suoi guizzi d'ingegno e il saper tirare a campare, il suo amore per la famiglia, le piccole passioni borghesi (le corse dei cavalli e il «gratta e vinci») e la sua abilità nel districarsi nelle situazioni difficili. «Non ho un temperamento avventuroso» diceva di sé «e giudico pericolose le improvvisazioni emotive.»

È stato l'unico politico della sua generazione a saper usare la televisione senza mai temerla. «È distaccato, freddo, guardingo, ha sangue di ghiaccio, è autenticamente colto» diceva di lui Indro Montanelli, aggiungendo di provare simpatia per «il più spiritoso di tutti». Il gelo con cui parlò al telegiornale il giorno in cui rapirono Moro avrà pure impressionato per il cinismo, ma dimostrò agli italiani che il presidente del Consiglio aveva in mano la situazione.

E il giovane Andreotti prese il posto di Moro

Nipote del cappellaio di Segni, un paese del Lazio ciociaro, Giulio Andreotti nacque nel 1919 a Roma, in una casa a pochi passi dal Parlamento. Quando non aveva ancora 3 anni, perse il padre, maestro elementare, morto per i postumi di una malattia contratta in guerra. Crebbe tra i preti: a 14 anni organizzava le schiere di chierichetti per servire messa nella cattedrale del paese d'origine della famiglia, e due suoi compagni di giochi sarebbero diventati cardinali. A Oriana Fallaci, che per la sua *Intervista con la storia* gli chiese se avesse mai pensato di farsi prete, rispose: «Forse avrei potuto, non so», aggiungendo però di essere un marito e un padre felice, e di non avere rimpianti per la tonaca mai indossata. «La mia sola vocazione mancata» confessò «è quella di medico. Oh, fare il medico mi sarebbe piaciuto moltissimo. [*Oriana ha scritto "Oh" e io lo riporto fedelmente. Ma escludo che Andreotti abbia potuto dire "oh". Anzi, credo che non abbia mai fatto un'esclamazione in vita sua.*] Ma non potevo permettermi sei anni di medicina. Non ero ricco. Mio padre ... era morto quando ero appena nato: appena iscritto all'università, dovetti mettermi a lavorare. Mi iscrissi a legge, mi laureai con l'idea di fare il penalista. Con enorme rimpianto, però. Sì, enorme. Infatti ce l'ho ancora.»

A scuola, naturalmente, Andreotti andava benissimo, e quando s'iscrisse a giurisprudenza, per non pesare sulla madre che viveva di una pensione di guerra, s'impiegò con un contratto a termine all'ufficio delle imposte. Ma fece, al tempo stesso, la scelta che avrebbe influenzato la sua vita: s'iscrisse alla Fuci, l'associazione degli universitari cattolici, che aveva come assistente ecclesiastico Giovanni Battista Montini, futuro papa Paolo VI, allora già giovane funzionario della segreteria di Stato. Andreotti si era tenuto sempre in disparte dal fascismo, ma deve la sua formazione antifascista proprio alla frequentazione di quegli ambienti cattolici che Mussolini mal sopportava e che, anzi, cominciò a perseguitare. Presidente della Fuci era Aldo Moro, che peraltro era iscritto anche al Guf, l'organizzazione universitaria fascista. «Io non m'iscrissi al Guf» mi raccontò il senatore «perché non mi piaceva che tutti stessero vestiti allo stesso modo. Non volevo intrupparmi. E poi io sono molto sedentario, non mi sono mai piaciute le marce, lo sforzo fisico...»

Andreotti si trovò, dunque, a dover prendere il posto di Moro e a dirigere «Azione Fucina», il giornale degli universitari cattolici. Non sapeva chi fosse Alcide De Gasperi, che agiva sotto la copertura di bibliotecario vaticano, mentre De Gasperi sapeva chi era lui. Così, quando nella primavera del 1941 il giovane laureando frequentava la biblioteca apostolica per preparare la tesi di laurea sulla marina pontificia, incrociò lo sguardo arcigno dell'ignoto funzionario. «Non ha niente di meglio da fare che studiare questa roba?» lo apostrofò De Gasperi. «Scusi, ma a lei che gliene importa?» rispose lui. E la cosa finì lì. Pochi giorni dopo, però, fu convocato nella casa del quartiere Prati di Giuseppe Spataro, un vecchio «popolare» che era stato presidente della Fuci negli anni Venti, e vi trovò l'arcigno bibliotecario vaticano, che gli disse in modo spiccio: «Stiamo costituendo la Democrazia cristiana. Non perdere tempo e occupati di cose meno bizzarre». Andreotti cambiò argomento della tesi (la personalità del delinquente nel diritto canonico) e, di lì a poco, si laureò con il massimo dei voti.

In casa Spataro, Giulio scoprì per la prima volta la politica. I giovani cattolici, pur non amando il regime, si tenevano fuori dalla militanza antifascista. Ricordava il senatore: «Nessuno ci aveva raccontato, per esempio, fino in fondo la tragedia dell'Aventino [*il ritiro dal Parlamento dei partiti antifascisti*]. Né a scuola né alla Fuci si parlava dello scioglimento dei partiti. Veniva esercitata una certa critica sul sistema corporativo, ma niente di più. Quando raccontai a Moro l'incontro con De Gasperi, lo trovai contrario all'idea che ci impegnassimo in politica. "La nostra è una vocazione di studio." Restò su questa posizione di disimpegno anche nel periodo della nostra attività clandestina. Nel 1946, solo l'intervento dell'arcivescovo di Bari lo convinse a candidarsi alla Costituente».

Mentre «Azione Fucina» aveva libertà di diffusione, «Il Popolo», organo della nuova Dc, era ovviamente clandestino, e prima dell'8 settembre 1943 l'attività dei vecchi popolari consisteva prevalentemente nella pubblicazione e nella diffusione del loro giornale. Allora gli articoli si componevano con i caratteri di piombo e ad Andreotti parve un'eccellente trovata portare quelli di «Azione Fucina» nella tipografia del «Popolo». I tedeschi, naturalmente, se ne accorsero e il loro ambasciatore presso il Vaticano, che non era un nazista fanatico, pregò monsignor Montini di non far lasciare ai suoi ragazzi le impronte digitali sul luogo del delitto.

Il rapporto privilegiato con De Gasperi

Nel 1947 fu Montini a caldeggiare presso De Gasperi la nomina del ventottenne Andreotti a sottosegretario alla presidenza del Consiglio, lasciando di stucco – e non favorevolmente – una schiera di vecchi popolari giustamente ansiosi di tornare in prima linea. Perché lui e non Moro? «Forse» mi rispose il senatore «per il mio carattere più pragmatico. Moro aveva una preparazione culturale superiore alla mia, ma Montini vedeva in lui una tendenza ad affezionarsi a posizioni pregiudiziali. E preferì la mia capacità di adattamento a situazioni diverse.»

Eletto papa, Eugenio Pacelli – che quando era cardinale aveva conosciuto Andreotti – ebbe un'autentica predilezione per lui: lo riceveva spesso in udienza anche senza che i dignitari pontifici ne fossero preventivamente informati. «Era molto turbato dalla nascita del movimento dei cattolici comunisti, che aveva creato un forte disorientamento nel nostro mondo» ricordava il senatore. «Quando alcuni di loro furono arrestati dai tedeschi, mandai un biglietto al pontefice attraverso la sua assistente, suor Pascalina, perché non dicesse una parola sull'argomento. Temevo che un intervento improvviso li scoprisse. Il papa restò in silenzio. Seguiva di persona il funzionamento dell'Azione cattolica, s'informava in dettaglio sull'orientamento politico dei giovani, voleva assicurarsi che non ci mancasse l'assistenza religiosa.»

Alla morte di De Gasperi, nel 1954, i maggiorenti democristiani pensarono che era ormai giunta l'ora di sbarazzarsi anche del suo delfino. Non conoscevano l'uomo. Andreotti, a dire il vero, nel partito è sempre stato debolissimo: la sua corrente non è mai esistita a livello nazionale, il suo bacino elettorale, formidabile, era ristretto a Roma e al Lazio, e i suoi tre veri amici politici (Franco Evangelisti, Nicola Signorello e Amerigo Petrucci) erano suoi concittadini. Ma lo strettissimo rapporto con il clero e il Vaticano, e il consolidarsi del suo ruolo istituzionale all'estero, lo resero progressivamente inattaccabile. Il legame transatlantico con gli Stati Uniti, presso cui era stato spesso ambasciatore di

De Gasperi, fu la ragione della sua presenza pressoché obbligata per molti anni nei governi pur cautamente aperti a sinistra. Il suo pragmatismo lo rese indispensabile per sperimentare nell'arco di un ventennio (1972-92) tutte le formule possibili di governo: centrodestra, centrosinistra con i socialisti, centrosinistra con i comunisti.

Quando chiesi al novantenne senatore chi voleva tagliargli le gambe alla morte di De Gasperi, lui si accucciò sul lato destro della poltrona, socchiuse gli occhi e rispose: «Non mi piace fare nomi, ma capisco che uno come me – un Signor Nessuno – desse fastidio a chi aveva alle spalle organismi economici e istituzioni internazionali [*allusioni precise quanto misteriose*]. Avevo un accesso diretto al presidente del Consiglio, che era invece interdetto a persone gerarchicamente ed economicamente più in alto di me. Il politico ama il monopolio delle relazioni. E, in politica, la gelosia è più forte che in amore».

Dopo aver conosciuto bene la «stanza dei bottoni» come sottosegretario della presidenza con De Gasperi, Andreotti diventò ministro per la prima volta a 35 anni prendendo uno dei dicasteri più importanti, l'Interno. Seguirono le Finanze e, per sette anni – dal 1959 al 1966 – la Difesa. Quel posto garantiva agli americani la solidità dell'Alleanza atlantica. Nei nostri lunghi colloqui del 2004 il senatore mi disse che Pietro Nenni lo avrebbe voluto fuori dai governi di centrosinistra, ma lui, al contrario, aveva avvertito Moro che era rischioso avere il Psi nel governo e il Pci fuori. «Se scoppiasse la guerra, gli dissi, avremmo nel governo una quinta colonna spaventosa.» Andreotti s'illudeva che Moro potesse chiedere negli anni Sessanta ai comunisti il riconoscimento della Nato, quando si annusava ancora il fumo delle bombe incendiarie dei rivoluzionari di Budapest contro gli invasori sovietici. In ogni caso, la situazione era paradossale: Antonio Giolitti, ministro socialista del Bilancio, non poté andare a un vertice Nato perché gli americani gli avevano negato il nullaosta per conoscere le carte riservate dell'Alleanza. Escluso dopo sette anni dalla Difesa per volontà di Moro (questo mi disse Andreotti), non dubitò mai

della lealtà delle forze armate, nemmeno durante il suppo-
sto tentativo di golpe di cui fu accusato il generale dei carabinieri Giovanni De Lorenzo con la connivenza del presidente della Repubblica Antonio Segni.

Come tanti altri, anche lui fu sorpreso dalla ventata del '68.
«Non eravamo preparati ad affrontare adeguatamente forze eversive» mi disse. «In ogni caso, da noi il '68 è durato più che altrove perché nascondeva un'insoddisfazione
e una ricerca di modelli nuovi alla quale non avevamo saputo offrire una risposta adeguata.» Poi Andreotti avvertì
il fiato sul collo di esponenti del mondo della Chiesa e del
moderatismo italiano: «Preoccupato per il turbamento se-
rissimo dell'ordine pubblico, qualcuno all'interno del mondo cattolico rilanciò la tesi che il sistema democratico era
inadatto a fronteggiare il pericolo comunista. ... Avevamo
il timore che nei servizi segreti si infiltrassero persone con
velleità di difendere la libertà a modo loro, visto che noi
non ne eravamo capaci...». Dopo aver guidato nel 1972 un
monocolore democristiano per portare per la prima volta
il paese a elezioni anticipate (che videro il Msi raggiungere il massimo storico dell'8,7 per cento), Andreotti formò
un governo con i liberali di Giovanni Malagodi, appoggiato dal Psdi, dopo che repubblicani e socialisti si erano rifiutati di entrarvi.

Uomo chiave del «compromesso storico»

Per la prima volta, a un quarto di secolo dal ritorno della democrazia, un uomo nato a Roma diventava presidente
del Consiglio. Un presidente, ricorda Massimo Franco nella sua bella biografia di Andreotti, attentissimo al ceto medio, formidabile bacino elettorale della Dc e suo. Che, per
ingraziarselo, non badò a spese. Nonostante il parere contrario della Corte dei conti e di Ugo La Malfa (che prendeva i voti da tutt'altra parte), concesse agli statali formidabili
aumenti retributivi, creando la categoria della «dirigenza»
in un mondo rimasto troppo a lungo diviso tra semplici impiegati e direttori generali. Nacquero così i superburocrati,

che ebbero stipendi elevati e, soprattutto, poterono subito usufruire di «scivoli» pensionistici incredibili. Fu quello il momento d'oro delle «pensioni baby», che consentirono a migliaia di statali di andare a riposo all'età di 40 anni (talvolta, addirittura un po' prima), dopo un periodo lavorativo equivalente più o meno alla metà di quello richiesto oggi.

Amato dal ceto medio, Andreotti era naturalmente detestato dai comunisti e da molti degli stessi democristiani. Carlo Donat-Cattin definiva il suo pragmatismo «smaliziato e qualunquista». «La sua visione economica è sempre un riflesso della politica del momento» scrive Ruggero Orfei in *L'occupazione del potere. I democristiani '45-75*. «È più populista che capitalista. Ha avuto però l'intuito di capire fin dall'inizio che il classismo è una visione antiquata della società.» A Oriana Fallaci, che nel 1974 gli chiese se rifiutasse l'etichetta di uomo di destra, Andreotti rispose: «La rifiuto perché la qualifica di uomo-di-destra in Italia non viene data per collocare una persona, ma per metterle il piombo alla sella, per crearle ostacoli. ... Preferisco che mi chiamino conservatore ... Infatti mi accorgo che, quando si vogliono cambiare le cose, si finisce quasi sempre per cambiarle in peggio. Quindi è meglio tenersele così come sono ... Le riforme? Spesso sono una chiacchiera e basta».

Quelli che seguirono furono anni caratterizzati da continue crisi di governo. Fino alla svolta dell'avvicinamento al Pci. «Moro mi ha parlato oggi con un'apertura che, dopo i tempi della Fuci, non avevamo mai più avuto fra noi» scrisse Andreotti nel suo diario in data 7 luglio 1976. E gli aveva parlato dei comunisti. «Mi ha detto esplicitamente che non pensa di continuare a presiedere il governo e ritiene che debba succedergli io ... Ritiene indispensabile coinvolgere in qualche maniera i comunisti, anche perché i socialisti ne faranno una *conditio sine qua non*: e questo momento deve essere gestito (la parola mi piace poco) da uno come me che non susciti interpretazioni equivoche all'interno e all'estero.»

Come aveva avuto bisogno di Fanfani per l'apertura ai socialisti, Moro aveva ora bisogno del moderato per eccel-

lenza, ovvero Andreotti, per fare l'apertura più coraggio-
sa e definitiva al Pci. All'inizio degli anni Ottanta – come
sempre, se in Italia accadeva qualche episodio inquietante – gli occhi di tutti si appuntarono su di lui quando esplose la vicenda della P2 (962 nomi eminenti trovati nella villa di Gelli a Castiglion Fibocchi, in provincia di Arezzo) e
quando il finanziere Michele Sindona fece assassinare l'onesto e inflessibile liquidatore del Banco Ambrosiano Giorgio
Ambrosoli. Il senatore uscì pulito da entrambe le inchieste.
«La massoneria conta come centro di potere e di affari» mi
disse nel 2004. «E l'adesione di nomi rilevanti alla P2 ne ha
fatto un centro di potere indiscusso. Al quale io sono rimasto estraneo, come ha documentato una lunga indagine.»

Andreotti aveva conosciuto Sindona nel 1968 come ministro dell'Industria e non nascose di esserne stato all'inizio un
convinto estimatore: «Ted Kennedy era nel consiglio d'amministrazione della sua banca, la Franklin, e l'ambasciatore degli Stati Uniti a Roma, John Volpe, una volta lo designò uomo dell'anno». Ugo La Malfa, ministro del Tesoro,
detestava Sindona, e Andreotti lo considerò corresponsa-
bile del suo fallimento perché non riunì per un anno il comitato per il credito pur di non autorizzare un aumento di
capitale della sua società.

Quanto all'affare Ambrosoli, una commissione d'inchiesta presieduta da Francesco De Martino non gli mosse alcun addebito. Purtroppo, nel 2010 il senatore si autoaffondò
dicendo in televisione (nella trasmissione «La storia siamo
noi») una frase tremenda: «In termini romaneschi, se l'andava cercando...», salvo poi giustificarsi dicendo di allu-
dere ai «fortissimi rischi ai quali il dottor Ambrosoli si era
consapevolmente esposto».

Il Quirinale sfumato per la strage di Capaci

Negli anni Ottanta Andreotti si defilò, se è possibile usare questo termine per uno che fu ministro degli Esteri per
larga parte del decennio. Non amava né Craxi, che dominò
quel periodo, né De Mita, che ne era il contraltare demo-

cristiano. E da entrambi non era riamato. Si tenne coperto per puntare al Quirinale, che si sarebbe reso libero nel 1992 con la fine del mandato di Francesco Cossiga. Per conquistare il Colle aveva bisogno dei comunisti. E se li ingraziò con un gesto clamoroso e altrimenti inspiegabile.

Il 20 luglio 1990, ricevendo il sostituto procuratore di Venezia Felice Casson, che indagava sulla strage neofascista di Peteano, violò il segreto di Stato mantenuto fino ad allora e rese pubblica la lista di 622 appartenenti a Gladio, una struttura segreta che esisteva fin dal dopoguerra in Italia e in tutti i paesi europei aderenti alla Nato per opporsi a un eventuale attacco armato dei paesi comunisti. Riuscì in questo modo a mettere in difficoltà Cossiga, che negli anni Sessanta, da giovane sottosegretario alla Difesa, aveva gestito il richiamo dei «gladiatori» e ora era sotto attacco del Pds per le sue esternazioni da capo dello Stato. E autorizzò i comunisti a pensare che quella struttura segreta fosse la prova che esistevano sezioni deviate dello Stato complici della «strategia della tensione» e delle stragi a essa riferibili. Oltre a consegnare al massacro 622 poveracci a carico dei quali non si trovò nulla che avesse attentato alla sicurezza dello Stato.

Ma, come si dice, il diavolo fa le pentole e, qualche volta, dimentica i coperchi. Nella primavera del 1992, quando i suoi «franchi tiratori» affondarono Arnaldo Forlani, candidato ufficiale della Dc al Quirinale, la strage di Capaci (con la morte di Giovanni Falcone, di sua moglie Francesca Morvillo e di tre agenti di scorta) escluse Andreotti dalla corsa al Quirinale a un metro dal traguardo. Perché una strage mafiosa – sia pure la più grave mai compiuta – è stata la pietra tombale sulla sua candidatura?

Nonostante gli undici anni di processi Andreotti (1993-2004) e le sentenze che ne sono derivate, ci muoviamo su un terreno scivoloso. Una data di partenza può essere il 12 marzo 1992. Quel giorno venne assassinato a Palermo Salvo Lima, europarlamentare democristiano e capo della corrente andreottiana in Sicilia. Si trattò di un pessimo segnale per il senatore, perché si disse che Lima non sarebbe stato in grado di mantenere le promesse fatte ai capimafia. Per conto di chi? Assicurando o millantando quale provvedimento? Fatto sta che il governo Andreotti aveva inasprito il sistema carcerario per i mafiosi, spingendosi forse oltre i limiti della stessa correttezza costituzionale. Tre anni prima, nella primavera del 1989, Falcone aveva incriminato per calunnia un mafioso catanese, Giuseppe Pellegriti, che gli aveva raccontato di aver ucciso nel 1980 il presidente della regione siciliana Piersanti Mattarella su mandato di Lima. Falcone, che sapeva «pesare» i pentiti, fece le sue ricerche e sbugiardò il mafioso. Telefonò la notizia ad Andreotti, che si trovava in vacanza a Cortina, e poi andò a trovarlo, dopo che era stato sventato miracolosamente un attentato ai suoi danni sugli scogli dell'Addaura, alla periferia di Palermo, dove il giudice aveva affittato una villetta per le vacanze. E andò a trovarlo insieme a Lima, sul quale evidentemente non nutriva sospetti.

Fu proprio la connessione di Andreotti con Lima alla base della richiesta di autorizzazione a procedere che la Procura di Palermo trasmise al Senato il 27 marzo 1993. («Fui traumatizzato e mortificato» mi confidò «quando il presidente del Senato Giovanni Spadolini mi telefonò per dirmi che da Palermo era arrivata la richiesta di procedere in giudizio contro di me.») Dieci anni dopo, quando si era ancora in attesa dell'ultima sentenza assolutoria della Cassazione, chiesi al senatore se fosse un caso che le inchieste di Palermo fossero state aperte nei confronti dell'unico esponente del Caf uscito indenne da Tangentopoli. «Direi di no» mi rispose. «È l'unica spiegazione che sono riuscito a darmi. Nelle inchieste per corruzione, prima o poi occorre portare qualcosa che assomigli a una prova. Sulla mafia, no. Salvo Lima è morto. Lima era sospettato di essere legato alla mafia, Lima era amico mio, dunque anch'io ero legato alla mafia.»

In un dossier di 246 pagine trasmesso al Senato, il nuovo procuratore della Repubblica di Palermo, Giancarlo Caselli, e i suoi sostituti Guido Lo Forte, Roberto Scarpinato e Gioacchino Natoli scrivevano: «Il complesso sistema di relazioni che deve essere indagato si fonda su una logica di scambio e di alleanze, comportanti reciproci vantaggi per

Cosa Nostra e il "referente romano" dell'onorevole Salvo Lima e della sua corrente politica». Cioè Andreotti. Andreotti, in sostanza, avrebbe provveduto a «tutte le esigenze di Cosa Nostra che comportano decisioni da adottare a Roma ... Si tratta dunque, intuitivamente, di interessi multiformi – di tipo amministrativo, economico, finanziario e perfino legislativo – il cui segno unificante era quello di richiedere, comunque e necessariamente, un intervento politico-istituzionale di vertice ... [*Andreotti ha*] contribuito alla tutela degli interessi e al raggiungimento degli scopi ... di Cosa Nostra, in particolare in relazione a processi giudiziari a carico di esponenti dell'organizzazione». (Corrado Carnevale, presidente di sezione di Cassazione indicato come l'anello di congiunzione tra Andreotti e la mafia per aggiustare i processi dei boss, fu assolto con formula piena da ogni accusa e reintegrato nelle sue funzioni in magistratura.)

Alla sbarra, accusato da 27 pentiti

Alla fine, i pentiti che accusavano Andreotti erano 27. «Datemi una data e vi dimostrerò che ciò di cui mi si accusa è falso» disse subito il senatore. Mai avrebbe immaginato che i suoi celebri diari, iniziati alla fine della guerra, gli sarebbero stati di provvidenziale utilità. In una sola udienza riuscì a documentare le 63 circostanze in cui i procuratori ritenevano di aver trovato un «buco». Le persone chiamate a testimoniare contro di lui furono 368, un terzo di quelle che – secondo la difesa del senatore – furono interrogate dall'accusa.

«Il Foglio» (16 ottobre 2004) scrisse che per l'inchiesta lo Stato aveva speso 127 miliardi di lire, ma non ci sono riscontri. Il procuratore nazionale antimafia Pier Luigi Vigna rivelò che lo Stato sborsava 100 miliardi di lire all'anno per pagare le parcelle degli avvocati dei pentiti, mentre Andreotti ha dovuto sobbarcarsi interamente alle proprie spese legali, che peraltro non avrebbe potuto sostenere, mi confessò, senza la benevola amicizia di Franco Coppi e Giulia Bongiorno. Il senatore mi rivelò anche di aver saputo dal capo della polizia Vincenzo Parisi che ai pentiti che lo incastravano veniva triplicato lo stipendio. Quando Parisi morì, Andreotti scrisse al ministro dell'Interno Antonio Brancaccio perché non venissero cancellate le prove di quanto affermato dal capo della polizia, ma subito dopo Caselli inviò una lettera a due ministri, un sottosegretario e otto tra prefetti, questori e generali, ammonendoli di stare in guardia dalle «allusioni» del senatore.

Andreotti dovette difendersi anche dall'accusa di essere il mandante dell'omicidio del giornalista Mino Pecorelli, ucciso per strada a Roma il 20 marzo 1979 in circostanze mai chiarite. Personaggio assai controverso, Pecorelli era proprietario e direttore del giornale «OP», che si era segnalato per i duri e obliqui attacchi contro numerose alte personalità dello Stato, dal presidente Giovanni Leone allo stesso Andreotti. Il giornalista aveva insinuato che il memoriale scritto da Aldo Moro durante il sequestro delle Brigate rosse contenesse accuse contro Andreotti molto più gravi di quelle presenti nella copia dattiloscritta, rinvenuta assai prima dell'originale. Ma quando, nel 1990, fu trovato il testo manoscritto, si scoprì esattamente il contrario. Nonostante questo, il senatore fu rinviato a giudizio come mandante del delitto.

Secondo l'accusa, si sarebbe servito di Claudio Vitalone, ex magistrato e senatore democristiano, per avvicinare mafiosi e criminali comuni appartenenti alla «banda della Magliana» allo scopo di commissionare l'omicidio a due capi di Cosa Nostra, Tano Badalamenti e Stefano Bontade, che l'avrebbero fatto eseguire da un mafioso e da un bandito romano.

Dopo l'assoluzione generale in primo grado, ottenuta dinanzi alla Corte d'assise di Perugia – competente perché nell'inchiesta era coinvolto un magistrato romano –, Andreotti fu condannato a 24 anni di carcere in appello e, infine, assolto dalle Sezioni unite penali della Cassazione il 30 ottobre 2003.

«Non ho mai creduto che si riuscisse davvero a farmi condannare come protettore e complice di mafiosi» mi disse. «Per rafforzare l'impianto accusatorio, ecco allora nascere l'accusa di aver fatto ammazzare Pecorelli. Una lettera di Luciano Violante è la connessione tra i due processi.» E mi consegnò la fotocopia di una lettera scritta il 5 aprile 1993 da Violante, all'epoca presidente della commissione antimafia, a Roberto Scarpinato, sostituto procuratore distrettuale antimafia di Palermo. In essa raccontava di aver ricevuto quella stessa mattina una telefonata anonima che lo informava di una copertina di «OP» mai stampata a causa dell'assassinio di Pecorelli: vi sarebbero stati indicati sei nomi dai quali si sarebbe potuto risalire a una valigetta con documenti in possesso del giornalista. «Ho ritenuto opportuno informare lei» concludeva la lettera «perché ho appreso che è titolare di indagini relative all'omicidio di Mino Pecorelli.» In realtà, dell'omicidio Pecorelli si stava occupando ancora la Procura di Roma (gli atti sarebbero poi passati appunto a Perugia). Nove giorni prima, il 27 marzo, come abbiamo detto, la Procura di Palermo aveva trasmesso al Senato la richiesta di autorizzazione a procedere contro Andreotti, che non faceva alcun cenno all'omicidio Pecorelli. Come si spiega, allora, la lettera di Violante?

Quando, nell'agosto 2003, Andreotti sollevò le prime perplessità sulla vicenda, Violante chiarì di aver preso quell'iniziativa dopo che il 28 marzo una nota dell'Ansa riferiva che nella sua richiesta di autorizzazione la Procura di Palermo aveva parlato anche dell'omicidio Pecorelli. Violante aveva ragione, ma la notizia dell'Ansa era falsa, perché fino ad allora nessuno aveva messo in connessione Andreotti con Pecorelli, e meno che mai a Palermo, visto che del delitto si occupava la Procura di Roma. Allora Violante è stato tratto in errore da un'agenzia inquietante e fasulla? «No» mi disse Andreotti. «Violante, anzi, ebbe in mano le carte di Palermo prima che arrivassero in Senato. Caselli le consegnò a un capitano dei carabinieri che prese l'aereo e andò a portarle a Violante, che stava a Torino.» E mi diede una copia della relazione di servizio dell'ufficiale, datata 28 marzo 1993. Violante, dunque, sapeva che, fino al momento della sua lettera a Scarpinato, nessuno aveva collegato il nome di Andreotti con l'omicidio Pecorelli. Soltanto il 6 aprile 1993, giorno successivo alla lettera, Caselli e Lo Forte interrogarono a New York Tommaso Buscetta, che fece per la prima volta il nome del senatore a proposito del delitto Pecorelli, indicandolo anche come protettore della «cupola» mafiosa.

Le assoluzioni e la riabilitazione

Com'era possibile, quindi, che l'Ansa e Violante fossero al corrente di una notizia che ancora non c'era? Qualcuno poteva immaginare quel che avrebbe detto Buscetta prima ancora che fosse interrogato? Quando, nel novembre 2003, nel mio *Il Cavaliere e il Professore* diedi conto dei documenti consegnatimi da Andreotti, Violante mi scrisse una lettera di precisazione nella quale diceva, fra l'altro: «Poteva essere accaduto che la richiesta [*della Procura di Palermo*] non contenesse cenni a quell'omicidio, ma che la Procura resti interessata alle indagini. In ogni caso, se la magistratura si dichiarava interessata a una notizia, era mio dovere fornirla, sulla base del principio costituzionale della leale collaborazione tra poteri dello Stato (Parlamento e magistratura). A questo principio mi attenni anche in quella circostanza». Spiegazione corretta ma non convincente, almeno per Andreotti, che commentò: «La precisazione di Violante non smentisce il sospetto di una trama. L'informatore dell'Ansa sapeva con qualche giorno di anticipo che Buscetta avrebbe parlato del mio coinvolgimento nell'omicidio Pecorelli e la lettera di Violante a Scarpinato è ben strana».

Perché Violante aveva scritto a un procuratore di Palermo, non competente sull'omicidio Pecorelli, e non al procuratore di Roma, titolare dell'inchiesta? A questa domanda, l'ex presidente dell'Antimafia rispose che aveva passato al procuratore romano Michele Coiro un appunto scritto sulla telefonata anonima ricevuta quel 5 aprile, ma che questi gli avrebbe risposto «che non era necessario inviargli una nota scritta e che forse la notizia poteva interessare anche la Procura di Palermo». Non dubitiamo della parola di Violante, ma avendo conosciuto Coiro, ormai defunto all'epoca di queste dichiarazioni, ci chiediamo perché un magistrato così scrupoloso avrebbe dovuto rifiutare un appunto del presidente della commissione antimafia su un delitto di cui il suo ufficio si stava occupando, dirottando Violante su una procura non competente. «Agli atti della Procura di Roma non c'è niente» puntualizzò Andreotti. «E Coiro è defunto e non consultabile.»

Il calvario giudiziario del senatore durò sei anni e mezzo in attesa della prima sentenza e undici in attesa dell'ultima. Sua moglie fu letteralmente distrutta dal processo: le tornò l'esaurimento che l'aveva colpita ai tempi delle Brigate rosse e durante il sequestro Moro. E lo stesso Andreotti mi confessò che, quando fu rinviato a giudizio, ebbe paura d'impazzire. Poi, la raffica di assoluzioni: il 24 settembre 1999 la prima a Perugia per Pecorelli; un mese dopo, il 23 ottobre, la sentenza del tribunale di Palermo, seguita da quelle d'appello il 2 maggio 2003 e di Cassazione il 16 ottobre 2004.

Ora, è ovvio che l'assoluzione totale in Cassazione nel processo di Palermo, come c'era stata in quello di Perugia, per Caselli avrebbe rappresentato una tragedia. Così la Suprema Corte, nel confermare la sentenza d'appello (Andreotti in rapporto con i mafiosi prima del 1980), fa capire di non averla potuta cambiare perché un giudice di legittimità non può entrare nel merito (cioè nei fatti) del processo. Scrive, infatti, la Corte: «Le ricostruzioni dei singoli episodi e la valutazione delle relative conseguenze è stata effettuata in base ad apprezzamenti e interpretazioni che possono anche non essere condivise e a cui sono contrapponibili altre dotate di uguale forza logica, ma che non sono mai manifestamente irrazionali e che quindi possono essere stigmatizzate nel merito, ma non in sede di legittimità». Un fantastico triplo salto mortale. È per questo che la Cassazione non si è dichiarata competente a scegliere tra le «soluzioni diverse alle quali sono pervenuti i giudici dei due gradi di merito», cioè quelli di primo grado che avevano totalmente scagionato Andreotti, e quelli d'appello, che lo ritenevano colluso con la mafia fino al 1979.

In ogni caso, il senatore ha potuto godersi gli ultimi anni di vita in assoluta serenità. In occasione del suo novantesimo compleanno, nel 2009, anche il presidente della Repubblica Giorgio Napolitano ha partecipato a una cena in suo onore. E non si festeggia un mafioso, sia pure d'antan.

Andreotti è morto il 6 maggio 2013, a 94 anni, mantenendosi fino all'ultimo lucidissimo. Sua moglie Livia lo ha raggiunto due anni dopo. I processi al marito avevano distrutto nel fisico e nel morale quella che per la sua energia un tempo veniva chiamata dai figli «la Marescialla».

TERZA REPUBBLICA?

Matteo Renzi,
la riscossa dopo la caduta?

Solo al comando. Da sempre

Nell'autunno del 2013 Matteo Renzi non era ancora a palazzo Chigi. Aveva appena vinto le primarie per diventare segretario del Pd e già veniva considerato «un uomo solo al comando». Andai a trovarlo nel suo studio di sindaco di Firenze e glielo dissi. «Lo so» rispose. «È un'accusa che mi fanno e che non mi fa soffrire. Quando sei responsabile di qualche cosa, devi assumerti le tue responsabilità. Se vuoi una vita comoda, non fai il capo.» Gli feci anche notare che l'arroganza, in politica, può combinare qualche brutto scherzo. «Il rischio c'è» commentò con la franchezza abituale «perché la tendenza all'arroganza, ammettiamolo, è innata e cerco di combatterla ogni giorno. Devo muovermi lungo il confine sottile tra l'arroganza, che è un difetto, e l'ambizione, che invece deve essere grande, soprattutto nei giovani. Io sono molto ambizioso: voglio cambiare l'Italia.»

Capii che il governo Letta non sarebbe durato molto, e infatti quattro mesi dopo, il 22 febbraio 2014, Renzi entrava a palazzo Chigi. Nell'incontro di palazzo Vecchio gli dissi un'altra cosa, che non scrissi in *Sale, zucchero e caffè*: «Attento, non cada. Perché se cade, quando si rialza, di tutta la folla che la circonda oggi troverà soltanto Luca Lotti e Maria Elena Boschi...».

Riprendiamo quel discorso quattro anni dopo. I mille giorni di palazzo Chigi sono passati da quasi un anno e, in una pausa del lungo viaggio in treno che in questo autunno 2017 lo sta portando attraverso l'Italia, Renzi osserva: «Sarebbe ingiusto dire che dopo la caduta ho trovato accanto a me soltanto un paio di persone, perché sono state molte di più. E allora le 26.000 mail di incoraggiamento che, dopo le dimissioni da palazzo Chigi, mi hanno chiesto di non mollare, di non lasciare questa comunità?». Eppure la grande fuga c'è stata. «Sì, ma sa chi mi ha abbandonato? I primi che sono tornati dopo la mia vittoria alle primarie del 2017. Mi fa una certa impressione, ma è così…»

Domenica 4 dicembre 2016, giorno del referendum costituzionale, Renzi era a Firenze e aveva deciso di non scendere a Roma. Il barometro elettorale dava pioggia, non tempesta. «Se avessi perso con qualunque margine, mi sarei dimesso. Ero tuttavia indeciso se andare a Roma la sera stessa o l'indomani. All'uscita dalla messa mi comunicarono che i primissimi sondaggi riservati ci davano perdenti per 57 a 43 [*sarebbe finita 59 a 41*] e dissi subito ad Agnese: mandiamo i ragazzi dai nonni e andiamo a Roma. Ero rilassato, ma deciso a mollare.»

L'esempio di David Cameron, che si è dimesso dopo il referendum sulla Brexit, l'ha influenzata? «No. Ma io ero deciso non solo a lasciare palazzo Chigi. Volevo dimettermi anche da segretario del Pd e lasciare la politica. Poi Mattarella mi chiese di restare quindici giorni per approvare la legge di bilancio, mi hanno lavorato ai fianchi, sono arrivate le 26.000 mail e allora ho lasciato soltanto palazzo Chigi, deciso a dimettermi dalla segreteria più avanti per ricandidarmi alle primarie. E quando mi sono dimesso da segretario ho ripensato alla vecchia regola dei democristiani (minacciare le dimissioni sempre, non darle mai) e sono ripartito da zero. Sono tornato alla guida del partito dopo che si sono espressi 2 milioni di italiani.» Le dimissioni da palazzo Chigi furono sofferte… «Uscire da palazzo Chigi mi è costato molto più di quanto pensassi. Quando nel 2014 andai via da palazzo Vecchio, il trasloco lo fecero fisicamente i ragazzi. Io ero già a palazzo Chigi. Stavolta è stato diverso. In due giorni ho riempito io gli scatoloni. E ho sofferto. Sono intervenuti in tanti perché non mi dimettessi. Io non ho mai preso in considerazione l'ipotesi di restare. E quando il presidente della Repubblica mi ha chiesto di fermarmi per la legge di bilancio, ho messo la fiducia per chiudere prima possibile.»

Quindici giorni dopo andò a trovarlo un vecchio amico, il ministro Graziano Delrio. «"Ti hanno voluto morto" mi disse "perché hai messo sotto stress il sistema." Raccontai l'episodio a tavola. E adesso, quando dico ai ragazzi di studiare, di mettere via il telefonino, mi sento rispondere: "Babbo, non mettere sotto stress il sistema".»

Ricordo a Renzi il titolo di questo libro e gli chiedo dove abbia sbagliato nel referendum sulla nuova Costituzione. «Tutti sostengono che ho sbagliato nella superpersonalizzazione del voto. Non sono d'accordo. La personalizzazione stava nelle cose. Io ho sbagliato nella politicizzazione del referendum. Non sono stato bravo a capire che stavano mettendosi tutti contro di me. E, con un pizzico di arroganza, non ho capito che la forza degli argomenti (per esempio, il monocameralismo) era inferiore alla forza delle emozioni che gli altri hanno saputo suscitare. Loro hanno fatto un valore della difesa della Costituzione. Io volevo cambiarla per renderla efficiente. Non ho capito il valore politico della differenza. Errore imperdonabile.»

A proposito di politicizzazione e personalizzazione, nel maggio 2016 avvisai Renzi ospite a «Porta a porta»: non trova che sarebbe una scelta imbarazzante quella di chi vorrebbe votare sì al referendum, ma non vuole votare per il segretario del Pd? Lui non raccolse. Alla ripresa autunnale era molto più avvertito. Ma era tardi.

Molta gente, gli faccio notare, ha avuto paura del combinato disposto di un Italicum che avrebbe dato prevedibilmente la maggioranza assoluta al Pd alla Camera e un Senato delle regioni largamente dominato dagli amministratori dello stesso partito. Insomma, ha avuto paura del Renzi pigliatutto. «Ho capito, ma non è la verità. Io ho fatto la proposta che avevano fatto tutti negli ultimi anni. Io lo facevo con la forza che mi derivava dal 41 per cento preso alle europee, ma era una scelta condivisa. L'abbiamo votata due volte con Berlusconi, quella riforma.»

Diciamola tutta: dopo il 41 per cento alle europee del 2014 Renzi ha pensato di avere il paese in mano... «Mai avuta questa sensazione!» ribatte. E la foto famosa in cui tutti i dirigenti del Pd fanno a gara per mettersi in posa, anche quelli che poi l'hanno tradita o se ne sono andati? «La foto è della notte. Non a caso rappresenta tutto il gruppo dirigente tranne me. Io ho scelto di non salire su, di non correre dentro la foto, ma restai nel mio stanzino di segretario a contenere le emozioni, da solo. Ho aspettato il mattino successivo per fare la conferenza stampa. E usai un tono sobrio, quasi dimesso. Ho sempre pensato che quel 41 per cento fosse un po' ballerino e che sia lo stesso 41 che abbiamo preso poi al referendum. Nella vita di governo siamo partiti con il 41 per cento e arrivati con il 41. Ma giocavamo in due campionati diversi. Nel primo si sarebbe vinto anche con il 30 per cento, nel secondo serviva più del 50. Eppure resto convinto che esiste un grande popolo del sì... E questo grande popolo del sì, che comprende anche qualche pentito del 4 dicembre, può raggiungere il 40 per cento. Del resto, il Paese era fermo, in crisi: l'abbiamo fatto ripartire noi, con le nostre misure economiche. Ormai ce lo riconoscono anche quelli che una volta chiamavamo gufi.»

Quando fu chiaro che il presidente del Consiglio si sarebbe dimesso e dopo il suo rifiuto della proposta di Mattarella che il governo venisse «rinviato alle Camere», dove avrebbe avuto un nuovo voto di fiducia, si pose il problema della successione. Era evidente che, restando Renzi segretario del Pd, sarebbe toccato a lui fare al capo dello Stato il nome del suo successore. Dario Franceschini si aspettava la designazione, e lo disse subito in modo esplicito. Ma Renzi non lo seguì, perché il gioco gli sarebbe sfuggito di mano. E giudicò che Pier Carlo Padoan, candidato «gradito ai mercati», non avesse la giusta dimensione politica per l'incarico e, per di più, doveva portare a casa la legge di bilancio. La successione naturale fu quella di Paolo Gentiloni, il cui nome gli era stato suggerito per gli Esteri nel 2014 da Maria Elena Boschi (che pure con lui non ha mai legato fino in fondo) e da Filippo Sensi, portavoce di Renzi e amico del ministro.

2012: «*Vince il discorso perdente*»

Con l'uscita di Renzi da palazzo Chigi si chiudeva il primo tempo di una lunga partita cominciata nel campionato nazionale nel 2012, dopo parecchi anni di allenamento tra la provincia e il comune di Firenze. Renzi ha 42 anni, è sposato dal 1999 con Agnese Landini (40) e ha tre figli: Francesco, Emanuele, Ester. A 19 vinse 48 milioni di lire alla «Ruota della fortuna» di Mike Bongiorno, partecipando a cinque puntate consecutive. Poi si è laureato in legge e ha lavorato nell'azienda familiare, che si occupa di marketing. Il nome dell'impresa – Chil – richiama un personaggio del *Libro della giungla* (Bagheera, la saggia pantera, dice che Chil è «il migliore degli avvoltoi» e serve la comunità come messaggero) entrato nel linguaggio degli scout, nelle cui file Matteo ha militato a lungo.

Cattolico, figlio di un militante democristiano, a 24 anni è diventato segretario provinciale del Partito popolare, a 29 presidente della provincia di Firenze, a 34 sindaco della città, a dispetto della nomenklatura di partito che voleva un candidato dei Democratici di sinistra. Il 29 agosto 2010 fondò il movimento dei «rottamatori», che fu accolto con infastidito scetticismo dagli «anziani» del Pd. La prima volta che Renzi pensò di partecipare alle primarie per candidarsi a palazzo Chigi fu nel novembre 2011, quando entrò in crisi il governo Berlusconi e si ventilò l'ipotesi di elezioni anticipate. «Poi» mi raccontò «tutto si è fermato con la nascita del governo Monti. Mi misi il cuore in pace e pensai che ne avremmo riparlato tra qualche anno. Tornai a pensarci a maggio, dopo i risultati delle elezioni amministrative. Nonostante il crollo del centrodestra, il centrosinistra vinse sul numero dei sindaci, ma non ci fu nessuno sfondamento politico. Ricorda quando Bersani disse che a Parma "non avevamo perso", ma "avevamo non vinto"? Feci allora un'intervista con Maria Teresa Meli del "Corriere della Sera" e mi candidai alle primarie. Pensavo che Bersani non accettasse. Invece accettò, contro il parere dei suoi amici, ed eccomi qua.» Nacque così la storia surreale di un rapporto a distanza tra due dirigenti del Pd che, per usare il vecchio paradosso di Roberto Benigni, «se stessero nello stesso partito, vinceremmo le elezioni». E lo disse quando la scissione era lontana dal consumarsi.

Durante la campagna per le primarie del 2012, Renzi e Bersani non si parlarono. Mai sentiti, mai confrontata un'opinione. «Ci scambiamo soltanto sms semplici e secchi» mi raccontò il sindaco di Firenze per *Il Palazzo e la piazza*. «Roba da sessanta caratteri. Lui si firma Bers e io mi firmo Renzi.»

Perché questa incredibile freddezza?, gli chiesi. «Lui continua a dubitare della mia appartenenza e dimostra di avere poca lungimiranza, perché tutto ciò che ho fatto va esattamente nella direzione opposta a quella che sospetta Bersani.» Tanto per capire il clima, in quel periodo «l'Unità» chiamava Renzi «fascistoide».

Il giro nelle Feste dell'Unità, nell'estate del 2012, infatti non andò benissimo per lui. C'era tanta curiosità per il giovane sindaco, ma alla base del partito la «rottamazione» non piaceva. «Tu parli male del Pd» gli ringhiava in faccia qualcuno. («Gli anziani del Pd ci dicevano apertamente: "Voi volete farci fuori"» mi raccontò Luca Lotti, da sempre il suo più stretto collaboratore. «Non riuscimmo a far capire a tutti che non era l'età l'elemento al quale tenevamo di più, ma il ricambio di una classe politica che aveva imbrigliato il centrosinistra non facendolo più vincere.»)

L'elettore comune, non solo del Pd, era per Renzi, ma i militanti temettero di essersi portati in casa un Giamburrasca. Così, al primo turno delle primarie, Bersani lo staccò di quasi 10 punti (45 contro 35,5, seguivano Nichi Vendola, Laura Puppato e Bruno Tabacci). E il 2 dicembre – al voto conclusivo – il segretario toccò il 61 per cento, lasciando a Renzi il 39. Ma non era finita.

La sera stessa della sconfitta, Renzi andò al Teatrino Lorenese della Fortezza da Basso e pronunciò a braccio un «concession speech» (il discorso con cui i candidati americani alla Casa Bianca riconoscono la vittoria del competitore) che ottenne un sorprendente consenso trasversale. Basti per tutti il titolo dell'«Unità», giornale ovviamente bersaniano: *Vince il discorso perdente. Il linguaggio di Renzi seduce tutti.* Che cosa disse lo sconfitto? «Abbiamo perso, anzi ho perso. Ho sbagliato e per questo voglio chiedervi scusa. Volevamo prendere in mano le redini del paese, ma non ce l'abbiamo fatta. Non siamo riusciti a cambiare la politica, sarà meraviglioso dimostrare che la politica non riuscirà a cambiare noi.» E poi, la frase finale che fece scoppiare in lacrime la moglie Agnese: «Stasera, rimboccando le coperte ai vostri figli, pensate che quel che avete fatto non l'avete fatto per me, ma per loro». C'era qualcosa del «discorso della luna» di Giovanni XXIII («Stasera, tornando a casa, date una carezza ai vostri bambini...»), ma l'effetto fu enorme. In otto minuti, Matteo Renzi si trasformò da «ragazzetto ambizioso» a leader del futuro.

Lo capì, tra le lacrime, Maria Elena Boschi, un giovane avvocato fiorentino che insieme a Simona Bonafè e Sara Biagiotti formò il «trio di amazzoni» di Renzi, mentre l'equipaggio maschile del viaggio in pullmino attraverso l'Italia era composto da Lotti, Francesco Bonifazi, Luca Danti e Franco Bellacci. E lo capì Dario Nardella, suo vicesindaco a Firenze: «Realizzammo che quella era la sconfitta di una battaglia, non di tutta la guerra».

Da #enricostaisereno all'arrivo a palazzo Chigi

Le elezioni del 2013 andarono benissimo per i 5 Stelle, che alla Camera diventarono il primo partito italiano, male per il Pd e la coalizione di centrosinistra, che pareggiarono con PdL e il centrodestra (29,55 contro 29,18 e 126.000 voti di differenza). Bersani avrebbe potuto fare il governo con Berlusconi, ma si rifiutò. Provò con i 5 Stelle e fu insultato da Beppe Grillo. Per poche ore girò il nome di Renzi come possibile presidente del Consiglio, ma l'illusione durò dalla mattina al primo pomeriggio del 23 aprile. Poi toccò a Enrico Letta, mentre Bersani si dimetteva da segretario dopo la rovinosa vicenda del Quirinale, in cui furono bruciati prima Franco Marini e poi Romano Prodi (la raffica dei 101).

Il governo Letta non decollava e il primo a capire che il vento aveva cambiato verso fu Franceschini. Nel settembre 2013, alla Festa nazionale dell'Unità di Genova, intervistato da Luca Telese dichiarò che alle primarie del Pd avrebbe votato Renzi. Letta non gradì. Sulla candidatura Renzi, tra i due c'era un netto contrasto. Franceschini diceva a Letta: «Questo è un rullo compressore, vince e vuole prendersi tutto. È inutile mettersi contro». Il presidente del Consiglio replicava: «Si possono fare anche battaglie politiche in cui si perde». Mantenne, perciò, la sua posizione, non agevolando in alcun modo la conquista della segreteria del Pd da parte del sindaco di Firenze.

Le primarie del 2013 si svolsero in due turni: il 24 novembre, quando votarono i soli iscritti, Renzi staccò Cuperlo di 6 punti (45,3 per cento a 39,4) e Franceschini sostiene che, senza il proprio appoggio, il sindaco non ce l'avrebbe fatta. L'8 dicembre, con voto aperto a tutti, Renzi vinse con il 67,5 per cento. Pippo Civati andò bene, perché prese il 14, mentre Cuperlo, con il 18, andò malissimo, se si pensa al gruppo degli «eccellenti» che lo sosteneva. Adesso, per Renzi, la strada verso palazzo Chigi era spianata.

Letta aveva giurato il 28 aprile 2013 alla guida di un governo di «larghe intese», con una robusta componente di Forza Italia. Angelino Alfano era vicepresidente del Consiglio e ministro dell'Interno. Altri ministeri importanti erano andati a Maurizio Lupi, Beatrice Lorenzin, Nunzia De Girolamo. «Quando Renzi è diventato segretario del Pd, ho capito subito che per il governo sarebbero arrivati giorni difficili» disse il premier a un amico. I due non si sono mai amati e hanno una diversa concezione dell'uso del potere. Letta è uomo di cacciavite, Renzi è uomo di ruspa. Se il presidente del Consiglio non ha le spalle coperte dal segretario del suo partito, lo scontro è inevitabile.

Il 28 novembre Berlusconi uscì dalla maggioranza dopo la sua decadenza da senatore, i suoi ministri restarono dando vita al Nuovo centrodestra, ma la sorte del governo era segnata. Renzi considerava il gabinetto Letta troppo lento sulle riforme. All'inizio di gennaio 2014, in una cena a palazzo Chigi con Letta, Franceschini, Alfano e Lupi, il segretario del Pd disse che avrebbe voluto presentarsi alle elezioni europee di giugno con la riforma elettorale e istituzionale già varate. Il 17 gennaio, alle «Invasioni barbariche» di Daria Bignardi aggiunse: «Non mi interessa prendere il posto di nessuno. Voglio fare le cose che interessano gli italiani». Postò su Twitter il celebre #enricostaisereno, che sarebbe stato fonte di tante ironie. («Quando ho detto Enrico stai sereno, io ci credevo. Lui no» mi avrebbe raccontato. «Questo è stato il punto di rottura.»)

Il governo morì quando Renzi rifiutò di sostituire con suoi uomini i tre ministri che Letta avrebbe dovuto mandar via per inefficienza o problemi di opportunità (come, in questo caso, il ministro della Giustizia, Annamaria Cancellieri). Il 10 febbraio Renzi andò a cena dal presidente Napolitano e uscì dal Quirinale, di fatto, con l'incarico in tasca. Dopo due colloqui drammatici di Letta con lui e con Franceschini (che accusò di averlo pugnalato), e dopo che Alfano e Lupi si dissero favorevoli al cambio di cavallo, il 12 febbraio il presidente del Consiglio stupì tutti presentando un piano per il rilancio del governo e incolpò Renzi di averlo frenato. L'indomani la direzione del Pd diede al proprio segretario mandato pieno per avviare la crisi. A suo favore si schierò anche larga parte della minoranza, terrorizzata all'idea di elezioni anticipate dalle quali il partito sarebbe uscito distrutto.

Il 25 febbraio Renzi riceveva la fiducia delle Camere. Da quel momento, per mille giorni, ha corso senza mai prendere fiato.

Consip e Cpl Concordia: lo Stato contro lo Stato

Appena venti giorni dopo aver assunto le funzioni, il 12 marzo 2014 il nuovo presidente del Consiglio annunciò che dal mese di maggio 10 milioni di lavoratori dipendenti con redditi bassi avrebbero ricevuto 80 euro netti in più in busta paga. Maggio non era una data casuale, ma il mese in cui si sarebbero svolte le elezioni europee. E il 25 maggio il Pd toccò il famoso e irripetibile 40,8 per cento. Era il periodo della sua luna di miele con gli italiani, che fruttò a Renzi il consenso anche di chi non aveva mai votato a sinistra. Il premier promise inoltre che entro il 21 settembre, festa di San Matteo, avrebbe saldato tutti i debiti della pubblica amministrazione alle imprese (circa 56 miliardi). In caso contrario, sarebbe andato a piedi al santuario di Monte Senario, un'abbazia a 20 chilometri da Firenze. Questa la scommessa che fece con me a «Porta a porta». L'impegno, com'era prevedibile, non fu mantenuto, ma il santuario restò senza la visita dell'illustre pellegrino.

La decisione più importante presa dal governo Renzi durante il suo mandato fu il Jobs Act, una riforma del diritto del lavoro che prevedeva la sostanziale cancellazione dell'articolo 18 dello Statuto dei lavoratori e l'azzeramento dei contributi per il primo anno nel caso di assunzione a tempo indeterminato a tutele crescenti. Gli sgravi si sarebbero ridotti progressivamente negli anni successivi. Abolì anche l'Imu sulla prima casa. Entrambi i provvedimenti erano stati prospettati anche dai governi Berlusconi, perciò furono criticati da sinistra, come lo fu l'atteggiamento aggressivo tenuto dal governo con l'Europa. (Quest'ultima critica è, a nostro avviso, meno motivata, visto che gli esecutivi precedenti erano stati accusati di eccessiva acquiescenza, e Berlusconi, che aveva provato ad alzare la testa, fu estromesso dal governo con un contributo decisivo delle cancellerie europee.)

I consensi al Pd, in ogni caso, furono erosi negli anni successivi: sia nelle regionali del 2015, in cui il partito recuperò la Campania, ma perse la Liguria e rischiò di perdere l'Umbria; sia nelle amministrative del 2016, in cui fu sconfitto in due comuni chiave come Roma e Torino dal M5S e, infine, in quelle del 2017, che videro la sorprendente rimonta del centrodestra. Per non parlare delle difficilissime elezioni siciliane di inizio novembre.

Dopo la tornata elettorale di primavera, il partito anti-Renzi nel Pd si rafforzò e l'area di Franceschini e del ministro della Giustizia Andrea Orlando si fece sentire. In compenso, favoriti anche dalla ripresa economica internazionale, alla fine del 2017 i governi Renzi e Gentiloni avevano recuperato quasi completamente il milione di posti di lavoro perduti durante la crisi.

In questi anni, oltre ai legittimi attacchi dell'opposizione, Renzi dovette subire quelli assai più insidiosi della magistratura e della polizia giudiziaria napoletana. Alla fine del 2013 il generale della guardia di finanza Michele Adinolfi fu intercettato nelle sue conversazioni con Renzi per ordine del procuratore napoletano Henry John Woodcock. Fu ben presto chiaro che la persona su cui dovevano essere fatti accertamenti era un altro generale, Matteo Giuseppe Lopez, ma Adinolfi fu indagato e intercettato per altri tre mesi. I magistrati erano interessati al suo «canale preferenziale» con Renzi, Lotti e Nardella. Tutto finì sul «Fatto Quotidiano», compresa la conversazione in cui il premier definiva Enrico Letta «un incapace». Adinolfi fu scagionato dopo che il danno era fatto.

La Procura di Napoli indagava su due questioni. La prima era la presunta corruzione attivata dall'imprenditore napoletano Alfredo Romeo (già arrestato nel 2008 e poi prosciolto) per ottenere un appalto dalla Consip, la società che si occupa di forniture all'amministrazione pubblica. La seconda riguardava le indagini sulla cooperativa Cpl Concordia e la metanizzazione dell'isola di Ischia, nell'ambito delle quali sono state effettuate le intercettazioni pubblicate dal «Fatto» di cui abbiamo parlato.

Nell'inchiesta Consip il padre di Matteo Renzi, Tiziano, figurava come protagonista sia di un incontro con Romeo, sia soprattutto come possibile destinatario di un'enorme tangente (30.000 euro al mese) pagata dall'imprenditore napoletano affinché favorisse incontri tra lui e Luigi Marroni, amministratore delegato di Consip. Quando l'inchiesta è passata per competenza a Roma, non solo tutte queste supposizioni sono state smontate, ma si è scoperto qualcosa di molto più grave.

Spesso i pubblici ministeri delle principali procure hanno una specie di polizia privata. Si affidano cioè a ufficiali di polizia giudiziaria, pur non competenti nella materia dell'indagine, ma legati al magistrato da un fortissimo rapporto fiduciario. Così a Napoli il procuratore Woodcock si serve del Noe (Nucleo operativo ecologico), che dovrebbe occuparsi di reati ambientali, ma fa tutt'altro. Il suo capitano, Gianpaolo Scafarto, poi promosso maggiore, è stato accusato dalla procura romana di due falsi gravissimi: da un lato ha sostenuto la presenza nel corso degli accertamenti di persone dei servizi segreti, quando non è vero; dall'altro avrebbe attribuito ad Alfredo Romeo, e non a Italo Bocchino, ex parlamentare e suo collaboratore, una frase intercettata: «... *Renzi l'ultima volta che l'ho incontrato*», lasciando intuire un rapporto diretto tra il padre dell'allora presidente del Consiglio e l'imprenditore che non c'è mai stato, visto che Bocchino si riferiva a un possibile incontro casuale con Matteo Renzi.

A metà settembre 2017 è filtrato il testo dell'audizione del procuratore della Repubblica di Modena, Lucia Musti, alla quale è stato affidato un pezzo dell'inchiesta Cpl Concordia. La Musti ha rivelato al Consiglio superiore della magistratura, titolare di un'azione disciplinare contro Woodcock, che Scafarto e il suo superiore Sergio De Caprio (il Capitano Ultimo, che arrestò Totò Riina) le avrebbero detto: «Dottoressa, lei ha una bomba. Scoppierà un casino. Arriviamo a Renzi». E qui si tratta di Renzi figlio, non più del padre. Di Caprio ha smentito, ma la parola di un magistrato sentito dal Csm pesa moltissimo. E Renzi ha dissotterrato l'ascia di guerra.

«Perdono i miei nemici, ma non dimentico i loro nomi»

«Su questo caso specifico una cosa clamorosa emergerà nei prossimi mesi in tutta la sua evidenza» mi dice Matteo Renzi. «Si chiude il caso Consip e resta aperto il caso Cpl Concordia. Un intreccio incredibile di illeciti da parte di apparati dello Stato che solo il mio altissimo senso delle istituzioni mi impedisce di far deflagrare. Sono stato presidente del Consiglio dei ministri, ho giurato sulla Costituzione, non sarò mai un Giamburrasca. Ma quanto è avvenuto, e ha tirato dentro anche mio padre, è impressionante. Lui ha sempre avuto una voglia matta di replicare e soffre per non poterlo fare. Ma io gli ho sempre chiesto di non rispondere per non alimentare un circuito perverso.»

Domando a Renzi se, al di là di questo caso, suo padre sia stato imprudente. «Me lo sono chiesto tante volte. E mi sono chiesto anche se abbia rinunciato a tante opportunità che la sua azienda aveva. Da quando nel 2009 sono diventato sindaco di Firenze non ha mai più lavorato con enti pubblici. E se debbo pesare vantaggi e svantaggi che ha avuto con la mia presenza in politica, credo che abbia pagato più di quanto non abbia ricevuto.»

Si è mosso troppo? «Il 21 ottobre 2017 me lo sono trovato in sala alla festa del "Foglio" e gli ho chiesto che ci faceva lì. Lui mi ha risposto: posso assistere a una manifestazione in cui ci sei tu o debbo restarmene tappato in casa?»

Torniamo ai falsi e ai depistaggi dell'inchiesta giudiziaria di Napoli. «È sorprendente che si possa definire eversiva la mozione del Partito democratico che chiedeva discontinuità nella guida della Banca d'Italia, e non l'inchiesta in cui si dice, falsando le prove, che bisogna arrivare a Tiziano Renzi e arrestarlo. Vogliono colpirmi attraverso mio padre? Invece di gettare la croce addosso a lui, se la prendano con me. Nel tackle, io non tiro indietro la gamba. A chi ha fabbricato prove false per arrestarlo dico che, nel rispetto delle istituzioni, io sono kennediano. Perdono i miei nemici, ma non dimentico i loro nomi. Ho promesso a me stesso che non sarò mai men che corretto. Ma quando ho visto in ospedale mio padre operato al cuore, ho giurato che non dimenticherò ciò che ho visto in questi mesi e che continuerò a vedere.»

Nel programma ipotizzato per un vostro prossimo governo c'è una riforma della giustizia? «Lo vedremo a tempo debito. Per ora soltanto il mio senso delle istituzioni impedisce che ci siano reazioni sconsiderate a quanto è successo. Non voglio che passi il messaggio di una riforma fatta per reazione a quanto mi è successo. Le riforme debbono nascere da processi razionali.»

Il 25 febbraio 2017 è avvenuta la scissione della sinistra del Pd guidata da Massimo D'Alema, Pierluigi Bersani e Roberto Speranza, con la nascita del Movimento democratico e progressista (Mdp). Con Bersani c'era una vecchia ruggine dai tempi delle primarie. Con D'Alema c'è stata la rottura dopo le elezioni europee: lui sostiene di aver avuto la promessa di un appoggio di Renzi per il portafoglio di ministro degli Esteri europeo, incarico poi andato alla Mogherini. «D'Alema non ha avuto incarichi indipendentemente dal mio giudizio su di lui» sostiene Renzi. «Diceva che tutti i partiti socialisti europei lo avrebbero sostenuto. Non era vero. E, infatti, alla fine gli hanno tolto anche la presidenza della loro fondazione.» (Nel giugno 2017, sette fondazioni socialiste europee hanno escluso D'Alema dalla Feps, Foundation for European Progressive Studies «per aver favorito la scissione dal Partito democratico».)

Renzi ha ormai archiviato la scissione, che sembra diventata definitiva dopo le polemiche che hanno accompagnato, il 26 ottobre 2017, l'approvazione della nuova legge elettorale.

«Gli elettori ci chiedono di non perdere tempo nelle politiche interne alla sinistra, e così intendo fare.»

Nel 2013 le liste elettorali del Pd furono fatte dalla segreteria Bersani. Renzi aveva preso il 40 per cento alle primarie, ma le dure leggi della politica gli assegnarono soltanto 14 seggi sicuri sui 130 del listino. Adesso che è lui a dare le carte, ripagherà le minoranze interne con la stessa moneta? «Assolutamente no. Anche se mi costa un po' di fatica, saremo rispettosi delle diverse sensibilità che ci sono all'interno del Pd.»

«Sì, resto il candidato premier»

Non si è mai vista in un partito politico una caccia aperta al segretario come in questo caso, quasi che soltanto la sua sostituzione possa salvare il Pd. «La storia dice il contrario» precisa Renzi. «Con noi il Pd è arrivato a livelli mai toccati in precedenza. Il quadro della sinistra europea mostra i partiti francese, olandese e ceco largamente sotto il 10 per cento, e in Germania l'Spd è al minimo storico. Noi siamo i soli bene in lizza e quelli che vogliono ammazzare me non si rendono conto di quanta solidarietà io trovo ogni giorno tra i dirigenti, i militanti e gli elettori del Pd. Erano convinti che non sarebbe venuto nessuno a votare alle primarie, abbiamo sfiorato invece i 2 milioni e ho vinto con il 70 per cento. Avrò i miei limiti e i miei difetti, ma insomma...»

Quindi lei, in quanto segretario, resta il candidato premier del Pd? «Lo confermo, perché lo dice lo statuto del partito. Dopodiché, un conto è essere il candidato, altro è fare il presidente del Consiglio. Lo vedremo alle elezioni.»

A quale alleanza elettorale pensa? «Un centrosinistra in cui accanto al Pd ci siano i moderati di Alfano e Casini, Forza Europa di Della Vedova, Verdi, socialisti, e una componente di sinistra che può essere quella di Giuliano Pisapia e del sindaco di Cagliari Massimo Zedda. Insomma, prenderemo i voti di tutti quelli che non vogliono darla vinta a Salvini e ai 5 Stelle. Fanno almeno il 5 per cento, e quando sei sopra il 30 per cento, puoi giocarti bene la partita.»

Nel libro *Avanti*, lei ricorda a Berlusconi che nessuno dei Popolari europei si allea con i populisti. Questo significa che Forza Italia potrebbe allearsi solo con il Pd nella Grande Coalizione... «Significa che, finché Berlusconi è alleato dei populisti, è populista anche lui. E noi non potremo mai allearci con i populisti. Dopodiché» aggiunge con un sorriso scaramantico «prenderemo il 40 per cento e governeremo da soli...»

Quali sono i suoi rapporti con il Cavaliere?, gli chiedo. «Non esistono. Con lui non sono mai venuti meno né il rispetto istituzionale, né quello umano. Quando è stato operato al cuore, gli ho telefonato per fargli gli auguri, ma tutto si è fermato lì. Lui ha rotto un patto che avrebbe permesso all'Italia di entrare nel futuro e si è assunto una responsabilità storica. Non ho né rabbia, né risentimento, ma voglio sconfiggerlo come ho fatto alle europee del 2014.»

Quando vi sentirete? «Aspetterò la sera delle elezioni la telefonata di "concessione della vittoria"...»

Molti ritengono che in Italia soltanto una Grande Coalizione può attuare importanti riforme nella prima parte della legislatura, per farle digerire nella seconda. Sia Renzi sia Berlusconi si preparano a questa eventualità e fanno i loro conti, ma non ne parlano perché il mandato degli elettori a ciascuna coalizione è di vincere e governare da soli. La nuova legge elettorale lo consentirebbe soltanto alla coalizione che superasse il 40 per cento: obiettivo non facile. In ogni caso, la legge approvata definitivamente al Senato il 26 ottobre 2017 favorisce le coalizioni. Questo ha scatenato il Movimento 5 Stelle, protagonista di manifestazioni clamorose di dissenso, e gli scissionisti di Mdp, la cui sopravvivenza non simbolica sarebbe legata a un'improbabile coalizione con Renzi.

Alla guida del partito di Bersani e D'Alema andrà probabilmente il presidente del Senato Pietro Grasso, dimessosi con clamore dalla carica di presidente del gruppo del Pd il 26 ottobre 2017 per protesta contro la «violenza» con cui è stata chiesta la fiducia al Senato sulla legge elettorale.

È noto che la politica finanziaria che il segretario del Pd ha in testa è molto più aggressiva di quella attuata dal governo Gentiloni. E quando gli parlo del rischio che la Germania stringa di nuovo i freni, risponde: «Io la flessibilità me la sono presa a cazzotti. E l'Italia è ripartita perché abbiamo fatto il Jobs Act, abbiamo tolto l'Imu sulla prima casa e dato gli 80 euro ai redditi minimi…». Sui quali, però, continua a esserci polemica. «È il mio cruccio maggiore. Nessun sindacato è mai riuscito a fare avere ai lavoratori dipendenti un aumento netto del genere e io debbo sentirmi dire che è stata una mancia. Adesso dobbiamo estenderli al ceto medio.» Che significa ceto medio? «Assegnarli a una fascia di reddito più alta di chi guadagna 1500 euro al mese. Se uno guadagna 2000 euro al mese e ha figli, non se la passa tanto bene…»

Servono tanti soldi, per far questo e soprattutto per gli investimenti. Qual è la ricetta? «Arrivare al 2,9 del rapporto deficit-Pil, avere a disposizione una cinquantina di miliardi, avviare la riduzione del debito col progetto Capricorn [*forte taglio degli asset pubblici in collaborazione con la Cassa depositi e prestiti*] e ripartire. Il 22 febbraio 2014 trovai palazzo Chigi paralizzato dall'inerzia del governo Letta. Se torniamo, tutto è pronto. Basta girare la chiavetta d'accensione…»

Le ultime vicende bollenti dell'autunno 2017 sono state l'approvazione della legge elettorale e la tormentata decisione sul vertice della Banca d'Italia. Il 17 ottobre, dopo aver bocciato una mozione del Movimento 5 Stelle che chiedeva di non rinnovare il mandato al governatore della Banca d'Italia Ignazio Visco, è stata approvata una mozione del Pd che, pur non nominando Visco, aveva lo stesso significato. E si è aperta una crisi, perché il presidente del Consiglio e il capo dello Stato avevano già concordato di rinnovare il mandato al governatore uscente. Come è puntualmente avvenuto il 27 ottobre, a tre giorni dalla scadenza del mandato. La domanda è: la Vigilanza della Banca d'Italia ha svolto con assoluto scrupolo il suo lavoro sulle dieci banche saltate in aria negli ultimi anni? Il giudizio quasi unanime è negativo. Visco non ha verosimilmente responsabilità maggiori di Salvatore Rossi, il direttore generale a cui si pensò per sostituirlo, e degli altri tre membri del direttorio. Ma il governatore è un simbolo e, come tale, deve rispondere, perché l'intera Banca d'Italia, costituzionalmente refrattaria all'autocritica, rifletta anche su di sé.

Negli anni della crisi, il governo degli Stati Uniti ha salvato le banche con 2330 miliardi di dollari, restituiti con gli interessi. L'Inghilterra ha nazionalizzato otto banche con una spesa di 1148 miliardi di sterline. La Germania ha sostenuto il sistema con 418 miliardi di euro. La Francia con 228 miliardi. Da noi, fino all'anno scorso, erano stati spesi soltanto 4 miliardi per il prestito al Monte dei Paschi, restituito ai tassi usurari richiesti dall'Europa. Il conto complessivo, per lo Stato e gli investitori, è stato calcolato oggi in 24 miliardi di euro, che sale a 60 se si aggiunge il sacrificio di azionisti e obbligazionisti.

La polemica contro la Banca d'Italia

Quando le banche italiane hanno detto di non aver bisogno di soldi, la Banca d'Italia era d'accordo? Le dieci banche entrate in crisi quando era troppo tardi per aiutarle con il consenso europeo avevano sempre avuto ispezioni

tranquillizzanti? Di chi fu il suggerimento di far compera-
re Banca Etruria dalla appoggiatissima (da Banca d'Italia)
Popolare di Vicenza, che poco dopo saltò in aria? Chi ha
vigilato in tempo utile sulla reale corrispondenza del valore delle azioni e delle obbligazioni con il patrimonio delle banche? E, infine, non sarebbe stato assai singolare se la
conferma sino a dodici anni di mandato del governatore,
quasi uguale a due settennati del Quirinale, fosse avvenuta senza un «bah», mentre una commissione parlamentare
d'inchiesta potrebbe scoprire che non tutto è andato ma-
gnificamente? «Il mio obiettivo» risponde Renzi «è dimostrare che lo scandalo bancario non è stato colpa solo della
politica. Non sta né in cielo né in terra. Ci sono stati troppi
silenzi. Nelle alte burocrazie, in certe espressioni della società civile, in molti commentatori...»

Quando ha avuto per la prima volta la sensazione che la
Banca d'Italia stesse sbagliando? «Quando sono diventato
presidente del Consiglio, mi sentivo ancora un ragazzo di
Rignano sull'Arno. Di chi avrei dovuto fidarmi se non della Banca d'Italia? Bene, ho dovuto registrare che, su alcuni
punti, il comportamento di Banca d'Italia non è stato impeccabile.» Quali? «Nelle gestioni manageriali e nei commis-
sariamenti. Va bene cacciare chi non ha funzionato, ma chi
metti al suo posto deve risolvere i problemi. Non sempre
è accaduto.» E aggiunge: «Io ho posto un problema, e cioè
se la gestione delle alte burocrazie, a cominciare da quella
per eccellenza che è la Banca d'Italia, non abbia necessità
di essere rinvigorita e profondamente rinnovata. Nessun
italiano può pensare che la crisi delle banche derivi soltanto dalla politica. Con la riforma delle banche popolari e del
credito cooperativo, noi abbiamo fatto di tutto per togliere
ai politici la loro influenza sul territorio. Noi ci siamo mossi per difendere correntisti e risparmiatori da un "bail in"
che sarebbe stato devastante. Ma non possiamo prender-
ci le responsabilità di una vigilanza bancaria discutibile e
della nomina di commissari superpagati e non all'altezza
delle loro responsabilità e dei loro stipendi. Né delle valu-
tazioni manageriali fatte su banche che tutti da anni sape-

vano stracotte. Un giorno si svegliano tutti insieme e danno a noi la colpa. Questo è inaccettabile».

Per la sua posizione sulla Banca d'Italia, Renzi è stato attaccato da tutto l'establishment. «Noi dirigenti politici di formazione cattolica riconosciamo l'infallibilità solo al papa ed esclusivamente quando parla di teologia. Altri dirigenti, compresi alcuni che curiosamente provengono dalla sinistra e dal Pci, riconoscono l'infallibilità solo alla Banca d'Italia. Un atteggiamento sorprendente, direi. Ma, in ogni caso, non mi fa paura la sollevazione del sistema su Banca d'Italia. Molte delle mie battaglie, dalla rottamazione all'articolo 18, dal garantismo alla riduzione delle tasse, le ho fatte quasi in solitaria. Banca d'Italia in questi anni non ha lavorato bene. Dirlo non è populismo, è la verità. Se sostenere che chi ha sbagliato deve pagare significa essere populista, be', allora sono populista anch'io. E non a caso, quando ho sbagliato e ho perso, io me ne sono andato.»

Alla fine, il 27 ottobre 2017, il presidente del Consiglio ha proposto al capo dello Stato la conferma di Ignazio Visco. Si sente sconfitto? «No. Non ho fatto la mia battaglia per attaccare una persona, ma per esprimere una posizione politica chiara e per dimostrare che il Pd non è partito che si schiera a prescindere a difesa del sistema e non è soprattutto il partito dei banchieri. Non ci piegheremo mai al dogma dell'infallibilità.»

Il caso Visco ha incrinato il suo rapporto con Paolo Gentiloni? «No. Il nostro è un rapporto di lunga data. L'ho difeso quando volevano estrometterlo dalle liste nel 2013, l'ho proposto ministro degli Esteri sorprendendo tanti nel novembre 2014, l'ho suggerito come presidente al mio posto nel 2016. Credo che abbia fatto bene il suo lavoro, sempre. Non condivido una sua scelta, quella di Visco, ma rispetto il presidente del Consiglio e le sue funzioni. E abbiamo mille battaglie da fare insieme, ancora.»

Renzi e il suo governo sono stati molto attaccati per la vicenda di Banca Etruria, una delle quattro banche andate in default nel 2015 (insieme alle popolari di Marche, Chieti e Ferrara e, con storie diverse, Monte dei Paschi di Siena,

Carigenova, Popolare di Vicenza e Veneto Banca). Pierluigi Boschi, padre di Maria Elena, è stato consigliere di Banca Etruria dall'agosto 2012 e poi vicepresidente dal maggio 2014 fino al commissariamento deciso dal governo Renzi, su proposta di Banca d'Italia, nel febbraio 2015.

In *Poteri forti (o quasi)* Ferruccio de Bortoli scrive che nel 2015 la Boschi chiese all'amministratore delegato di Unicredit, Federico Ghizzoni, «di valutare la possibile acquisizione di Banca Etruria». La ministra ha smentito, de Bortoli confermato, Ghizzoni non si è mai pronunciato. Per il padre della Boschi, multato da Consob con gli altri amministratori, la magistratura ha chiesto l'archiviazione delle accuse. Renzi si è sempre difeso dicendo di aver commissariato la banca. Oggi, quando gli domando se su questa vicenda non ha nulla di cui pentirsi, risponde di no. «Sulle quattro banche mi sono affidato totalmente alla Banca d'Italia. È stato commesso uno straordinario errore mediatico nel far passare un'operazione di salvataggio dei correntisti in un salvataggio del management, che è stato commissariato.»

Matteo Renzi, come abbiamo visto, non ha mai rinunciato all'idea di tornare a palazzo Chigi. «Sarebbe falso e scorretto se dicessi che non è vero. Ma intanto mi sono ripreso la vita. Gioco a tennis cercando di correggere il mio rovescio. Giro in motorino, vado a fare la spesa. E il viaggio in treno attraverso l'Italia dell'autunno 2017 è stato una lezione di vita.»

Silvio Berlusconi
e la nuova rivoluzione moderata

«Sto guardando il suo sorriso»

«Il sorriso. Sto guardando il suo sorriso. Ambiguo? No, direi di no. Accattivante? Abbastanza, ma senza esagerare. Cordiale, contenuto, educato? Sì, qualcosa del genere. Va bene, sorrido anch'io. Sorrido disteso, per guadagnare un'altra manciata di secondi... Ma dove guarda il Cavaliere? Non sta guardando me. Non sta guardando neanche Paolo Vasile, il direttore del Centro di produzione Fininvest di Roma che non lo molla un istante durante le apparizioni televisive in Rai. E non guarda nemmeno la telecamera alle mie spalle, quella giusta per i suoi primi piani. Il Cavaliere non sta guardando nessuno. Pensa al suo pubblico, ai milioni di persone che lo vedranno tra poco, e prova il sorriso. Sì, prova il sorriso...»

Era martedì 15 marzo 1994. Mancavano dodici giorni alle elezioni e Silvio Berlusconi era ospite di una mia trasmissione per illustrare il programma di Forza Italia. Annotai queste impressioni nel mio libro di quell'anno, *Il cambio*, perché in Italia cambiò davvero tutto. Mani pulite aveva azzerato in pochi mesi tutti i partiti che avevano governato il paese per cinquant'anni. L'unico graziato era il Pci, costretto a cambiar nome in Pds dalla caduta del Muro di Berlino e trionfante, nel deserto degli altri, alle elezioni amministrative dell'autunno 1993, anche se la Lega Nord di Umberto Bossi dominava la Padania. Nella primavera dello stesso anno, il referendum di Mariotto Segni aveva cancellato il mercato delle preferenze aprendo la porta a un sistema elettorale (il Mattarellum) largamente maggioritario. E il segretario del Pds, Achille Occhetto, era a un passo da palazzo Chigi.

Un professore liberale dell'università Bocconi di Milano, Giuliano Urbani, si affannava invano ad ammonire il mondo imprenditoriale e borghese che i «comunisti» avrebbero fatto cappotto. Trovò solo persone rassegnate e/o pronte a consegnarsi al nuovo vincitore. Finché, con il suo ineffabile sarcasmo, l'avvocato Gianni Agnelli gli disse: «Ha provato con Berlusconi?». Il colloquio tra Urbani e il Cavaliere si concluse alle 2 del mattino del 30 giugno 1993. Berlusconi decise di scendere in campo «per salvare il paese dai comunisti» e anche per salvare le sue aziende, che un governo di sinistra avrebbe fortemente ridimensionato. Poiché il sistema maggioritario imponeva le coalizioni, fece un accordo con Umberto Bossi al Nord (Polo delle Libertà) e al Centro-Sud con Gianfranco Fini (Polo del Buongoverno), che ancora aveva il simbolo del Msi, perché Alleanza nazionale sarebbe nata soltanto il 27 gennaio 1995. Forza Italia vinse le elezioni del 27 marzo 1994 con il 21 per cento e oltre 8 milioni di voti, 250.000 più del Pds. Polo delle Libertà e Polo del Buongoverno conquistarono la maggioranza assoluta e Berlusconi andò a palazzo Chigi. Tutti i grandi giornali, la televisione pubblica e l'intellighenzia italiani erano sconvolti. La maggioranza silenziosa esultava: l'Italia non era pronta per essere governata dall'ultimo segretario del Pci.

Fino all'anno prima, nessuno avrebbe mai pensato che Berlusconi sarebbe entrato in politica. Lo sconsigliarono tutti, dalla moglie Veronica agli amici Gianni Letta e Fedele Confalonieri. Lo sostenne soltanto la madre Rosa, che aveva per lui un debole fin da bambino. Nato il 29 settembre 1936 a Milano, studente lavoratore (vendeva spazzole elettriche e lucidatrici Lincoln), laureato in legge con il massimo dei voti e pubblicazione di una tesi sul mercato pubblicitario, imparò il mestiere di costruttore frequentando un'azienda immobiliare cliente del padre Luigi, direttore di Banca Rasini. Berlusconi ha sempre dichiarato di aver iniziato l'attività con la sua liquidazione e con qualche mutuo spericolato. Chi ha sostenuto che è stato aiutato dai soldi della mafia non ha avuto finora fortuna nel dimostrarlo. Gli anni della «Milano da bere» e l'amicizia con Bettino Craxi gli misero il vento in poppa. E con Milano 2 portò in Italia l'edilizia moderna.

Cavaliere del lavoro a 41 anni nel 1977 (autosospeso nel 2014 dopo la condanna), la carica gli è rimasta attaccata come appellativo grazie al grande giornalista sportivo Gianni Brera: nei 31 anni della sua presidenza del Milan, dal 1986, la squadra rossonera ha vinto 8 scudetti, 5 Coppe dei Campioni, 7 Supercoppe italiane e altro ancora. Alla fine degli anni Settanta, per dotare di televisione via cavo i quartieri che andava costruendo, comprò Telemilano 58, la madre di Canale 5 e dell'impero mediatico che il Cavaliere avrebbe costruito nei vent'anni successivi.

Il ribaltone di Bossi, D'Alema e Buttiglione

È chiaro come un uomo così, molto amato, potesse essere molto invidiato e altrettanto odiato. Per questo la primavera politica del 1994 durò poco. Il 22 novembre 1994 il «Corriere della Sera» gli comunicò in prima pagina un invito a comparire della Procura di Milano, per corruzione a uomini della guardia di finanza. Era il primo di 74 procedimenti giudiziari (35 direttamente a suo carico, gli altri contro uomini della sua azienda) che non hanno mai abbandonato Berlusconi negli ultimi 23 anni e lo seguiranno per qualche tempo ancora.

Il Cavaliere sarebbe stato assolto con formula piena nel 2001, ma quel processo convinse Umberto Bossi – che già ne soffriva la leadership – a mangiare una sera pane e sardine con il segretario del Pds Massimo D'Alema e quello del Partito popolare Rocco Buttiglione, e a fare il «ribaltone» che portò al governo Lamberto Dini. Quest'ultimo era ministro del Tesoro di Berlusconi, che lo indicò al presidente della Repubblica Oscar Luigi Scalfaro come capo di un governo tecnico dominato da uomini vicini al centrodestra. Scalfaro, invece, formò un governo di tutt'altro colore e negò al Cavaliere le elezioni politiche per l'11 giugno 1995 che gli aveva promesso a quattr'occhi l'11 gennaio precedente e confermato due giorni dopo davanti a Gianni Letta e al segretario del Quirinale Gaetano Gifuni.

Si votò, invece, nel 1996 e vinse l'Ulivo di Romano Prodi, che era riuscito a trasformare la «minaccia» di un governo «comunista» in un più articolato governo di centrosinistra, con il concorso determinante della sinistra cattolica e di Rifondazione comunista. Berlusconi, che aveva perso male le regionali del 1995, fece una campagna elettorale inefficace. Seguii lui in Piemonte e D'Alema in Puglia, e capii che aveva pasticciato molto sulla riforma sanitaria, non rassicurando il ceto medio. Bossi se ne era andato e raggiunse il record storico di voti (10 per cento), Gianfranco Fini rifiutò un accordo riservato di desistenza con Pino Rauti, perdendo – secondo una ricerca dell'università La Sapienza di Roma – 23 seggi al Senato e 34 alla Camera. Perdendo, cioè, le elezioni. (Un accordo di desistenza fu fatto sul territorio da Rauti con Fausto Bertinotti e Rifondazione comunista.) Nel novembre 1995 D'Alema – che non gradiva la candidatura di Prodi a premier – aveva stretto segretamente un'intesa con Berlusconi per un governo istituzionale (Maccanico) che accompagnasse il paese a una riforma costituzionale semipresidenziale, in cambio di una riforma elettorale a doppio turno di tipo francese. Tutto cadde il 24 gennaio 1996 quando «il Giornale», di proprietà della famiglia Berlusconi, fece al Cavaliere lo scherzo di rivelarla e di bruciarla, cosa che fu certificata la sera stessa a «Porta a porta».

Il tentativo di riformare la Costituzione fu ripreso faticosamente nella primavera del 1997. Il 18 giugno, a casa di Gianni Letta, s'incontrarono D'Alema (presidente della Bicamerale), Berlusconi, Fini, il suo mentore Pinuccio Tatarella e il segretario del Ppi Franco Marini. Fusilli ai funghi, vitello tonnato e una crostata, che diede il nome al «patto». Il patto, già lesionato prima della cena dalla Lega facendo saltare il «premierato» (capo del governo eletto dal popolo), sul quale era stato raggiunto l'accordo, si sciolse definitivamente il 27 maggio 1998, quando Berlusconi si accorse che Fini aveva stretto un'intesa alle sue spalle segando l'agognata riforma della magistratura.

Nello stesso anno fu celebrato ad Assago il I congresso nazionale di Forza Italia, con 3500 scatenatissimi delegati. Ero seduto accanto a Francesco Cossiga, che mi disse: «E questo sarebbe il partito di plastica?». Tra le responsabilità politiche del Cavaliere – uomo solo al comando – c'è quella di non aver fatto più congressi così.

Nel 1997 la sua demonizzazione giudiziaria era talmente forte che un lucido analista di sinistra come Edmondo Berselli scrisse su «Liberal» un articolo intitolato *Il fattore N.* «N come nemico. Berlusconi è solo l'ultimo della serie...» Berselli notava che l'Ulivo sembrava già una parentesi e cominciava ad avvertirsi a sinistra «la tentazione irresistibile di assecondare la liquidazione del nemico per via giudiziaria. È la scorciatoia classica. Si prende Berlusconi e lo si colloca in una nicchia intoccabile come sintesi del male». Frase profetica.

Il 9 ottobre 1998 Bertinotti fece cadere Prodi, D'Alema fu il primo «comunista» a salire a palazzo Chigi e cadde a sua volta nel 2000, dopo aver perso male le elezioni regionali. Aveva previsto e comunicato in anticipo una vittoria per 10 (regioni) a 5 o, addirittura, per 11 a 4. Ne prese solo 7, contro le 8 del centrodestra.

Qui dobbiamo fare un passo indietro. Alle elezioni europee del 1999 la Lega aveva più che dimezzato i propri voti rispetto alle politiche di tre anni prima, scendendo al 4,5 per cento. Forza Italia era schizzata oltre il 25 per cento, 8 punti più dei Ds (nuovo nome del Pds). I Popolari furono stroncati (4,2 per cento) dalla concorrenza del nuovo partito di Prodi (l'Asinello, 7,7 per cento), che indusse D'Alema a proporre subito il Professore per la presidenza della Commissione europea ed evitare ulteriori sfraceli in Italia. Bossi aveva pagato l'annuncio della «secessione», fu punito e corse a Canossa. L'antivigilia di Natale del 1999 salì con Roberto

Maroni sull'aereo che riportava Berlusconi a Milano e concordò il rientro nel centrodestra in vista delle elezioni regionali del 2000 e delle politiche del 2001. Fu il «patto di Linate», mai più violato negli anni seguenti.

Durante la campagna elettorale del 2000 il Cavaliere sequestrò il circo di giornalisti e telecamere sulla nave *Azzurra* e fece una trionfale crociera. Prese così la rincorsa per le elezioni politiche del 2001 in cui sconfisse Francesco Rutelli, al quale il terzo premier del centrosinistra, Giuliano Amato, aveva ceduto la candidatura durante la registrazione di «Porta a porta» il 25 settembre 2000: aveva capito che i suoi gli stavano scavando la fossa («Rutelli era un candidato in nero,» mi disse «l'ho fatto emergere»). Quando perse le elezioni del 1996, Berlusconi era imputato in 15 processi, piovutigli addosso nei primi due anni di attività politica. Alla vigilia delle elezioni del 2001 – con lui fuori dal governo – 12 erano già svaniti. Ma la pressione mediatica contro il suo ritorno a palazzo Chigi era formidabile.

Tutte e tre le reti della Rai si scatenarono contro il Cavaliere. Raiuno con l'autorevolezza di Enzo Biagi, che ebbe Roberto Benigni come spalla per ridicolizzare Berlusconi. Raidue, con Daniele Luttazzi e Marco Travaglio, e Raitre, con Michele Santoro e Antonio Di Pietro, lo accusarono di reati (dall'associazione mafiosa in giù) che, se provati, avrebbero dovuto portare l'imputato direttamente all'ergastolo. Tutte le trasmissioni contro Berlusconi andarono in prima serata. Collocazione negata a «Porta a porta» per le due puntate dedicate a Rutelli e a Berlusconi, che approfittò del suo spazio per firmare il famoso «contratto con gli italiani».

Quando il Viminale annunciò una vittoria che non c'era

«La cosiddetta demonizzazione di Berlusconi ha spostato i rapporti di forza a favore della sinistra» scrissero gli analisti Luca Ricolfi e Silvia Testa su «Micromega», rivista schieratissima contro il Cavaliere. Ciononostante, la Casa delle Libertà conquistò 368 seggi alla Camera, contro i 261 di Ulivo e Rifondazione comunista, e 176 al Senato, contro i 134 della coalizione avversaria. Forza Italia sfiorò il 30 per cento dei voti (29,4) contro i 16,6 dei Ds, tallonati dalla Margherita (14,5) grazie all'effetto Rutelli. Fini (12 per cento) diventò vicepresidente del Consiglio, Bossi ministro delle Riforme, Casini presidente della Camera.

Nonostante il ministro dell'Economia Giulio Tremonti avesse denunciato un buco di bilancio forte e non previsto (24.000 miliardi di lire) e i contraccolpi negativi dell'attentato alle Torri Gemelle dell'11 settembre 2001, Berlusconi si rifiutò di fare una politica recessiva. Portò le pensioni minime a 1 milione di lire al mese, ampliò la fascia più bassa esente da imposte, cancellò la tassa su donazioni e successioni. Intanto, però, la sinistra non gli dava tregua. Nell'autunno del 2001 Piero Fassino, fresco segretario dei Ds, mi disse: «Il nostro partito fatica ad abituarsi all'idea che Silvio Berlusconi possa restare al governo per cinque anni. Manifesta emotivamente il desiderio che sia messo in difficoltà ogni giorno, ogni ora, ogni minuto sperando che così cada presto. Riflesso di questo stato d'animo è la richiesta a Ciampi di fare quel che il presidente della Repubblica, nelle sue prerogative costituzionali, non può fare».

Per dimostrare la pressione giudiziaria contro Berlusconi (35 processi: 20 assoluzioni o archiviazioni, 10 prescrizioni o amnistia, una condanna, 4 processi in corso) basti questo dato: tra il 1995 e il 2002 la Procura di Milano ha presentato a suo carico 309 rogatorie internazionali, cioè richieste a Stati esteri perché fornissero informazioni su sue presunte attività illecite. Per fare un paragone, contro Craxi ne furono presentate 22, contro Greganti e Stefanini (tangenti al Pds) complessivamente 7, contro Citaristi (Dc) 2. Nessuna contro Carlo De Benedetti (ne ebbe una da Udine), nessuna contro Cesare Romiti (una da Torino).

Per sottrarsi a questa offensiva giudiziaria «contra personam», esercitata anche con spettacolari artifici giuridici, Berlusconi commise l'errore di proporre «leggi ad personam», che non gli servirono quasi a niente ma scatenarono un inferno politico e mediatico. La prima, per evitare che i magistrati italiani inviassero a quelli svizzeri rogatorie in fotocopia e senza data certa, fu bocciata in Parlamento grazie al voto contrario di Follini. Ciampi fece capire che in quella formula non l'avrebbe firmata e, quando fu approvata in una formula corretta, fu resa inservibile perché – come disse il procuratore di Milano Francesco Saverio Borrelli – «neutralizzata sul piano interpretativo».

Il secondo provvedimento che procurò «girotondi» intorno al Senato e minacce fisiche al presidente Marcello Pera fu la «legge Cirami» sul legittimo sospetto. Berlusconi voleva essere giudicato da un tribunale diverso da quello di Milano dove il procuratore generale Borrelli era stato subissato dagli applausi dei magistrati dicendo all'inaugurazione dell'anno giudiziario del 2002: «Resistere, resistere, resistere come su una irrinunciabile linea del Piave». Il Quirinale impose di aggiungere al testo della legge che il trasferimento sarebbe stato accordato solo per «gravi situazioni locali, tali da turbare lo svolgimento del processo e non altrimenti eliminabili», e la cosa si chiuse nel nulla al canto di *Bella ciao* nell'aula parlamentare.

Altro scandalo fu sollevato dall'approvazione nel 2004 della legge Gasparri sul riordino delle televisioni. Ciampi ne bocciò una prima versione e approvò la seconda, che assegnava ai singoli operatori un «cesto» di risorse pubblicitarie più ristretto. Gasparri difese la sua legge sostenendo che con l'introduzione del digitale terrestre l'oligopolio Rai-Mediaset sarebbe stato ridimensionato. Allora la legge sembrò un oggettivo favore a Berlusconi. Oggi Sky fattura più di Rai e Mediaset, crescono Discovery e La7 e il digitale terrestre ha più di duecento canali: problema archiviato. Si aggiunga che Mediaset è sotto un pesante attacco francese e il governo di centrosinistra si è attivato per proteggerla.

Le elezioni amministrative ed europee del 2004 andarono male per Forza Italia, che perse quasi 1 milione di voti rispetto a quelle di cinque anni prima e 4 milioni rispetto alle politiche del 2001. La gente accusava il Cavaliere di non mantenere le promesse, anche se lui sosteneva il contrario, e uno studio dell'università di Siena a fine legislatura gli

avrebbe riconosciuto di averne mantenuto l'80 per cento.
Ma le imposte non calavano e il «caro euro» aveva falcidia-
to gli stipendi. Berlusconi ne attribuiva la colpa al governo Prodi, che aveva accettato un cambio punitivo, ma lui
aveva autorizzato troppo presto l'abolizione dei cartellini
con il doppio prezzo lira/euro. Gli alleati erano inquieti e
posero il problema della leadership, che il Cavaliere s'illuse di risolvere proponendo la nascita di un partito unico.

Il 1° luglio 2005 Follini, aprendo il congresso dell'Udc, pic-
chiò duro sul Cavaliere, che fu trattenuto a stento dall'abbandonare la sala. Dopo aver demolito alcuni punti cardine
della politica di Berlusconi, dalla riduzione delle aliquote
fiscali all'abolizione dell'odiata «par condicio» televisiva,
Follini concluse: «Un nuovo partito richiede il ricambio della leadership». Pier Ferdinando Casini disse che si sarebbe
candidato alle primarie di coalizione, Fini lo spiazzò comu-
nicando che l'avrebbe fatto anche lui, e la cosa cadde, anche
perché fu raggiunto un accordo per una nuova legge elettorale, approvata nel dicembre 2005: il «Porcellum», un sistema proporzionale con premio di maggioranza.

Il centrodestra si presentò quindi diviso alle elezioni politiche del 9 aprile 2006. Nel confronto televisivo finale con
Prodi, Berlusconi annunciò negli ultimi secondi utili che, se
avesse vinto, avrebbe tolto l'Ici sulla prima casa. Non si sa
se fu questa la frase magica o se la gente aveva paura di una
coalizione di centrosinistra, l'Unione, che riuniva intorno a
Prodi 12 partiti, da Dini e Mastella a Diliberto e Bertinotti.
Fatto sta che il centrodestra perse per 24.000 voti in circostanze davvero strane.

Lunedì 10 aprile gli exit poll della Rai davano all'Unione
un vantaggio incolmabile, poi drasticamente ridimensionato nella serata e nella notte, fino a essere annullato dalle proiezioni. Il ministro Beppe Pisanu si presentò a casa
Berlusconi a mezzanotte, quando lo spoglio non era ancora completato, e disse: «Abbiamo 250.000 voti di vantaggio
al Senato e 100.000 alla Camera. Abbiamo vinto». E rimase
davanti al televisore in attesa che «Porta a porta» gli confermasse quel che aveva detto al Cavaliere. Alle 21.36 l'Ansa

trasmise una dichiarazione del coordinamento dell'Ulivo
che invitava i parlamentari del Lazio e della Campania a
esercitare «la massima vigilanza». I parlamentari campa-
ni della CdL temettero che nelle sezioni di Caserta, Barra e
Ponticelli stessero avvenendo cose strane durante lo spoglio.
Fatto sta che, alla fine, il centrodestra perse per 24.755 voti
e Berlusconi gridò inutilmente ai brogli. Vinse al Senato,
ma il risultato fu ribaltato grazie ai voti degli italiani all'e-
stero, e questo mise il governo Prodi nelle mani di un mitico «senador Pallaro», eletto in Sudamerica, che l'avrebbe
abbandonato nel momento decisivo.

Il trionfo del 2008 e il senso di onnipotenza

Il Professore entrò subito in difficoltà sulla manovra economica e per i condizionamenti di Rifondazione. Ma nel centrodestra era sempre più forte la tentazione di Fini e Casini
di disfarsi di Berlusconi. Indispettito dalla scissione a destra
di Francesco Storace (incoraggiata dal leader di Forza Italia),
Fini lanciò un siluro al Cavaliere minacciandolo su giustizia e televisioni, mentre Casini parlò di un governo di
transizione senza Prodi, ma anche senza Berlusconi. Fu
allora, il 18 novembre 2007, che, salendo sul predellino
della sua automobile in una manifestazione improvvisa-
ta a piazza San Babila a Milano, il Cavaliere lanciò il partito unico: il Popolo della Libertà. Era la risposta a Walter
Veltroni e al lancio del nuovo Partito democratico a vocazione maggioritaria.

Il 16 gennaio 2008 la magistratura di Santa Maria Capua
Vetere ordinò l'arresto di Sandra Mastella, poco prima che
il marito, ministro della Giustizia, leggesse alla Camera il
suo rapporto annuale. Lui stesso fu indagato, mezza Udeur,
il suo partito, finì in prigione. (I coniugi Mastella sarebbero
stati assolti soltanto nell'autunno del 2017.) Il governo entrò
in crisi, Fini tornò con Berlusconi, accettando la lista unica
del Popolo della Libertà, mentre Casini andò da solo. Il PdL
trionfò alle elezioni del 13 aprile 2008, con il 37 per cento dei
voti contro il 33 del Pd. La coalizione di centrodestra, com-

presa la Lega, ebbe 340 seggi contro 239 alla Camera e 168 contro 130 al Senato. L'Udc conquistò 36 seggi alla Camera, mentre la Sinistra Arcobaleno, guidata da Bertinotti, fu esclusa dal Parlamento.

I primi due anni della legislatura ebbero una doppia faccia. Da un lato, la pressione giudiziaria contro Berlusconi diventò sempre più forte, con misure molto discutibili del tribunale di Milano (si veda ancora, per tutti, il nostro *Nel segno del Cavaliere*). Il nuovo presidente della Repubblica, Giorgio Napolitano, firmò una legge (il «Lodo Alfano») che sospendeva i processi alle quattro più alte cariche dello Stato per la sola durata del loro mandato. Approvata nel 2008, la legge fu cancellata dalla Corte costituzionale l'anno successivo, nonostante assicurazioni contrarie. Dall'altro lato, il Cavaliere ebbe per la prima volta una lunga luna di miele con gli italiani. Ripulì Napoli dalla spazzatura, che dalle strade cittadine era finita sui giornali di tutto il mondo. Gestì con efficacia e rapidità l'emergenza del terremoto dell'Aquila del 6 aprile 2009 e, celebrando il 25 aprile a Onna, il paese più colpito, indossò il fazzoletto tricolore dei partigiani e fece un discorso che la stessa sinistra riconobbe quasi da «padre della Patria».

Fu allora che Berlusconi fu colto dal virus che nel corso della storia ha danneggiato tanti uomini soli al comando: il senso di onnipotenza. Pensò che la vita privata del presidente del Consiglio fosse soltanto sua e che alcune vistose sregolatezze non dovessero pesare sul giudizio complessivo. Non andò così. La sera successiva alla manifestazione di Onna, domenica 26 aprile, il Cavaliere si recò a Casoria, nel Napoletano, a festeggiare i diciotto anni di Noemi Letizia. Cominciò allora il tormentone del «papi» (come pare lo chiamasse la ragazza), che non l'avrebbe più abbandonato per l'intero decennio successivo. La sua presunta frequentazione di minorenni fece scandalo in tutto il mondo e portò la moglie Veronica a definire queste debolezze del marito «ciarpame senza pudore» e a formulare una pesantissima richiesta di divorzio. Tutto questo mentre l'8-10 luglio 2009 i grandi del mondo si complimentavano con il presidente del Consiglio per l'eccellente riuscita del G8 dell'Aquila e la carica d'odio nei suoi confronti aumentava per poi consumarsi la sera del 13 dicembre: uno psicolabile, Massimo Tartaglia, gli scagliò addosso una miniatura del Duomo di Milano, trasformandogli il volto in una maschera di sangue.

La sera del 27 maggio 2010 la polizia fermò nel capoluogo lombardo Karima El Mahroug, una ragazza marocchina che non aveva ancora 18 anni (anche se ne dimostrava molti di più). Fu l'inizio di un incubo. «Ruby Rubacuori», frequentatrice di Arcore, restò sulla scena per cinque anni, fino all'assoluzione di Berlusconi nel 2015. Ma i processi legati al giro di ragazze che presero parte alle «cene eleganti» di Arcore sono lontani dall'esaurirsi. Il Cavaliere fu di una leggerezza irresponsabile nel far frequentare la sua abitazione di presidente del Consiglio da compagnie di giovani donne non selezionate propriamente tra i gruppi di preghiera della locale parrocchia. Ma nessuna persona al mondo, nemmeno i criminali più pericolosi, sono mai stati spiati, controllati, intercettati come le decine di persone – non solo ragazze – che per mesi hanno frequentato villa San Martino. Una deviazione giudiziaria indegna di un paese normale. Settantasettemila intercettazioni (sono i dati forniti dal Cavaliere), perquisizioni all'alba in casa di tutte le ragazze, affidamento delle indagini a Ilda Bocassini, che avrebbe dovuto occuparsi di mafia. Una tempesta mediatica mondiale – provocata dall'imprudenza di Berlusconi, ma enormemente amplificata dalla pubblicazione di intercettazioni e dal rumore dell'inchiesta giudiziaria – che contribuì in modo rilevante alla delegittimazione internazionale del presidente del Consiglio italiano.

Parallelamente si consumava la rottura tra Berlusconi e Fini. Il presidente della Camera, sostenuto pienamente dai giornali contrari al Cavaliere, gli faceva il controcanto su ogni decisione, fino a far saltare la riforma delle intercettazioni alla quale il primo ministro teneva moltissimo. I rapporti tra i due si erano incrinati anche a causa della campagna di stampa che «il Giornale» e «Libero» avevano lanciato contro Fini per la svendita di una casa di Montecarlo, donata ad An da una nobildonna, a Giancarlo Tulliani, fratello della sua compagna Elisabetta, attraverso un oscuro giro di società prestanome. Messo alle strette, Fini annunciò che se Tulliani fosse stato il proprietario dell'appartamento, si sarebbe dimesso. Non lo fece, e negli anni successivi si trovò in grave difficoltà quando si scoprì che la sua compagna ne aveva seguito passo dopo passo la ristrutturazione e l'arredamento. Gli investigatori sospettano che i soldi per l'acquisto dell'immobile e per molto altro siano stati forniti alla famiglia Tulliani – Giancarlo è attualmente latitante a Dubai – dall'imprenditore Francesco Corallo in cambio di favori politici sulla normativa per le slot machine. E Fini è stato accusato di concorso in riciclaggio.

Il «dolce colpo di Stato» del 2011

L'incompatibilità politica tra Fini e Berlusconi fu certificata il 22 aprile 2010 da una drammatica riunione del consiglio nazionale del Popolo della Libertà. Al severissimo documento di censura proposto dal Cavaliere, Fini rispose con il celebre: «Che fai, mi cacci?». 10 senatori e 34 deputati di An lasciarono insieme a lui la maggioranza. Restarono i dirigenti storici: Ignazio La Russa, Maurizio Gasparri, Altero Matteoli, Gianni Alemanno. Berlusconi accusa il presidente Napolitano di aver tramato per far cadere il governo, promettendo al presidente della Camera palazzo Chigi. Il 14 dicembre 2010 una mozione di sfiducia fu bocciata per un soffio, grazie al contributo decisivo di 11 deputati (i Responsabili) provenienti dal gruppo misto e da Italia dei Valori.

La via crucis del 2011, che avrebbe portato Berlusconi alle dimissioni, cominciò in primavera con il pessimo risultato delle comunali e la perdita di Milano. La crisi economica mordeva da tre anni e, nel governo, la linea rigorista di Giulio Tremonti si scontrava con quella espansiva del Cavaliere. Il 6 luglio fu approvata per decreto una manovra economica forte: 28 miliardi di entrate fiscali, 65 di tagli, 14 da destinare allo sviluppo. I mercati erano certi che il Parlamento avrebbe edulcorato la cura e così lo spread salì, nel giro di pochi giorni, da 226 punti a 416. Allarme rosso.

Il 5 agosto una lettera a firma congiunta del governatore della Banca d'Italia Mario Draghi e del presidente della Bce Jean-Claude Trichet imponeva all'Italia il pareggio di bilancio entro il 2013, un anno prima di quanto a suo tempo concordato. Mentre la Bundesbank ordinava alle banche tedesche di vendere titoli di Stato italiani, aumentando la sfiducia nel nostro paese, Giorgio Napolitano si consultava con la cancelliera tedesca Angela Merkel, irritata per una frase volgare ai suoi danni attribuita a Berlusconi, sempre smentita dal Cavaliere e smentita perfino (sei anni dopo) dal «Fatto Quotidiano», che l'aveva cavalcata. (A quanto sappiamo, la frase fu pronunciata da un interlocutore del Cavaliere e a lui riferita erroneamente dal circo mediatico.) Successivamente il capo dello Stato ottenne dall'ex rettore della Bocconi, Mario Monti, la disponibilità a guidare un governo tecnico di unità nazionale, concordando misure economiche con il banchiere Corrado Passera. Tutto avvenne ovviamente in segreto, comprese le consultazioni di Monti con Romano Prodi e Carlo De Benedetti, editore del gruppo «Espresso-Repubblica» e nemico storico del Cavaliere.

Mentre lo spread continuava a salire, il 23 ottobre, dopo una riunione dei capi di Stato e di governo europei, alla domanda se fossero stati rassicurati da Berlusconi, la Merkel e il presidente francese Nicolas Sarkozy si scambiarono un sorrisetto molto eloquente. Il 2 novembre, mentre il ministro dell'Econmia, Giulio Tremonti, era al Quirinale, il governo approvò un nuovo decreto legge con misure restrittive, senza la presenza del ministro delegato, Tremonti, salito al Quirinale. Napolitano si rifiutò di firmare il decreto, ritenendolo troppo articolato: si sarebbe comportato diversamente con i governi successivi, ma la sua decisione fu una sentenza di morte. Tremonti fu accusato di tradimento (voleva lui palazzo Chigi?), contestazione che ha sempre respinto nei nostri colloqui, sino a fornire «tre prove» al «Giornale» del 14 ottobre 2017. (Il 7 febbraio 2012, in verità, fu Napolitano a dire che il ministro del Tesoro aveva condiviso le sue riserve sul decreto.)

Il 3 novembre Berlusconi andò così a mani vuote al vertice di Cannes dove, sostenuto dal presidente americano Barack Obama, rifiutò che l'Italia venisse commissariata come Spagna, Irlanda, Portogallo e Grecia. Ma la sorte del governo era segnata. Otto parlamentari lasciarono il PdL «per senso di responsabilità». L'8 novembre il rendiconto dello Stato fu approvato con 308 voti: il governo non era sfiduciato, ma mancavano otto voti alla maggioranza assoluta. (L'11 ottobre 2017 Pierluigi Bersani avrebbe ricordato l'episodio, dopo che il governo Gentiloni ha incassato con 308 voti la fiducia sulla legge elettorale.) Il 9 novembre Monti fu nominato d'urgenza senatore a vita, il 12 il Cavaliere si dimise. Dovette lasciare il Quirinale da un'uscita secondaria e nella notte la sua residenza romana di palazzo Grazioli fu assediata.

Sulla vicenda del 2011 Berlusconi ebbe giustizia tre anni dopo. Nel 2014, infatti, Alan Friedman rivelò nel suo *Ammazziamo il Gattopardo* l'accordo tra Napolitano e Monti e gli incontri del professore con Prodi e De Benedetti. Ricordai allora che l'11 settembre 2011, intervistando Mario Monti nell'anniversario dell'attentato alle Torri Gemelle, lui si disse nettamente favorevole alla sostituzione del governo Berlusconi con un gabinetto tecnico. Non sapevo che da tre mesi aveva avuto dal presidente della Repubblica il mandato di farlo. Contemporaneamente, l'ex segretario al Tesoro di Obama, Tim Geithner, l'ex presidente del governo spagnolo José Luis Zapatero, l'economista Lorenzo Bini Smaghi e gli analisti internazionali Edward Luttwak, americano, e Ambrose Evans-Pritchard, inglese, documentarono le trame ai danni di Berlusconi. Il filosofo tedesco Jürgen Habermas, vicino alla sinistra, poté dunque concludere che il governo del Cavaliere era stato abbattuto da «a quiet coup d'État», un dolce colpo di Stato.

Quando seppe queste cose, nel 2014, Berlusconi era da un anno ai servizi sociali, dopo l'inattesa e clamorosa sentenza della Cassazione che il 31 luglio 2013 lo aveva condannato per frode fiscale. L'esclusione dal Senato era stata decisa in virtù della legge Severino, dal nome del ministro della Giustizia del governo Monti, che prevede decadenza dall'ufficio e incandidabilità per i condannati per alcuni reati. In un momento drammatico per il paese, Forza Italia aveva appoggiato il governo Monti, che prese misure traumatiche: basti pensare alla riforma delle pensioni firmata da Elsa Fornero e varata per decreto legge, senza che Napolitano battesse ciglio.

Il 26 ottobre 2012 il giudice del tribunale di Milano Edoardo D'Avossa aveva condannato Berlusconi a quattro anni di reclusione e a cinque di interdizione dai pubblici uffici (poi ridotti a due) per frode fiscale su diritti televisivi acquistati da Fininvest all'inizio degli anni Novanta. Gli aspetti singolari di questa decisione sono due: il Cavaliere era stato assolto per due giudizi analoghi e veniva condannato come socio, mentre venivano scagionati presidente, amministratore delegato e direttore finanziario della società indagata. Berlusconi decise di candidarsi ugualmente e, nonostante si trovasse nelle condizioni peggiori degli ultimi vent'anni, si rese protagonista di una rimonta spettacolare. Partita da un sondaggio che le assegnava il 12 per cento dei voti, alle elezioni del 24 febbraio 2013 Il Popolo della Libertà arrivò al 21,56 e la coalizione di centrodestra al 29. Prese quasi 10 milioni di voti, soltanto 125.000 meno del centrosinistra, ma il Pd beneficiò di un premio di maggioranza di quasi 200 seggi, ottenendone così 292 contro i 97 del PdL. A Pierluigi Bersani non fu possibile fare un governo di centrosinistra, mentre vi riuscì poi Enrico Letta con l'appoggio di Forza Italia.

Il 10 luglio 2013 il «Corriere della Sera» fece notare che la condanna in secondo grado di Berlusconi per frode fiscale rischiava di andare in prescrizione il 1° agosto. Non era vero (la data esatta era il 26 settembre), ma questo indusse la Cassazione a costituire in gran fretta un collegio «feriale» composto da giudici di sezione diversa da quella titolare del processo. La condanna fu confermata lo stesso 1° agosto. Fu una gelata, perché tutti erano convinti di un provvedimento favorevole. Il 27 novembre Berlusconi decadde da senatore, dopo un voto a scrutinio palese del tutto estraneo alla tradizione parlamentare in casi analoghi, per i quali è previsto il voto segreto. Il PdL fu sciolto e rinacque Forza Italia, che ritirò la fiducia al governo Letta. Angelino Alfano, ex segretario, se ne andò e fondò il Nuovo centro destra (Ncd), e restò al governo con altri quattro ministri, già di Forza Italia.

Matteo Renzi, da sindaco di Firenze, era stato durissimo nell'esigere l'esclusione del Cavaliere dal Senato, ma una volta conquistata la segreteria del Pd lo ricevette il 18 gennaio 2014 al Nazareno con Gianni Letta (auspice Denis Verdini) per avviare un percorso istituzionale comune su tre temi: riforma del Titolo V della Costituzione, che aveva dato eccessivi poteri alle regioni; Senato non elettivo e numericamente ridotto; riforma elettorale. Tutto cadde il 31 gennaio 2015, quando Sergio Mattarella fu eletto presidente della Repubblica. Berlusconi, che riteneva di aver raggiunto un accordo su Giuliano Amato, fu preso in contropiede.

Il Cavaliere ha prestato «servizio sociale» per quasi un anno (23 aprile 2014 - 9 marzo 2015) a un centro di assistenza per anziani di Cesano Boscone. Al di là delle restrizioni di movimento (era di fatto agli arresti domiciliari temperati), la pena si è trasformata in un regalo spirituale e mediatico. Berlusconi ha dato fondo a tutte le sue innegabili doti umanitarie e ha riconquistato progressivamente l'affetto di una parte tutt'altro che marginale dell'opinione pubblica. Nel 2016 ha consolidato l'alleanza con Matteo Salvini e Giorgia Meloni, segretari rispettivamente della Lega Nord e di Fratelli d'Italia, ulteriormente rafforzata, nonostante i frequenti rabbuffi, da vittorie elettorali (inattesa nella misura quella alle comunali del 2017) e sondaggi per le elezioni politiche della primavera 2018.

«Affidereste i vostri risparmi a me o ai grillini?»

In una quieta sera dell'ottobre 2017, a villa San Martino, Silvio Berlusconi, dimagrito e rilassato, si prepara alla sua settima campagna per le elezioni politiche, ventiquattro anni dopo la sua «discesa in campo». Il silenzio nella villa è assoluto. Non si odono passi, non squillano telefoni. Due ore e mezzo di conversazione vengono interrotte soltanto da una rapida visita della sua discreta ed efficiente assistente Licia Ronzulli, che gli sottopone le agenzie di stampa più urgenti. La *remise en forme* di Chenot lo ha rimodellato. «Ho deciso di avvalermi dell'esperienza di questo mio ottimo amico di Merano,» mi racconta il Cavaliere «ho fatto tutti gli esami per valutare le mie condizioni di salute e ho affiancato una dieta all'attività fisica che praticavo da tempo. Ogni mattina, 5 chilometri di passeggiata e a seguire mezz'ora/un'ora di nuoto in piscina.» Ed eccolo qui, pronto alla nuova battaglia.

Lo hanno chiamato il «Rieccolo», come Indro Montanelli definì Amintore Fanfani che, dopo ogni caduta, risorgeva più forte di prima. Ha fatto caso, gli chiedo, a quante volte hanno celebrato il suo funerale politico? «Il primo avvenne nel 1995, quando Scalfaro fece il primo "colpo di Stato" ai miei danni promettendomi elezioni anticipate che non ci furono e formando un governo opposto a quello che avevamo concordato. Era abbastanza naturale, dopo l'uscita da palazzo Chigi e la sconfitta elettorale del 1996, che tutti i giornali e tutti gli avversari politici esterni e interni alla mia coalizione considerassero esaurita la carriera politica di uno che, in due mesi, aveva fondato un partito e vinto le elezioni diventando presidente del Consiglio. È accaduto di nuovo dopo la sconfitta elettorale del 2006 per 24.000 voti, arrivata improvvisa alle 3.30 della notte in circostanze stranissime e con il mio ministro dell'Interno che era con me a festeggiare la nostra vittoria per 354.000 voti. E ancora nel 2011, quando fui costretto alle dimissioni, e nel 2013, quando fui espulso dal Senato e dalla vita pubblica per un'assurda condanna per vicende fiscali: avrei indotto una delle mie società a risparmiare 10 milioni. E pensare che le società che ho fondato hanno versato all'erario 5 miliardi 860 milioni di euro, senza contare le centinaia di milioni che ho versato personalmente.»

L'anno trascorso prestando «servizio sociale» alle persone in difficoltà nella casa di cura per anziani di Cesano Boscone ne ha rigenerato l'immagine pubblica. Berlusconi è tornato in televisione alla fine del 2016 per bocciare il referendum costituzionale e nella primavera del 2017 per la campagna delle amministrative, che ha visto il forte rilancio del centrodestra. A fine ottobre è andato in Sicilia, convinto di vincere anche lì. Ma ha sempre mantenuto un tono garbato e istituzionale, con il risultato di vederlo rispettato anche dai giornali che lo hanno combattuto per una vita e sembrano perfino rassegnati a una sua vittoria alle elezioni del 2018. Come mai?

«Nei miei confronti c'è stata, in effetti, una vera e propria criminalizzazione da parte di certi ambienti politici, di certi organi di stampa, di certi settori della magistratura. Ma non c'è mai stata fra gli italiani. Sempre, da quando sono sceso in campo nel 1994, ho trovato fra la gente un affetto, un calore, una partecipazione che non sono mai venuti meno. Anzi, tanto più certi ambienti cercavano di infangarmi, tanto più la gente mi ha fatto sentire la sua vicinanza. Credo che ormai in molti si siano resi conto che la stagione dei veleni non premiava, abbiano capito che gli italiani sono un popolo troppo intelligente e troppo consapevole per credere in accuse e in attacchi così grotteschi, così palesemente ingiusti, in una rappresentazione di me, della mia famiglia, dei miei amici e collaboratori, così lontana dalla realtà. Certo, sono veleni che hanno lasciato il segno: se uno squilibrato li ha presi alla lettera, cercando di aggredirmi, come è accaduto a Milano vicino al Duomo – e ne porto ancora i segni sul viso –, il danno alla mia immagine e alla mia reputazione, e alle persone che mi sono vicine, è molto più ampio. C'è chi è ancora in prigione per la sola colpa di essermi amico, ci sono persone indagate per aver accettato di venire a cena a casa mia. Io non mi sono mai voluto adeguare a questa visione della politica. Non mi appartiene e credo che non piaccia agli italiani. Non ho mai usato il linguaggio dell'odio verso i nostri avversari politici, neppure quando mi hanno provocato in tutti i modi. Non ho mai praticato la demonizzazione, l'insulto, la calunnia. L'amore vince sempre sull'odio: è una massima che mi ispira da sempre, e i fatti mi hanno dato ragione.

«Oggi» riprende Berlusconi «in molti si sono resi conto che una grande rivoluzione liberale e moderata è l'unica strada per portare l'Italia fuori dalla crisi e per battere il ribellismo – non mi piace chiamarlo populismo – del Movimento 5 Stelle. La rabbia degli italiani verso la politica – che ha molte ragioni e molte giustificazioni – può trovare solo due risposte: una è quella grillina, che porterebbe l'incompetenza al potere e devasterebbe l'economia sotto i colpi di tasse altissime per il ceto medio; l'altra è la nostra, basata sui valori e la cultura della grande famiglia della democrazia e della libertà in Europa – il Partito popolare europeo –, che battono i ribellismi in tutt'Europa, e, se mi consente di dirlo, anche sull'esperienza di un leader che, a differenza di quelli del Movimento 5 Stelle, ha realizzato qualcosa di importante nella vita, nell'impresa, nello sport, nella politica. Se lei dovesse affidare i suoi risparmi a qualcuno per farli fruttare, di chi si fiderebbe? Di Berlusconi o dei leader grillini, che non hanno neppure mai lavorato? Credo che gli italiani faranno lo stesso ragionamento quando sceglieranno a chi affidare il loro futuro e quello dei loro figli.»

«Salvini goleador, Meloni all'ala, io regista»

Forza Italia ha approvato insieme alla Lega e al Pd la nuova legge elettorale. «La legge elettorale più corretta è quella proporzionale,» osserva il Cavaliere «che funziona benissimo in Germania da settant'anni. Fotografa perfettamente la volontà degli elettori. Tanti voti prendi, tanti seggi guadagni. Non si è voluto approvarla e si è arrivati a questa con due terzi di proporzionale e un terzo di maggioritario, per cui in ogni collegio vince chi prende più voti.»

Qualcuno sostiene che nei collegi del Nord vi danneggi in favore della Lega. «Non sono d'accordo. Il numero delle candidature di ciascun partito della coalizione, anche quelle del Nord, verrà stabilito sulla base dei sondaggi prima della formazione delle liste e, per quanto riguarda il candidato del singolo collegio, si sceglierà il candidato migliore. Io farò una campagna elettorale molto accurata e sono convinto che Forza Italia arriverà intorno al 30 per cento al Sud come al Nord.»

Non mi pare affatto realistico, presidente... «E invece lo è. Lo dico per due motivi. Il primo è il ricordo di quel che avvenne nel 2013. Mi ero allontanato dalla politica e feci soltanto gli ultimi 23 giorni di campagna elettorale. Forza Italia era scesa nei sondaggi all'11,7 per cento e ottenemmo 10 punti di più. Stavolta, con una campagna elettorale di molti mesi, immagino che quei 10 punti possano diventare almeno 14-15. Quindi...» E la seconda ragione di ottimismo? «Le crescenti manifestazioni di simpatia, di affetto e di considerazione che incontro ovunque io vada.»

Nelle elezioni precedenti Berlusconi era candidato. Stavolta è difficile che la Grande Chambre della Corte di Strasburgo emetta il suo verdetto prima delle elezioni. «Dovrebbe farlo, dopo quasi cinque anni di attesa, perché è in ballo il destino di un leader politico importante e di un paese fondatore dell'Europa. In ogni caso, sul simbolo di Forza Italia ci sarà scritto "Berlusconi Presidente".»

Salvini viene definito un «populista», lei aderisce al Partito popolare europeo. È facile accordarvi? «Matteo, per carattere, è un irruento, gli piace attaccare gli avversari con vigore e questo è il comportamento pubblico. Il Salvini privato è aperto alle considerazioni più realistiche e nei nostri incontri si dimostra ragionevole e rispettoso delle mie idee. La stessa cosa vale per Giorgia Meloni.»

Salvini è un goleador, ma vuole fare l'allenatore al suo posto. «Per sua natura Salvini è un goleador, come la Meloni, che vedo bene giocare all'ala. Berlusconi è il regista se sta in campo e l'allenatore se sta fuori. Chi prenderà più voti farà l'allenatore.» Nel caso doveste andare al governo da soli, la Lega sarà molto esigente. «Abbiamo parlato già di tutto. Su 20 ministri, 12 saranno protagonisti della vita civile e soltanto 8 professionisti della politica.» Distribuiti? «Tre a Forza Italia, tre alla Lega, due a Fratelli d'Italia.»

Il Cavaliere segue con attenzione la nascita di una «quarta gamba» del centrodestra. «La nascita di tanti piccoli partiti è una conseguenza storica dell'individualismo di noi italiani. Chiunque abbia un minimo seguito non resiste alla tentazione di fondare un micromovimento. Vedo come possibile la fusione dei piccoli partiti di ispirazione liberale per poi entrare nel centrodestra, dopo averne condiviso un programma la cui stesura vedrà anche la loro partecipazione.» A chi pensa? «Il movimento di Stefano Parisi, l'Udc, Scelta civica, il Movimento animalista, i pensionati. Molti avevano chiesto di entrare in Forza Italia...»

E il partito di Alfano, Alternativa popolare? «Ricordiamo che sono persone elette e mandate in Parlamento dagli elettori di Forza Italia. In Sicilia la gran parte è venuta con noi prima delle elezioni regionali. I leader nazionali, invece, hanno deciso di restare con la sinistra...» Esclude un loro rientro? «In questa legislatura ci sono stati 526 cambi di gruppo parlamentare. I cittadini perdono il senso del valore del loro voto. No, non possiamo richiamare Alleanza popolare.»

Chiedo a Berlusconi se Salvini ha rinunciato alla sua battaglia per uscire dall'euro. «Direi di sì. Sta facendosi strada l'idea di restare nell'euro, ma limitarne l'uso alle transazioni internazionali, stampando una seconda divisa che restituisca all'Italia una parte della sua sovranità monetaria.»

Davvero pensa di tornare alle Am-lire del dopoguerra? «Io sono figlio della guerra e ricordo bene questa moneta stampata dagli Alleati e rimasta in vigore fino al 1953. Il Centro studi del pensiero liberale ha verificato che non esiste una norma dei trattati europei che vieti l'adozione di una seconda moneta nazionale.»

Vuol dire che gli stipendi saranno pagati in lire? «Lo stiamo valutando, ma sono rimasto impressionato da come il Giappone ha affrontato gli anni della crisi. Ha stampato moneta per una cifra pari al 20 per cento del prodotto interno lordo. In Italia il Pil è di 1600 miliardi, che arriva almeno a 1800-2000 se consideriamo quello reale compreso il sommerso. Bene, noi potremmo stampare moneta per 400 miliardi in tre anni e far ripartire alla grande il paese.» E l'inflazione? «Sa quanto è oggi l'inflazione giapponese? Intorno allo 0,50 per cento. E durante la crisi non è mai esplosa.»

Salvini propone una «flat tax», una tassa piatta al 15 per cento. Mi pare pochino... «Noi stiamo studiando l'aliquota più bassa possibile, come quella in uso in molti paesi del mondo. Il successo finanziario di Hong Kong, per esempio, è stato di avere fin dal dopoguerra una flat tax molto bassa per i residenti. Tanto è vero che la flat tax, a questo livello, è rimasta anche quando il territorio è entrato nella sovranità cinese. La flat tax è usata con buoni risultati anche in Russia.»

La Costituzione prevede la progressività delle imposte. Occorre, quindi, un riequilibrio in basso. «E infatti noi prevediamo una soglia esente fino a 12.000 euro e una flat tax sugli importi superiori.»

Altro punto eticamente lodevole, ma finanziariamente costoso, faccio notare a Berlusconi, è il reddito di dignità. «In Italia ci sono 4 milioni 750.000 italiani che vivono nella povertà assoluta e vanno avanti con l'assistenza pubblica e la carità privata. Si aggiungano 10 milioni 400.000 cittadini che vivono in una condizione di povertà relativa: secondo l'Istat, una famiglia di quattro persone che non raggiunge un reddito mensile di 1155 euro.»

La vostra proposta? «Assistenza globale a chi si trova in condizioni di povertà assoluta, integrazione del reddito per nucleo familiare sino al livello di dignità.»

Non c'è il rischio che queste persone non siano motivate a cercarsi un lavoro? «Non credo: come avviene in altri paesi, il reddito di dignità verrà corrisposto a determinate condizioni. Fra queste, il fatto di un concreto impegno al mantenimento o alla ricerca di un lavoro, anche attraverso corsi di aggiornamento professionale, e l'obbligo di accettare eventuali proposte di lavoro. Magari non la prima che capita, ma la seconda o la terza certamente. E anche, per esempio, il regolare adempimento dell'obbligo scolastico per i figli.»

Inoltre, il presidente di Forza Italia mi conferma di «voler elevare a 1000 euro al mese le pensioni minime, come nel 2001 le elevammo a 1 milione di lire al mese per 13 mensilità, e di voler dare un reddito alle mamme, che non sono mai state pagate in vita loro». E dove pensa di trovare l'enorme mole di denaro necessario per attuare una riforma eticamente molto lodevole, ma terribilmente costosa? «Occorrerà una profonda riorganizzazione scientifica dello Stato, una forte riduzione della spesa pubblica e la possibilità di stampare una nuova moneta, che dovrebbe affiancare l'euro.»

Al mio scetticismo sulla possibilità di riformare lo Stato dalle radici, il Cavaliere obietta citando una tesi che lo ha colpito mentre si preparava a ricevere una laurea honoris causa in ingegneria aziendale. «Ogni entità creata e gestita dagli uomini ha bisogno di una riorganizzazione scientifica ogni dieci anni. Ma se si salta il primo e il secondo decennio, alla fine del terzo decennio, dopo trent'anni, i risultati minimi che si ottengono con una riorganizzazione scientifica sono un risparmio di almeno il 30 per cento sui costi e un aumento della produttività di almeno il 15 per cento. È quanto intendo fare con una rivoluzione moderata nei modi, ma profonda nei contenuti.» Pensa di riuscirci? «Cercherò di spiegarla ai cittadini elettori perché per mettere in atto questo programma occorre una forte maggioranza.»

«Antonio Tajani sarebbe un ottimo premier»

Se il centrodestra non vincesse alle prossime elezioni, sarebbe altamente probabile una Grande Coalizione con il Pd. «Io penso che, con il sistema maggioritario su un terzo dei voti, avremo i numeri per governare da soli» obietta Berlusconi.

Con Renzi non vi incontrate dal 28 gennaio 2015, quando ci fu la rottura sul candidato presidente della Repubblica. Pensa di aver sbagliato ad avergli detto di essere d'accordo con D'Alema sulla candidatura Amato? «Avevo ricevuto una telefonata di D'Alema, che mi chiese se fosse vero che avremmo sostenuto il candidato Giuliano Amato. Io lo riferii subito a Renzi. Non c'erano stati accordi di nessun tipo con D'Alema e mi ero comportato come sempre con grande trasparenza.»

Qual è il suo rapporto con il presidente Mattarella? «Nella nostra scelta per il Quirinale non c'era niente di personale. Ho avuto sempre nei suoi confronti un atteggiamento di rispetto e di considerazione che sono ricambiati.»

Naturalmente, quando parliamo di possibili candidati alla presidenza del Consiglio, il Cavaliere si fa prudente. «Durante una cena privata, in casa mia, ho fatto vari nomi tra cui quello di Marchionne, per indicare il tipo di personalità auspicabile per il ruolo, ma non ne ho mai parlato con lui. Stessa cosa per Mario Draghi, che sarebbe un premier eccellente.»

E Antonio Tajani? «È l'italiano che in Europa ha raggiunto la posizione politica più elevata, quella di presidente del Parlamento europeo, un ruolo che gestisce con grande autorevolezza e con un impegno straordinario.» Può essere lui il presidente del Consiglio, se toccasse a voi indicarlo? «Antonio sarebbe un ottimo premier. È con noi dal 1994, ed è uno dei cinque fondatori di Forza Italia. Ma, naturalmente, non è l'unico nome sul campo.»

E se invece la soluzione fosse un rinnovo del mandato a Paolo Gentiloni? «Lui fa onore al suo nome: è persona gentile, rispettosa e dinamica. Ma le elezioni le vinceremo noi.»

«*Sono sconcertato dall'aggressione di Vivendi*»

Passiamo al mondo degli affari. Si aspettava un attacco così forte da parte di Vivendi? «Mi ha sconcertato. Ho sempre considerato il signor Bolloré un imprenditore serio, con il quale pensavo fosse possibile una collaborazione in un mercato, come quello della comunicazione televisiva, nel quale si ragiona in termini di grandi player capaci di operare internazionalmente. Sarebbe convenuto a entrambi i gruppi lavorare insieme: il progetto di un grande polo televisivo europeo aveva e continua ad avere una sua logica industriale assolutamente valida.»

Berlusconi mi ricorda che, raggiunti e sottoscritti gli accordi, Vivendi, con motivazioni inconsistenti, è venuta meno al rispetto dei patti con il gruppo Fininvest. E, da partner, si è trasformata in aggressore, cercando di scalare Mediaset. «Vede,» mi spiega «chi dipinge il capitalismo come una giungla selvaggia, come una partita senza regole, nella quale tutto è lecito, non conosce i meccanismi sui quali si fonda una sana economia di mercato, o deriva da un pregiudizio anticapitalista comune a gran parte della sinistra e anche a una certa destra. La concorrenza è un bene, ed è giusto che i migliori si affermino anche a scapito di altri. Ma questo deve avvenire secondo regole chiare. Non si tratta solo di rispetto delle leggi e dei contratti, che già è un criterio fondamentale. Si tratta anche di rispetto della parola data. Mio padre mi ha insegnato che una stretta di mano ha ancora più valore di una firma sotto un contratto. Così funzionano i rapporti corretti fra aziende, siano esse alleate o concorrenti. Io, da imprenditore, mi sono sempre attenuto a questa regola.»

«Naturalmente,» prosegue il Cavaliere «Fininvest ha dovuto difendersi dall'aggressione e reclamare insieme a Mediaset il rispetto dei patti. I miei figli e i nostri manager lo stanno facendo nel modo migliore. La ragione sta dalla nostra parte, e non potrà non esserci riconosciuta. Ma, comunque vada a finire, sul principio secondo cui accordi e contratti non si possono non rispettare non possiamo e non vogliamo transigere.»

Parliamo di Telecom: è ormai un'azienda francese? «Spero proprio di no. Un'azienda così importante deve tutelare gli interessi italiani.»

Fa bene il governo a utilizzare la «golden share» per assicurarsi il controllo almeno della rete? «Sì, anche considerato come la Francia si sta comportando contro di noi.» Si riferisce ai Cantieri navali di Saint-Nazaire, di cui avevamo comprato dai coreani il 66 per cento e che, adesso, dobbiamo condividere alla pari con lo Stato francese? «Sì» mi risponde Berlusconi. «Purtroppo lo sciovinismo ha sempre determinato le mosse dei francesi. Ricorda quando nel 1992 fu fatta fallire La Cinq, la rete televisiva che avevo fondato in Francia nel 1986?»

E Mediaset resterà italiana? «Non solo italiana, ma sempre della mia famiglia.» Però Mediaset Premium non va bene, come molti canali privati a pagamento, mentre c'è un rilancio della televisione generalista. «È vero. I canali generalisti sono i soli a fare grandissimi numeri. La moltiplicazione dei canali televisivi con offerte di film e di ogni genere di spettacoli dappertutto non rende più appetibile la televisione a pagamento, che si regge ormai soltanto sugli eventi sportivi, ma per il resto è destinata a un pubblico limitato di utenti. Va così in tutto il mondo.»

«Grottesco attacco personale nel film di Sorrentino»

All'inizio di ottobre, Berlusconi è andato a Mosca per il sessantacinquesimo compleanno di Vladimir Putin. Oltre al vero regalo, un tavolo da scacchi dell'Ottocento, anche un piumino copriletto con l'immagine di una stretta di mano tra i due. «Ero il solo ospite straniero alla cerimonia ufficiale» mi racconta il Cavaliere. «Io sedevo accanto a Putin, all'altro lato il premier Dmitrij Medvedev, poi i presidenti di Camera, Senato e i ministri più importanti. Stemmo insieme per diverse ore. Il menu? Piatti di tutti i tipi, compresi quelli della dieta mediterranea. Nel corso del pranzo ciascuno dei presenti ha dedicato a Putin un brindisi con parole di grande apprezzamento e grande rispetto.»

Secondo Berlusconi è indispensabile che l'Italia e l'Europa recuperino il rapporto con la Russia. «Quel paese non è un pericolo, ma un alleato prezioso che fa parte dell'Occidente per storia, per cultura, per religione. Le sanzioni, che peraltro ci danneggiano, andrebbero ritirate subito.»

Poi Berlusconi ricorda la stretta di mano tra George Bush e Putin a Pratica di Mare nel 2002, quando, grazie alla sua azione e alla sua amicizia con i due presidenti, si costituì un consiglio Nato-Russia, che sancì la fine alla guerra fredda. «Lei pensa» mi chiede «che si possa affrontare il problema dell'immigrazione senza la collaborazione di tutti i grandi paesi, Russia compresa? Ci sono nel mondo quasi 6 miliardi di persone più o meno povere e 1 miliardo 700 milioni di persone che vivono nel benessere. Non è una novità, anzi nel passato i poveri erano anche di più. Ma non sapevano come si viveva nel benessere. Oggi, anche nel più sperduto villaggio al centro dell'Africa c'è un televisore che consente di vedere quel che accade nel mondo. Non mi stupisco che un ragazzo di vent'anni che vive a piedi nudi e indossa da chissà quanto la stessa maglietta cerchi di venir via dal suo mondo per arrivare nel nostro, nel mondo del benessere.»

Gli ricordo che da decenni si parla di aiutare lo sviluppo dei paesi di quello che una volta si chiamava Terzo mondo. «Purtroppo nessun paese lo ha fatto con la convinzione e l'energia necessarie. Occorre un grande accordo tra tutti i paesi del benessere che mettano insieme 200-300 miliardi all'anno e imprese che si rendano disponibili per lavorare in quei paesi e far nascere lì strutture produttive efficienti che creino posti di lavoro, dando vita a sistemi economici portatori di benessere. L'Unione europea dovrebbe farsi promotore di questa iniziativa. La Federazione Russa, con Putin, si aggregherebbe sicuramente.»

Secondo Berlusconi, la ripresa economica nei paesi del benessere non sarà sufficiente a incrementare i posti di lavoro: «Gli studi di alcune università americane hanno stabilito che nel 2050, per produrre gli stessi beni di oggi, occorrerà la metà degli operai. Un altro studio di università europee sostiene che l'incremento della robotica porterà entro il 2020 a una perdita di 600.000 posti di lavoro in Germania, di 400.000 in Francia e di 350.000 in Italia. Un paradosso a conferma: un amico, professore universitario in California, ha immaginato una situazione paradossale che dà bene l'idea di quel futuro. Nelle fabbriche del 2050 ci saranno soltanto i macchinari, un uomo e un cane. I primi serviranno a realizzare i prodotti, l'uomo a dar da mangiare al cane e il cane a impedire all'uomo di avvicinarsi alle macchine. Non male, mi sembra. È un paradosso che rende bene l'idea».

Quando, ormai a notte, il Cavaliere mi accompagna ai cancelli della sua villa di Arcore c'è tempo per ricordare un'immagine bella e due brutte. La bella è la tenuta della Certosa in Sardegna. Quando la vidi la prima volta, nel 1994, aveva una superficie di 30 ettari. Oggi ne conta 120. Non vorrà mica venderla? «No, non la venderò mai, piace troppo ai miei figli. In effetti è un parco unico al mondo: un museo delle piante medicinali (120 specie), uno delle piante da frutta (120 specie), e poi quello degli hibiscus (500 specie), degli agrumi (114 specie), dei cactus (500 specie), delle palme (2000 piante di più di 100 specie), dei ficus (90 specie)...»

Le brutte riguardano una nuova richiesta di rinvio a giudizio per l'affare Tarantini di Bari. «È il 74° processo contro di me e contro le mie aziende.» E, soprattutto, il film che il regista Paolo Sorrentino sta girando su di lui: una cavalcata tra malavita ed eccessi sessuali. Ma come mai lei era arrivato a offrirgli addirittura di girare nelle sue ville? «Pensavo a un'opera neutrale. Oggettiva. Mi sono arrivate molte voci che parlano di un grottesco attacco personale e politico che mi demonizza dall'inizio della mia attività imprenditoriale a tutto il mio percorso politico. Spero non sia così, il cinema italiano, dopo il film su Andreotti dello stesso regista, non ha davvero bisogno di un'altra cattiva opera di propaganda politica...»

Questo libro s'intitola *Soli al comando*. Lei lo è stato per tutta la vita. O no? «Non sono mai stato solo. Anzi, in ogni attività alla quale mi sono dedicato, dall'impresa allo sport, alla politica, ho sempre considerato fondamentale avere una squadra di collaboratori che sono poi diventati anche miei amici, quasi un'estensione della mia famiglia. Soli non si va da nessuna parte, mai, neanche nel ciclismo, che è il bellissimo sport al quale lei si è ispirato per dare il titolo a questo libro. Il ciclismo sembra uno sport strettamente individuale, e in effetti le doti del singolo atleta sono importantissime. Eppure, nemmeno Fausto Coppi sarebbe stato l'"uomo solo al comando in maglia bianco-celeste", descritto dalla celebre radiocronaca, in quella tappa del Giro d'Italia magistralmente raccontata da Dino Buzzati, se intorno a lui non ci fosse stata una squadra, fatta di altri corridori, di tecnici, di allenatori. Fuor di metafora, guidare un sistema complesso, sia esso un'azienda, una squadra di calcio, un movimento politico, a maggior ragione un paese, è impossibile senza il supporto, il confronto, anche la critica di amici capaci e leali. È impossibile senza l'impegno di tante persone che, ciascuna nel suo ruolo, diano il meglio di sé per arrivare a un risultato difficile e importante.»

E aggiunge: «Vede, io non ho mai considerato chi lavora con me come un numero. Sono convinto che ogni collaboratore, qualunque mansione svolga, sia indispensabile alla riuscita di un progetto, sia esso aziendale, sportivo o politico. Per questo ho sempre voluto che tutti si sentissero parte di uno sforzo collettivo teso a ottenere il meglio. Per questo mi sono sempre interessato, almeno fin quando è stato possibile (perché poi ero arrivato a 55.000 collaboratori), e cercavo di ricordare il nome di ciascuno, delle condizioni di ciascuno, della sua salute, della sua famiglia, dei suoi affetti. È il modo più giusto per non avere "dipendenti" ma collaboratori, ed è il modo più sicuro per raggiungere traguardi ambiziosi. Voglio farle un esempio: nel 1994, quando sono sceso in campo nella politica, ho potuto abbandonare senza traumi, quasi da un giorno all'altro, le imprese che avevo fondato, in piena fiducia. Quella decisione, che in molte realtà aziendali avrebbe creato traumi difficili da superare, da noi è stata possibile senza alcuna conseguenza negativa, per due ragioni. La prima, perché potevo contare su due miei figli, Marina e Piersilvio, delle cui capacità ero certo. La seconda è che sapevo che la squadra dei miei collaboratori, dal top management alle mansioni apparentemente più umili, funzionava perfettamente e avrebbe continuato a funzionare anche senza la mia presenza. Così è stato, e sono molto orgoglioso di tutti loro. Sono orgoglioso anche dell'affetto che ancora mi riservano i miei collaboratori. Solo due mesi fa ho partecipato, come ospite, a un evento interno di Publitalia. Credevo di passare per un saluto. Alle 2 del mattino ero ancora circondato da tutti, che non mi lasciavano andar via. È la prova che avevo trasmesso in chi era in azienda lo spirito giusto, che si è comunicato poi anche a chi è entrato negli anni successivi».

Beppe Grillo,
il padrone annoiato del Movimento 5 Stelle

Da comico a urlatore politico

L'uomo solo al comando del Movimento 5 Stelle si chiama Giuseppe Grillo, detto Beppe, diplomato ragioniere, di professione attore comico, due mogli e quattro figli. Il 4 ottobre 2009 ha fondato a Milano il M5S, ma tutti datano la sua nascita all'8 settembre 2007. Fu allora che Grillo lanciò in molte città italiane il V-Day, dove V sta per «vaffanculo», parola in cui si riassumeva il programma politico del movimento. Festa replicata l'anno successivo, con lo stesso slogan.

La discesa nell'agone politico dell'ex comico genovese è, in realtà, vecchia di oltre trent'anni. Nel giugno 1983 la Democrazia cristiana subì la sconfitta elettorale più cocente della sua storia: perse 5,4 punti alla Camera e 5,9 al Senato. La sera dello scrutinio Grillo era ospite della lunga trasmissione che la Rai mi aveva affidato sulla prima rete, in cui la sezione informativa si alternava con brani di spettacolo, per «alleggerire», come si dice in gergo. E, in effetti, lui alleggerì molto. Si avvicinò a una gigantografia di Ciriaco De Mita appesa alla parete e fece l'atto di staccarla. Lo fermai, sapendo che la «vittima» sarebbe rimasta ancora a lungo al potere.

Nel 1983, dopo la sconfitta elettorale della Dc, a palazzo Chigi andò Bettino Craxi e, tre anni dopo, Grillo se la prese anche con lui. Ospite di Pippo Baudo a «Fantastico», lo show di punta del sabato sera di Raiuno, riferendosi a un suo viaggio di Stato in Cina alla guida di una foltissima delegazione «domestica» («Craxi e i suoi cari» lo aveva bollato Giulio Andreotti) sparò: «A cena, in Cina... C'erano tutti i socialisti, con la delegazione, mangiavano... A un certo punto Martelli ha fatto una delle figure più terribili. Ha chiamato Craxi e ha detto: "Ma senti un po', qua ce n'è un miliardo e son tutti socialisti?". E Craxi: "Sì, perché?". "Ma allora, se son tutti socialisti, a chi rubano?"».

Craxi e i dirigenti socialisti della Rai s'infuriarono, e Grillo restò fuori dagli schermi televisivi per due anni. Sarebbe tornato nel 1988 e nel 1989 come ospite del Festival di Sanremo e avrebbe dato l'addio alla televisione pubblica nel 1993 con uno spettacolo, «Beppe Grillo Show», che fu ripreso dalla Rai con notevole successo. Fu allora, con la campagna contro le «truffe» del 144 (il prefisso utilizzato per i collegamenti alle linee telefoniche erotiche), che il comico inaugurò una battaglia di opposizione ai grandi gruppi economici che non si sarebbe più arrestata.

Nato nel 1948 a Savignone (Genova), Grillo è figlio di un industriale («Lui rischiava il suo denaro» chiarì una volta, come se tutti gli altri imprenditori lo rubassero) e viene descritto dalla seconda moglie, Parvin Tadjk (una donna discreta), ad Andrea Scanzi, autore di una biografia dell'ex comico, come «un maniaco dei prodotti sani, un killer dei detersivi e uno snervante controllore degli scontrini della spesa». Sai che allegria, in famiglia.

Il padre lo avrebbe voluto con sé nell'azienda e lo fece diplomare ragioniere. Ma nel 1971, poco dopo esservi entrato, Beppe si dimise, tentò di fare il venditore di jeans e fu licenziato, racconta lui stesso, perché il titolare dell'impresa lo riteneva troppo «artista» per dedicarsi in maniera sacerdotale al lavoro.

A scoprirne il talento di showman fu Pippo Baudo, il quale racconta di essersi trovato unico spettatore di una sua performance in un locale di Milano nel 1976. Lo portò in televisione dove, nel giro di qualche anno, Grillo sfondò.

Di urlo in urlo, di insulto in insulto, Grillo è diventato ricco. Nel 2001 risultava essere il 231° contribuente italiano, ma dopo l'ingresso in politica i suoi redditi sono crollati: nel 2016 ha denunciato meno dei suoi parlamentari. Con i suoi legittimi introiti, colleziona Ferrari e Porsche («Sono i miei mobili d'epoca»). È ricco e tirchio. Tirchissimo. Ricorda Antonio Ricci, l'autore di «Striscia la notizia», suo amico da sempre: «Beppe cucinava e io sparecchiavo. Se buttavo via delle briciole, lui le recuperava dalla spazzatura e il giorno dopo ci impanava la milanese». Alla villa sulle colline genovesi, Grillo ne ha aggiunta una (splendida) in Maremma.

«Mi piacerebbe una piccola dittatura»

Le sue posizioni ultraradicali – in politica come in tema di ambientalismo – non meravigliano chi lo ha seguito negli ultimi vent'anni. Dai suoi «Discorsi all'Umanità», trasmessi la sera del 31 dicembre (dal 1998 al 2001) su Tele+ per «rielaborare», per così dire, i messaggi di fine anno del presidente della Repubblica, ai sospetti sul coinvolgimento del presidente Bush nell'attentato alle Torri Gemelle, alla simpatia per i no global durante il G8 di Genova del 2001, la linea è coerente. Naturalmente, pure in Grillo non mancano le contraddizioni. Scrive Scanzi: «Ieri faceva gli spot della Yomo, oggi odia la pubblicità. Ieri spaccava i computer in scena, oggi santifica la Rete». Gli va dato atto, comunque, di aver annunciato con largo anticipo il disastroso fallimento di Parmalat e di aver denunciato le contraddizioni del «capitalismo senza capitali» italiano. Ma nelle sue critiche non c'è mai stato nulla di costruttivo: distrugge e basta.

La sua vera campagna alla conquista dell'opinione pubblica è iniziata il 26 gennaio 2005, quando ha aperto per iniziativa di Gianroberto Casaleggio un blog che il «New York Times» giudicò ben presto uno dei più visitati al mondo. Nell'interpretare la «pancia della gente», si è spostato allegramente da destra (con posizioni vicine a quelle leghiste) a sinistra, e viceversa.

Nel settembre 2007, sulla «Repubblica», Eugenio Scalfari lo definì, scrive Scanzi, «un dittatore in divenire, il preparatore di una dittatura di cui egli stesso sarebbe poi vittima». Grillo gliene darà conferma rispondendo così a Jacopo Iacoboni della «Stampa» (25 gennaio 2008) che gli chiedeva come mai non si candidasse: «Non saprei come gestirmi! Io non sono un politico ... lo potrei fare solo se (ride) facessi una piccola dittatura, se mi dessero la possibilità di usare uno stadio per metterci dentro le 80-100.000 persone che stanno facendo del male all'Italia».

È stato attaccato per aver criminalizzato la legge Biagi – e, implicitamente, il suo autore, ucciso dalle Brigate rosse –, per aver usufruito del condono tombale varato da Giulio Tremonti e per una condanna definitiva a un anno e tre mesi di carcere per un terribile, e in parte ancora oscuro, incidente stradale avvenuto il 7 dicembre 1981: mentre guidava la sua Chevrolet Blazer su una strada di montagna, l'auto sbandò e finì in un burrone. Grillo rimase miracolosamente illeso («Mi sono trovato appeso a una roccia»), ma una coppia di amici e il loro figlio di 8 anni morirono. La figlia superstite lo accusa di non averle mai chiesto scusa.

Perfino un giornale amico come «il Fatto Quotidiano» rilevò fin dal 2012 «una tendenza alla dittatura interna. Mal sopporta il dissenso, ama essere detestato dal potere, ma pretende un po' troppo l'adulazione dagli adepti». Nel loro *Il Movimento nella Rete*, pubblicato nell'ottobre 2017, tanto accurato quanto severo, i sociologi Paolo Ceri e Francesca Veltri osservano che Grillo è «un capo politico non eletto dalla base, le cui modalità di selezione e durata dell'incarico restano indeterminate e al cui ruolo nessun iscritto può candidarsi». È il capo di una «struttura di coordinamento costituita da organismi mai formalizzati ... creati, modificati ed eventualmente sciolti dall'alto, di un movimento gestito dal consiglio direttivo di una associazione parallela, non eletto dagli iscritti al M5S, ma dai membri dell'associazione stessa che detiene ufficialmente la proprietà del marchio, nonché la possibilità di stabilire la composizione del Comitato d'appello e il cui presidente coincide con il capo politico del M5S». Il riferimento è ovviamente a Grillo, che resta leader indiscusso e onnipotente anche dopo l'elezione di Luigi Di Maio al vertice operativo del Movimento.

Insomma, secondo Ceri e Veltri, la struttura messa in piedi da Grillo assomiglierebbe a quella del partito di Lenin, denunciata nel 1933 da Simone Weil.

Ma chi vota per il Movimento 5 Stelle? «Il suo segreto consiste nel dare sfogo al rancore popolare verso un sistema concepito come nemico» è il giudizio di Massimiliano Panarari, studioso dei media, che facciamo nostro. «Sistema» vuole dire tutto: partiti, imprese, giornali, televisioni. Fatto sta che, di anno in anno, il movimento di Grillo è cresciuto. Nel 2008 le sue liste civiche presero tra il 2 e il 4 per cento in Sicilia, a Roma e a Treviso, dove guadagnarono il primo consigliere comunale. Nel 2009 il Movimento cominciò a chiamarsi «5 Stelle» e l'anno dopo, alle regionali, ottenne una percentuale media dell'1,7 in tutta Italia, sfondando in Val di Susa (30 per cento) con il Movimento No Tav. Nel 2011 guadagnò tra il 6 e il 12 per cento in molte località di Piemonte, Toscana e, soprattutto, Emilia Romagna. Nel maggio 2012 l'exploit alle elezioni amministrative, con la conquista di quattro sindaci, tra cui Federico Pizzarotti a Parma, fino alla strepitosa affermazione alle politiche del 2013, ridimensionata dalla sconfitta alle europee dell'anno successivo e dalle amministrative del 2017.

Secondo l'analisi postelettorale di Piergiorgio Corbetta contenuta nel suo *M5S. Come cambia il partito di Grillo*, il Movimento 5 Stelle è un «partito pigliatutti» e trasversale, che attrae voti da ex leghisti, forzisti e pidiessini amareggiati dalle varie forze politiche. «La democrazia diretta» sostiene Corbetta «si è ridotta a una relazione leaderistica tra Grillo e gli internauti arruolati a blog che approvano con maggioranze bulgare le sue proposte politiche.» Si è rivelata deludente la «Piattaforma Rousseau» gestita dalla Casaleggio Associati, una casa di software fondata da Gianroberto Casaleggio che per un certo periodo ha lavorato anche per Antonio Di Pietro e Italia dei Valori. Secondo Corbetta, «il populismo del M5S è un dato scientifico e non un giudizio politico». E un movimento populista deve soddisfare cinque condizioni: «appello diretto al popolo contrapposto alle istituzioni e alle élite "corrotte"; individuazione di un "nemico del popolo"; un leader carismatico ne è la guida indiscussa; stile di comunicazione aggressivo; semplificazione ingenua della "complessità della politica"».

Il ruolo misterioso dei due Casaleggio

Il Movimento 5 Stelle ha avuto fin dall'inizio la sua testa mediatica in Gianroberto Casaleggio, nato a Milano alla vigilia di Ferragosto del 1954, due mogli, due figli, progettista di software presso l'Olivetti, poi imprenditore in proprio e titolare della Casaleggio Associati. Casaleggio è sempre stato un utopista. Nel video *Gaia. Il futuro della politica*, realizzato nel 2010, sostiene che nel 2054 il mondo sarà retto da un governo planetario, frutto della democrazia diretta. In *Supernova. Com'è stato ucciso il MoVimento 5 Stelle*, in uscita nell'autunno del 2017, due ex dirigenti pentastellati, Nicola Biondo e Marco Canestrari, oltre a rivelare dettagli inediti dello scontro tra «ortodossi» (guidati da Roberto Fico) e «governativi» (guidati da Luigi Di Maio), raccontano che l'ultima telefonata tra Grillo e Gianroberto Casaleggio, prima della morte di quest'ultimo per un tumore il 12 aprile 2016, è stata molto traumatica. «Vaffanculo! Non ti voglio più sentire» avrebbe detto il secondo al primo, riagganciando il telefono e lasciando a Beppe l'amarezza di non aver potuto chiarire il malinteso prima della morte dell'amico. Par di capire che Casaleggio stesse andando per la propria strada, distaccandosi progressivamente da Grillo, che peraltro – piaccia o no – resiste tuttora come icona e vero padrone del Movimento.

A dire il vero, il 24 gennaio 2015 furono i «ragazzi del direttorio» (due «governativi», Luigi Di Maio e Alessandro Di Battista, e tre «ortodossi», Roberto Fico, Carla Ruocco e Carlo Sibilia) a organizzare per la prima volta una manifestazione nazionale senza la collaborazione di Beppe Grillo. All'inizio del 2016 ci fu il «passo di lato» del comico-garante, tornato però precipitosamente in sella tra il settembre e il novembre 2016, quando vide che la giunta guidata da Virginia Raggi a Roma era in condizioni di assoluta emergenza, prossima al naufragio. Il direttorio era nato il 28 novembre 2014: Grillo, volendo placare le proteste di molti attivisti per la sua decisione di espellere alcuni dissidenti, mise uno schermo tra sé e la base e nominò i cinque. Due anni dopo il direttorio fu sciolto e Luigi Di Maio è rimasto il vero, unico interlocutore di Grillo e di Davide Casaleggio, figlio di Gianroberto ed erede della sua azienda.

La prima applicazione italiana dell'utopia di Gianroberto Casaleggio è la procedura di designazione dei candidati alle diverse elezioni che passano per il sistema operativo Rousseau, il portale dove dal 2016 gli attivisti pentastellati possono esprimersi sulle questioni che vengono messe al voto da Grillo e da Casaleggio jr, dove possono fare proposte di legge e interpellare gli eletti del Movimento. Il 12 aprile 2016, mentre si apriva la camera ardente del padre, Davide attivò Rousseau. Lo ha annotato Marco Imarisio sul «Corriere della Sera» del 26 aprile 2016, tracciando un efficace ritratto del giovane Casaleggio.

Nato nel 1976, Davide era «il lavoro del padre», il suo vero progetto di vita. A 12 anni figurava tra i cinque migliori scacchisti italiani «under 16», seguendo la teoria razionalista del grande maestro russo ed ex campione del mondo Anatolij Karpov. Laureato in economia alla Bocconi, master a Londra, è stato sempre un solitario. Trovate una foto in cui sorride e avrete fatto bingo. Imarisio sostiene che se Gianroberto non guardava mai in faccia l'interlocutore, Davide lo penetra fino all'invadenza. Appassionato di sport estremi come la compagna Paola Gianotti, ha scalato il Kilimangiaro e si è immerso nei ghiacciai.

Durissimo nei rapporti aziendali, secondo Imarisio ha cacciato dal Movimento un militante che gli aveva fatto rilevare che la chiusura di ogni votazione online alle 19 era dovuta alle sue necessità di viaggio e ha negato una settimana di licenza a uno stretto collaboratore che aveva appena perso il padre e un anno dopo l'ha licenziato.

«Davide è l'inventore e il padrone dell'algoritmo. Solo lui ha la capacità di disattivare militanti e meet-up [*i luoghi di mobilitazione periferici*]. È stato lui a imporre ai parlamen-

tari la consegna di username e password delle loro mail.»
Da quando è nato, Rousseau è stato lo strumento tramite il
quale si sono svolte tutte le principali votazioni, come quelle
per la scelta dei candidati alle varie cariche elettive e quelle
per decidere con quale gruppo allearsi al Parlamento europeo. Nel 2017, però, ha dimostrato una notevole fragilità,
sia perché è stato violato un paio di volte dagli hacker sia
perché, al momento dell'elezione di Luigi Di Maio a candidato premier e capo del Movimento, hanno votato soltanto 37.442 iscritti su 140.000 e qualcuno sostiene di averlo fatto più di una volta.

Alle elezioni del 2013, tre anni prima della morte di
Casaleggio, il Movimento 5 Stelle era diventato alla Camera il primo partito italiano, con 45.000 voti in più del
Pd, che però, grazie alla coalizione di centrosinistra, aveva beneficiato di quasi 200 seggi come premio di maggioranza. A settembre vidi Gianroberto Casaleggio al Forum
Ambrosetti di Cernobbio, sul lago di Como, che dal 1975
riunisce il gotha della finanza mondiale e della politica
italiana. Chiese e ottenne di entrare da un ingresso secondario, fece il suo intervento e se ne andò per la stessa strada senza aver accettato una domanda o incontrato un giornalista.

Lo stesso livello di superiorità planetaria ha Beppe Grillo,
che non accetta – se non rarissimamente – interviste perché, mi disse un giorno, «poi tu mi fai le domande e io non
posso esprimere tutto il disegno che ho in testa». In verità, venne a «Porta a porta» all'immediata vigilia delle europee del 2014, quando immaginava che «rubare» a Matteo
Renzi un po' di elettorato meno giovane e più tradiziona-
lista gli avrebbe fatto vincere le elezioni. Mi si rivolse dan-
domi del tu e questo facilitò molto la scioltezza del dialogo: sembravamo due vecchi amici al bar che si rivedevano
dopo trent'anni e confrontavano le rispettive idee sulle elezioni. Grillo è un utopista e dimostrò scarsissima preparazione sui temi concreti su cui dovrebbe vertere, invece, una
campagna elettorale. Il risultato fu che il Pd del neosegre-
tario Renzi staccò di 20 punti il Movimento 5 Stelle (40,82

contro 21,16). Fu una bella botta, ma il M5S aveva cominciato a radicarsi davvero sul territorio e nel 2016 ha fatto il colpo grosso vincendo le comunali di Roma con Virginia Raggi e di Torino con Chiara Appendino. Ma se la vittoria nella capitale era scontata, visto il disastro combinato dalle giunte di centrodestra di Gianni Alemanno e di centrosinistra di Ignazio Marino, molto meno lo era quella di Torino, città guidata per cinque anni da un politico di esperienza come Piero Fassino, che fu sconfitto nelle urne per l'insufficiente attenzione alle periferie.

Nel 2017 c'è stato un nuovo, vistosissimo calo di consensi alle elezioni amministrative, che hanno visto la riscossa del centrodestra. Il M5S non è riuscito ad andare nemmeno al ballottaggio in nessuno dei 25 capoluoghi più importanti, con la beffa di Parma dove Federico Pizzarotti è stato confermato sindaco dopo l'espulsione dal Movimento. Da quando ha dovuto riprendere la guida del convoglio, Grillo è sembrato quasi un condannato all'ergastolo. Incoronando Di Maio il 23 settembre 2017 alla convention di Rimini e scoraggiando il competitore Fico dal salire perfino sul palco, l'ex comico ha detto: «Io ci sono perché non posso uscire. Il Movimento l'ho dentro come il Dna, ma da questo momento per le proteste dovrete rivolgervi al capo politico del M5S, Luigi Di Maio».

Di Maio: «Utilizziamo le regole del paese per cambiare il paese»

Eccolo, dunque, il candidato premier dei 5 Stelle nell'ufficio solenne di vicepresidente della Camera dei deputati che ormai occupa con padronanza da quasi cinque anni. Nel 2016 mi sembrò di incontrare il giovane Andreotti. Impressione confermata in pieno nell'autunno di quest'anno, dopo la sua incoronazione a candidato premier e, soprattutto, a «capo della forza politica», una qualifica che altrove verrebbe tradotta in segretario.

Il primo aspetto da chiarire è la differenza tra capo politico e «garante», qualifica che non esiste con funzioni operative in nessun altro partito. «Io presenterò il simbolo alle elezioni, individuerò i criteri per la formazione delle liste per la partecipazione alle elezioni,» mi dice Di Maio «sceglierò, cioè, i criteri di selezione dei candidati, stabilirò l'indirizzo politico del Movimento in campagna elettorale, recependo le istanze dei cittadini. Ma il capo politico non è l'uomo solo al comando. Non tradirò lo spirito partecipativo, porterò avanti un programma condiviso. I focus group per la stesura del programma sono al lavoro da settimane. Sono andato dal presidente della Repubblica perché sento la responsabilità della funzione. Poiché ci siamo candidati a guidare questo paese, dovremo seguire su tutti i canali il percorso istituzionale.»

E il garante che fa? «Fa rispettare le regole interne e si coordina con il capo politico. Se c'è qualcuno che viola le regole, non può essere ricandidato. Tutti ci sottoporremo alle "parlamentarie".»

Detta così, la funzione di Grillo sembra quella di un proboviro. In realtà, lui caccia chi vuole, come è accaduto a Genova, dove Marika Cassimatis aveva vinto le primarie, le è stato tolto il simbolo e poi ha vinto in giudizio, con il risultato che nel 2017, nella città di Grillo, il M5S non è arrivato nemmeno al ballottaggio. «Genova è un caso isolato. Le parlamentarie sono una cosa, Grillo un'altra. Abbiamo messo in piedi un meccanismo partecipativo nuovo che si misura in un modo nuovo con le realtà partecipative. Con quali criteri? Li individueremo insieme al Movimento.»

Chi è il Movimento? «Interpellerò tutte le persone con cui ho condiviso il cammino in questi anni. Non deve ripetersi il caso di 36 parlamentari che hanno lasciato i nostri gruppi in questa legislatura. Comunque sia, io resto favorevole al vincolo dei due mandati. La politica è un servizio, non un mestiere. Dobbiamo dare speranza ai cittadini.»

A dieci anni dal V-Day, interpretata alla perfezione la vecchia massima di Alberto Arbasino: «Non volevano distruggere il salotto della nonna, ma soltanto entrarci». «Beppe ha riunito le piazze» risponde Di Maio. «Poteva decidere se restarci o portarle nelle istituzioni. Io sono andato sotto i palchi di Grillo a raccogliere firme. Adesso utilizziamo le regole del paese per cambiare il paese.»

Ma voi chi siete davvero? Dite che nel vostro pantheon ci sono le foto di Berlinguer, De Gasperi, Pertini, Almirante. Tutto e il suo contrario. «La maggioranza dei nostri non si riconosce in nessuna ideologia. Se ragioniamo per vecchi blocchi contrapposti, non ne usciamo. Fin dal 2013 abbiamo sostenuto il reddito di cittadinanza e l'aiuto alle imprese. Una cosa di sinistra e una di destra? No, sono cose da fare e da mettere insieme. Vogliamo far ruotare la politica intorno al bene comune. Noi siamo favorevoli al mercato, non dobbiamo tartassare le imprese di tasse e di leggi. Ma ci sono beni che non possono essere sottoposti al profitto: acqua, ambiente, telecomunicazioni.»

Il M5S è quindi favorevole all'esercizio da parte dello Stato della «golden share» per il controllo nazionale della rete telefonica? «Certamente. Deve essere utilizzata. La rete deve restare pubblica.» E il ministro dello Sviluppo Carlo Calenda l'ha attivata.

Il reddito di cittadinanza a quanto ammonterebbe esattamente? «A 780 euro netti al mese per la persona che vive da sola, come per esempio un pensionato, un single che perde improvvisamente il lavoro o un giovane precario. Per una famiglia senza reddito con figli, la cifra è più alta.»

Pensionati a parte, è la retribuzione di un dignitoso lavoro part time. Perché uno dovrebbe lavorare, se può prendere gli stessi soldi standosene a casa? «Perché non starebbe a casa. Dovrà frequentare corsi di formazione specifici per essere reinserito nel mondo del lavoro e offrire un contributo di 8 ore alla settimana per aiutare la collettività. La vera retribuzione per chi resta sul divano di casa sono spesso gli attuali ammortizzatori sociali.»

L'Istat, calcolando gli 80 euro già a regime, parla di un costo di 14,9 miliardi per 2 milioni 759.000 famiglie, un decimo delle famiglie italiane. Voi parlate di 17 miliardi. «Tre miliardi servono una tantum per l'attivazione dei centri per l'impiego. I 14 restanti coprono i primi due anni. Poi sono

destinati a scendere quando le persone che verranno adde-
strate cominceranno a lavorare.»

Dove prenderete i soldi? «Taglio alle spese improdut-
tive, aumento delle tasse su banche e assicurazioni, tagli
alle detrazioni dei redditi più alti, tagli alle pensioni d'o-
ro, maggiori tasse sui concessionari autostradali senza in-
cidere sul costo dei pedaggi, estrazione degli idrocarburi.
Noi vogliamo uscire dal petrolio nel 2050. Si sono trovati
10 miliardi per gli 80 euro e 20 per il Jobs Act. Si troveran-
no anche questi.»

Tutti i governi che hanno cercato di ridurre la spesa
pubblica non ci sono riusciti. «Ho parlato con gli staff dei
commissari che si sono alternati. La spending review si
blocca sul taglio delle società partecipate. Il centrosinistra
governa nella gran parte delle regioni e dei comuni italiani dove ha bei bacini di consenso elettorale. Noi non dobbiamo subire le pressioni dei consiglieri d'amministrazione. Le 5000-8000 società partecipate dovranno scendere
sotto le 1000.»

Talvolta si ha l'impressione di mosse fatte esclusivamente per prendere voti. Per esempio, il riconoscimento dell'a-
busivismo di necessità può aprire la strada a ben altro. «Si
è strumentalizzato quel concetto. Il sindaco antiabusivismo
di Licata sfiduciato dai suoi consiglieri è stato candidato
assessore regionale agli enti locali con il nostro Giancarlo
Cancelleri in Sicilia. Questa è la prova del nostro fortissimo senso di legalità. Detto questo, la politica ha commesso autentici scempi. Se devi abbattere la casa di una famiglia in difficoltà, devi trovargli un'alternativa.»

«Ridurremo le tasse di successione»

È vero che vorreste imporre una tassa sul patrimonio del
12 per cento?, chiedo a Di Maio. «Lo smentisco in modo assoluto, come smentisco ogni aumento delle tasse su successioni e donazioni. L'imposta attuale deve anzi essere ridotta:
la tassa di successione è illiberale, perché chi ha guadagnato quei soldi vi ha già pagato le imposte sul reddito.»

Pensate di aumentare le attuali imposte sul reddito? «No. Dobbiamo abbassare le tasse al ceto medio per consentirgli di risollevarsi senza alzare gli altri scaglioni.»

Berlusconi dice che vi fate belli devolvendo alle piccole imprese una parte del vostro reddito parlamentare. Ma che non sarebbe un gran sacrificio, visto che la gran parte di voi, prima di diventare deputato o senatore, non presentava nemmeno la denuncia dei redditi. È un elemento di debolezza? «Ho rinunciato a quasi 300.000 euro da quando sono entrato in Parlamento. Avrebbe fatto comodo anche a me, dopo una legislatura, avere un bell'appartamento, come succede a molti parlamentari degli altri partiti. Ma rinunciarci non è stato un sacrificio, perché non è giusto né accettabile che i politici abbiano questi stipendi vergognosi.»

Lei ha invitato i sindacati a cambiare, altrimenti ci penserete voi una volta al governo. «Chiediamo trasparenza nei loro bilanci. Devono esibire tutte le entrate e le uscite, tutti i fondi che vengono dai patronati e dai centri di assistenza fiscale. Vorremmo vedere anche un po' di ricambio. Il sindacato dei lavoratori è diventato dei sindacalisti di professione. Oggi rappresentano assai più i pensionati dei lavoratori attivi. E io, a 31 anni, sono preoccupato perché non si occupano dei contratti dei miei coetanei.»

È vero che ha detto che non va a fare gli esami che le mancano per laurearsi in legge perché mai approfitterebbe del suo ruolo per essere privilegiato rispetto agli altri studenti? «Sì. Ma ora non ne avrei comunque la possibilità. Sono impegnato a tempo pieno nella veste di vicepresidente della Camera e, oggi, in quella di candidato premier del Movimento 5 Stelle.»

«Sfondare il tetto del 3 per cento per gli investimenti»

Quando gli domando se è confermata l'ipotesi, una volta al governo, di fare un referendum per uscire dall'euro, dopo l'approvazione di una legge costituzionale che lo consenta, il vicepresidente della Camera mi risponde: «Il referendum è l'*extrema ratio*. Non hanno più senso i tassi di cambio dell'euro uguali per economie differenti. Oggi si discute su politiche regionali per trattati e moneta. Altro che due velocità, l'Europa deve camminare a diverse velocità. Se noi aboliamo il fiscal compact e sfondiamo il muro del 3 per cento in favore degli investimenti, faremo crescere economia e occupazione. Se non ci consentiranno di farlo, provvederemo noi. Sono comunque molto preoccupato dinanzi alla prospettiva che presto la politica della Bce sarà totalmente sotto la guida tedesca».

A quali investimenti si riferisce? «L'innovazione è un treno che stiamo perdendo. Finora siamo stati ampiamente entro i limiti del 3 per cento, eppure il debito è cresciuto. Allora dobbiamo fare il contrario. Concordare con l'Unione europea uno sfondamento del tetto per investimenti ad alto moltiplicatore. Energia, sicurezza del territorio, infrastrutture nel Sud. Ci abbiamo mai provato per davvero? No, gridavamo in Italia, ma poi ci siamo accontentati di quel che ci veniva dato.»

Ricordo a Di Maio che l'Italia ha il debito pubblico di gran lunga più alto degli altri paesi europei, esclusa la Grecia. «È vero, ma Francia e Spagna hanno meno debito di noi anche perché hanno sfondato ampiamente il tetto del 3 per cento sugli investimenti.»

Il Movimento 5 Stelle pone, peraltro, alcune condizioni anche per restare nell'Unione europea. «Noi diamo ogni anno 20 miliardi all'Europa e per restare devono cambiare alcune condizioni. Dal regolamento di Dublino, che impone la permanenza degli immigrati nel luogo di sbarco, ai trattati che danneggiano i nostri pescatori e i nostri agricoltori. Dobbiamo anche revocare le sanzioni alla Russia.»

A proposito di Russia, siete passati dalla denuncia della violazione dei diritti umani a un sostegno aperto: un vostro rappresentante, Manlio Di Stefano, ha preso la parola al congresso del partito di Putin assicurando il vostro sostegno. Si è anche parlato di finanziamenti russi al Movimento 5 Stelle. Non ci sono evidenze, ma, in ogni caso, può smentirlo? «Smentisco assolutamente. L'Italia fa parte del blocco occidentale. Noi siamo nell'Unione europea e siamo alleati degli Stati Uniti. Ma è nella nostra natura avere ottime relazioni con i paesi dell'Est europeo e, soprattutto, con la Russia. L'ex ambasciatore italiano in Siria mi ha detto che la capacità diplomatica italiana è la migliore. Dobbiamo sfruttare meglio le nostre doti di mediatori.»

E su Trump che giudizio dà? «Non mi piace la sua politica energetica. Approvo in pieno la sua politica fiscale. Abbassare le tasse alle imprese e fare deficit per crescere e ripianare progressivamente il debito. Noi non guardiamo ai leader, ma ai loro programmi. Ci piace la banca pubblica degli investimenti francese, la politica ambientale dell'Europa settentrionale e la politica fiscale di Trump.»

Al Parlamento europeo il M5S non ha fatto una grande figura. Grillo ha proposto l'alleanza con i centristi e i liberali dell'Alde, che sono europeisti, ma non vi hanno voluto. E siete stati costretti a tornare con gli antieuropeisti dell'Ukip e di Nigel Farage... «Si tratta di alleanze esclusivamente tecniche,» precisa Di Maio «che non influenzano la nostra politica.»

Le piace la politica di Marco Minniti sugli immigrati? «Minniti ha chiuso i flussi provenienti dalla Libia con un tappo che può saltare da un momento all'altro, non a caso da settembre 2017 gli sbarchi sono tornati ad aumentare. E la Libia sta violando i diritti umani di chi si ferma nei suoi centri. La mia idea sul tema è la stessa di Macron: l'Unione europea deve stabilire nei paesi africani punti di contatto per decidere all'origine chi deve partire e dove deve andare. Fra l'altro, questo è un principio che avevamo già inserito in una mozione del 2014, approvata dalla maggioranza in Parlamento. C'è da chiedersi cosa ne ha fatto il governo, visto che non ha mai concretizzato il recepimento di tale impegno.»

Torniamo in Italia. La nuova legge elettorale, privilegiando le coalizioni, rende molto difficile la conquista del governo al Movimento 5 Stelle, che ha protestato dentro e fuori del Parlamento. A meno che non pensi di allearsi con la Lega Nord. «Assolutamente no» risponde Di Maio. «Votando questa legge, la Lega ha pensato soltanto a incrementare le proprie poltrone. Il Rosatellum favorisce Berlusconi, Renzi e la loro Grande Coalizione. O noi, o loro. Chiederò agli italiani di darci la possibilità di governare questo paese.»

E aggiunge: «Questa legge è stata progettata contro di noi, provocherà un'ammucchiata di partiti grandi e piccoli, i meccanismi di redistribuzione dei voti tradiranno la volontà dell'elettore. Ma non riuscirà a danneggiare il Movimento. Il confronto tra "Noi" e "Loro" ci rafforzerà. Se saremo il primo partito per numero di voti, chiederemo al presidente della Repubblica di affidarci l'incarico di formare il governo. E poi apriremo la discussione».

«Prima delle elezioni, conoscerete i nostri ministri»

L'esempio di Virginia Raggi, dei pasticci combinati con il potere dei «quattro amici al bar» e del vostro governo di Roma non è il viatico migliore per chiedere agli elettori di affidare l'Italia al Movimento 5 Stelle. E taccio del faticoso procedere della giunta Appendino a Torino, dopo lo shock di piazza San Carlo, l'avviso di garanzia per il falso sul bilancio, l'avviso di garanzia per turbativa d'asta al sindaco di Livorno Filippo Nogarin. «I continui attacchi alla Raggi stanno paradossalmente depotenziando anche gli errori che abbiamo certamente fatto e che hanno fatto tutti. È possibile che qualunque disservizio ci sia a Roma sia sempre colpa sua? Ha cambiato troppi assessori? È importante vincere il campionato, non il numero di giocatori che cambia il mister. Abbiamo mandato l'azienda di trasporti comunale Atac al concordato proprio per aprire il vaso di Pandora. In due anni il risanamento sarà percepito. Noi a Roma abbiamo commesso l'errore di non presentare la squadra di governo prima delle elezioni. Forti di questa esperienza, prima delle elezioni nazionali renderemo noto l'intero elenco dei ministri.»

A questo proposito, Berlusconi sostiene che Di Maio è solo il frontman del Movimento, ma eventualmente a palazzo Chigi ci andrebbe un magistrato come Piercamillo Davigo... «Noi, spesso, neanche rispondiamo a Berlusconi, perché dice cose completamente inventate come questa. Del resto, la mia candidatura a premier esclude di per sé già l'ipotesi, fermo restando che nutro profonda stima verso il magistrato Davigo.»

A proposito di giustizia, lei ha affermato di voler abolire la prescrizione. Si rende conto che la durata perpetua dei processi è anticostituzionale e metterebbe un imputato potenzialmente innocente nelle mani dei magistrati senza limiti di tempo? «Noi diciamo che la prescrizione si deve interrompere dopo il rinvio a giudizio. Inoltre, abbiamo delle proposte che ridurranno drasticamente i tempi della giustizia e garantiremo la certezza della pena.»

L'esperienza ha indotto i 5 Stelle a cambiare parere sulla presunzione d'innocenza. Eravate partiti dichiarando che bastava un avviso di garanzia per doversi dimettere. Adesso per la Raggi, la Appendino e Nogarin aspettate, giustamente, l'eventuale condanna in primo grado. «Avevo espresso quel giudizio a proposito di Mafia Capitale. Ed è ancora così» tiene a puntualizzare il capo politico del Movimento. «Per reati gravi basta un avviso di garanzia per doversi dimettere. Altro è una condanna per una querela o per abuso. Qui interviene il codice etico. Chi fosse in ipotesi condannato, verrebbe sospeso.»

Affermate che non vi piacciono i tecnici, ma poi vi proponete di utilizzarli. «Non esistono ministri tecnici o politici. Esistono persone capaci che capiscono i problemi. Non esiste una distinzione numerica precisa tra quanti saranno esterni o interni al Movimento. Sto incontrando tante persone capaci...»

Di quali ambienti? «Da anni ho rapporti col mondo universitario, diplomatico, imprenditoriale e sociale. Dobbiamo fare rete con le energie di questo paese. Io presenterò i candidati. Ma una cosa è chiara fin d'ora: chi entra in politica non potrà tornare a fare il magistrato.»

Si è detto che i 5 Stelle sono prigionieri di un'eterna adolescenza. Gli statuti - non statuti, le regole che non sono regole, andavano bene ai tempi dei meet-up, dello spontaneismo predicato da Grillo sul canotto sollevato dalla sua gente adorante durante il V-Day del 2007. Ma adesso l'assenza di chiarezza e di dialettica spiazza gli stessi militanti. «In questi dieci anni il Movimento è maturato moltissimo» precisa Di Maio. «Occorre molta malafede per non riconoscerlo. Questo vale per i cinque anni di mia esperienza alla vicepresidenza della Camera e per tanti altri colleghi che hanno fatto un lavoro straordinario in Parlamento e nelle commissioni, come lo stesso presidente della Repubblica Sergio Mattarella ci ha riconosciuto.»

Il «Financial Times», che nella sua sfiducia per la politica italiana lo ha trattato spesso con benevolenza, ha denunciato ora la totale assenza di trasparenza nel Movimento e il ruolo ambiguo di Davide Casaleggio che, pur considerandosi estraneo al M5S e titolare di una società privata di consulenza, regola tutto il funzionamento del partito e partecipa alle riunioni più importanti. Non mi sembra che questo sia normale. «Siamo una forza politica che si muove attraverso forme di democrazia partecipata e diretta. La Casaleggio Associati ha sviluppato la formula tecnicamente e informaticamente. Basta. Sarebbe un reato se gestisse le votazioni che avvengono attraverso di essa. Non vedo differenze con la società di software che gestisce il sistema operativo del Pd.»

Non mi pare che Rousseau abbia funzionato nell'occasione più importante: Di Maio si è confrontato con sette candidati minori e ha riportato 30.936 voti su appena 37.442 votanti. Gli aventi diritto erano 140.000. «Sono i numeri tipici delle nostre votazioni. Ma ora il nostro obiettivo è portarli a un milione.»

Roberto Fico, il leader degli «ortodossi», non la riconosce come capo della forza politica... «Si è speculato tanto sui nostri rapporti. Io stimo molto Roberto, ci sentiamo spesso e facciamo insieme un ottimo lavoro sul coordinamento del programma di governo.»

Lei ha dichiarato che Berlusconi è meglio di Renzi. «No, ho detto che Renzi, che doveva fare una politica diversa da quella di Berlusconi, fa le stesse cose di Berlusconi. Solo che, quando le faceva il capo di Forza Italia, il Pd scendeva in piazza. Oggi che vengono massacrati i diritti dei lavoratori, le piazze restano vuote, anche grazie alla complicità dei sindacati...»

Baudo sostiene che lei è il più democristiano dei grillini. Di Maio sorride: «Ascolterei Pippo per ore. La commemorazione del centenario della nascita di Armando Trovajoli è stata fantastica».

Nato a Pomigliano d'Arco il 6 luglio 1986, figlio di Antonio, ex dirigente del Msi, dopo il diploma al liceo classico Luigi Di Maio si è iscritto a ingegneria, è passato a giurisprudenza, ma non si è laureato. In entrambe le facoltà ha fondato associazioni studentesche. Nel 2007 si è iscritto al Movimento 5 Stelle. Nel 2010, a 24 anni, alle elezioni comunali di Pomigliano d'Arco prese 59 voti. A meno di 27, bastarono 189 clic a proiettarlo a Montecitorio: Grillo lo teneva d'occhio e diventò il più giovane vicepresidente della Camera della storia italiana. Si presentò in un impeccabile gessato, mentre i suoi colleghi erano la disperazione dei commessi.

Nel 2015 Grillo gli annunciò che sarebbe stato il candidato premier. Due anni dopo lo è diventato effettivamente, e come tale si comporta. «Il grillino gentile che parla ai potenti», come lo definisce «Avvenire» («grillino e cristiano, che c'è di male?» dice lui), va in visita pastorale a Cernobbio, Venezia, Monza in un weekend, appuntamenti mondano-istituzionali che con le grida di piazza hanno poco da spartire. «A Cernobbio ho incontrato i titolari di tante aziende che fanno bella innovazione tecnologica. Il Festival di Venezia è stata un'utile occasione per riflettere su una più idonea valorizzazione del cinema italiano. A Monza la Ferrari stava ancora per vincere il Mondiale... Quella è davvero un'azienda ben fatta.» Andreotti non avrebbe detto di meglio.

Paolo Gentiloni,
la guida dell'Italia da un sommergibile

«Uomo solo al comando. Chi, io?»

Quando ho chiesto a Paolo Gentiloni un incontro per questo libro, ho evitato di comunicargliene il titolo. Avevo paura che *Soli al comando* lo spaventasse.

Se avesse prestato servizio in marina, il presidente del Consiglio avrebbe certamente scelto i sommergibili. Si sarebbe mosso con il radar (ne possiede di efficientissimi), ma avrebbe evitato di alzare il periscopio per non farsi notare nemmeno da qualche barchino di passaggio.

Adesso siamo nel suo studio di palazzo Chigi, seduti a un tavolo di riunioni che porta i segni di tazze di caffè gocciolanti e di bicchieri indisciplinati degli ultimi due governi. E quando gli domando secco se lui comanda, mi guarda un po' perplesso: «La sensazione che si ha in questo palazzo è che la Costituzione materiale dello Stato abbia creato un sistema in cui il ruolo del presidente del Consiglio è ovviamente indispensabile, ha molta influenza sull'orientamento del governo, adotta decisioni, firma provvedimenti, ma...». Ma? «Ma non siamo né a Downing Street, né all'Eliseo e nemmeno alla Cancelleria di Berlino...» Non sarebbe meglio se avessimo un sistema come il loro? «Standoci dentro, mi sento abbastanza adatto a un modo di guidare le cose che rende necessario il gioco di squadra.» Quando ai vertici incontra i suoi colleghi dei paesi più importanti, li sente usare toni che a lei non sono consentiti? «No. Alla fine, nei tavoli multilaterali, rappresenti il tuo paese. E l'Italia si fa comunque rispettare.»

Paolo Gentiloni Silveri è nato a Roma il 22 novembre 1954 e abita nel palazzo gentilizio di famiglia, condiviso con i parenti. Tranne, pare, uno zio gesuita, che fu a suo tempo sfrattato presso la Compagnia di Gesù. I conti Gentiloni sono nobili di Filottrano, Cingoli e Macerata. Palazzo gentilizio nelle Marche, che ospitò Garibaldi, anche se la famiglia era rigorosamente papalina. Un avo, Vincenzo Ottorino – fronte alta e guance pienotte –, nel 1912 ha dato il nome al «Patto Gentiloni»: su mandato di Pio X, fece un accordo con il governo laico di Giovanni Giolitti che indusse i cattolici – ancora indignati per lo schiaffo della presa di Roma del 1870 – a votare di nuovo alle elezioni del 1913.

Da ragazzo, Paolo era l'esatto contrario di adesso. Nel 1970 partecipò all'occupazione del liceo Tasso di Roma, poi scappò a Milano per manifestare con Mario Capanna, entrò nel Movimento studentesco, passò al Partito democratico di unità proletaria (Pdup), frutto della scissione a sinistra del Psi. Il 1980 lo vide scrivere su «Pace e guerra», la rivista di Luciana Castellina. Che, quando il suo allievo è salito a palazzo Chigi, ha detto: «Gli volevo tanto bene. Da extraparlamentare era tanto bravo. Poi non so che cosa gli è capitato...». Giro questo giudizio a Gentiloni, e lui risponde: «Luciana è una donna di grande fascino, dinamismo ed energia. Allora, quasi quarant'anni fa, aveva raccolto attorno a quella rivista alcune tra le migliori teste pensanti della sinistra irregolare, da Rodotà a Napoleoni, da Cacciari a Magri, da Amato a Bassanini. E anche bravissimi giornalisti: Ritanna Armeni, Giovanni Forti, Daniele Del Giudice e tanti altri. Io facevo il ragazzo di bottega. Castellina ha ragione, oggi siamo su posizioni lontanissime. Ma non ho mai cancellato le mie posizioni di sinistra militante: con tutti gli errori, sono parte della mia vita. E alcuni valori sono sempre quelli».

Laureato in scienze politiche a Roma, nel 1984 fece il salto nel mondo ambientalista, diresse «La nuova ecologia», il giornale di Legambiente, conobbe Francesco Rutelli, che

allora stava con i Radicali e in seguito ne fu portavoce, consigliere e assessore al Giubileo, fondò con lui la Margherita
e poi il Partito democratico con Walter Veltroni.

Il suo abbigliamento è segno del carattere: non c'è nulla fuori posto, ma nemmeno nulla che esca da una garba-
ta normalità. Qualcuno però ha osservato che il suo loden
è diverso da quello di Mario Monti. Il Professore lo indossa come fosse un ermellino, il Conte come un saio. Di buon
taglio, ovviamente. Ha sposato la donna giusta, Emanuela
(Manù) Mauro, architetto, low profile anche lei. Non hanno figli.

Leggo a Gentiloni la sequela di definizioni che ne hanno
dato i giornali nel primo anno a palazzo Chigi: Paolo il calmo, il freddo, il mesto (come Paolo VI), Eroe per caso, L'uomo che scansandosi avanza. Se Renzi era Mao, lui è Chou
En-lai, il diplomatico sottile che cuce dove l'altro strappa.
E, restando nel mondo pontificio, si è detto, Renzi sarebbe papa Francesco e lui Pio XII. Sbagliato. Pacelli era davvero un uomo solo al comando. Più corretto il paragone
con Montini: fragile e sofferente in apparenza, barra dritta all'interno. In quale definizione si riconosce Gentiloni?
«Queste definizioni derivano dal fatto – casuale ed eccezionale – che io sia arrivato qui. Non ho vinto le elezioni e non
sono leader di partito. Sono un medico chiamato a operare in una situazione di emergenza. Sono realmente calmo,
spero di non essere mesto…»

Il presidente del Consiglio è stato benedetto da Comu-
nione e Liberazione, che non vuole più «uomini soli al comando». «Bah, immagino fosse solo una battuta polemica
nei confronti di Renzi. È difficile costruire una teoria generale sulla differenza tra atteggiamento decisionista e collaborativo. Il paese avrebbe bisogno di shock innovativi. E
con la leadership di Renzi, ne ha avuti di positivi. Ma è anche un paese che agli shock innovativi, che sono indispen-
sabili, reagisce in maniera problematica. Da noi, esercitare la leadership dipende anche dalle circostanze politiche.
È ovvio che il governo Monti del 2011-12 avesse un piglio
completamente diverso dal governo Gentiloni del 2017.

Quando sono arrivato qui, l'Italia aveva bisogno di guadagnare tempo. Un'interruzione traumatica della legislatura non le avrebbe giovato affatto. Il tempo guadagnato ci è servito molto, il mio carattere in questo mi ha aiutato e penso di aver fatto il mio.»

«Non accetteremo misure contrarie alla crescita»

A Gentiloni è piaciuto il termine «impopulista». «È vero. Bisogna avere il coraggio – anche a costo di scelte impopolari – di non seguire la deriva che per comodità chiamiamo populista, antieuropea. La Merkel, per esempio, ha fatto una scelta impopulista decidendo nel 2015 di accogliere centinaia di migliaia di immigrati.» Con lei avanza il partito impersonale, gli dico. «Ne sono meno convinto. La politica affidata alle leadership è ormai consolidata da decenni nel mondo. Anche la velocità di comunicazione ci imporrà di non tornare indietro verso i meccanismi di decisione del secolo scorso.»

Nell'autunno del 2017 il governo ha fatto una manovra di buon senso. Pochi soldi a disposizione, niente aumento dell'Iva, un po' di risorse per statali, giovani, Sud. Faccio notare al presidente del Consiglio che molti (anche Renzi) vorrebbero una politica finanziaria più aggressiva, magari sfondando il tetto del 3 per cento tra deficit e Pil per favorire gli investimenti. «L'Italia è rientrata da tempo dalla procedura europea di infrazione. Faremmo un errore a tornarci sfondando il tetto del 3 per cento, e del resto non è questa la proposta del Pd. La velocità verso il pareggio strutturale di bilancio è tuttavia sempre oggetto di negoziato. Nel 2017, per esempio, nel giro di sei mesi noi siamo saliti da un rapporto dell'1,1 a un rapporto dell'1,6. Fanno quasi una decina di miliardi di differenza.»

Ma ha senso correre verso il pareggio di bilancio in una situazione che richiede investimenti? «Il mio obiettivo è chiudere in modo ordinato la legislatura e consegnare al governo che uscirà dalle elezioni del 2018 un contesto economico senza una camicia di forza e con diverse opzioni possibili.» Quali? «Dipenderà da come sapremo miscelare il cocktail tra inflazione, politiche di sostegno e deficit. Ma dobbiamo essere più prudenti degli altri perché abbiamo un debito maggiore. Consegneremo un paese più solido, perché le crisi bancarie più rilevanti sono ormai alle nostre spalle. Il tasso di crescita è stabile e tende a migliorare. La crisi ci è costata 1 milione 40.000 posti di lavoro e nell'ottobre 2017 ne abbiamo recuperati 940.000. Se si decide di spendere di più, bisogna spiegarlo ai mercati, e non è facile. Ma certamente un governo che ha davanti a sé una prospettiva stabile di alcuni anni e non deve muoversi su una pista da bob, può scegliere strade più "audaci", tra virgolette…»

Lo stesso Gentiloni ha però segnalato ritardi su giovani, donne, Sud. Non potremo mai permetterci uno scatto? «La riduzione dei contributi nel triennio 2018-20 sull'assunzione dei giovani fa prevedere già nel 2018 una cifra che, secondo alcune stime, potrebbe addirittura arrivare a 350.000 posti di lavoro in più. Per le donne abbiamo raggiunto il record storico di occupazione, anche se siamo ancora indietro a molti paesi.» Resta il Sud, sempre arretrato. «Dopo le malefatte delle politiche straordinarie per il Mezzogiorno degli anni Ottanta e Novanta, negli ultimi 15-20 anni abbiamo tolto il Sud dall'agenda. Da un eccesso all'altro. Dall'inizio degli anni Duemila ci siamo detti che il modo migliore per affrontare i problemi del Mezzogiorno era di negarli. Nessuna iniziativa speciale, bisognava trattarli come quelli del resto del paese.» E invece? «E invece, se guardiamo la distribuzione del reddito e della qualità della vita all'interno degli altri paesi europei, a cominciare dalla Germania, vediamo molti squilibri e molte politiche speciali per attenuarli. È impossibile passare a margini di crescita più alta di quella compresa tra l'1 e il 2 per cento se non c'è una scossa nel Mezzogiorno. Lombardia ed Emilia hanno tassi di disoccupazione del 5 per cento. I margini disponibili per il Sud sono enormi.»

Chiedo a Gentiloni se non ha la sensazione che, con le pressioni a freddo sui crediti deteriorati delle banche, i tedeschi vogliano metterci in difficoltà. «I tedeschi non c'entrano» tiene a precisare. «Credo che alcune tecnocrazie europee non abbiano intenti punitivi, ma siano miopi rispetto alla realtà. Alcune banche italiane hanno attraversato un periodo pericoloso, ma adesso ne sono fuori. È uno dei risultati positivi dei nostri governi, che ci è costato 20 miliardi a fine dicembre 2016.» E allora perché si insiste? «Perché il mantra della tecnocrazia europea è la prevenzione dei rischi, l'angoscia degli accantonamenti, anche se noi stiamo procedendo regolarmente allo smaltimento dei crediti deteriorati rimasti. Sono calati del 25 per cento negli ultimi 9 mesi. Non possiamo perciò accettare misure che rischierebbero di deprimere la crescita. Segnalo che i paesi favorevoli alla crescita occupano una posizione molto rilevante sullo scenario europeo. Quando ci riuniamo nel formato dei paesi mediterranei, dopo l'uscita della Gran Bretagna, rappresentiamo oltre la metà del prodotto interno europeo.»

«Trump? Diverso da come sembra»

I paesi nordici, i tedeschi in particolare, partono dalla convinzione che gli italiani se la godono al di là delle loro possibilità. «Noi in questi anni abbiamo mantenuto una linea equilibrata» puntualizza Gentiloni. «Qualcuno dice troppo equilibrata, sostenendo che potevamo rischiare e forzare di più. Ma chi lo dice dimentica che il nostro paese ha una fragilità nel debito e l'ha avuta nel sistema bancario. Chi sembra più disinvolto, come gli spagnoli, ha forti fragilità sul piano sociale: basti guardare la disoccupazione. In questi anni il nostro debito, alto, è cresciuto meno degli altri e siamo i soli con i tedeschi ad avere un avanzo primario al netto degli interessi. I gestori dei grandi fondi internazionali e i grandi banchieri con cui ho parlato dicono che il rischio Italia è ormai alle spalle. L'eurozona, con la sua crescita economica e la sua stabilità politica maggiore delle altre aree del mondo, nei prossimi anni sarà destinataria di grandi flussi di investimento, e anche l'Italia avrà la sua parte.»

Lei ha detto che in un'Europa a due velocità, a noi non toccherebbe la terza classe. «Il 25 marzo 2017, sessantesimo anniversario dei Trattati di Roma, resterà nella storia perché per la prima volta i paesi aderenti, che ormai sono 27, hanno firmato un documento che certifica i diversi livelli di integrazione. Una marcia uguale per tutti frenerebbe il convoglio. Non abbiamo tutti l'euro, non siamo tutti dentro Schengen. L'Europa deve accettare queste diversità, anche per avere maggiori responsabilità sul piano geopolitico.» Gli Stati Uniti ci chiedono un aumento delle spese militari. «Capisco la richiesta americana di aumentare queste spese rispetto al Pil di ciascun paese. Ma non guardiamo solo alle percentuali. Paesi che spendono moltissimo in questo campo (la Turchia e altri) lo fanno per i loro interessi nazionali più che per la sicurezza collettiva.»

E come va con Trump? «Ci siamo incontrati a Washington, Taormina, Roma, Amburgo, Bruxelles… Trump ha una grandissima curiosità verso gli interlocutori e un forte interesse per i negoziati bilaterali. Ma nelle occasioni classiche – il vertice Nato o il G20 – ho visto quanto sia sbagliata l'immagine di un Trump che non resiste al rito multilaterale.» A Taormina, per esempio? «Sarà stato merito del clima della Sicilia e di Taormina, ma al G7 si è creata tra i leader una chimica che ha consentito di raggiungere ottimi compromessi almeno sulla questione del protezionismo. Trump difende gli interessi del suo paese, ma gli sforzi per far valere le nostre ragioni non hanno trovato un muro. Anche sul clima, dove pure ha assunto una decisione sbagliata, stava ad ascoltare. L'amore per l'Italia, poi, favorisce i nostri rapporti bilaterali.»

E con Putin? Non ha l'impressione che le sanzioni alla Russia prima o poi debbano cessare? «Le sanzioni non possono essere un fatto scontato e permanente che si rinnova automaticamente come fosse un comma del decreto mille proroghe. Siamo peraltro consapevoli che non può interrompersi la solidarietà tra paesi europei e atlantici. Il risultato è che ogni volta che si arriva alla scadenza, l'Italia alza la mano e dice: discutiamo.» Prevede una data di scadenza? Anche perché alcuni paesi, come la Germania, con la destra firmano le sanzioni e con la sinistra fanno affari in Russia. «Anche nell'ultimo vertice europeo i paesi che hanno dei dubbi sono stati numerosi e poi alla fine si è sempre concluso che bisogna continuare con le pressioni economiche. Non penso, in ogni caso, che queste sanzioni dureranno per sempre. Non romperemo la disciplina europea e atlantica, ma prima o poi dovremo misurare i risultati di questa politica.»

Quando gli domando quale sia il suo rapporto personale con Putin, Gentiloni mi spiega: «La presidenza del G7 mi ha consentito di stringere ottimi rapporti. Prima del G7 ho incontrato il leader cinese Xi Jinping e poi Putin. Non aveva senso coinvolgere il presidente russo al tavolo del G7, ma mi sembrava assolutamente giusto e doveroso avere un confronto con lui prima di Taormina».

La polemica sulla Banca d'Italia

Come usciremo dalla crisi libica? «Nel 2016, paese dopo paese, tutti avevano chiuso e blindato le frontiere. L'accumularsi dei flussi migratori in Italia diventava un problema sempre più grosso. Il 3 febbraio 2017 andai al vertice europeo di Malta all'indomani della firma con il presidente libico al-Sarraj di un protocollo in cui per la prima volta la Libia accettava alcuni impegni sul controllo della migrazione. Dissi ai miei colleghi di questi nostri contatti estesi alle tribù e alle milizie libiche: stavamo muovendoci da soli con finanziamenti, motovedette e quant'altro. Ricevemmo grandi sostegni formali, qualche soldo dall'Europa e dalla Germania, ma la pressione migratoria continuava e siamo intervenuti in estate sulle Ong con risultati spettacolari. I flussi sono diminuiti del 60 per cento, chiudiamo l'anno a meno trenta rispetto al 2016.» Abbiamo recuperato anche un rapporto con il generale Haftar e la Libia orientale. «La Libia è fragile e instabile. La novità è che stiamo agendo in proprio, difendendo bene i nostri interessi. Abbiamo un ospedale a Misurata, siamo il solo paese con un'ambasciata a Tripoli. Ci siamo mossi con efficacia contro i trafficanti. Ma la stabilità non sta scritta nel marmo e mi auguro che la mediazione dell'Onu si rafforzi.»

A proposito di interessi nazionali, avremo ancora una compagnia di bandiera? «Non so se si possa definire Alitalia una classica compagnia di bandiera, anche se viene percepita come tale. Il marchio italiano è importantissimo, ma l'azienda non è pubblica da tanto tempo. Fu un errore nel 2008 non averla venduta ad Air France. Il governo Prodi e il ministro Padoa-Schioppa erano pronti, ma ci fu una fortissima opposizione da parte di Berlusconi e dei sindacati. Così, alla vigilia delle elezioni decidemmo il prestito-ponte e poi è andata come è andata.» Avrebbe senso oggi tenere una quota pubblica minoritaria? Il presidente del Consiglio non è di questo avviso: «No, non la vedo come una garanzia di italianità. Cerchiamo le migliori condizioni di mercato e mi auguro che venga trovata una soluzione che mantenga l'unità della compagnia». (Il 25 ottobre 2017 il fondo americano Cerberus ha proposto l'acquisto dell'intera compagnia.)

Non teme che l'approvazione dello «ius soli» nella formulazione attuale e la concessione della cittadinanza a 800.000 persone – pure eticamente ineccepibile – possano creare allarme? «Dobbiamo liberare questo tema dalle strumentalizzazioni. Non possiamo lasciar passare l'idea che arriveranno tanti barconi se riconosciamo il diritto di cittadinanza ai bambini che vanno a scuola o giocano a calcetto o a basket con i nostri figli e nipoti. A chi ha dubbi, segnalo che nei prossimi vent'anni noi avremo bisogno di includere le comunità straniere che decidono di abitare qui. Seminando esclusione, raccoglieremo odio. Non dobbiamo ripetere l'esperienza vista in troppi quartieri di troppe metropoli europee in cui la radicalizzazione estremista è molto più diffusa che da noi. Includere è un buon investimento per il nostro futuro.»

Quando il colloquio plana sulla politica interna, Gentiloni se ne allontana con garbo. Buon giocatore di tennis, è un campione del rovescio smorzato. E si vede. So bene che non avrebbe voluto mettere la fiducia nel voto sulla legge elettorale: la fiducia è uno strappo e lui è uomo di rammendo, un orlo lampo costituzionale. Così nella risposta si muove come un drone d'altura. «Penso che avere una legge elettorale faciliti il funzionamento compiuto del nostro sistema democratico.» Lo hanno paragonato ad Arnaldo Forlani e qui ci sta tutto. «Avevamo un vuoto da colmare» aggiunge. «Tutti correranno per vincere. Il problema si porrà dopo le elezioni. Speriamo bene…»

Si dice che se il centrosinistra avesse la maggioranza, Gentiloni potrebbe restare a palazzo Chigi per un governo di larghe intese con Berlusconi. Al quale l'uomo sta simpatico, nonostante da ministro delle Comunicazioni fosse un suo gran nemico. «Ho il massimo rispetto per Berlusconi, ma il centrosinistra deve vincere le elezioni.» Sorride, e non aggiunge sillaba.

E la fronda anti-Renzi nel Pd? La Gioconda non avrebbe risposto meglio.

Mentre ci salutiamo gli chiedo: che impressione le fa essere più popolare di Renzi? «Penso che la sconfitta nel referendum abbia dato al profilo di Renzi un carattere divisivo che gradualmente sarà riparato.» E lei, Gentiloni? «Io mi sono ritagliato un ruolo rassicurante, e un profilo rassicurante è sempre meno divisivo. Questo non vuol dire che abbia più amici e meno nemici di Matteo…»

Però la sfiducia al governatore della Banca d'Italia Ignazio Visco li ha divisi davvero, forse per la prima volta.

Abbiamo già visto le dure reazioni di Renzi. E non a caso, il 27 ottobre 2017, quattro eminenti esponenti renziani del governo (i ministri Delrio, Martina, Lotti e il sottosegretario alla Presidenza Boschi) hanno disertato, con un gesto forte, la seduta del Consiglio dei ministri che ha sottoposto al presidente della Repubblica la conferma di Visco, formalizzata lo stesso giorno. Da allora il governo Gentiloni da governo «del» Pd, come era stato definito, è diventato un governo «amico» del Pd. Nel suo sommergibile, Paolo Gentiloni si è inchiodato al periscopio.

Volumi e articoli citati

Hitler

Adolph Hitler, *Mein Leben*, trad. it. Milano, Bompiani, 1938.

–, *Mein Kampf*, introduzione di Francesco Perfetti, Milano, Il Giornale, 2016 (riproduzione facsimile della terza edizione Bompiani, 1937).

Ian Kershaw, *Hitler*, trad. it. Milano, Bompiani, 1999.

Joachim Fest, *Hitler*, trad. it. Milano, Garzanti, 1999.

August Kubizek, *The Young Hitler I knew*, London, Grenhill, 1953-2006.

William Shirer, *Storia del Terzo Reich*, trad. it. Torino, Einaudi, 1960.

Konrad Heiden, *Der Fuehrer*, Boston (MA), Houghton Miffin, 1944.

Otto Strasser, *Hitler segreto*, trad. it. Roma, De Luigi, 1944.

Oswald Spengler, *Il tramonto dell'Occidente*, trad. it. Milano, Longanesi, 2008.

Golo Mann, *Storia della Germania moderna*, trad. it. Milano, Garzanti, 1978.

Albert Speer, *Memorie del Terzo Reich*, trad. it. Milano, Mondadori, 1971.

Michael Burleigh, *Il Terzo Reich*, trad. it. Milano, Rizzoli, 2013.

Eugen Kogon, *The Theory and Practice of Hell*, New York, Farrar Straus & Giroux, 2066 (ed. or. 1952).

Raul Hilberg, *La distruzione degli ebrei in Europa*, trad. it. Torino, Einaudi, 1999.

Stalin

Alan Bullock, *Hitler e Stalin. Vite parallele*, trad. it. Milano, Garzanti, 2004.

Enzo Bettiza, *Corone e maschere*, Milano, Mondadori, 2005.

Viktor Suvorov, *Stalin, Hitler, la rivoluzione bolscevica mondiale*, trad. it. Milano, Spirali, 2000.

Martin Amis, *Koba il Terribile*, trad. it. Torino, Einaudi, 2003.
Lev Trockij, *Scritti 1929-1936*, trad. it. Milano, Mondadori, 1968.
Sergio Romano, *I confini della storia*, Milano, Rizzoli, 2003.
Emil Ludwig, *Tre ritratti di dittatori*, trad. it. Bologna, Gingko Edizioni, 2013.
Robert Conquest, *Stalin*, trad. it. Milano, Mondadori, 2002.
Antonio Ghirelli, *Tiranni*, Milano, Mondadori, 2009.
John Reed, *I dieci giorni che sconvolsero il mondo*, trad. it. Milano, Rizzoli, 2001.
Aleksandr Solženicyn, *Una giornata di Ivan Denisovič*, trad. it. Torino, Einaudi, 1962.

Mussolini

Giovanni Giuriati, *La parabola di Mussolini e il fascismo*, dattiloscritto.
Benito Mussolini, *Vita di Arnaldo*, Roma, La Fenice, 1951-62.
Pierre Milza, *Mussolini*, trad. it. Roma, Carocci, 2000.
Emilio Gentile, *Fascismo. Storia e interpretazione*, Roma-Bari, Laterza, 2005.
Alfredo Pieroni, *Il figlio segreto del Duce*, Milano, Garzanti, 2006.
Pietro Nenni, *Storia di quattro anni*, Torino, Piero Gobetti Editore, 1926.
Nino Valeri, *Giolitti*, Torino, UTET, 1971.
Renzo De Felice, *Mussolini il fascista*, Torino, Einaudi, 1967.
Denis Mack Smith, *Storia d'Italia dal 1861 al 1969*, trad. it. Bari, Laterza, 1972.
Indro Montanelli e Mario Cervi, *L'Italia del Novecento*, Milano, Rizzoli, 1998.
Giordano Bruno Guerri, *Fascisti*, Milano, Mondadori, 1995.
Gian Franco Venè, *Mille lire al mese*, Milano, Mondadori, 1988.
Arturo Carlo Jemolo, *Anni di prova*, Vicenza, Neri Pozza, 1969.
Wolfgang Schivelbusch, *3 New Deal*, trad. it. Milano, Tropea, 2008.
Emil Ludwig, *Colloqui con Mussolini*, Milano, Mondadori, 2000.
Antonio Pennacchi, *Fascio e martello*, Roma-Bari, Laterza, 2008.
Emilio Gentile, *Fascismo di pietra*, Roma-Bari, Laterza, 2007.
Renzo De Felice, *Mussolini il duce*, 2 voll., Torino, Einaudi, 1974-81.
Gaetano Salvemini, *No al fascismo*, Torino, Einaudi, 1957.
De Begnac, Yvon, *Palazzo Venezia. Storia di un regime*, Roma, La Rocca, 1950.
Giorgio Rochat, *Le guerre italiane 1935-1943*, Torino, Einaudi, 2005.
Nicola Labanca, *Oltremare*, Bologna, il Mulino, 2002.
Angelo Del Boca, *La guerra d'Etiopia*, Milano, Longanesi, 2010.

Margherita Sarfatti, *Dux,* Milano, Mondadori, 1926.
Edvige Mussolini, *Mio fratello Benito,* Firenze, La Fenice, 1957.
Quinto Navarra, *Memorie del cameriere di Mussolini,* Milano, Longanesi, 1947.
Romano Mussolini, *Il Duce mio padre,* Milano, Rizzoli, 2004.
Bruno Giovanni Lonati, *Quel 28 aprile. Mussolini e Claretta. La verità,* Milano, Mursia, 1994.
Luciano Garibaldi, *La pista inglese. Chi uccise Mussolini e la Petacci?,* Roma, Ares, 2002.

Franco

Antonio Ghirelli, *Tiranni,* Milano, Mondadori, 2009.
Joaquín Arrarás, *Il generalissimo Franco,* trad. it. Milano, Bompiani, 1937.
Ernest Hemingway, *Per chi suona la campana,* trad. it. Milano, Mondadori, 1945.
Gerald Brenan, *The Spanish Labyrinth,* Cambridge, University Press-New York, The Macmillan Company, 1943.
Paul Preston, *The Spanish Holocaust,* New York, HarperCollins, 2011.
Galeazzo Ciano, *Diario 1937-1943,* Roma, Castelvecchi, 2014.
John F. Coverdale, *I fascisti italiani alla guerra di Spagna,* trad. it. Roma-Bari, Laterza, 1977.
Renzo De Felice, *Mussolini il duce,* Torino, Einaudi, 1981.
Elena Aga Rossi, «La politica estera dell'impero», in G. Sabbatucci e V. Vidotto (a cura di), *Storia d'Italia,* vol. IV, *Guerre e fascismo, 1914-1943,* Roma-Bari, Laterza, 1997.
Gennaro Carotenuto, *Franco e Mussolini,* Milano, Sperling & Kupfer, 2005.

Churchill

Martin Gilbert, *Churchill,* trad. it. Milano, Mondadori, 1991.
Sergio Romano, *I volti della storia,* Milano, Rizzoli, 2001.

Roosevelt

Wolfgang Schivelbusch, *3 New Deal,* trad. it. Milano, Tropea, 2008.
George Soule, *The Coming American Revolution,* New York, Macmillan, 1934.
Arthur M. Schlesinger jr, *L'età di Roosevelt,* 3 voll., trad. it. Bologna, il Mulino, 1959-1965.
Laura Laurenzi, *Liberi di amare,* Milano, Rizzoli, 2007.
John Galbraith, *Il grande crollo,* trad. it. Milano, Rizzoli, 2010.

Giuseppe Mammarella, *L'America da Roosevelt a Reagan*, Roma-Bari, Laterza, 1984.

Amity Shlaes, *L'uomo dimenticato*, trad. it. Milano, Feltrinelli, 2011.

Sergio Romano, *I volti della storia*, Milano, Rizzoli, 2001.

Paolo Mieli, *Storia e politica*, Milano, Rizzoli, 2001.

De Gaulle

Charles Williams, *De Gaulle*, trad. it. Milano, Mondadori, 1993.

Gaetano Quagliariello, *De Gaulle*, Soveria Mannelli (CZ), Rubbettino, 2012.

Sergio Romano, *Storia di Francia*, Milano, Longanesi, 2009.

–, *I volti della storia*, Milano, Rizzoli, 2001.

Kennedy

David Pitts, *Jack and Lem: John F. Kennedy and Lem Billings. The Untold Story of an Extraordinary Friendship*, Boston (MA), Da Capo Press, 2008.

Robert Dallek, JFK. *John Fitzgerald Kennedy, una vita incompiuta*, trad. it. Milano, Mondadori, 2003.

John F. Kennedy, *Perché l'Inghilterra dormì*, trad. it. Roma, Edizioni del Borghese, 1964.

Peter Collier e David Horowitz, *The Kennedys. An American Drama*, New York, Encounter Books, 2001.

Sergio Romano, *I volti della storia*, Milano, Rizzoli, 2001.

Arthur M. Schlesinger jr, *I mille giorni di John F. Kennedy alla Casa Bianca*, trad. it. Milano, Rizzoli, 1992.

Barton J. Bernstein, *The Cuban Missiles Crisis*, in «Political Science Quarterly», primavera 1980.

Mao

Edgar Snow, *Stella rossa sulla Cina*, trad. it. Torino, Einaudi, 1967.

Federico Rampini, *L'ombra di Mao*, Milano, Mondadori, 2006.

Li Zhisui, *The Private Life of President Mao*, New York, Random House, 1996.

John F. Fairbank et al., *Storia dell'Asia moderna*, vol. II: *Verso la modernità*, trad. it. Torino, Einaudi, 1974.

Jean-Luc Domenach, *Aux origines du Grand bond en avant*, Paris, Presses de la Fondation Nationale des Sciences politiques, 1982.

Jung Chang e Jon Halliday, *Mao, la storia sconosciuta*, trad. it. Milano, Longanesi, 2006.

Antonio Ghirelli, *Tiranni*, Milano, Mondadori, 2009.

Jasper Becker, *La rivoluzione della fame*, trad. it. Milano, il Saggiatore, 1998.

Alberto Moravia, *La rivoluzione culturale in Cina*, Milano, Bompiani, 1967.

Maria Antonietta Macciocchi, *Dalla Cina*, Milano, Feltrinelli, 1971.

Tan Hecheng, *The Killing Wind*, Oxford, Oxford University Press, 2016.

Laura Laurenzi, *Amori e furori*, Milano, Rizzoli, 2000.

Fernando Mezzetti, *Mao Zedong in privato*, www.dissensiediscordanze.it.

Castro

Fidel Castro e Ignacio Ramonet, *Autobiografia a due voci*, trad. it. Milano, Mondadori, 2007.

Juan Reinaldo Sánchez e Axel Gylden, *La vida oculta de Fidel Castro*, Barcelona, Grupo Planeta, 2014.

Reagan

Giuseppe Mammarella, *L'America di Reagan*, Roma-Bari, Laterza, 1988.

Thatcher

Antonio Caprarica, *Ci vorrebbe una Thatcher*, Milano, Sperling & Kupfer, 2013.

Trump

Mattia Ferraresi, *La febbre di Trump*, Venezia, Marsilio, 2016.

Gennaro Sangiuliano, *Trump*, Milano, Mondadori, 2017.

Donald Trump, *L'arte di fare affari*, trad. it. Milano, Sperling & Kupfer, 1989.

Samuel Huntington, *Lo scontro delle civiltà e il nuovo ordine mondiale*, trad. it. Milano, Garzanti, 1996.

George Beahm, *Trump Talk. Donald Trump in His Own Words*, New York, Adams Media, 2016.

Hillary Clinton, *What Happened*, New York, Simon & Schuster, 2017.

Putin

Emmanuel Carrère, *Limonov*, trad. it. Milano, Adelphi, 2014.

Gennaro Sangiuliano, *Putin. Vita di uno zar*, Milano, Mondadori, 2015.

Vladimir Putin, con Nataliya Gevorkyan, Natalya Timakova e Andrei Kolesnikov, *First Person: An Astonishingly Frank Self-Portrait by Russia's President Vladimir Putin*, Washington, PublicAffairs, 2000.

Sergio Romano, *Putin e la ricostruzione della grande Russia*, Milano, Longanesi, 2016.

Merkel

Marion Van Renterghem, *Angela Merkel. L'ovni politique*, Paris, Les Arènes, 2017.

Gertrud Höhler, *Die Patin, wie Angela Merkel Deutschland umbaut*, Zürich, Orell Füssli, 2012 (trad. it. *Sistema Merkel. Come la cancelliera mette in pericolo la Germania e l'Europa*, Roma, Castelvecchi, 2012).

Ralf Georg Reuth e Günther Lachmann, *Das erste Leben der Angela M.*, München, Piper, 2013.

Xi Jinping

Li Junru, *The Chinese Path and the Chinese Dream*, Beijing, Foreign Languages Press, 2016.

Xi Jinping, *Governare la Cina*, trad. it. Firenze, Giunti, 2016.

De Gasperi

James Byrnes, *Carte in tavola*, trad. it. Milano, Garzanti, 1948.

Indro Montanelli, *Incontri*, Milano, Rizzoli, 1961.

Giovanni Artieri, *Tre ritratti politici e quattro attentati*, Roma, Atlante, 1953.

Alcide De Gasperi, *Cara Francesca*, a cura di Maria Romana De Gasperi, Brescia, Morcelliana, 2000.

Giulio Andreotti, *De Gasperi visto da vicino*, Milano, Rizzoli, 1986.

Maria Romana De Gasperi, *De Gasperi, uomo solo*, Milano, Mondadori, 1964.

Indro Montanelli e Mario Cervi, *L'Italia del Novecento*, Milano, Rizzoli, 1998.

Andrea Riccardi, *Pio XII e De Gasperi, una storia segreta*, Roma-Bari, Laterza, 2003.

Piero Craveri, *De Gasperi*, Bologna, il Mulino, 2006.

Togliatti

Giorgio Bocca, *Palmiro Togliatti*, Bari, Laterza, 1973.

Indro Montanelli e Mario Cervi, *L'Italia del Novecento*, Milano, Rizzoli, 1998.

Simona Colarizi, *La seconda guerra mondiale e la Repubblica*, Torino, UTET, 1984.

Elena Aga Rossi e Victor Zaslavsky, *Togliatti e Stalin*, Bologna, il Mulino, 1997.

Aldo Natoli, *Antigone e il prigioniero*, Roma, Editori Riuniti, 1990.

Renato Mieli, *Togliatti 1937*, Milano, Rizzoli, 1964.

Bruno Vespa, *Vincitori e vinti*, Milano, Mondadori, 2005.

Laura Laurenzi, *Amori e furori*, Milano, Rizzoli, 2000.

Gianni Corbi, *Nilde*, Milano, Rizzoli, 1993.

Daniela Pasti, *I comunisti e l'amore*, Roma, I libri dell'Espresso, 1979.

Miriam Mafai, *Botteghe Oscure addio*, Milano, Mondadori, 1996.

Paolo Spriano, *Le passioni di un decennio. 1946-1956*, Milano, Garzanti, 1986.

Aldo Agosti, *Palmiro Togliatti*, Torino, UTET, 1956.

Victor Zaslavsky, *Lo stalinismo e la sinistra italiana*, Milano, Mondadori, 2004.

Craxi

Italo Pietra, *E adesso Craxi*, Milano, Rizzoli, 1990.

Antonio Ghirelli, *Effetto Craxi*, Milano, Rizzoli, 1982.

Gianluca Falanga, *Spie dell'Est. L'Italia nelle carte segrete della Stasi*, Roma, Carocci, 2014.

Ernesto Galli della Loggia, *Credere, tradire, vivere*, Bologna, il Mulino, 2016.

Antonio Tatò, *Caro Berlinguer*, Torino, Einaudi, 2003.

Enzo Bettiza, *Corone e maschere*, Milano, Mondadori, 2005.

Bettino Craxi, *La notte di Sigonella*, a cura della Fondazione Craxi, Milano, Mondadori, 2015.

Bruno Vespa, *Il cuore e la spada*, Milano, Mondadori-Rai Eri, 2010.

Berlinguer

Chiara Valentini, *Il compagno Berlinguer*, Milano, Mondadori, 1985.

Daniela Pasti, *I comunisti e l'amore*, Roma, I libri dell'Espresso, 1979.

Chiara Valentini, *Berlinguer il segretario*, Milano, Mondadori, 1987.

Ugo Finetti, *Botteghe Oscure. Il Pci di Berlinguer & Napolitano*, Roma, Ares, 2016.

Valerio Riva, *Oro da Mosca*, Milano, Mondadori, 1999.

Giuseppe Fiori, *Vita di Enrico Berlinguer*, Roma-Bari, Laterza, 1989.

Antonio Tatò, *Caro Berlinguer*, Torino, Einaudi, 2003.

Armando Cossutta, *Lo strappo*, Milano, Mondadori, 1982.

Massimo D'Alema, *A Mosca l'ultima volta*, Roma, Donzelli, 2004.

Moro

Bruno Vespa, *Storia d'Italia da Mussolini a Berlusconi*, Milano, Mondadori-Rai Eri, 2004.

Mario Moretti, Carla Mosca e Rossana Rossanda, *Brigate rosse. Una storia italiana*, Milano, Mondadori, 2007.

Aldo Moro, *Lettere dalla prigionia*, a cura di Miguel Gotor, Torino, Einaudi, 2008.

Italo Pietra, *Moro, fu vera gloria?*, Milano, Garzanti, 1983.

Giorgio Campanini, *Aldo Moro*, Roma, Il poligono, 1982.

Aldo Moro, *L'intelligenza e gli avvenimenti*, Milano, Garzanti, 1979.

Fanfani

Francesco Malgeri (a cura di), *Storia della Democrazia cristiana*, 5 voll., Roma, Cinque Lune, 1987-1989.

Bruno Vespa, *L'amore e il potere*, Milano, Mondadorii-Rai Eri, 2007.

Andreotti

Bruno Vespa, *Storia d'Italia da Mussolini a Berlusconi*, Milano, Mondadori-Rai Eri, 2004.

AA.VV., *La vera storia d'Italia*, a cura di Silvestro Montanari e Sandro Ruotolo, Napoli, Tullio Pironti, 1995.

Oriana Fallaci, *Intervista con la storia*, Milano, Rizzoli, 1977.

Massimo Franco, *Andreotti*, Milano, Mondadori, 2008.

Ruggero Orfei, *L'occupazione del potere. I democristiani '45-75*, Milano, Longanesi, 1976.

Renzi

Ferruccio de Bortoli, *Poteri forti (o quasi)*, Milano, La nave di Teseo, 2017.

Berlusconi

Bruno Vespa, *Il cambio*, Milano, Mondadori, 1994.

–, *Nel segno del Cavaliere*, Milano, Mondadori-Rai Eri, 2010.

Alan Friedman, *Ammazziamo il Gattopardo*, Milano, Rizzoli, 2014.

Grillo

Andrea Scanzi, *Ve lo do io Beppe Grillo*, Milano, Mondadori, 2012.

Paolo Ceri e Francesca Veltri, *Il Movimento nella Rete. Storia del Movimento 5 Stelle*, Torino, Rosenberg & Sellier, 2017.

Piergiorgio Corbetta, *M5S. Come cambia il partito di Grillo*, Bologna, il Mulino, 2017.

Referenze iconografiche

Quando, a metà dell'opera, ho detto a Nicoletta Lazzari, mia amata editor da vent'anni, che mi sarebbe piaciuto aprire le sezioni di questo libro con vignette in qualche modo storiche, le è venuto un accidente. La ricerca, i diritti, le difficoltà tecniche di stampa... E già, perché questo libro, stampato e diffuso con la rapidità di un settimanale (un settimanale rilegato di cinquecento pagine), non consente lavorazioni separate. Va in macchina tutto insieme d'un colpo, e alle figure non si possono prestare particolari attenzioni. Se il lettore non se ne accorge (e non se ne accorge) è per la bravura dei miei amici stampatori di Cles. Ma se le vignette sono nel libro, è merito – tra i tanti – di Nicoletta che, come ogni anno, ha diretto il suo magnifico gruppo di lavoro senza sbagliare un tempo e una nota.

Grazie anche a Paola Miletich per l'aiuto nelle ricerche e ad Anna Campi per la pazienza.

INDICE DEI NOMI

Mondadori Libri S.p.A.

Questo volume è stato stampato
presso ELCOGRAF S.p.A.
Stabilimento - Cles (TN)

Stampato in Italia - Printed in Italy